WELSH
DICTIONARY

D1642943

WELSH

DICTIONARY

Edwin C. Lewis
M.Ed., Ph.D.
Consultant Editor Cennard Davies M.A.

Hodder & Stoughton

A MEMBER OF THE HODDER HEADLINE GROUP

British Library Cataloguing in Publication Data

Lewis, Edwin C.
  Welsh Dictionary.—(Teach Yourself Series)
  I. Title   II. Davies, Cennard   III. Series   491.66321

  ISBN 0 340 57212 4

First published 1992

Impression number	13	12	11	10	9	8	7	6	5
Year	1999	1998	1997	1996	1995				

Typeset by Litho Link Ltd, Welshpool, Powys
Printed in Great Britain for Hodder & Stoughton Educational,
a division of Hodder Headline Plc, 338 Euston Road, London NW1 3BH
by Cox & Wyman Ltd, Reading, Berks.

CYNNWYS
CONTENTS

FOREWORD
RHAGAIR

The *Teach Yourself Welsh Dictionary* is a modern dictionary specifically designed for use by Welsh learners. The Welsh-English section is based on a basic vocabulary formulated to meet their particular needs. It differs significantly from the traditional type of dictionary, in as much as it also contains mutated forms of nouns, verbs, adjectives and prepositions integrated into the main alphabetical structure. Learners thereby are able to trace the standard form of a mutated word without difficulty. Irregularly formed plural nouns are systematically included, and each Welsh verb is complete with its first person singular form in the present tense. In addition, many of the prepositions governed by various verbs are included.

An attempt has been made to supply sufficient grammatical detail with each entry in the English-Welsh section to facilitate cross-reference and easy access to the fuller definition in the Welsh-English section.

Throughout, the dictionary is well illustrated with examples of language in action, with an emphasis on Welsh idiomatic usage.

The supplement contains a short introduction to some of the salient features of Welsh grammar including the conjugation of verbs and prepositions, the comparison of adjectives, forms of personal pronouns, and a summary of the main rules of consonantal mutation.

I am indebted to Mr Cennard Davies, M.A., for his sustained interest and encouragement during the preparation of the work, for reading the manuscript, and for his many valuable suggestions.

I gratefully acknowledge that a section of the dictionary was awarded First Prize at the 1989 Llanrwst National Eisteddfod. Its completion was commissioned by the Eisteddfod Council, and it is now published by kind permission of the National Eisteddfod Court.

Edwin C. Lewis.

August 1992.
Llangyfelach,
SWANSEA.

GEIRIADUR
Cymraeg–Saesneg

BYRFODDAU
ABBREVIATIONS

a.	ansoddair	*adjective*
a.b.	ansoddair benywaidd	*feminine adjective*
ad.	adferf	*adverb*
a.g.	ansoddair gwrywaidd	*masculine adjective*
ardd.	arddodiad	*preposition*
At.	Atodiad	*Supplement, Appendix*
b.	benywaidd	*feminine*
be.	berfenw	*verb-noun* (followed in brackets by the first person present form)
bf.	berf	*verb*
c.	cysylltair	*conjunction*
D.C.	De Cymru	*South Wales (S.W.)*
e.b.	enw benywaidd	*feminine noun*
*e.b.g.	enw benywaidd/gwrywaidd	*feminine/masculine noun*
ebych.	ebychiad	*interjection*
e.e.	er enghraifft	*for example*
e.g.	enw gwrywaidd	*masculine noun*
* *e.g.b.*	enw gwrywaidd/benywaidd	*masculine/feminine noun*
e.ll.	enw lluosog	*plural noun*
e.torf.	enw torfol	*collective noun*
g.	gwrywaidd	*masculine*
G.C.	Gogledd Cymru	*North Wales (N.W.)*
geir.	geiryn	*particle*
geir. gof.	geiryn gofynnol	*interrogative particle*
geir. perth.	geiryn perthynol	*relative particle*
gw.	gweler	*see*
lit.		*literally*
ll.	lluosog	*plural*
N.W.		*North Wales dialect*
[pron.]		*[pronounced]*
rhag.	rhagenw	*pronoun*
rhagdd.	rhagddodiad	*prefix*
rhag. gof.	rhagenw gofynnol	*interrogative pronoun*
rhag. perth.	rhagenw perthynol	*relative pronoun*
S.W.		*South Wales dialect*
S.W.W.		*South West Wales dialect*
y fan.	Y fannod	*definite article*
ymad. ad.	ymadrodd adferfol	*adverbial phrase*

* The gender of some nouns varies in different dialects. e.g.
munud (*minute*); llygad (*eye*)

a *geir. gof. o flaen berf (interrogative particle before a verb);* **A oes heddwch?** Is there peace?

a *rhag. perth. (followed by soft mutation)* who, whom, which, (**a** *is often omitted in everyday speech, but the mutated form of the verb remains):* **Y ferch a welais** The girl whom I saw; **y llyfr a ddarllenais** the book which I read.

a:ac [**ac** *pron.* **ag**] *c.* (**a** *before a consonant,* **ac** *before a vowel;* **a** *followed by spirant mutation*) and: **du a gwyn** black and white. **pensil a phapur** pencil and paper. **afal ac oren** apple and orange.

â *bf.* he/she/it goes; *gw.* **mynd.**

â: ag 1 *ardd.* (**â** *before a consonant,* **ag** *before a vowel;* **â** *followed by spirant mutation*) with (*an instrument*), by means of: **torri cig â chyllell** cutting meat with a knife; **crynu ag ofn** shivering with fear. **2** *c.* (**â** *before a consonant,* **ag** *before a vowel;* **â** *followed by spirant mutation*) as; **cyn goched â thân** as red as fire; **mor ysgafn â phluen** as light as a feather; **mor wyn ag eira** as white as snow.

aber *e.g.b.* *ll.* **-oedd** estuary, mouth of river; confluence; stream.

aberth *e.g.b.* *ll.* **-au** sacrifice.

aberthu *be.* (**aberthaf**) to sacrifice.

absennol *a.* absent.

ac *gw.* **a.**

acen *e.b.* *ll.* **-nau, -ion** accent; intonation.

act *e.b.* *ll.* **-au** act; statute.

actio *be.* (**actiaf**) to act.

acw: cw *ad.* (**cw** *in everyday speech*) there, yonder.

achlysur *e.g.* *ll.* **-on** occasion; cause, opportunity.

achos 1 *e.g.* *ll.* **-ion** reason, cause; action; case, factor. **2** *ardd.* because, for.

achosi *be.* (**achosaf**) to cause.

achub *be.* (**achubaf**) to save: **achub bywyd** to save life; **achub cyfle** to seize an opportunity.

adael *gw.* **gadael.**

adain *e.b.* *ll.* **adanedd** wing; *gw.* **aden.**

adanedd *gw.* **adain.**

adar *gw.* **aderyn.**

adeg *e.b.* *ll.* **-au** opportunity; period of time; **adeg y Nadolig** Christmas time; **ar adegau** at (certain) times.

adeilad *e.g.* *ll.* **-au** building.

adeiladu *be.* (**adeiladaf**) to build, to construct.

adeiladwr *e.g.* *ll.* **adeiladwyr** builder.

aden *e.b.* *ll.* **-ydd** wing; *gw.* **adain.**

adenydd *gw.* **aden.**

aderyn *e.g.* *ll.* **adar** bird.

adfer *be.* (**adferaf**) to return; to revive; to restore *(to health, former condition, etc.).*

adferf *e.b.* *ll.* **-au** adverb.

adlais *e.g.* *ll.* **adleisiau** echo.

adleisiau *gw.* **adlais.**

adloniannau *gw.* **adloniant.**

adloniant *e.g.* *ll.* **adloniannau** entertainment; recreation.

adnabod *be.* (**adnabyddaf**) to recognise; to be familiar with; to identify; to know *(person or place);* to diagnose.

adnod *e.b.* *ll.* **-au** verse *(in Bible);* clause; section

adran *e.b.* *ll.* **-nau** division, section; department: **Adran Addysg** Education Department.

adref *ad.* homewards.

adrodd *be.* (**adroddaf**) to relate; to recite; to report.

adroddiad *e.g.* *ll.* **-au** account, report; recitation; narration.

addas *a.* fitting, suitable, proper.

addewid *e.g.b.* *ll.* **-ion** promise.

addo (i), *be.* (**addawaf**) to promise: **Addewais iddo y byddwn yn mynd.** I promised him that I would go.

addoldai *gw.* **addoldy.**

addoldy *e.g.* *ll.* **addoldai** place of worship.

5

addoli *be* **(addolaf)** to worship.
addoliad *e.g. ll.* -au worship;
religious service.
addysg *e.b. ll.* -au learning,
knowledge; education, instruction:
addysg grefyddol religious
education; **addysg
gynradd** primary education;
addysg uwchradd secondary
education.
aeaf *gw.* **gaeaf.**
aeddfed *a.* ripe, mature.
ael *e.b. ll.* -iau brow.
aelod *e.g. ll.* -au limb; member:
Aelod Seneddol Member of
Parliament.
aelodaeth *e.b.* membership.
aelwyd *e.b. ll.* -ydd hearth; home.
aer 1 *e.g.* air, atmosphere. 2 *e.g. ll.*
-(i)on heir.
aeres *e.b. ll.* -au heiress.
aerion *gw.* **aer.**
aeron *gw.* **aer, aeronen.**
aeronen *e.b. ll.* **aeron** berry, fruit.
aeth *gw.* **mynd.**
afael *gw.* **gafael.**
afal *e.g. ll.* -au apple.
afan(s)en *e.b. ll.* **afan(s)** raspberry
(S.W.).
afiach *a.* unhealthy, sick; dirty,
unwholesome.
afiechyd, *e.g. ll.* -on disease,
illness.
afon, *e.b. ll.* -ydd river;
straits: **Afon Tawe** River Tawe;
Afon Menai Menai Straits.
afonydd *gw.* **afon.**
afr *gw.* **gafr.**
agor *be.* **(agoraf)** to open.
agored *a.* open; unobstructed; liable.
agoriad, *e.g. ll.* -au key *(N.W.)*;
opening, aperture: **agoriad
llygad** eye-opener.
agos *a.* (at *person,* i *place*) near; *gw.*
At. Ansoddeiriau.
agosach *gw.* **agos.**
agosaf, *gw.* **agos.**
agosáu (at, i) *be.* **(agosâf)** to draw
near to, to approach; **agosáu at**
(person); **agosáu i** *(place).*
agosed *gw.* **agos.**
angau *e.g. ll.* **angheuoedd** death.
angel *e.g. ll.* **angylion, engyl** angel;
angenrheidiau *gw.* **anghenraid.**
angenrheidiol *a.* necessary.
anghenraid *e.g. ll.* **angenrheidiau**
necessity.
angheuoedd *gw.* **angau.**
anghofio *be.* **(anghofiaf)** to forget.

anghyfarwydd *a.* unfamiliar,
unaccustomed; **anghyfarwydd â**
unfamiliar with, unaccustomed to.
anghywir *a.* inaccurate, wrong; false.
angladd *e.g.b. ll.* -au funeral.
angylion *gw.* **angel**
ai 1 *geir. gof. heb dreiglad ar ei ôl, a
geir o flaen enw, rhagenw, berfenw
ac ansoddair (interrogative particle
not followed by mutation, and used
before a noun, pronoun, verb-noun,
or adjective) (ai is often omitted in
spoken Welsh):* **Ai te sy'n y
cwpan?** Is it tea in the cup? **Ai Twm
sy yno?** Is it Twm that's there?
2 *c.* either . . . or; **naill ai Marc neu
Ioan** Either Marc or Ioan.
âi *bf.* he/she/it was going/would go/
used to go; *gw.* **mynd.**
ail *a. (followed by soft mutation)*
second; like, similar: **yr ail
fachgen** the second boy; **yr ail
dŷ** the second house; **yr ail
gadair** the second chair; **heb (ei)
ail** unequalled; **bob (yn)
ail** alternate, alternately.
ail *rhagdd.* re-, second; secondary;
ail achos secondary cause;
ailadroddiad repetition;
ailfeddwl second thought,
afterthought; **ailgyfrif** a recount;
ail-law second-hand; **ailystyried** to
reconsider.
ailgylchu *be.* **(ailgylchaf)** to recycle.
air *gw.* **gair.**
alar *gw.* **galar.**
alarch *e.g. ll.* -od, **elyrch** swan.
alaw *e.b. ll.* -on. music; air, melody,
tune; lily: **alaw werin** folk tune.
Alban, Yr *eb.* Scotland.
Almaen, Yr *eb.* Germany.
alw *gw.* **galw.**
alwad *gw.* **galwad.**
alwyn *gw.* **galwyn.**
allan *ad.* out, outside.
allanfa *e.b. ll.* **allanfeydd** exit.
allanfeydd *gw.* **allanfa.**
allanol *a.* external, outward,
exterior.
allt *e.b. ll.* **elltydd** hill *(N.W.)*; cliff
(N.W.); wood *(N.W.).*
alltud *e.g. ll.* -ion exile; alien.
alltudion *gw.* **alltud.**
allu *gw.* **gallu.**
alluog *gw.* **galluog.**
allwedd *e.b. ll.* -au, -i key *(S.W.)*;
cleff.
allweddell *e.b. ll.* -au keyboard.
am 1 *ardd. (followed by soft*

mutation) (personal forms: **amdana,
amdanat, amdano/amdani,
amdanon, amdanoch,
amdanyn)** about, at, around, for,
on: **am ddeg o'r gloch** at ten
o'clock; **Galwodd am Emyr** He
called for Emyr; **am y tro** for the
time being; *gw. At. Arddodiaid.* 2
c. because, for, since; provided that.
amaethwr *e.g. ll.* **amaethwyr**
farmer; *gw.* **ffarmwr: ffermwr.**
amaethyddiaeth *e.b.* agriculture.
amau 1 *be.* **(amheuaf)** to doubt; to
suspect; to dispute. **2** *e.g. ll.*
amheuon doubt.
ambell *a. (followed by soft
mutation)* occasional; **ambell
waith** occasionally, sometimes;
ambell un an occasional one.
ambiwlans *e.g. ll.* **-ys** ambulance.
amcan *e.g. ll.* **-ion** purpose, notion,
guess.
amcanion *gw.* **amcan.**
amddiffyn 1 *be.* **(amddiffynnaf)** to
defend; to protect. **2** *e.g. ll.* **-ion**
defence.
Americanwr *e.g. ll.* **Americanwyr**
an American.
amgaeëdig *a.* enclosed.
amgáu *be.* **(amgaeaf)** to enclose; to
envelop
amgueddfa *e.b. ll.* **amgueddfeydd**
museum: **Amgueddfa
Genedlaethol** National Museum;
Amgueddfa Werin Folk Museum.
amgueddfeydd *gw* **amgueddfa.**
amgylch *e.g. ll.* **-oedd** circuit,
environs; **o amgylch** round about,
about.
amgylchedd *e.g. ll.* **-au, -ion**
environment.
amharod *a.* unprepared, unready,
unwilling.
amherffaith *a.* imperfect.
amheuon *gw.* **amau.**
amhosibl *a.* impossible.
aml *a. (followed by soft mutation)*
frequent, abundant; **aml (i) gyfle**
frequent opportunity; **gan amlaf**
most often, mostly.
amlen *e.b. ll.* **-ni** envelope.
amlenni *gw.* **amlen.**
amlosgfa *e.b. ll.* **amlosgfeydd**
crematorium.
amlosgfeydd *gw.* **amlosgfa.**
amlosgi *be.* **(amlosgaf)** to cremate.
amlwg, *a.* evident, clear, plain;
famous; prominent.
amod *e.g.b. ll.* **-au** condition; term;
proviso.

amryw *a. (followed by soft mutation)*
several; various: **amryw fath**
various kinds.
amrywiaeth *e.g. ll.* **-au** variety;
variation.
amser *e.g. ll.* **-au, -oedd** time,
period; season; tense; rhythm,
measure *(in music and poetry).*
amserau *gw.* **amser.**
amserlen *e.b. ll.* **-ni** timetable.
amseroedd *gw.* **amser.**
amynedd *e.g.* patience.
amyneddgar *a.* patient.
anabl *a.* disabled.
anabledd *eg.* disability.
anadl *[pron.* anal *in S.W.] e.g.b. ll.*
-au, -on breath.
anadlu *be.* **(anadlaf)** to breathe.
anaddas *a.* unfit, unsuitable.
anafu *be.* **(anafaf)** to receive hurt or
injury; to injure, to wound, to
mutilate.
anaml *a.* infrequency; scarce, rare.
anarferol *a.* unusual.
anawsterau *gw.* **anhawster.**
aneffeithiol *a.* ineffectual.
aneglur *a.* obscure.
anerchion *gw.* **annerch.**
anferth *a.* huge, gigantic, monstrous,
prodigious.
anfodlon *a.* unwilling, discontented.
anfoesgar *a.* rude, ill-mannered.
anfon *be.* **(i** *place,* **at** *person)*
(anfonaf) to send; to transmit.
anffodus *a.* unfortunate.
anhapus *a.* unhappy; unlucky.
anhawster *e.g. ll.* **anawsterau**
difficulty.
anhwyldeb *e.g. ll.* **-au** sickness.
anhwylder *e.g. ll.* **-au** sickness.
anhwylus *a.* unwell; inconvenient.
anialwch *e.g.* desert, wilderness.
anifail *e.g. ll.* **anifeiliaid** animal,
beast.
anifeiliaid *gw.* **anifail.**
anlwcus *a.* unlucky.
annerch 1 *be.* **(anerchaf)** to greet; to
address. **2** *e.g. ll.* **anerchion**
greetings
anerchiadau addresses, speeches.
annhebyg *a.* unlike, dissimilar,
different.
annheg *a.* unfair, unjust.
annheilwng *a.* unworthy.
anniben *a.* untidy.
annibyniaeth *e.b.* independence.
Annibynnwr *e.g. ll.* **Annibynwyr**
Independent, Congregationalist.
annoeth *a.* unwise.

annwyd

arogli

annwyd *e.g. ll.* -au, -on cold,
chill: **Mae annwyd arno fe(fo)** He
has a cold.
annwyl *a. (when the adjective
precedes the noun soft mutation
occurs)* dear, beloved; precious.
Annwyl Blant Dear Children.
Annwyl Gyfaill Dear Friend *(used to
begin a speech or a letter);* **anwylyd**
darling.
anochel *a.* unavoidable, inevitable.
anodd *a.* difficult, hard.
anos *a.* more difficult, harder.
anrheg *e.g. ll.* -ion gift, present.
anrhydedd *e.g. ll.* -au honour.
ansicr *a.* uncertain, doubtful.
ansicrwydd *e.g.* uncertainty, doubt.
ansoddair *e.g. ll.* **ansoddeiriau**
adjective.
ansoddeiriau *gw.* **ansoddair.**
antur *e.g.b. ll.* -iau, -iaethau
adventure; danger, risk.
anturus *a.* adventurous.
anweledig *a.* invisible, unseen.
anwes *e.g. ll.* -au fondness,
pampering, fondling; indulgence:
anifail anwes pet.
anwesu *be.* **(anwesaf)** to fondle, to
cherish
anwiredd *e.g. ll.* -au untruth,
iniquity.
anwyd *gw.* **ganwyd.**
anwylaf 1 *a.* dearest. 2 *e.g.* beloved
one.
anwyliaid *e.ll.* beloved ones.
ar *ardd. (followed by soft mutation)
(personal forms:* **arna, arnat, arno/
arni, arnon arnoch, arnyn).** on,
upon; by, in, at: **ar fynydd Epynt** on
Epynt mountain; **ar lawr y gegin** on
the kitchen floor; **ar hap a
damwain** by chance; *gw. At.
Arddodiaid.*
araf *a.* slow, leisurely.
yn araf deg slowly, gently; by
degrees.
arafu *be.* **(arafaf)** to slow, to retard, to
decelerate.
araith *e.b. ll.* **areithiau** speech,
address.
arall *a. ll.* **eraill** another, other, else:
bachgen arall another boy;
bechgyn eraill other boys.
arbed *be.* **(arbedaf)** to spare, to save;
arbed amser to save time.
arbennig *a.* specialist, distinct.
arch 1 *e.b. ll.* **eirchion** request,
petition. 2. *e.b. ll.* **eirch.** coffin, ark.
arch- *rhagdd.* chief, principal, high,

arch-; worst: **archesgob**
archbishop; **archdderwydd**
archdruid; **archoffeiriad** chief
priest; **archelyn** worst enemy.
archeb *e.b. ll.* -ion order *(especially
for goods).*
archebu *be.* **(archebaf)** to order.
archfarchnad *e.b. ll.* -oedd
hypermarket.
ardal *e.b. ll.* -oedd region, district,
area.
ardd *gw.* **gardd.**
arddangosfa *e.b. ll.*
arddangosfeydd show, exhibition.
ardderchog *a.* excellent, splendid.
arddio *gw.* **garddio.**
arddodiad *e.g. ll.* **arddodiaid**
preposition.
arddodiaid *gw.* **arddodiad.**
arddwr *gw.* **garddwr.**
arddwrn *e.g. ll.* **arddyrnau** wrist.
areithiau *gw.* **araith.**
arf *e.g.b. ll.* -au weapon; tool;
arfau arms.
arfer 1 *be.* **(arferaf)** to use; to
practise; to accustom; to partake of.
2 *e.g.b. ll.* - ion usage, custom,
practice; rule; habit.
arferion *gw.* **arfer.**
arferol *a.* usual, customary.
arfog *a.* armed.
arfordir *e.g. ll.* -oedd sea-coast,
maritime district.
arglwydd *e.g. ll.* -i lord: **Tŷ'r
Arglwyddi** House of Lords.
arglwyddes *e.b. ll.* -au lady.
arglwyddi *gw.* **arglwydd.**
argraff *e.b. ll.* -iadau, -au
impression, imprint.
argraffiad *e.g. ll.* -au edition.
argraffu *be.* **(argraffaf)** to print, to
impress.
argymell *be.* **(argymhellaf)** to urge.
arholiad *e.g. ll.* -au examination:
arholiad llafar oral examination;
arholiad ysgrifenedig written
examination; **sefyll arholiad** to take
(sit) an examination.
arian *e.g.* silver; money, coin, cash:
arian byw quicksilver, mercury;
arian gleision small change, **arian
parod** cash; **arian pen** exact
money; **arian poced** pocket money.
arllwys *be.* **(arllwysaf)** to pour, to
empty: **arllwys y glaw** to pour with
rain *(S.W.).*
arogl *e.g. ll.* -au scent, perfume
(N.W.).
arogli: aroglu *be.* **(aroglaf)** to scent,

to smell *(N.W.).*

aros (am) *be.* **(arhosaf)** to wait (for), to stay; to stop, to remain.

arth *e.g. ll.* **eirth** bear.

arw *gw.* **garw.**

arwain *be.* **(arweiniaf)** to lead, to guide, to conduct.

arweinydd *e.g. ll.* **-ion** leader, guide, conductor.

asesu *be.* **(asesaf)** to assess.

asgellwr *e.g. ll.* **asgellwyr** wing: **blaenasgellwr** flanker *(rugby).*

asgwrn *e.g. ll.* **esgyrn** bone.

asiant *e.g. ll.* **-au** agent.

asiantaeth *e.b. ll.* **-au** agency.

asyn *e.g. ll.* **-nod** ass, donkey.

asynnod *gw.* **asyn.**

at *ardd. (followed by soft mutation) personal forms:* **ata, atat, ato/ati, aton, atoch, atyn)** to, towards, for, at, by; *gw.* **At. Arddodiaid.**

atal *(rhag), be.* **(ataliaf)** to stop; to prevent; to withhold: **atal dweud** to stammer.

ateb 1 *be.* **(atebaf)** to answer, to reply. **2** *e.g. ll.* **-ion** answer, reply.

atebion *gw.* **ateb.**

atgoffa *be.* **(atgoffaf)** to recall, to remind.

atodiad *e.g. ll.* **-au.** appendix.

atyniadol *a.* attractive.

athrawes *e.b. ll.* **-au** female teacher.

athrawon *gw.* **athro.**

athro *e.g. ll.* **athrawon** teacher; professor: **yr Athro Thomas Parry** Professor Thomas Parry.

aur *e.g.* gold.

awdur *e.g. ll.* **-on** author.

awduraeth *e.b. ll.* **-au** authorship.

awdurdod *e.g.b. ll.* **-au** authority: **awdurdod iechyd** health authority.

awduron *gw.* **awdur.**

awel *e.b. ll.* **-on** breeze.

awelon *gw.* **awel.**

awgrymu *be.* **(awgrymaf)** to suggest.

awn *bf.* we go. *gw.* **mynd.**

awr *e.b. ll.* **oriau** hour; time.

Awst *e.g.* August.

awyddus *a.* desirous, eager, zealous: **yn awyddus i fynd** eager to go.

awyr *e.b.* air; sky: **awyr agored** open air; **awyr iach** fresh air.

awyren *e.b. ll.* **-nau** aeroplane.

9

ba *gw.* pa.
bab *gw.* pab.
baban *e.g. ll.* -od baby.
babanaidd *a.* babyish, childish, puerile.
babell *gw.* pabell.
babi *e.g.* baby; *gw.* pabi.
babydd *gw.* pabydd.
bac *gw.* pac.
baced *gw.* paced.
bacio *be.* (baciaf) to back; to move backward; to bet (on): **bacio car** to reverse a car; **bacio ceffyl** to bet on success of a horse; *gw.* pacio.
bach 1 *e.g. ll.* -au hook, hinge. 2 *a.* small, little; dear: **araf bach** slowly, very slow; **bore bach** very early morning, crack of dawn.
bachau *gw.* bach; bachyn.
bachgen *e.g. ll.* bechgyn boy.
bachgennaidd *a.* boyish, childish, puerile.
bachu *be.* (bachaf) to hook, to grapple.
bachyn *e.g. ll.* bachau hook.
bad *e.g. ll.* -au boat; **bad achub** lifeboat.
badell *gw.* padell.
bader *gw.* pader.
bae *e.g. ll.* -au bay; **Bae Abertawe** Swansea Bay.
baent *gw.* paent.
bafiliwn *gw.* pafiliwn.
bafin *gw.* pafin.
bag *e.g. ll.* -iau bag.
bagan *gw.* pagan.
bagiau *gw.* bag.
bai *e.g. ll.* beiau fault, blame; defect.
baich *e.g. ll.* beichiau load, burden.
bais *gw.* pais.

bâl *gw.* pâl.
balas *gw.* palas.
balch *a.* proud, fine, stately; glad: **Roedd e'n falch ein gweld ni** He was glad to see us.
balchder *e.g.* pride, glory.
baled *e.b. ll.* -i ballad.
baledwr *e.g. ll.* baledwyr composer of ballads, ballad-monger.
balot *e.g. ll.* -au ballot.
balu *gw.* palu.
balŵn *e.b. ll.* balwnau balloon.
ballu *gw.* pallu.
bamffled *gw.* pamffled.
ban *e.g.b. ll.* -nau peak, mountain, beacon, height; top, summit; corner, quarter; arm, branch; verse, section of line: **Bannau Brycheiniog** Brecon Beacons; **o bedwar ban y byd** from the four corners of the world.
banana *e.g. ll.* -s, bananâu banana.
banasen *gw.* panasen.
banc 1 *e.g. ll.* -iau bank; **gŵyl banc** bank holiday. 2 *e.g. ll.* bencydd mound, bank, hillock.
bancio *be.* (banciaf) to bank.
band *e.g. ll.* -au, -iau band: binding: **band pres** brass band.
banel *gw.* panel.
baner *e.b. ll.* -i banner, flag.
bannas *gw.* panasen.
bannau *gw.* ban.
bannod *e.b. ll.* banodau 1 line, clause, part; 2 definite article *gw.* y, yr, 'r.
banodau *gw.* bannod.
bant *gw.* pant.
bapur *gw.* papur.
bapuro *gw.* papuro.
bar *e.g. ll.* -rau bar.
bâr *gw.* pâr.
bara *e.g.* bread: **bara brith** currant bread; **bara lawr** laver bread; **bara menyn** bread and butter; *gw.* para.
baragraff *gw.* paragraff.
baratoi *gw.* paratoi.
barc *gw.* parc.
barch *gw.* parch.
barchedig *gw.* parchedig.
parchu *gw.* parchu.
barchus *gw.* parchus.
bardwn *gw.* pardwn.
bardd *e.g. ll.* beirdd bard, poet.
barddoniaeth *e.b.* poetry.
barf *e.b. ll.* -au beard.
barhad *gw.* parhad.
barhau *gw.* parhau.
barn *e.b. ll.* -au opinion, judgement:

10

Dydd y Farn the Day of Judgement.
barnwr *e.g. ll.* **barnwyr** judge.
barod *gw.* **parod.**
barrau *gw.* **bar.**
barsel *gw.* **parsel.**
barti *gw.* **parti.**
bas 1 *e.g.* bass (*voice*); base; **2**
a. shallow.
Basg, Gwlad y *e.b.* the Basque
Country; *gw.* **Pasg.**
basged *e.b. ll.* **-i** basket;
basgedaid basketful.
basiant *gw.* **pasiant.**
basn *e.g. ll.* **-au, -ys** basin; **basn
siwgr** sugar basin.
basnau *gw.* **basn.**
basnys *gw.* **basn.**
baswn i *bf.* I would (be); *gw.* **bod.**
baswr *e.g. ll.* **baswyr** bass (*singer*)
bat *e.g. ll.* **-iau** bat.
batrwm *gw.* **patrwm.**
batrymau: batrynau *gw.* **patrwm.**
bath 1 *e.g. ll.* **-au** kind; bath; such a;
Dim byd o'r fath nothing of the
kind; **Welais i erioed y fath le** I
never saw such a place. **2** *a.* minted.
bathdai *gw.* **bathdy.**
bathdy *e.g. ll.* **bathdai** mint.
bathodyn *e.g. ll.* **-nau** badge.
bathu *be.* **(bathaf)** to form, to shape,
to coin, to mint: **bathu gair** to coin
a word.
baw *e.g.* dirt (*S.W.*), dung, filth,
mucus.
bawb *gw.* **pawb.**
bawd *e.g. ll.* **bodiau** thumb; big toe;
bys bawd thumb, big toe.
bawen *gw.* **pawen.**
becso *be.* **(becsaf)** to worry, to vex
(*S.W.*).
becyn *gw.* **pecyn.**
bechadur *gw.* **pechadur.**
bechan *a.b.* little, small; *gw.*
bychan.
bechgyn *gw.* **bachgen.**
bechod *gw.* **pechod.**
bechu *gw.* **pechu.**
bedair *gw.* **pedair.**
bedol *gw.* **pedol.**
bedw *gw.* **bedwen.**
bedwar *gw.* **pedwar.**
bedwaredd *gw.* **pedwaredd.**
bedwen *e.b. ll.* **bedw** birch; **gwialen
fedw** birch-rod.
bedwerydd *gw.* **pedwerydd.**
bedyddio *be.* **(bedyddiaf)** to baptise.
Bedyddiwr *e.g. ll.* **Bedyddwyr**
Baptist: **Ioan Fedyddiwr** John the
Baptist.

bedd *e.g. ll.* **-au** grave, tomb.
beg *gw.* **peg.**
begwn *gw.* **pegwn.**
beiau *gw.* **bai.**
Beibl *e.g. ll.* **-au** Bible: **Y Beibl
Cymraeg Newydd** The New Welsh
Bible.
beic *e.g. ll.* **-iau** bicycle.
beicio *be.* **(beiciaf)** to cycle.
beichiau *gw.* **baich.**
beichiog *a.* pregnant; burdened.
beidio *gw.* **peidio (â).**
beiddio *be.* **(beiddiaf)** to dare, to
venture.
beilot *gw.* **peilot.**
beint *gw.* **peint.**
beintio *gw.* **peintio.**
beintiwr *gw.* **peintiwr.**
beio *be.* **(beiaf)** to blame, to accuse,
to censure.
beirdd *gw.* **bardd.**
beiriant *gw.* **peiriant.**
beirniad *e.g. ll.* **beirniaid**
adjudicator, critic.
beirniadu *be.* **(beirniadaf)** to
adjudicate, to criticise.
beirniaid *gw.* **beirniad.**
beisiau *gw.* **pais.**
bêl *gw.* **pêl.**
belydr *gw.* **pelydr.**
bell *gw.* **pell.**
bellach *ad.* now, at length, further;
gw. **pell.**
bellaf *gw.* **pell.**
belled *gw.* **pell.**
bellter *gw.* **pellter.**
ben *gw.* **pen.**
benaethiaid *gw.* **pennaeth.**
benawdau *gw.* **pennawd.**
ben-blwydd *gw.* **pen-blwydd.**
bencadlys *gw.* **pencadlys.**
bencampwr *gw.* **pencampwr.**
bencydd *gw.* **banc.**
bendant *gw.* **pendant.**
benderfyniad *gw.* **penderfyniad.**
benderfynol *gw.* **penderfynol.**
benderfynu *gw.* **penderfynu.**
bendigedig *a.* blessed, glorious,
wonderful.
bendith *e.b. ll.* **-ion** blessing.
bendithio *b.e.* **(bendithiaf)** to bless.
benelin *gw.* **penelin.**
benfoel *gw.* **penfoel.**
ben-glin *gw.* **pen-glin.**
benigamp *gw.* **penigamp.**
benillion *gw.* **pennill.**
ben-lin *gw.* **pen-glin.**
benlinio *gw.* **penlinio.**
bennaeth *gw.* **pennaeth.**

bennaf   blas

bennaf *gw.* pennaf.
bennau *gw.* pen.
bennawd *gw.* pennawd.
bennill *gw.* pennill.
bennod *gw.* pennod.
benodau *gw.* pennod.
benodi *gw.* penodi.
benodiad *gw.* penodiad.
benrhyn *gw.* penrhyn.
bensaer *gw.* pensaer.
bensil *gw.* pensil.
bensiwn *gw.* pensiwn.
bensiynau *gw.* pensiwn.
bensiynwr *gw.* pensiynwr.
benteulu *gw.* penteulu.
bentref *gw.* pentref.
bentwr *gw.* pentwr.
bentyrrau *gw.* pentwr.
benthyca *be.* **(benthycaf)** to borrow, to lend.
benyw *e.b.* *ll.* **-od** woman, female.
benywaidd *a.* female, feminine.
ber *a.b.* short, brief; *gw.* byr.
bêr *gw.* pêr.
berchen: berchennog *gw.* perchen.
beren *gw.* peren.
bererin *gw.* pererin.
berf *e.b.* *ll.* **-au** verb.
berfa *e.b.* *ll.* **berfâu** wheelbarrow (*N.W.*); *gw.* whilber.
berfedd *gw.* perfedd.
berfenw *e.b.* *ll.* **-au** verb-noun.
berffaith *gw.* perffaith.
berffeithio *gw.* perffeithio.
beri *gw.* peri.
beri *gw.* perl.
berllan *gw.* perllan.
bersli *gw.* persli.
berson *gw.* person.
bersonol *gw.* personol.
bersonoliaeth *gw.* personoliaeth.
bert *gw.* pert.
berth *gw.* perth.
berthnasau *gw.* perthynas.
berthnasol *gw.* perthnasol.
berthyn *gw.* perthyn.
berthynas *gw.* perthynas.
berw 1 *e.g.* boiling, tumult, turmoil. 2 *a.* boiling, seething; **dŵr berw** boiling water. 3 *e.g.* cress: **berw'r dŵr** water cress.
berwi *be.* **(berwaf)** to boil.
beryg: berygl *gw.* peryg.
beryglus *gw.* peryglus.
beswch *gw.* peswch.
besychiad *gw.* pesychiad.
betrol *gw.* petrol.
beth *rhag.* what?: **beth am ginio?** what about dinner?; **beth**

mae e'n wneud? what's he doing?; **beth sydd yma?** what's here?; **beth ydy ei enw?** what's his name?; *gw.* peth.
biano *gw.* piano.
bianydd *gw.* pianydd.
bib *gw.* pib.
biben *gw.* piben.
bicil: bicl *gw.* picil.
bictiwr *gw.* pictiwr.
bicwnen *gw.* picwnen.
bigfain *gw.* pigfain.
bigiad *gw.* pigiad.
bigo *gw.* pigo.
bigog *gw.* pigog.
bil *e.g.* *ll.* **-iau** bill; *gw.* pil.
biler *gw.* piler.
bilio *gw.* pilio.
bilion *gw.* pil.
bili-pala *gw.* pili-pala.
bilsen *gw.* pilsen.
bilyn *gw.* pilyn.
bin *e.g.* *ll.* **-iau** bin; *gw.* pin.
bîn *gw.* pîn.
binc *gw.* pinc.
binnau *gw.* pin.
binsio *gw.* pinsio.
binwydden *gw.* pinwydden.
bioden *gw.* pioden.
bioleg *e.b.* biology.
bisged *e.b.* *ll.* **bisgedi** biscuit.
bisgïen *e.b.* *ll.* **bisgis** biscuit.
bisyn *gw.* pisyn.
biti *gw.* piti.
bitw *a.* tiny; **bws bitw** minibus.
blaen 1 *e.g.* *ll.* **-au, -ion** point, end, top, tip; front, van; edge; source, limit, lead. 2 *a.* foremost, front, first.
blaenor *e.g.* *ll.* **-iaid** leader; deacon; predecessor.
blaenwr *e.g.* *ll.* **blaenwyr** forward (*rugby and soccer*); leader (*of orchestra*).
blaguro *be.* **(blaguraf)** to bud.
blaguryn *e.g.* *ll.* **blagur** bud.
blaid *gw.* plaid.
blaidd *e.g.* *ll.* **bleiddiaid, bleiddiau** wolf.
blan *gw.* plan.
blanced *e.b.* *ll.* **-i** blanket: **blanced wlân** woollen blanket; **blanced drydan** electric blanket.
blanhigyn *gw.* planhigyn.
blannu *gw.* plannu.
blant *gw.* plant.
blas *e.g.* taste, flavour; fervour, zest: **colli blas ar** to lose one's taste for; *gw.* plas.

blasty   bollt

blasty *gw.* plasty.
blasu *be.* (blasaf) to taste, to relish.
blasus *a.* tasty, delicious, savoury.
blât *gw.* plât.
blawd *e.g. ll.* blodiau, blodion flour,
meal: blawd codi self-raising flour;
blawd llif sawdust.
ble *rhag.* where?
bleidiau *gw.* plaid.
bleidlais *gw.* pleidlais.
bleidleisio *gw.* pleidleisio.
bleidleisiwr *gw.* pleidleisiwr.
bleiddiaid: bleiddiau *gw.* blaidd.
blentyn *gw.* plentyn.
blentynnaidd *gw.* plentynnaidd.
bleser *gw.* pleser.
bleserus *gw.* pleserus.
blesio *gw.* plesio.
blew *gw.* blewyn.
blewyn *e.g. ll.* blew hair (on body,
not on head), fur; small fish bone:
hollti blew to split hairs.
blin *a.* tired, tiresome, cross; sorry.
blinder *e.g. ll.* -au weariness,
trouble, adversity.
blinedig *a.* wearisome, tired.
blino *be.* (blinaf) to tire, to vex, to
weary: Rydw i wedi blino I am
tired; Mae e wedi blino he is tired;
blino ar to grow tired of.
blisgyn *gw.* plisgyn.
blisman: blismon *gw.* plisman.
blith *gw.* plith.
blodau *gw.* blodyn.
blodeugerdd *e.b. ll.* -i anthology.
blodfresychen *e.b. ll.* blodfresych
cauliflower.
blodiau: blodion *gw.* blawd.
blodyn *e.g. ll.* blodau flower,
blossom, bloom.
bloedd *e.g. ll.* -iau, -iadau shout.
bloeddio *be.* (bloeddiaf) to shout
(N.W.).
blows *e.b. ll.* -ys blouse.
blu *gw.* pluen.
bluen *gw.* pluen.
bluf *gw.* plufyn.
blufyn *gw.* plufyn.
blwc *gw.* plwc.
blwch *e.g. ll.* blychau box, chest.
blwg *gw.* plwg.
blwm *gw.* plwm.
blwydd 1 *e.b. ll.* -i year-old, year of
age: tair blwydd oed three years of
age. 2 *a.* year old; *gw. At. Treiglad
Trwynol.*
blwyddyn *e.b. ll.* blynyddoedd year;
ll. blynedd years (used usually after
cardinal numbers): dwy flynedd

two years; tair blynedd three years;
pedair blynedd four years; pum
mlynedd five years; *gw. At.
Treiglad Trwynol.*
blwyf *gw.* plwyf.
blychau *gw.* blwch.
blygu *gw.* plygu.
blynedd *gw.* blwyddyn.
blynyddoedd *gw.* blwyddyn.
bob *gw.* pob: bob bore every
morning; bob nos every night; bob
dydd every day.
bobi *gw.* pobi.
bobl *gw.* pobl.
boblogaeth *gw.* poblogaeth.
boblogaidd *gw.* poblogaidd.
bobman *gw.* pobman.
bobydd *gw.* pobydd.
boced *gw.* poced.
bocs *e.g. ll.* -ys box.
boch *e.b. ll.* -au cheek.
bod 1 *e.g. ll.* -au existence; being:
Y Bod Mawr God. 2 *be.* (rydw i)
to be; rydw i I am, rwyt ti you are,
mae e/o he/it is, mae hi she/it is,
etc; gw. At. Berfau.
bodau *gw.* bod.
bodiau *gw.* bawd.
bodio *be.* (bodiaf) to thumb, to finger.
bodlon: boddlon *a.* willing, pleased,
content; bodlon ar satisfied with.
bodloni *be.* (bodlonaf) to please, to
satisfy, to be contented.
bodd *e.g.* will, pleasure; consent;
rhyngu bodd to please: trwy
fodd with consent or permission;
wrth ei fodd happy, contented.
boddhad *e.g.* satisfaction, pleasure.
boddi *be.* (boddaf) to drown, to be
drowned, to flood.
boddlon *gw.* bodlon.
boen *gw.* poen.
boeni *gw.* poeni.
boenus *gw.* poenus.
boenydio *gw.* poenydio.
boer: boeri *gw.* poer, poeri.
boeth *gw.* poeth.
boethi *gw.* poethi.
bol *e.g. ll.* -iau belly, stomach,
abdomen.
bola *e.g. ll.* bolâu, boliau belly,
stomach, abdomen.
bolâu *gw.* bola.
boliau *gw.* bol.
bolion *gw.* polyn.
boliticaidd *gw.* politicaidd.
bolyn *gw.* polyn.
bollt *e.g.b. ll.* -au, byllt bolt, dart;
thunderbolt.

13

bolltau

bridd

bolltau *gw.* **bollt.**
bolltio *be.* **(bolltiaf)** to bolt.
bom *e.g. ll.* **-iau** bomb.
bôn *e.g. ll.* **bonau, bonion** base, trunk, stump: **yn y bôn** basically, in reality; counterfoil.
boneddiges *e.b. ll.* **-au** lady.
boneddigion *gw.* **bonheddwr.**
bonheddig *a.* noble, gentle.
bonheddwr *e.g. ll.* **bonheddwyr, boneddigion** gentleman, nobleman: **Foneddigion a Boneddigesau** Ladies and Gentleman *(in addressing an audience).*
bonion *gw.* **bôn.**
bont *gw.* **pont.**
bontydd *gw.* **pont.**
bopeth *gw.* **popeth.**
bopty *gw.* **popty.**
bord *e.b. ll.* **-ydd, -au** table *(S.W.),* board *(S.W.).*
bordau: bordydd *gw.* **bord.**
bore *e.g. ll.* **-au** morning: **yn fore** early.
borfa *gw.* **porfa.**
borfeydd *gw.* **porfa.**
borffor *gw.* **porffor.**
bori *gw.* **pori.**
bortread *gw.* **portread.**
borth *gw.* **porth.**
borthladd *gw.* **porthladd.**
bos *e.g. ll.* **-ys** boss, chief: **Pwy ydy'r bos yma?** Who's the boss here?
bôs *gw.* **pôs.**
bosibilrwydd *gw.* **posibilrwydd.**
bosibl *gw.* **posibl.**
bost *gw.* **post.**
bostio *gw.* **postio.**
bostman: bostmon *gw.* **postman.**
bostmyn *gw.* **postman.**
bostyn *gw.* **postyn.**
bosys *gw.* **bos.**
botel *gw.* **potel.**
botwm *e.g. ll.* **botymau** button.
botymu *be.* **(botymaf)** to button.
bowdr: bowdwr *gw.* **powdr.**
bowdrau *gw.* **powdr.**
bowlen: powlen *e.b. ll.* **-ni, bowliau: powliau** bowl.
braf *a.* fine, nice, pleasant: **bore braf** a fine morning; **Mae hi'n braf** *(no mutation),* it is fine *(weather-wise).*
braich *e.b.g. ll.* **breichiau** arm.
braidd *ad.* near, almost, just, rather, scarcely: **o'r braidd** hardly; *gw.* **praidd.**

brain *gw.* **brân.**
braint *e.b. ll.* **breintiau, breiniau** privilege, right, honour, status.
bram *gw.* **pram.**
brân *e.b. ll.* **brain** crow.
bras *a.* thick, fat; greasy; coarse; rich; rough, approximate.
braslun *e.g. ll.* **-iau** outline, sketch.
braster *e.g. ll.* **-au** grossness, fat.
braw *e.g. ll.* **-iau** terror, fright; *gw.* **prawf.**
brawd *e.g. ll.* **brodyr** brother.
brawddeg *e.b. ll.* **-au** sentence.
brawf *gw.* **prawf.**
brawiau *gw.* **braw.**
brecwast *e.g. ll.* **-au** breakfast; **i frecwast** for breakfast.
brech *e.b. ll.* **-au** eruption, vaccination, pox: **brech goch** measles; **brech yr ieir** chickenpox.
brechdan *e.b. ll.* **-au** slice of buttered bread, sandwich.
brechiad *e.b. ll.* **-au** inoculation, vaccination.
bregeth *gw.* **pregeth.**
bregethu *gw.* **pregethu.**
bregethwr *gw.* **pregethwr.**
breichiau *gw.* **braich.**
breichled *e.b. ll.* **-au** bracelet, bangle.
breiddiau *gw.* **praidd.**
breifat *gw.* **preifat.**
breiniau: brientiau *gw.* **braint.**
bren *gw.* **pren.**
brenhines *e.b. ll.* **breninesau** queen.
brenhinoedd *gw.* **brenin.**
brenhinol *a.* royal.
brenin *e.g. ll.* **brenhinoedd** king.
brennau *gw.* **pren.**
brentis *gw.* **prentis.**
brentisiaeth *gw.* **prentisiaeth.**
bres *e.g. ll.* **-i, -ys** brace; *gw.* **pres.**
breseb *gw.* **preseb.**
bresennol *gw.* **presennol.**
bresenoldeb *gw.* **presenoldeb.**
bresgripsiwn *gw.* **presgripsiwn.**
brest *e.b. ll.* **-iau** breast; chest.
breswyl: breswylfod *gw.* **preswyl.**
breswylfeydd *gw.* **preswyl.**
bresychen *e.b. ll.* **bresych** cabbage.
brethyn *e.g. ll.* **-nau** cloth; **brethyn cartref** home-spun cloth.
breuddwyd *e.b.g. ll.* **-ion** dream.
breuddwydio *be.* **(breuddwydiaf)** to dream.
breuddwydion *gw.* **breuddwyd.**
bridwerth *gw.* **pridwerth.**
bridd *gw.* **pridd.**

brif   bunt

brif *gw.* prif.
brifardd *gw.* prifardd.
brifathrawes *gw.* prifathrawes.
brifathro *gw.* prifathro.
brifddinas *gw.* prifddinas.
brifeirdd *gw.* prifardd.
brifio *gw.* prifio.
brifo *be.* (brifaf) to hurt, to wound; to crumble (*N.W.*).
brifysgol *gw.* prifysgol.
briffordd *gw.* priffordd.
briffyrdd *gw.* priffordd.
brig *e.g. ll.* -au top, summit; outcrop; twig(s): **brig y don** crest of the wave; **brig y goeden** the tree top; **brig y nos** dusk; **brig y to** the roof-top; **o'r brig i'r bôn** from top to bottom; **glo brig** open-cast coal.
brigau *gw.* brig, brigyn.
brigyn *e.g. ll.* brigau twig.
brin *gw.* prin.
brinder *gw.* prinder.
brintio *gw.* printio.
briod *gw.* priod.
briodas *gw.* priodas.
briodi *gw.* priodi.
briodol *gw.* priodol.
bris *gw.* pris.
briwsionyn *e.g. ll.* briwsion crumb, fragment.
bro *e.b. ll.* bröydd region, country, vale, lowland: **bro a bryn** vale and hill; **Bro Morgannwg** Vale of Glamorgan.
broblem *gw.* problem.
brodor *e.g. ll.* -ion native.
brodorol *a.* native.
brodyr *gw.* brawd.
brofi *gw.* profi.
brofiad *gw.* profiad.
brofiadol *gw.* profiadol.
brofion *gw.* profion.
broffid *gw.* proffid.
broffidiol *gw.* proffidiol.
broffwyd *gw.* proffwyd.
broffwydo *gw.* proffwydo.
broga *e.g. ll.* -od frog *gw.* ffroga.
bron 1 *e.b. ll.* -nau breast. 2 *e.b. ll.* -nydd breast of hill. 3 *ad.* almost, nearly.
bronfraith *e.b. ll.* bronfreithod thrush.
bronnau: bronnydd *gw.* bron.
Brotestant *gw.* Protestant.
brown *a.* brown.
bröydd *gw.* bro.
brudd *gw.* prudd.
brwdfrydig *a.* enthusiastic.
brwnt *a.* dirty (*S.W.*), foul, cruel (*N.W.*).

brws: brwsh *e.g. ll.* brwsys: brwshys brush, broom.
brwsio: brwshio *be.* (brwsiaf: brwshiaf) to sweep, to brush.
brwsys: brwshys *gw.* brws.
brwydr *e.b. ll.* -au battle, conflict.
brwydrau *gw.* brwydr.
bryd *e.g. ll.* -iau mind, thought, intent; *gw.* pryd.
Brydain *gw.* Prydain.
brydau *gw.* pryd.
Brydeinig *gw.* Prydeinig.
bryder *gw.* pryder.
bryderu *gw.* pryderu.
bryderus *gw.* pryderus.
brydferth *gw.* prydferth.
brydferthwch *gw.* prydferthwch.
brydiau *gw.* bryd, pryd.
brydlon *gw.* prydlon.
bryf: bryfedyn: bryfyn *gw.* pryf.
bryfed *gw.* pryf.
bryfocio *gw.* profocio.
bryfyn *gw.* pryf.
bryn *e.g. ll.* -iau hill.
brynhawn *gw.* prynhawn.
bryniau *gw.* bryn.
brynu *gw.* prynu.
brynwr *gw.* prynwr.
brys *e.g.* haste, hurry: **ar frys** in haste, hurriedly; **ar frys gwyllt** in a mad rush.
brysio *be.* (brysiaf) to hasten, to hurry.
brysurdeb *gw.* prysurdeb.
brysuro *gw.* prysuro.
brysur *gw.* prysur.
buan *a.* swift, quick, fast; soon; *gw.* At. Ansoddeiriau.
buarth *e.g. ll.* -au farmyard, yard.
buchod *gw.* buwch.
budr *a.* dirty (*N.W.*), nasty (*N.W.*), foul (*N.W.*), vile (*N.W.*): **bachgen budr** a bit of a lad (*S.W.*).
buddugol *a.* victorious, winning.
buddugoliaeth *e.b. ll.* -au victory.
bues i *bf.* I was, I have been; *gw.* bod.
bugail *e.g. ll.* bugeiliaid shepherd; pastor.
bugeiliaid *gw.* bugail.
bugeilio *be.* (bugeiliaf) to shepherd, to watch.
bulpud *gw.* pulpud.
bum: bump *gw.* pump.
bûm: bues *bf.* I was, I have been; *gw.* bod.
b'un *gw.* p'un.
bunnau: bunnoedd *gw.* punt.
bunt *gw.* punt.

bupur *gw.* **pupur.**
bur *gw.* **pur.**
burfa *gw.* **purfa.**
buro *gw.* **puro.**
busnes *e.g.b. ll.* **-ion, -au** business, affairs.
buwch *e.b. ll.* **buchod, da** cow (*S.W.*).
bwced *e.g.b. ll.* **-i** bucket.
bwdin *gw.* **pwdin.**
bwdr *gw.* **pwdr.**
bwdryn *gw.* **pwdryn.**
bwdu *gw.* **pwdu.**
bwlch *e.g. ll.* **bylchau** gap, pass.
bŵer *gw.* **pŵer.**
bwll *gw.* **pwll.**
bwmp *gw.* **pwmp.**
bwnc *gw.* **pwnc.**
bwrdd *e.g. ll.* **byrddau** table (*N.W.*); board, plank; deck: **bwrdd brecwast** breakfast table; **bwrdd du** blackboard.
bwriad *e.g. ll.* **-au** purpose, intention, resolution.
bwriadu *be.* **(bwriadaf)** to intend.
bwrpas *gw.* **pwrpas.**
bwrs *gw.* **pwrs.**
bwrw *be.* **(bwriaf)** to cast; to shed; to strike: **bwrw glaw** to rain.
bws *e.g. ll.* **bysiau, bysys** bus.
bwthyn *e.g. ll.* **bythynnod** cottage, cabin.
bwy *gw.* **pwy.**
bwyd *e.g. ll.* **-ydd** food.
bwyda *gw.* **bwydo.**
bwydlen *e.b. ll.* **-ni** menu.
bwydo: bwyda *be.* **(bwydaf)** to feed, to nourish: **bwydo'r adar** to feed the birds.
bwydydd *gw.* **bwyd.**
bwyll *gw.* **pwyll.**
bwyllgor *gw.* **pwyllgor.**
bwyllo *gw.* **pwyllo.**
bwynt *gw.* **pwynt.**
bwys *gw.* **pwys.**
bwysedd *gw.* **pwysedd.**
bwysig *gw.* **pwysig.**
bwysigrwydd *gw.* **pwysigrwydd.**
bwyslais *gw.* **pwyslais.**
bwyso *gw.* **pwyso.**
bwyta: byta (*S.W.*) *be.* **(bwytâf)** to eat; to consume, to ravage; to corrode (*S.W.*): **Bwytâf ginio bob dydd** I eat dinner every day; *gw. At. Berfau.*
bwyth *gw.* **pwyth.**
bychan *a. g.* little, small, petty; *gw.* **bechan.**
byd *e.g. ll.* **-oedd** world; life; state:

byd caled a hard struggle; **byd da** good living, a sumptuous life; **byd o wahaniaeth** a world of difference; **gwyn ei fyd** blessed is he, how fortunate!; **beth yn y byd . . .?** what in the world . . .? what on earth . . .?
bydoedd *gw.* **byd.**
bydru *gw.* **pydru.**
bydd (e /hi), *bf.* he/she/it will be: **Bydd Mair yno** Mair will be there; **Bydd plant yno hefyd** Children will be there also; *gw.* **bod.**
byddar 1 *e.g. ll.* **-iaid** deaf person. **2** *a.* deaf.
byddin *e.b. ll.* **-oedd** army, host.
byddinoedd *gw.* **byddin.**
bylchau *gw.* **bwlch.**
byllau *gw.* **pwll, pyllyn.**
byllt *gw.* **bollt.**
byllyn *gw.* **pyllyn.**
bymtheg: bymtheng *gw.* **pymtheg.**
bymthegfed *gw.* **pymthegfed.**
bynciau *gw.* **pwnc.**
bynnag *rhag.* **-ever, -soever**: **beth bynnag** whatsoever; **ble bynnag** wherever; **pryd bynnag** whenever; **pwy bynnag** whoever.
byped *gw.* **pyped.**
byr *a.g. ll.* **-ion** short, brief: **dyn byr** a short man; **stori fer** a short story; **straeon byrion** short stories; *gw.* **ber.**
byrbryd *e.g. ll.* **-iau** snack.
byrddaid *e.g. ll.* **byrddeidiau** tableful.
byrddau *gw.* **bwrdd.**
byrfodd *e.g. ll.* **-au** abbreviation.
byrsau *gw.* **pwrs.**
byrth *gw.* **porth.**
bys *e.g. ll.* **-edd** finger: **bys bawd** thumb, big toe; **bysedd y blaidd** lupins; **bysedd y cŵn** foxgloves; *gw.* **pysen.**
bysedd *gw.* **bys.**
bysen *gw.* **pysen.**
bysgod *gw.* **pysgodyn.**
bysgodyn *gw.* **pysgodyn.**
bysgota *gw.* **pysgota.**
bysgotwr *gw.* **pysgotwr.**
bysiau *gw.* **bws.**
byst *gw.* **post, postyn.**
bysys *gw.* **bws.**
byta (*S.W.*) *gw.* **bwyta.**
byth 1 *ad.* ever, still, always; **am byth** for ever; **bytha a hefyd** continually; **2 (byth** *is frequently used in negative sentences*

*in the present, future, imperfect and
conditional tense to convey the
meaning* never). **Ddaw e byth** He
will never come; **Doedd hi byth yn
hwyr** She was never late; 3 *e.g.*
ll. **-oedd** eternity: **byth
bythoedd** for ever and ever, world
without end.
bythefnos *gw.* **pythefnos.**
bythynnod *gw.* **bwythyn.**
byw 1 *be.* **(bywiaf)** to live, to exist, to

dwell, to inhabit; to animate, to
revive, to restore to life: **byw a
bod** to be habitually present; **Mae
e'n byw yma** He lives here, 2
a. alive, living: **Ydy e'n fyw?** Is he
alive?; 3 *e.g.* life; **yn fy myw** for the
life of me.
bywiog *a.* lively, vivacious.
bywyd *e.g. ll.* **-au** life, existence.
bywydeg *e.b.* biology.

caban *e.g. ll.* **-au** booth, cabin, hut.
cacen *e.b. ll.***-nau, -ni** cake *(N.W.)*.
cacwn *gw.* **cacynen.**
cacynen *e.b. ll.***cacwn** wasp *(N.W.)*: **yn gacwn gwyllt** furious.
cadach *e.g. ll.* **-au** cloth, rag; handkerchief, bandage *(N.W.)*: **cadach llawr** cloth for wiping floor; **cadach llestri** dish-cloth.
cadair *e.b. ll.* **cadeiriau** chair: **cadair esmwyth** easy chair; **cadair freichiau** arm chair.
cadeirio *be.* **(cadeiriaf)** to chair.
cadeiriol *a.* chaired: **eglwys gadeiriol** cathedral.
cadeirydd *e.g. ll.* **-ion** chairman.
cadno *e.g. ll.* **cadnoaid, cadnawon** fox; **cadnawes: cadnöes** vixen *(S.W.)*.
cadw *(rhag.) be.* **(cadwaf)** to keep, to preserve (from): **cadw ar gof** to keep on record; **cadw draw** to stay away; **cadw sŵn** to make a noise, to complain; **cadw-mi-gei** money box; **cyfrif cadw** deposit account.
cadwyn *e.b. ll.* **-au, -i** chain; series.
cadwyno *be.* **(cadwynaf)** to chain, to enslave.
cae *e.g. ll.* **-au** field.
caeau *gw.* **cae.**
cael *be.* **(caf)** to have, to find; **ar gael** in existence, available; **cael annwyd** to catch cold; **cael blas ar** to enjoy; **cael a chael** a close call; *gw. At. Berfau*
caer *e.b. ll.* **-au, ceyrydd** fort, castle.
Caer *e.b.* Chester.
Caerdydd *e.b.* Cardiff.
Caeredin *e.b.* Edinburgh.
Caerfyrddin *e.b.* Carmarthen.

Caergybi *e.b.* Holyhead.
Caerloyw *e.b.* Gloucester.
Caersalem: Jerwsalem *e.b.* Jerusalem.
caets *e.g. ll.* **-ys** cage.
caf *bf.* I have, I shall have; *gw.* **cael.**
cafodd *bf.* he/she/it had; *gw.* **cael.**
caffe *e.g. ll.* **-s** café.
cangen *e.b. ll.* **canghennau** branch.
canghennau *gw.* **cangen.**
caiff *bf.* he/she/it will have; *gw.* **cael.**
cais *e.g. ll.* **ceisiadau, ceisiau** attempt; try *(rugby)*; request; application; **gwneud cais** to make an application, to apply.
calan *e.g. ll.* **-nau, -ni** first day *(of month or season)*: **Dydd Calan** New Year's Day; **Calan Gaeaf** All Saint's Day; **Calan Mai** May Day.
caled *a.* hard, hardy, difficult; *gw. At. Ansoddeiriau.*
caledi *e.g.* hardship, severity.
caledu *be.* **(caledaf)** to harden; to dry; **caledu dillad** to air clothes; **caledu gwely** to air a bed.
caledwch *e.g.* hardness; difficulty.
calendr *e.g. ll.* **-au** calendar.
calenigion *gw.* **calennig.**
calennig *e.g. ll.* **calenigion** New Year's Gift.
caletach *gw.* **caled.**
caletaf *gw.* **caled.**
caleted *gw.* **caled.**
calon *e.b. ll.* **-nau** heart: **diolch o galon** heartfelt thanks; **calon lân** pure heart; **calon y gwir** the absolute truth.
call *a.* wise, sensible; **hanner call a chrac** foolish, stupid; *gw. At. Ansoddeiriau.*
callach *gw.* **call.**
callaf *gw.* **call.**
called *gw.* **call.**
cam 1 *e.g. ll.* **-au** stride, step; injury: **o gam i gam** step by step. **2** *a.* crooked, false; **coesgam** bandy-legged.
camarwain *be.* **(camarweiniaf)** to mislead.
camddeall *be.* **(camddeallaf)** to misunderstand.
camera *e.g. ll.* **camerâu** camera.
camp *e.b. ll.* **-au** feat, game; excellence; **campau** sports.
campfa *e.b. ll.* **campfeydd** gymnasium.
campfeydd *gw.* **campfa.**
campus *a.* excellent, splendid.
campwaith *e.g. ll.*

campweithiau masterpiece.
campweithiau *gw.* **campwaith.**
camsyniad *e.g. ll.* **-au** mistake *(S.W.).*
camu *be* **(camaf)** to step, to stride; to bend, to stoop.
cân *e.b. ll.* **caniadau, caneuon** song, poem; **cân actol** action song; **cân bop** pop song; **cân serch** love song; **cân werin** folk song; **cân ysgafn** ballad
can 1 *a.* white; hundred; **canpunt** a hundred pounds (sterling); **canmlwydd** a hundred years old; **canmil** a hundred thousand; **canrif** a century; *gw.* **cant. 2** *e.g.* white flour, flour; **bara can** white bread. **3** *e.g. ll.* **-iau** *(tin)* can.
caneuon *gw.* **cân.**
canfed *a.* hundredth.
canhwyllau *gw.* **cannwyll.**
canhwyllbren *e.g. ll.* **-nau, -ni** candlestick.
caniad *e.g. ll.* **-au** song, singing; ring *(telephone)*: **Rhowch ganiad i fi** Telephone me.
caniadaeth *e.b.* music, singing; **Caniadaeth y Cysegr** Songs of Praise.
caniadau *gw.* **cân, caniad.**
caniatâd *e.g.* permission, consent.
caniatáu *be.* **(caniatâf)** to allow.
caniedydd *e.g. ll.* **-ion** song-book, hymn-book.
canmlwydd *e.ll.* ac *e.b. ll.* **-i** a hundred years old, hundred years; century.
canmlwyddiannau *gw.* **canmlwyddiant.**
canmlwyddiant *e.g.* **canmlwyddiannau** centenary.
canmol 1 *be.* **(canmolaf)** to praise. **2** *e.g.* praise.
canmoliaeth *e.b. ll.* **-au** praise.
cannoedd *gw.* **cant.**
cannwyll *e.b. ll.* **canhwyllau** candle: **cannwyll y llygad** pupil of the eye; apple of the eye.
canol 1 *e.g. ll.* **-au** centre, middle; **canol dydd** midday; **canol nos** midnight. **2** *a.* middle.
canolbarth *e.g. ll.* **-au** midland; **Canolbarth Cymru** Mid Wales; **Canolbarth Lloegr** The Midlands; **Canolbarth Ffrainc** Central France.
canolbwyntio (ar) *be.* **(canolbwyntiaf)** to concentrate, to focus (on).

canoldir *e.g. ll.* **-oedd** inland region; **Y Môr Canoldir** Mediterranean Sea.
canolfan *e.b. ll.* **-nau** centre; **canolfan ddinesig** civic centre; **canolfan hamdden** leisure centre.
canolwr *e.g. ll.* **-wyr** referee, umpire.
canradd *a.* centigrade.
canran *e.b. ll.* **-nau** percentage.
canrif *e.b. ll.* **-au, -oedd** century.
canrifau: canrifoedd *gw.* **canrif.**
cant: can *e.g. ll.* **cannoedd** hundred: **cant a mil** a hundred and one, a large number; **cant y cant** hundred per cent; **deg y cant** ten per cent; **can diolch** many thanks; **canwaith** a hundred times.
cantor *e.g. ll.* **-ion** precentor; *gw.* **cantores; canwr.**
cantores *e.b. ll.* **-au** female singer, female vocalist; *gw.* **cantor; canwr.**
canu *be.* **(canaf)** to sing, to play: **canu cloch** to ring a bell; **canu'n iach** to bid goodbye; **canu'r piano** to play the piano; **wedi canu ar** too late, all up; *gw.* **At. Berfau.**
canŵ *e.g. ll.* **-od** canoe.
canŵio *be.* **(canŵiaf)** to canoe.
canwr *e.g. ll.* **canwyr** male singer, vocalist; *gw.* **cantor; cantores.**
canwriad *e.g. ll.* **canwriaid** centurion.
cap *e.g. ll.* **-iau** cap.
capel *e.g. ll.* **-i, -au** chapel.
capteiniaid *gw.* **capten.**
capten *e.g. ll.* **-iaid, capteiniaid** captain.
capteniaid *gw.* **capten.**
car *e.g. ll.* **ceir** car: **car heddlu** police car; **car rasio** racing car; **car llusg** sled.
carafán *e.b. ll.* **-au** caravan.
carafana *be.* **(carafanaf)** to go caravanning.
carco *be.* **(carcaf)** to take care of *(S.W.).*
carcus *a.* careful *(S.W.).*
carchar *e.g. ll.* **-au** prison.
carcharor *e.g. ll.* **-ion** prisoner.
carcharu *be.* **(carcharaf)** to imprison.
cardiau *gw.* **cerdyn.**
caredig *a.* kind.
caredigrwydd *e.g.* kindness.
cariad *e.g.b. ll.* **-on** love, lover; **Dere 'ma, cariad!** Come here, love!
cariadon *gw.* **cariad.**
cariadus *a.* beloved; loving.
cario *be.* **(cariaf)** to carry.
carol *e.b. ll.* **-au** carol: **carol Nadolig** Christmas carol.

carped   **cenedlaetholwyr**

carped e.g. ll. **-i** carpet.
carreg e.b. ll. **cerrig** stone: **carreg
aelwyd** hearthstone; **carreg
fedd** tombstone; **carreg
filltir** milestone; **carreg y
drws** doorstep; **cerrig mân** pebbles,
chippings.
cartref e.g. ll. **-i** home; **gartref** at
home; **adref** homewards.
cartrefi gw. **cartref.**
cartrefu be. **(cartrefaf)** to dwell.
caru be. **(caraf)** to love, to like, to
court.
cas 1 e.g. enmity, hated person or
thing; case. 2 a. nasty.
casáu be. **(casâf)** to detest.
casgen e.b. ll. **-ni** barrel.
casgenni gw. **casgen.**
casgliad e.g. ll. **-au** collection;
gathering; conclusion: **Fe ddaeth i'r
casgliad** He came to the conclusion.
casglu be. **(casglaf)** to collect, to
infer; **casglu dros** to collect on
behalf of.
Cas-gwent e.b. Chepstow.
Casllwchwr e.b. Loughor.
Casnewydd e.b. Newport *(Gwent).*
castell e.g. ll. **cestyll** castle.
Castell-nedd e.b. Neath.
cath e.b. ll. **-od** cat; **cath fach**
kitten; **cwrcath, cwrcyn** tomcat.
cau 1 be. **(caeaf)** to close.
2 a. enclosed; hollow.
cawl 1 e.g. soup, broth: **cawl
cennin** leek broth; **cawl pys** pea
soup. 2 e.g. mess; **Fe wnaeth e gawl
o'r trefniadau** He made a mess of
the arrangements.
cawod e.b. ll. **-ydd** shower;
cawodydd Ebrill April showers.
cawr e.g. ll. **cewri** giant; **cawr o
wleidydd** a great politician.
caws e.g. cheese: **caws
Caer** Cheshire cheese; **caws
Caerffili** Caerffili cheese; **cael caws
o fola ci** to get blood out of a stone;
gw. **cosyn.**
cefn e.g. ll. **-au** back; ridge; support:
cefn gwlad heart of the
countryside; **Roedd e'n gefn i'r
teulu** He was a great help to the
family.
cefnder e.g. ll. **-wyr, cefndyr** cousin
(male); gw. **cyfnither.**
cefnderwyr gw. **cefnder.**
cefndir e.g. ll. **-oedd** background.
cefndiroedd gw. **cefndir.**
cefndyr gw. **cefnder.**
cefnu (ar) be. **(cefnaf)** to turn one's
back upon, to forsake.

cefnwr e.g. ll. **cefnwyr** back, full-
back.
ceffyl e.g. ll. **-au** horse: **ceffyl
blaen** leading horse, pushy person;
ceffyl brith piebald horse; **ceffyl
gwinau** bay (horse); **ceffyl
siglo** rocking horse; **ar gefn ei
geffyl** on his high horse, exultant.
ceg e.b. ll. **-au** mouth; (cael, rhoi)
llond ceg *(to receive, to give)* a
telling off.
cegin e.b. ll. **-au** kitchen; **cegin
fach** kitchenette; **cegin gefn** back
kitchen.
cei e.g. ll. **ceiau** quay; gw. **cael.**
ceidwad e.g. ll. **ceidwaid** keeper.
ceiliog e.g. ll. **-od** cockerel; **ceiliog y
gwynt** weathercock; **ceiliog y
rhedyn** grasshopper.
Ceinewydd e.b. Newquay.
ceiniog e.b. ll. **-au** penny: **heb
geiniog goch** without a brass
farthing or penny.
ceir gw. **car.**
ceisiadau: ceisiau gw. **cais.**
ceisio be. **(ceisiaf)** to seek, to ask;
ceisio am to try for, to apply for.
celf e.b. ll. **-au** art, craft; **Adran
Celf** Art Department.
celfi gw. **celficyn.**
celficyn e.g. ll. **celfi** a piece of
furniture; a tool.
celwydd e.g. ll. **-au** lie, untruth:
celwydd golau white lie; **celwydd
noeth** barefaced lie;
celwyddgi a liar.
celwyddog a. untruthful.
celyn gw. **celynnen.**
celynnen e.b. ll. **celyn** holly; **llwyn
celyn** holly bush.
cell e.b. ll. **-oedd, -au** cell.
cellau: celloedd gw. **cell.**
cemeg e.b. chemistry.
cenadaethau gw. **cenhadaeth**
cenedl e.b. ll. **cenhedloedd** nation;
species, kind; gender *(grammar):*
Cenedl y Cymry the Welsh nation;
Y Cenhedloedd the Gentiles; **y
Cenhedloedd Unedig** the United
Nations; **cenedl enwau** gender of
nouns.
cenedlaethau gw. **cenhedlaeth.**
cenedlaethol a. national: **Llyfrgell
Genedlaethol Cymru** National
Library of Wales.
cenedlaetholdeb e.b. nationalism.
cenedlaetholwr e.g. ll.
cenedlaetholwyr a nationalist.
cenedlaetholwyr gw.

cenedligrwydd   cloi

cenedlaetholwr.
cenedligrwydd *e.g.* nationality.
cenfigennus *a.* jealous
cenhadaeth *e.b. ll.* cenadaethau
mission; embassy.
cenhadol *a.* missionary.
cenhadon *gw.* cenhadwr.
cenhadu *be.* (cenhadaf) to conduct a
mission; to allow.
cenhadwr *e.g. ll.* cenhadon a
missionary; **cenhades** a female
missionary.
cenhedlaeth *e.b. ll.* cenedlaethau
generation; nation.
cenhedloedd *gw.* cenedl.
cenhinen *e.b. ll.* cennin leek;
cenhinen Bedr daffodil.
cennin *gw.* cenhinen.
cer *bf.* go! *(singular); gw.* mynd.
cerdyn *e.g. ll.* cardiau card: **cerdyn**
Nadolig Christmas card; **cerdyn**
pen-blwydd birthday card.
cerdd *e.b. ll.* -au, -i song, poem;
music; **cerdd dafod** poetic art,
poetry; music; **cerdd**
dant instrumental music; penillion
singing.
cerdded *be.* (cerddaf) to walk.
cerddi *gw.* cerdd.
cerddor *e.g. ll.* -ion musician.
cerddorfa *e.b. ll.* cerddorfeydd
orchestra; **Cerddorfa Ieuenctid**
Youth Orchestra.
cerddorfeydd *gw.* cerddorfa.
cerddoriaeth *e.b.* music.
cerddorol *a.* musical.
cerddwr *e.g. ll.* cerddwyr walker:
Cymdeithas Cerddwyr Dyfed
Dyfed Ramblers Association.
cerddwyr *gw.* cerddwr.
cerflun *e.g. ll.* -iau statue.
cerrig *gw.* carreg.
cerwch *bf.* go! *(plural); gw.* mynd.
ces *bf.* I had; *gw.* cael.
cesair *e. torf.* hailstones *(S.W.).*
cestyll *gw.* castell.
ceubren *e.g. ll.* -nau hollow tree.
cewri *gw.* cawr.
cewyn *e.g. ll.* -nau, -ion napkin
(S.W.).
ceyrydd *gw.* caer.
ci *e.g. ll.* cŵn dog; **ci bach** pup, **ci**
defaid sheepdog; **ci hela** hound;
corgi corgi; **milgi** greyhound.
cig *e.g. ll.* -oedd meat; gum: **cig**
eidion beef; **cig oen** lamb; **cig**
moch bacon.
cigydd *e.g. ll.* -ion butcher.
cigyddion *gw.* cigydd.

cilio (i) *(rhag.) be.* (ciliaf) to flee; to
retreat (to, from): **cilio i** to flee
towards; **cilio rhag** to flee from, to
retreat from.
ciniawau *gw.* cinio.
cinio *e.g.b. ll.* ciniawau dinner.
cipolwg *e.g. ll.* cipolygon glance.
cist *e.b. ll.* -iau chest, coffer.
claf 1 *eg. ll.* cleifion sick person.
2 *a.* ill.
clai *e.g. ll.* cleiau, cleion clay; **traed**
o glai mortal.
clasur *e.g. ll.* -on a classic.
clasurol *a.* classical.
clawdd *e.g. ll.* cloddiau wall made
of earth, ditch: **Clawdd Offa** Offa's
Dyke.
clawr *e.g. ll.* cloriau cover, lid; **ar**
glawr on record.
clebran *be.* (clebraf) to chatter.
cledr *e.b. ll.* -au pole, rafter; rail;
palm *(of hand);* cledrau rails *(of*
railway).
clefyd *e.g. ll.* -au, -on sickness:
clefyd melyn jaundice; **clefyd**
melys/siwgr diabetes.
cleifion *gw.* claf.
clêr *gw.* cleren.
clerc *e.g. ll.* -od clerk.
cleren *e.b. ll.* clêr fly *(S.W.):* **cleren**
lwyd horse-fly.
clir *a.* clear.
clirio *be.* (cliriaf) to clear.
clo *e.g. ll.* -eau, -eon lock: **ar**
glo locked; **dan glo** locked, locked
up, under lock and key; **yng**
nghlo locked; **twll y clo** keyhole.
cloc *e.g. ll.* -iau clock: **cloc**
larwm alarm-clock.
cloch *be. ll.* clychau bell; **cloch y**
llan church-bell; **clychau'r**
gog bluebells; **dau o'r gloch** two
o'clock.
clod *e.g.b. ll.* -ydd praise.
clodfori *be.* (clodforaf) to praise.
cloddiau *gw.* clawdd.
cloeau *gw.* clo.
cloeon *gw.* clo.
cloff *a.* lame.
cloffi 1 *be.* (cloffaf) to become lame;
cloffi rhwng dau feddwl to hesitate.
2 *eg.* lameness.
clogwyn *e.g. ll.* -au, -i cliff, crag.
clogwyni: clogwynau *gw.* clogwyn.
clogyn *e.g. ll.* -au cloak.
cloi *be.* (cloaf, clof) to lock; to
conclude: **cloi allan** to lock out, to
exclude; **cload allan** lock-out; **Nawr**
i gloi Now to conclude.

clorian

cosb

clorian *e.b.* *ll.* **-nau** scales.
cloriau *gw.* **clawr.**
clown *e.g.* *ll.* **-iaid** clown.
clun *e.b.* *ll.* **-iau** hip; thigh; leg.
clust *e.b.* *ll.* **-iau** ear; **bonclust** box on the ear.
clustog *e.b.* *ll.* **-au** pillow, cushion.
clwm *e.g.* *ll.* **clymau** knot; tie; *gw.* **cwlwm.**
clwtyn *e.g.* *ll.* **clytiau** rag *(S.W.):* **clwtyn llawr** floor cloth; **clwtyn llestri** dish cloth; **clwtyn ymolch** face cloth; **ar y clwt** stranded, abandoned; without work.
Clwyd *e.b.* County in N.E. Wales.
clwyd *e.b.* *ll.* **-i, -au** gate.
clwydi: clwydau *gw.* **clwyd.**
clwyf *e.g.* *ll.* **-au** wound, injury: **clwyf y traed a'r genau** foot and mouth disease.
clychau *gw.* **cloch.**
clymau *gw.* **clwm, cwlwm.**
clymu *be.* **(clymaf)** to tie.
clytiau *gw.* **clwtyn.**
clyw 1 *e.g.* hearing, earshot: **trwm ei glyw** hard of hearing; **yn fy nghlyw** within my hearing. 2 *bf.* hear! *(singular),* listen! *(singular); gw.* **clywed.**
clywed (am, oddi wrth) *be.* **(clywaf)** to hear (of, from); to feel; to taste; to smell; **Clywch, clywch!** Hear, hear!
cnau *gw.* **cneuen.**
cneuen *e.b.* *ll.* **cnau** nut.
cnoc *e.g.b.* *ll.* **-au** a knock; a fool *(S.W.):* **tipyn o gnoc:** quite a fool; **cnocell y coed** woodpecker.
cnocio: cnoco *be.* **(cnociaf: cnocaf)** to knock, to strike.
cnoi *be.* **(cnoaf)** to bite, to chew; **cnoi cil** to chew the cud; to mull over.
coban *e.b.* *ll.* **cobannau** night-shirt.
cobannau *gw.* **coban.**
coch *a.* *ll.* **-ion** red: **yn goch** obscene; of poor quality; **coch y berllan** bullfinch; *gw. At. Ansoddeiriau.*
cochach *gw.* **coch.**
cochaf *gw.* **coch.**
coched *gw.* **coch.**
cochen *e.b.* red-haired female.
cochyn *e.b.* red-haired male.
codi *be.* **(codaf)** to rise, to erect, to pick up; to withdraw *(money),* to charge (fee).
coed *gw.* **coeden.**
Coed-duon Blackwood.

coeden *e.b.* *ll.* **coed** tree.
coedwig *e.b.* *ll.* **-oedd** forest, wood.
coes *e.b.* *ll.* **-au** leg: **tynnu coes** to leg pull.
cof *e.g.* *ll.* **-ion** memory; remembrance: **er cof am** in memory of; **o fewn cof** within living memory; **o'i gof** angry; mad; **ar gof a chadw** recorded and preserved, on record; **cofion cynnes** warmest regards.
cofio (am) *be.* **(cofiaf)** to remember.
cofion *gw.* **cof.**
cofleidio *be.* **(cofleidiaf)** to embrace.
cofrestr *e.b.* *ll.* **-au, -i** register.
cofrestru *b.e.* **(cofrestraf)** to register.
coffi *e.g.* coffee; **noson goffi** coffee evening.
cog 1 *e.b.* *ll.* **-au** cuckoo; *gw.* **cwcw.** 2 *e.g.* *ll.* **-au** cook.
coginio *be.* **(coginiaf)** to cook.
cogydd *e.g.* *ll.* **-ion** cook.
coleg *e.g.* *ll.* **-au** college.
coler *e.g.b.* *ll.* **-au, -i** collar.
colofn *e.b.* *ll.* **-au** column, pillar.
coluro *be.* **(coluraf)** to colour, to make up.
colled *e.g.b.* *ll.* **-ion** loss: **Roedd colled arni** She was angry.
collen *e.b.* *ll.* **cyll** hazel; **cnau cyll** hazelnuts.
colli *be.* **(collaf)** to lose, to spill, to fail, to miss; **ar goll** lost, missing, mislaid.
copïo *be.* **(copïaf)** to copy.
copyn *e.g.* *ll.* **-nau, -nod** spider; **pryf copyn** spider.
côr *e.g.* *ll.* **corau** choir: **côr cymysg** mixed choir; **côr merched** ladies' choir.
corau *gw.* **côr.**
cordyn *e.g.* *ll.* **-ion** cord, string.
corff *e.g.* *ll.* **cyrff** body; corpse; capital: **Yr Hen Gorff** Calvanistic Methodists.
corfforol *a.* bodily, physical; **Addysg Gorfforol** physical education.
corgi *e.g.* *ll.* **corgwn** corgi.
corn *e.g.* *ll.* **cyrn** horn; corn; cairn; chimney: **corn simdde** chimney stack; **Siôn Corn** Father Christmas.
cornel *e.b.g.* *ll.* **-au, -i** corner.
coron *e.b.* *ll.* **-au** crown.
coroni *be.* **(coronaf)** to crown; **i goroni'r cwbl** to cap it all.
corryn *e.g.* *ll.* **corynnod** spider *(S.W.).*
corynnod *gw.* **corryn.**
cosb *e.b.* *ll.* **-au** punishment,

penalty: **y gosb eithaf** capital
punishment; **cic gosb** penalty kick.
cosbi *be.* **(cosbaf)** to punish.
cosi 1 *be.* **(cosaf)** to itch. 2 *e.g.* itch.
costus *a.* expensive.
cosyn *e.g.* *ll.* **-nau** a small cheese;
gw. **caws.**
cot: côt *e.b.* *ll.* **cotau: cotiau** coat:
cot fawr overcoat; **cot law** raincoat.
cotau: cotiau *gw.* **cot.**
cotwm *e.g.* *ll.* **cotymau** cotton.
crac 1 *e.g.* *ll.* **-au, -iau** crack.
2 *a.* angry *(S.W.).*
crachach *e.ll.* snobs *(S.W.).*
crafu 1 *be.* **(crafaf)** to scratch; to
scrape. 2 *e.g.* itch.
crafiad *e.g.* *ll.* **-au** scratch.
cragen *e.b.* *ll.* **cregyn** shell.
craig *e.b.* *ll.* **creigiau** rock, cliff:
Mae e'n graig o arian. He's very
wealthy.
cras *a.* *ll.* **creision** baked; scorched;
harsh: **llai cras** not so highly
baked; **tafod cras** a harsh tongue;
llais cras a raucous voice; *gw.*
creisionyn.
crasu *be.* **(crasaf)** to bake; to scorch.
credu (yn) *be.* **(credaf)** to believe, to
trust (in).
crefydd *e.b.* *ll.* **-au** religion.
crefft *e.b.* *ll.* **-au** skill, craft.
crefftwr *e.g.* *ll.* **crefftwyr** craftsman.
crefftwyr *gw.* **crefftwr.**
cregyn *gw.* **cragen.**
creigiau *gw.* **craig.**
creigiog *a.* rocky.
creision *gw.* **cras, creisionyn.**
creisionyn *e.g.* *ll.* **creision** crisp,
flake: **creision ŷd** corn flakes.
crempog *e.b.* *ll.* **-au** pancake *(N.W.).*
gw. **ffroesen.**
creulon *a.* cruel.
creulondeb *e.g.* *ll.* **-au** cruelty.
cri *e.g.b.* *ll.* **-au** cry, lament.
crib *e.b.* *ll.* **-au** comb; bird's comb;
crest, summit, ridge: **crib y ceiliog**
the cock's comb; **crib y mynydd** the
mountain's ridge; **mynd â chrib
fân** to examine minutely.
cribo *be.* **(cribaf)** to comb; to card.
criced *e.g.* cricket (game).
cricedwr *e.g.* *ll.* **cricedwyr** cricketer.
cricsyn *e.g.* *ll.* **criciaid, crics** a
cricket *(insect).*
crio (am, ar) *be.* **(criaf)** to shout, to
weep *(N.W.).*
Cristion *e.g.* *ll.* **Cristnogion**
Christian.
criw *e.g.* *ll.* **-iau** crew, crowd; **criw o**

bobl ifainc a gang of young people.
croen *e.g.* *ll.* **crwyn** skin, hide; peel:
croendenau thin-skinned;
sensitive; **croendew** thick-skinned;
insensitive; **croenddu** black-
skinned; negroid; **croen ei din ar ei
dalcen** in a bad mood.
croes *e.b.* *ll.*-**au** cross:
croes Crist Christ's cross.
croesair *e.g.* *ll.* **croeseiriau**
crossword; **pôs croeseiriau**
crossword puzzle.
croesau *gw.* **croes.**
croesawu *be.* **(croesawaf)** to
welcome.
croesawus *a.* hospitable.
croeseiriau *gw.* **croesair.**
croesfan *e.g.* *ll.* **-nau** crossing.
croesffordd *e.b.* *ll.* **croesffyrdd**
cross-road.
croeshoelio *be.* **(croeshoeliaf)** to
crucify.
croesholi *be.* **(croesholaf)** to cross-
examine; **croesholiad** a cross-
examination.
croesi *be.* **(croesaf)** to cross, to oppose.
croeso *e.g.* welcome: **y Bwrdd
Croeso** the Welsh Tourist Board.
Croesoswallt *e.b.* Oswestry.
cronfa *e.b.* *ll.* **cronfeydd** reservoir;
fund.
cronfeydd *gw.* **cronfa.**
crud *e.g.* *ll.*-**au, -iau** cradle.
crwst *e.g.* *ll.* **crystiau** crust; *gw.*
crystyn.
crwyn *gw.* **croen.**
cryd *e.g.* *ll.* **-iau** shivering, fever:
Mae'r cryd arna i I've got the
shivers; **cryd y cymalau**
rheumatism.
cryf *a.* *ll.* **-ion** strong, powerful, *gw.*
At. **Ansoddeiriau.**
cryfach *gw.* **cryf.**
cryfaf *gw.* **cryf.**
cryfed *gw.* **cryf.**
crynhoi *be.* **(crynhoaf)** to collect, to
gather, to summarise: **i grynhoi** to
sum up.
cryno *a.* tidy; suitable; compact:
ffurfiau cryno'r ferf compact forms
of the verb; **cryno ddisg** compact
disc.
crynodeb *e.g.b.* *ll.* **-au** precis,
summary; tidiness.
crynu *be.* **(crynaf)** to shiver, to quake;
daeargryn earthquake.
crys *e.g.* *ll.* **-au** shirt: **crys T**
T-shirt; **Y Crysau Cochion** The
Welsh Rugby Team.

crystiau

cyfan

crystiau *gw.* **crwst, crystyn.**
crystyn *e.g. ll.* **crystiau** crust; *gw.*
  crwst.
cu *a.* dear, fond, beloved; **mam-
  gu** grandmother *(S.W.).* **tad-
  cu** grandfather *(S.W.).*
cuddio *(rhag.) be.* **(cuddiaf)** to hide
  (from), to cover, to bury.
cul *a. ll.* **-ion** narrow, narrow-
  minded. **culfor** *e.g.* strait, channel.
curo *be.* **(curaf)** to strike, to knock, to
  defeat: **curo dwylo** to clap hands.
cusan *e.g.b. ll.* **-au** kiss.
cusanu *be.* **(cusanaf)** to kiss.
cw *gw.* **acw.**
cwb *e.g. ll.* **cybiau** kennel, coop.
cwbl 1 *a.* all, complete, entire: **cwbl
  iach** completely healthy; **cwbl
  gyfan** quite complete; **cwbl
  sicr** completely certain. 2 *e.g. ll.
  (used with the definite article)* all,
  everything; **y cwbl** everything, all:
  y cwbl oll everything, the whole lot;
  dim o gwbl nothing at all; **dyna'r
  cwbl** that's all; **Prynodd e'r
  cwbl** He bought everything.
cwcw *e.b. ll.* **cwcŵod** cuckoo *(S.W.);
  gw.* **cog.**
cwch *e.g. ll.* **cychod** boat; hive;
  cwch hwylio sailing boat; **cwch
  modur** motor boat; **cwch
  pysgota** fishing boat; **cwch
  rhwyfo** rowing boat; **cwch
  gwenyn** beehive.
cwd *e.g. ll.* **cydau** bag; purse; sack.
cwdyn *e.g. ll.* **cydau** bag; purse;
  sack.
cweryl *e.g. ll.* **-au, -on** quarrel.
cweryla (â) *be.* **(cwerylaf)** to quarrel
  (with).
cwerylau: cwerylon *gw.* **cweryl.**
cwestiwn *e.g. ll.* **cwestiynau**
  question.
cwestiyna *be.* **(cwestiynaf)** to
  question.
cwestiynau *gw.* **cwestiwn.**
cwlwm *e.g. ll.* **clymau** knot; bunch;
  gw. **clwm.**
cwm *e.g. ll.* **cymoedd** valley; **Cwm
  Tawe** Swansea Valley.
cwmni *e.g. ll.* **cwmnïau, cwmnïoedd**
  company; **cwmni
  yswiriant** insurance company.
cwmnïau *gw.* **cwmni.**
cwmnïoedd *gw.* **cwmni.**
cwmwl *e.g. ll.* **cymylau** cloud.
cŵn *gw.* **ci.**
cwningen *e.b. ll.* **cwningod** rabbit.
cwningod *gw.* **cwningen.**

cwpan *e.g.b. ll.* **-au** cup.
cwpla *be.* **(cwplâf)** to finish *(S.W.).*
cwpwrdd *e.g. ll.* **cypyrddau**
  cupboard; **cwpwrdd cornel** corner
  cupboard.
cwr *e.g. ll.* **cyrrau, cyrion** corner,
  end; edge, border; outskirts.
  ar gwr y dref on the outskirts of
  the town.
cwrdd 1 *e.g. ll.* **cyrddau** meeting
  (S.W.), religious service,
  congregation: **cwrdd gweddi**
  prayer-meeting; **cyrddau mawr**
  special preaching meetings; **tŷ
  cwrdd** chapel *(nonconformist).* 2 *be.*
  (cwrddaf) to meet, to come
  together; to touch: **cwrdd â** to
  meet, meeting.
cwrs *e.g. ll.* **cyrsau, cyrsiau** course.
cwrtais *a.* courteous.
cwrw *e.g. ll.* **-au** beer.
cwsg 1 *e.g.* sleep; numbness.
  2 *a.* asleep; numb; **ynghwsg**
  asleep; lifeless, numb.
cwsmer *e.g. ll.* **-iaid** customer.
cwstwm *e.g. ll.* **cystymau** custom,
  patronage.
cwt *e.b.g. ll.* **cytiau** hut, sty, wound;
  tail; queue; **cwt ieir** chicken coop.
cwta *a.* short, abrupt.
cwymp *e.g. ll.* **-au, -iau** fall, slope;
  collapse.
cwympo *be.* **(cwympaf)** to fall; to fell.
cwyn *e.b.g. ll.* **-au, -ion** complaint.
cwyno (am, i) *be.* **(cwynaf)** to
  complain (about, to).
cwyr *e.g. ll.* **-au** bees-wax; wax.
cychod *gw.* **cwch.**
cychwyn 1 *e.g.* beginning, start. 2
  be. **(cychwynnaf)** to begin, to
  start: **ar y cychwyn** at first, at the
  start.
cydadrodd *be.* **(cydadroddaf)** to
  recite together: **parti cydadrodd**
  choral speaking party.
cydau *gw.* **cwd, cwdyn.**
cydio (yn) *be* **(cydiaf)** to join, to
  connect, to couple, to take hold (of).
cydnabod 1 *be.* **(cydnabyddaf)** to
  acknowledge, to honour, to
  remunerate 2 *e.g.* acquaintance.
cyfaill *e.g. ll.* **cyfeillion** friend,
  companion.
Annwyl Gyfeillion Dear Friends
  (form of address); gw. **cyfeilles.**
cyfan *e.g. ll.* **-ion** all, total, entirety;
  y cyfan all, the lot, everything: **ar y
  cyfan** on the whole; **wedi'r
  cyfan** after all.

24

cyfangwbl   cyfystyr

cyfangwbl *a.* altogether, complete, whole: **yn gyfangwbl** completely, wholly; **Roedd e'n gyfangwbl ddu** He was completely black.

cyfansoddi *be.* **(cyfansoddaf)** to compose; to establish.

cyfansoddwr *e.g. ll.* **cyfansoddwyr** composer.

cyfanswm *e.g. ll.* **cafansymiau** total, amount.

cyfarch *be.* **(cyfarchaf)** to greet.

cyfarchion *e.ll.* greetings.

cyfarfod 1 *e.g. ll.* **-ydd** meeting. 2 *be.* **(cyfarfyddaf)** to meet, to encounter; **cyfarfod â** to meet.

cyfarfodydd *gw.* **cyfarfod.**

cyfarth *be.* **(cyfarthaf)** to bark.

cyfarwyddiadur *e.g. ll.* **-on** directory.

cyfarwyddo (â) *be.* **(cyfarwyddaf)** to familiarise, to instruct.

cyfarwyddwr *e.g. ll.* **cyfarwyddwyr** director.

cyfeilles *e.b. ll.* **-au** female friend; *gw.* **cyfaill.**

cyfeillgar *a.* friendly, sociable; *gw. At. Ansoddeiriau.*

cyfeillgarwch *e.g.* friendship.

cyfeillion *gw.* **cyfaill.**

cyfeiriad *e.g. ll.* **-au** direction, reference, address.

cyfeirio (at, i) *be.* **(cyfeiriaf)** to direct, to refer.

cyfenw *e.g. ll.* **-au** surname.

cyferbyn (â) *a.* opposite, contrary; **cyferbyn â** opposite.

cyfiawn *a.* righteous, just.

cyfiawnder *e.g. ll.* **-au** righteousness, justice.

cyfieithiad *e.g. ll.* **-au** translation.

cyfieithu *be.* **(cyfieithaf)** to translate.

cyfieithydd *e.g. ll.* **-ion** translator, interpreter.

cyfle *e.g. ll.* **-oedd** opportunity, chance.

cyfleu *be.* **(cyfleaf)** to convey, to imply.

cyfleus *a.* convenient, expedient.

cyflog *e.b. ll.* **-au** salary, wages, hire.

cyflogi *be.* **(cyflogaf)** to employ, to hire.

cyflogwr *e.g. ll.* **cyflogwyr** employer.

cyflwr *e.g. ll.* **cyflyrau** state, condition, case.

cyflwyno (i) *be.* **(cyflwynaf)** present (to), to dedicate (to).

cyflym *a.* quick, swift, speedy; *gw. At. Ansoddeiriau.*

cyflymach *gw.* **cyflym.**

cyflymaf *gw.* **cyflym.**

cyflymder *e.g. ll.* **-au** speed, velocity, swiftness.

cyflymed *gw.* **cyflym.**

cyflymu *be.* **(cyflymaf)** to accelerate, to hasten.

cyflymydd *e.g. ll.* **-ion** accelerator.

cyflyrau *gw.* **cyflwr.**

cyfnither *e.b. ll.* **-oedd** female cousin; *gw.* **cefnder.**

cyfoeth *e.g.* wealth, riches.

cyfoethog *a.* rich, wealthy.

cyfradd *e.b. ll.* **-au** rate; **cyfraddau llog** interest rates.

cyfraith *e.b. ll.* **cyfreithiau** law.

cyfrannu (i, at) *be.* **(cyfrannaf)** to contribute; to impart.

cyfreithiwr *e.g. ll.* **cyfreithwyr** solicitor, lawyer.

cyfreithwyr *gw.* **cyfreithiwr.**

cyfres *e.b. ll.* **-au, -i** series, suite *(musical);* **drama gyfres** a serial.

cyfresau: cyfresi *gw.* **cyfres.**

cyfrif 1 *be.* **(cyfrifaf)** to count, to reckon. 2. *e.g.* account, reckoning; **cyfrif trafod** current account; **cyfrif cadw** deposit account.

cyfrifiadur *e.g. ll.* **-on** computer.

cyfrifiannell *e.g. ll.* **-au** calculator.

cyfrifol *a.* responsible; calculable: **cyfrifol am** responsible for.

cyfrifoldeb *e.g. ll.* **-au** responsibility.

cyfrifydd *e.g. ll.* **-ion** accountant.

cyfrinach *e.b. ll.* **-au** secret, mystery.

cyfrinachol *a.* secret, confidential, private.

cyfrol *e.b. ll.* **-au** volume, book.

cyfrwng *e.g. ll.* **cyfryngau** agent; agency; medium; means: **trwy gyfrwng** through the medium of; **y cyfryngau** the media.

cyfrwys *a.* cunning, crafty.

cyfryngau *gw.* **cyfrwng.**

cyfun *a.* agreeing, comprehensive, united; **Ysgol Gyfun Treforys** Morriston Comprehensive School.

cyfuwch *gw.* **uchel.**

cyfweld (â) *be.* **(cyfwelaf)** to interview.

cyfweliad *e.g. ll.* **-au** interview.

cyfyng *a.* narrow, confined, restricted: **Mae hi'n gyfyng arni** She is in dire straits.

cyfyngu (ar) *be.* **(cyfyngaf)** to narrow, to confine, to restrict.

cyfystyr 1 *e.g. ll.* **-on** synonym. 2 *a.* synonymous; **cyfystyr â** synonymous with.

25

cyfforddus   cymysgu

cyfforddus: cyffyrddus *a.*
comfortable *(S.W.)*.
cyffredin *a.* common, ordinary,
vulgar: **enw cyffredin** common
noun; **pobl gyffredin** ordinary
people.
cyffrous *a.* exciting, moving.
cyffur *e.g. ll.* -iau drug, medicine.
cyffwrdd (â) *be.* **(cyffyrddaf)** to
touch, to contact, to meet.
cyngerdd *e.g.b. ll.* **cyngherddau**
concert.
cyngherddau *gw.* **cyngerdd.**
cynghori (i) *be.* **(cynghoraf)** to
advise, to counsel, to exhort.
cynghorion *gw.* **cyngor.**
cynghorwr *e.g. ll.* **cynghorwyr**
adviser, councillor.
cynghrair *e.g. ll.* **cynghreiriau**
alliance, league.
cynghreiriad *e.g. ll.* **cynghreiriaid**
ally.
cynghreiriau *gw.* **cynghrair.**
cyngor 1 *e.g. ll.* **cynghorion** advice,
counsel. 2 *e.g. ll.* **cynghorau**
council: **Cyngor**
Cymuned community council;
Cyngor Dosbarth District Council;
Cyngor Sir County Council;
Cyngor y Celfyddydau the Arts
Council.
cyhoedd 1 *a.* public. 2 *e.g.* public:
ar gyhoedd, ar goedd publicly;
y cyhoedd the public.
cyhoeddi *be.* **(cyhoeddaf)** to
announce, to proclaim; to publish.
cyhoeddiad *e.g. ll.* -au publication;
announcement; engagement.
cyhoeddus *a.* public: **neuadd
gyhoeddus** public hall; **cyfarfod
cyhoeddus** public meeting.
cyhoeddusrwydd *e.g.* publicity.
cyhoeddwr *e.g. ll.* **cyhoeddwyr**
publisher; announcer.
cyhyd *gw.* **hir.**
cyhyrog *a.* muscular, strong.
cylch *e.g. ll.* -au, -oedd circle, hoop;
class; region: **o gylch** around.
cylchfan *e.g. ll.* -nau roundabout.
cylchgrawn *e.g. ll.* **cylchgronau**
magazine, periodical.
cylchgronau *gw.* **cylchgrawn.**
cylchlythyr *e.g. ll.* -au, -on a circular.
cyll *bf.* he/she/it loses; *gw.* **collen,
colli.**
cyllell *e.b. ll.* **cyllyll** knife: **cyllell
boced** penknife; **cyllell fara** bread
knife.
cyllyll *gw.* **cyllell.**

cymaint *gw.* **mawr.**
cymal *e.g. ll.* -au joint; clause, phrase.
cymanfa *e.b. ll.*-oedd assembly,
singing festival.
cymanfaoedd *gw.* **cymanfa.**
cymdeithas *e.b. ll.* -au society,
association.
cymdogion *gw.* **cymydog.**
cymeriad *e.g. ll.* -au character.
cymryd *be.* **(cymeraf)** to accept, to
take; **cymryd ar** to pretend *(N.W.)*.
cymharu (â) *be.* **(cymharaf)** to
compare.
cymhleth *a.* complex, involved.
cymhlethod *e.g. ll.* -au complication,
complexity.
cymhlethu *be.* **(cymhlethaf)** to
complicate.
cymhorthion *gw.* **cymorth.**
cymoedd *gw.* **cwm.**
cymorth *e.g. ll.* **cymhorthion** aid,
assistance; **cymorth cyntaf** first
aid.
Cymraeg 1 *e.b.g.* Welsh *(language)*.
2 *a.* Welsh *(in language)*:
Y Gymraeg The Welsh Language;
yn Gymraeg in Welsh; **Cymraeg da**
good *(spoken or written)* Welsh.
Cymraes; Cymreiges *e.b. ll.* -au
Welshwoman.
Cymreictod *e.g.* Welsh quality,
Welshness.
Cymreig *a.* Welsh, pertaining to
Wales or to the Welsh: **arferion
Cymreig** Welsh traditions; **brethyn
Cymreig** Welsh woollen cloth;
Swyddfa Gymreig The Welsh
Office.
Cymreiges *gw.* **Cymraes.**
Cymro *e.g. ll.* **Cymry** Welshman:
Cymro i'r carn thorough
Welshman; **Cymro uniaith** monglot
Welshman; **Cymry alltud** exiled
Welsh; **Cymry Llundain** London
Welsh.
Cymru *eb.* Wales.
Cymry *gw.* **Cymro.**
cymryd *gw.* **cymeryd.**
cymwynas *e.b. ll.* -au favour,
kindness; **talu'r gymwynas olaf** to
pay the last respects *(attendance at
funeral)*.
cymydog *e.g. ll.* **cymdogion**
neighbour.
cymylau *gw.* **cwmwl.**
cymylog *a.* cloudy.
cymysg *a.* mixed.
cymysgu (â) *be.* **(cymysgaf)** to mix,
to confuse.

cymysgwch
cytundeb

cymysgwch 1 *e.g.* jumble, medley. 2 *bf.* mix! *(plural); gw.* **cymysgu.**

cyn 1 *ardd.* before, previous to: **Dewch cyn cinio** Come before dinner. 2 *rhagdd.* (followed by soft mutation) first, former, ex-; **cynbrifathro** former headteacher; **cynlöwr** former miner; **cynweinidog** former minister. 3 *c. & ad.* (followed by soft mutation) as; **cyn dewed â mochyn** as fat as a pig; **cyn dduad â'r frân** as black as the crow; **cyn goched â thân** as red as fire; *gw. At. Treigladau.*

cynaeafau *gw.* **cynhaeaf.**

cynddrwg *gw.* **drwg.**

cynffon *e.b. ll.* -nau tail *(N.W.);* **cynffonnau ŵyn bach** hazel catkins; *gw.* **cwt.**

cynhadledd *e.b. ll.* **cynadleddau** conference.

cynhaeaf *e.g. ll.* **cynaeafau** harvest.

cynhesu *be.* **(cynhesaf)** to warm, to get warm.

cynhwysion *gw.* **cynnwys.**

cynhyrfus *a.* exciting, agitated.

cynigion *gw.* **cynnig.**

cynilion *e.ll.* savings.

cynilo *be.* **(cynilaf)** to save, to ecnomise.

cynllun *e.g. ll.* -iau plan, design, scheme, project.

cynllunio *be.* **(cynlluniaf)** to plan, to design.

cynlluniwr: cynllunydd *e.g. ll.* **cynllunwyr** planner, designer, architect.

cynnal *be.* **(cynhaliaf)** to support, to hold, to maintain: **gwaith cynnal a chadw** maintenance work.

cynnar *a.* early, soon; *gw. At. Ansoddeiriau.*

cynnes *a.* warm.

cynnig 1 *be.* **(cynigiaf)** to attempt, to try, to propose; **rhoi cynnig ar** to attempt to. 2 *e.g. ll.* **cynigion** attempt; offer, proposal; motion, bid.

cynnwys 1 *eg. ll.* **cynhwysion.** content, contents. 2 *be.* **(cynhwysaf)** to contain, to include; **gan gynnwys** including.

cynorthwy-ydd *e.g. ll.* **cynorthwywyr** helper, assistant.

cynorthwywr *e.g. ll.* **cynorthwywyr** helper, assistant.

cynradd *a.* primary: **ysgol gynradd** primary school.

cynrychioli *be.* to represent.

cynt: gynt *ad.* formerly, previously, *née:* **Siân Owen, gynt Lewis** Siân Owen, *née* Lewis; **y flwyddyn gynt** the previous year; *gw.* **buan, cynnar.**

cyntaf *a.* first, chief, earliest *gw.* **cynnar.**

cynted *gw.* **cynnar.**

cyntedd *e.g. ll.* **cynteddau, cynteddoedd** porch, court, lobby, hall.

cynteddau: cynteddoedd *gw.* **cyntedd.**

cynulleidfa *e.b. ll.* -oedd congregation.

cypyrddau *gw.* **cwpwrdd.**

cyrddau *gw.* **cwrdd.**

cyrff *gw.* **corff.**

cyrion *gw.* **cwr.**

cyrliog *a.* curly.

cyrn *gw.* **corn.**

cyrraedd *be.* **(cyrhaeddaf)** to reach, to arrive, to attain: **Cyrhaeddodd y tŷ** He arrived at the house.

cyrrau *gw.* **cwr.**

cyrsau *gw.* **cwrs.**

cyrsiau *gw.* **cwrs.**

cysglyd *a.* sleepy.

cysgod *e.g. ll.* -ion, -au shadow; shelter.

cysgodau *gw.* **cysgod.**

cysgodi *(rhag.) be.* **(cysgodaf)** to shade; to shelter.

cysgodion *gw.* **cysgod.**

cysgu *be.* **(cysgaf)** to sleep.

cystadlaethau *gw.* **cystadleuaeth.**

cystadleuaeth *e.b. ll.* **cystadlaethau** competition.

cystadleuwr: cystadleuydd *e.g. ll.* **cystadleuwyr** competitor.

cystadleuwyr *gw.* **cystadleuwr.**

cystadlu (â) *be.* **(cystadlaf)** to compete.

cystal *gw.* **da.**

cystymau *gw.* **cwstwm.**

cysur *e.g. ll.* -on comfort, consolation.

cysuro *be.* **(cysuraf)** to comfort, to console.

cysurus *a.* comfortable.

cyswllt *e.g. ll.* **cysylltau** joint, junction, connection.

cytgan *e.b. ll.* -au chorus.

cytsain 1 *e.b. ll.* **cytseiniaid** consonant. 2 *e.b. ll.* **cytseiniau** harmony.

cytseiniaid *gw.* **cytsain.**

cytseiniau *gw.* **cytsain.**

cytundeb *e.g. ll.* -au agreement, pact, contract.

cytuno (â) *be.* **(cytunaf)** to agree
(with), consent (to).
cyw *e.g. ll.* **-ion** chick; **cyw
iâr** chicken *(N.W.); gw.* **ffowlyn.**
cywaith *e.g. ll.* **cyweithiau** project;
collective work.
cyweithiau *gw.* **cywaith.**

cywion *gw.* **cyw.**
cywir *a.* correct, sincere, true,
honest.
cywiriad *e.g. ll.* **-au** correction.
cywiro *be.* **(cywiraf)** to correct, to
amend, to verify.

'ch *rhag.* you, your; *gw. At.*
  Rhagenwau Personol.
chaban *gw.* caban.
chacen *gw.* cacen.
chacwn *gw.* cacwn.
chacynen *gw.* cacynen.
chadach *gw.* cadach.
chadair *gw.* cadair.
chadeirio *gw.* cadeirio.
chadeiriol *gw.* cadeiriol.
chadeirydd *gw.* cadeirydd.
chadnawes *gw.* cadno.
chadno *gw.* cadno.
chadnoaid *gw.* cadno.
chadw *gw.* cadw.
chadwyn *gw.* cadwyn.
chadwyno *gw.* cadwyno.
chae *gw.* cae.
chael *gw.* cael.
chaer *gw.* caer.
Chaerdydd *gw.* Caerdydd.
Chaerfyrddin *gw.* Caerfyrddin.
Chaergybi *gw.* Caergybi.
chaets *gw.* caets.
chaf *gw.* caf.
chafodd *gw.* cafodd.
chaffe *gw.* caffe.
changen *gw.* cangen.
changhennau *gw.* cangen.
chaiff *gw.* caiff.
chais *gw.* cais.
chalan *gw.* calan.
chaled *gw.* caled.
chaledi *gw.* caledi.
chaledu *gw.* caledu.
chaledwch *gw.* caledwch.
chalendr *gw.* calendr.
chalenigion *gw.* calennig.
chalennig *gw.* calennig.
chaletach *gw.* caled.

chaletaf *gw.* caled.
chaleted *gw.* caled.
chalon *gw.* calon.
chall *gw.* call.
challach *gw.* call.
challaf *gw.* call.
challed *gw.* call.
cham *gw.* cam.
chamarwain *gw.* camarwain.
chamddeall *gw.* camddeall.
chamera *gw.* camera.
champ *gw.* camp.
champfa *gw.* campfa.
champfeydd *gw.* campfa.
champus *gw.* campus.
champwaith *gw.* campwaith.
chamsyniad *gw.* camsyniad.
chamu *gw.* camu.
chân *gw.* cân.
chan *gw.* can, gan.
chaneuon *gw.* cân.
chanfed *gw.* canfed.
chanhwyllau *gw.* cannwyll.
chanhwyllbren *gw.* canhwyllbren.
chaniad *gw.* caniad.
chaniadaeth *gw.* caniadaeth.
chaniadau *gw.* cân, caniad.
chaniatâd *gw.* caniatâd.
chaniatáu *gw.* caniatáu.
chaniedydd *gw.* caniedydd.
chanmlwydd *gw.* canmlwydd.
chanmlwyddiannau *gw.* canmlwydd.
chanmol *gw.* canmol.
chanmoliaeth *gw.* canmoliaeth.
channoedd *gw.* cant.
channwyll *gw.* cannwyll.
chanol *gw.* canol.
chanolbarth *gw.* canolbarth.
chanolbwyntio *gw.* canolbwyntio.
chanoldir *gw.* canoldir.
chanolfan *gw.* canolfan.
chanolwr *gw.* canolwr.
chanradd *gw.* canradd.
chanran *gw.* canran.
chanrif *gw.* canrif.
chanrifau: chanrifoedd *gw.*
  canrif.
chant *gw.* cant.
chantor *gw.* cantor.
chantores *gw.* cantores.
chanu *gw.* canu.
chanŵ *gw.* canŵ.
chanŵio *gw.* canŵio.
chanwr *gw.* canwr.
chap *gw.* cap.
chapel *gw.* capel.
chapteiniaid *gw.* capten.
chapten *gw.* capten.
chapteniaid *gw.* capten.

char

char *gw.* car.
charafán *gw.* carafán.
charafana *gw.* carafana.
charco *gw.* carco.
charcus *gw.* carcus.
charchar *gw.* carchar.
charcharor *gw.* carcharor.
charcharu *gw.* carcharu.
chardiau *gw.* cerdyn.
charedig *gw.* caredig.
charedigrwydd *gw.* caredigrwydd.
chariad *gw.* cariad.
chariadon *gw.* cariad.
chariadus *gw.* cariadus.
chario *gw.* cario.
charol *gw.* carol.
charped *gw.* carped.
charreg *gw.* carreg.
chartref *gw.* cartref.
chartrefi: chartrefydd *gw.* cartref.
chartrefu *gw.* cartrefu.
charu *gw.* caru.
chas *gw.* cas.
chasáu *gw.* casáu.
chasgen *gw.* casgen.
chasgenni *gw.* casgen.
chasgliad *gw.* casgliad.
chasglu *gw.* casglu.
Chas-gwent *gw.* Cas-gwent.
Chasllwchwr *gw.* Casllwchwr.
Chasnewydd *gw.* Casnewydd.
chastell *gw.* castell.
Chastell-nedd *gw.* Castell-nedd.
chath *gw.* cath.
chau *gw.* cau.
chawl *gw.* cawl.
chawod *gw.* cawod.
chawr *gw.* cawr.
chaws *gw.* caws.
chefn *gw.* cefn.
chefnder *gw.* cefnder.
chefndir *gw.* cefndir.
chefndiroedd *gw.* cefndir.
chefndyr *gw.* cefnder.
chefnu *gw.* cefnu.
chefnwr *gw.* cefnwr.
chefnwyr *gw.* cefnwr.
cheffyl *gw.* ceffyl.
cheg *gw.* ceg.
chegin *gw.* cegin.
chei *gw.* cael, cei.
cheidwad *gw.* ceidwad.
cheiliog *gw.* ceiliog.
Cheinewydd *gw.* Ceinewydd.
cheiniog *gw.* ceiniog.
cheisio *gw.* ceisio.
chelf *gw.* celf.
chelfi *gw.* celficyn.
chelficyn *gw.* celficyn.

chlai

chelwydd *gw.* celwydd.
chelwyddog *gw.* celwyddog.
chelyn *gw.* celynnen.
chelynnen *gw.* celynnen.
chell *gw.* cell.
chellau: chelloedd *gw.* cell.
chemeg *gw.* cemeg.
chenadaethau *gw.* cenhadaeth.
chenedl *gw.* cenedl.
chenedlaethau *gw.* cenhedlaeth.
chenedlaethol *gw.* cenedlaethol.
chenedlaetholdeb *gw.*
　cenedlaetholdeb.
chenedlaetholwr *gw.*
　cenedlaetholwr.
chenedlaetholwyr *gw.*
　cenedlaetholwr.
chenfigennus *gw.* cenfigennus.
chenhadaeth *gw.* cenhadaeth.
chenhadol *gw.* cenhadol.
chenhadon *gw.* cenhadwr.
chenhadu *gw.* cenhadu.
chenhadwr *gw.* cenhadwr.
chenhedlaeth *gw.* cenhedlaeth.
chenhedloedd *gw.* cenedl.
chenhinen *gw.* cenhinen.
chennin *gw.* cenhinen.
cher *gw.* mynd.
cherdyn *gw.* cerdyn.
cherdd *gw.* cerdd.
cherdded *gw.* cerdded.
cherddor *gw.* cerddor.
cherddorfa *gw.* cerddorfa.
cherddorfeydd *gw.* cerddorfa.
cherddoriaeth *gw.* cerddoriaeth.
cherddorol *gw.* cerddorol.
cherddwr *gw.* cerddwr.
cherddwyr *gw.* cerddwr.
cherflun *gw.* cerflun.
cherrig *gw.* carreg.
cherwch *gw.* mynd.
ches *gw.* ces.
chesair *gw.* cesair.
chestyll *gw.* castell.
chewri *gw.* cawr.
chewyn *gw.* cewyn.
cheyrydd *gw.* caer.
chi: chwi *rhag.* you; *gw.* ci.
chig *gw.* cig.
chigydd *gw.* cigydd.
chigyddion *gw.* cigydd.
chilio *gw.* cilio.
chiniawau *gw.* cinio.
chinio *gw.* cinio.
chipolwg *gw.* cipolwg.
chist *gw.* cist.
chithau: chwithau *rhag.* you also.
chlaf *gw.* claf.
chlai *gw.* clai.

chlasur   chricedwr

chlasur *gw*. clasur.
chlasurol *gw*. clasurol.
chlawdd *gw*. clawdd.
chlawr *gw*. clawr.
chlebran *gw*. clebran.
chledr *gw*. cledr.
chlefyd *gw*. clefyd.
chleifion *gw*. claf.
chlêr *gw*. cleren.
chlerc *gw*. clerc.
chleren *gw*. cleren.
chlir *gw*. clir.
chlirio *gw*. clirio.
chlo *gw*. clo, cloi.
chloc *gw*. cloc.
chloch *gw*. cloch.
chlod *gw*. clod.
chlodfori *gw*. clodfori.
chloff *gw*. cloff.
chloffi *gw*. cloffi.
chlogwyn *gw*. clogwyn.
chlogyn *gw*. clogyn.
chloi *gw*. cloi.
chlorian *gw*. clorian.
chloriau *gw*. clawr.
chlown *gw*. clown.
chlun *gw*. clun.
chlust *gw*. clust.
chlustog *gw*. clustog.
chlwm *gw*. clwm.
chlwtyn *gw*. clwtyn.
Chlwyd *gw*. Clwyd.
chlwyd *gw*. clwyd.
chlwydau: chlwydi *gw*. clwyd.
chlwyf *gw*. clwyf.
chlychau *gw*. cloch.
chlymau *gw*. clwm.
chlymu *gw*. clymu.
chlytiau *gw*. clwtyn.
chlyw *gw*. clyw.
chlywed *gw*. clywed.
chnau *gw*. cneuen.
chneuen *gw*. cneuen.
chnoc *gw*. cnoc.
chnocio *gw*. cnocio.
chnoi *gw*. cnoi.
choban *gw*. coban.
chobannau *gw*. coban.
choch *gw*. coch.
chochach *gw*. coch.
chochaf *gw*. coch.
choched *gw*. coch.
chodi *gw*. codi.
Choed-duon *gw*. Coed-duon.
choeden *gw*. coeden.
choedwig *gw*. coedwig.
choes *gw*. coes.
chof *gw*. cof.

chofion *gw*. cof.
chofleidio *gw*. cofleidio.
chofrestr *gw*. cofrestr.
chofrestru *gw*. cofrestru.
choffi *gw*. coffi.
chog *gw*. cog.
choginio *gw*. coginio.
chogydd *gw*. cogydd.
choleg *gw*. coleg.
choler *gw*. coler.
cholofn *gw*. colofn.
choluro *gw*. coluro.
cholled *gw*. colled.
chollen *gw*. collen.
cholli *gw*. colli.
chopïo *gw*. copïo.
chopyn *gw*. copyn.
chôr *gw*. côr.
chorau *gw*. côr.
chordyn *gw*. cordyn.
chorff *gw*. corff.
chorfforol *gw*. corfforol.
chorgi *gw*. corgi.
chorn *gw*. corn.
chornel *gw*. cornel.
choron *gw*. coron.
choroni *gw*. coroni.
chorryn *gw*. corryn.
chorynnod *gw*. corryn.
chosb *gw*. cosb.
chosbi *gw*. cosbi.
chostus *gw*. costus.
chot *gw*. cot.
chotau: chotiau *gw*. cot.
chotwm *gw*. cotwm.
chrac *gw*. crac.
chrachach *gw*. crachach.
chrafu *gw*. crafu.
chragen *gw*. cragen.
chraig *gw*. craig.
chras *gw*. cras.
chrasu *gw*. crasu.
chredu *gw*. credu.
chrefydd *gw*. crefydd.
chrefft *gw*. crefft.
chrefftwr *gw*. crefftwr.
chrefftwyr *gw*. crefftwr.
chregyn *gw*. cragen.
chreigiau *gw*. craig.
chreigiog *gw*. creigiog.
chreision *gw*. creisionyn.
chrempog *gw*. crempog.
chreulon *gw*. creulon.
chreulondeb *gw*. creulondeb.
chri *gw*. cri.
chrib *gw*. crib.
chribo *gw*. cribo.
chriced *gw*. criced.
chricedwr *gw*. cricedwr.

31

chrio   chwilotwr

chrio *gw.* crio.
Christion *gw.* Cristion.
Christnogion *gw.* Cristion.
chriw *gw.* criw.
chroen *gw.* croen.
chroes *gw.* croes.
chroesair *gw.* croesair.
chroesau *gw.* croes.
chroesawu *gw.* croesawu.
chroesawus *gw.* croesawus.
chroeseiriau *gw.* croesair.
chroesfan *gw.* croesfan.
chroesffordd *gw.* croesffordd.
chroesholi *gw.* croesholi.
chroesi *gw.* croesi.
chroeso *gw.* croeso.
chronfa *gw.* cronfa.
chronfeydd *gw.* cronfa.
chrud *gw.* crud.
chrwst *gw.* crwst.
chryd *gw.* cryd.
chryf *gw.* cryf.
chryfach *gw.* cryf.
chryfaf *gw.* cryf.
chryfed *gw.* cryf.
chrynhoi *gw.* crynhoi.
chryno *gw.* cryno.
chrynodeb *gw.* crynodeb.
chrynu *gw.* crynu.
chrys *gw.* crys.
chrystiau *gw.* crwst, crystyn.
chrystyn *gw.* crystyn.
chu *gw.* cu.
chuddio *gw.* cuddio.
chul *gw.* cul.
churo *gw.* curo.
chusan *gw.* cusan.
chusanu *gw.* cusanu.
chwaer *e.b. ll.* chwiorydd sister, maiden.
chwain *gw.* chwannen.
chwaith: ychwaith *ad.* neither, nor . . . either, not . . . either.
chwalu *be.* (chwalaf) to crumble; to scatter, to disperse; chwalu cartref to break up a home.
chwaneg: ychwaneg *a. & e.g.* more, additional.
chwanegu *gw.* ychwanegu.
chwannen *e.b. ll.* chwain flea.
chwant *e.g. ll.* -au desire, appetite; lust: Mae chwant bwyd arnaf i I desire food; Does dim chwant mynd arni She doesn't feel like going.
chwap *a. & ad.* at once, instantly.
chwarae: 1 *be.* (chwaraeaf) to play, to perform. 2 *e.g. ll.* -on game, sport; play: amser chwarae play-time; chwarae teg fair play; meysydd

chwarae playing fields.
chwaraewr *e.g. ll.* chwaraewyr player, actor.
chwaraewyr *gw.* chwaraewr.
chwarddaf *gw.* chwerthin.
chwarel 1 *e.b.g. ll.* -i, -au quarry. 2 *e.g.b. ll.* -au, -i pane of glass.
chwarelau: chwareli *gw.* chwarel.
chwareus *a.* playful.
chwarter *e.g. ll.* -au, -i quarter.
chwb *gw.* cwb.
chwbl *gw.* cwbl.
chwcw *gw.* cwcw.
chwch *gw.* cwch.
chwd *gw.* cwd.
chwdyn *gw.* cwdyn.
chwe: chwech *a.* six; chwe *before singular nouns (followed by spirant mutation)*; chwe bachgen, chwe llyfr; chwech *on its own or with* o + *plural noun* chwech o dai, chwech o blant; chwe deg sixty.
chweched *a.* sixth.
chwedl *e.b. ll.* -au, -euon story, legend, fable; report, rumour; saying.
chwedlau: chwedleuon *gw.* chwedl.
Chwefror *e.g.* February.
chwerthin 1 *be.* (chwarddaf) to laugh, to smile; chwerthin am ei ben to laugh at him. 2 *e.g.* laughter.
chwerthinllyd *a.* laughable.
chwerw *a.* bitter; severe, sharp, spiteful.
chweryl *gw.* cweryl.
chweryla *gw.* cweryla.
chwerylau: chwerylon *gw.* cweryl.
chwestiwn *gw.* cwestiwn.
chwestiyna *gw.* cwestiyna.
chwestiynau *gw.* cwestiwn.
chwi *gw.* chi.
chwiban *e.g. ll.* -au a whistling, whistle.
chwiban: chwibanu (ar) *be,* (chwibanaf) to whistle.
chwifio (at) *be.* (chwifiaf) to wave.
chwilen *e.b. ll.* chwilod beetle; Mae chwilen yn ei ben He has a bee in his bonnet.
chwilio (am) *be.* (chwiliaf) to search (for), to examine.
chwiliwr *e.g. ll.* chwilwyr investigator, searcher.
chwilod *gw.* chwilen.
chwilota *be.* (chwilotaf) to rummage, to pry.
chwilwyr *gw.* chwiliwr.
chwilotwr *e.g. ll.* chwilotwyr

rummager, one engaged in research.
chwiorydd *gw.* **chwaer.**
chwip 1 *e.b.g.* *ll.* **-au, -iau** whip. 2
a. swift, quick. 3 *ad.* instantly.
chwipio *be.* **(chwipiaf)** to whip.
chwistrelliad *e.g.* *ll.* **-au** injection.
chwith *a.* left; strange; sad:
o chwith the wrong way about,
awkwardly; **tu chwith** inside out.
chwithau *gw.* **chithau.**
chwithig *a.* strange; awkward.
chwlwm *gw.* **cwlwm.**
chwm *gw.* **cwm.**
chwmni *gw.* **cwmni.**
chwmnïau *gw.* **cwmni.**
chwmnïoedd *gw.* **cwmni.**
chwmwl *gw.* **cwmwl.**
chŵn *gw.* **ci.**
chwningen *gw.* **cwningen.**
chwningod *gw.* **cwningen.**
chwpan *gw.* **cwpan.**
chwpla *gw.* **cwpla.**
chwpwrdd *gw.* **cwpwrdd.**
chwr *gw.* **cwr.**
chwrdd *gw.* **cwrdd.**
chwrs *gw.* **cwrs.**
chwrtais *gw.* **cwrtais.**
chwrw *gw.* **cwrw.**
chwsg *gw.* **cwsg.**
chwsmer *gw.* **cwsmer.**
chwstwm *gw.* **cwstwm.**
chwt *gw.* **cwt.**
chwydu *be.* **(chwydaf)** to vomit.
chwyddiant *e.g.* *ll.* **chwyddiannau**
inflation; inflammation.
chwyddo *be.* **(chwyddaf)** to swell, to
increase.
chwyddwydr *e.g.* *ll.* **-au** magnifying
glass.
chwyldro: chwyldroad *e.g.* *ll.*
chwyldroadau revolution:
y Chwyldro Diwydiannol the
Industrial Revolution; **y Chwyldro
Ffrengig** the French Revolution.
chwymp *gw.* **cwymp.**
chwympo *gw.* **cwympo.**
chwyn *e. torf.* weeds; *gw.* **cwyn;**
gw. **chwynnyn.**
chwynladdwr *e.g.* weed-killer.
chwynnyn *e.g.ll. & e.torf.* **chwyn**
weed.
chwynnu *be.* **(chwynnaf)** to weed.
chwyno *gw.* **cwyno.**
chwyro *gw.* **cwyro.**
chwyrnru *be.* **(chwyrnaf)** to snore, to
snarl; to whirl.
chwys *e.g.* perspiration, sweat; **yn
chwys domen** dripping with

perspiration.
chwysu *be.* **(chwysaf)** to perspire, to
sweat.
chwythu *be.* **(chwythaf)** to blow.
chychod *gw.* **cwch.**
chychwyn *gw.* **cychwyn.**
chydadrodd *gw.* **cydadrodd.**
chydau *gw.* **cwd; cwdyn.**
chydio *gw.* **cydio.**
chydnabod *gw.* **cydnabod.**
chyfaill *gw.* **cyfaill.**
chyfan *gw.* **cyfan.**
chyfangwbl *gw.* **cyfangwbl.**
chyfansoddi *gw.* **cyfansoddi.**
chyfansoddwr *gw.* **cyfansoddwr.**
chyfanswm *gw.* **cyfanswm.**
chyfarch *gw.* **cyfarch.**
chyfarfod *gw.* **cyfarfod.**
chyfarfodydd *gw.* **cyfarfod.**
chyfarwyddiadur *gw.*
cyfarwyddiadur.
chyfarwyddo *gw.* **cyfarwyddo.**
chyfarwyddwr *gw.* **cyfarwyddwr.**
chyfeilles *gw.* **cyfeilles.**
chyfeillgar *gw.* **cyfeillgar.**
chyfeillgarwch *gw.* **cyfeillgarwch.**
chyfeiriad *gw.* **cyfeiriad.**
chyfeirio *gw.* **cyfeirio.**
chyfenw *gw.* **cyfenw.**
chyferbyn *gw.* **cyferbyn.**
chyfiawn *gw.* **cyfiawn.**
chyfiawnder *gw.* **cyfiwnder.**
chyfieithiad *gw.* **cyfieithiad.**
chyfieithu *gw.* **cyfieithu.**
chyfieithydd *gw.* **cyfieithydd.**
chyfle *gw.* **cyfle.**
chyflfeu *gw.* **cyfleu.**
chyfleus *gw.* **cyfleus.**
chyflog *gw.* **cyflog.**
chyflogi *gw.* **cyflogi.**
chyflogwr *gw.* **cyflogwr.**
chyflwr *gw.* **cyflwr.**
chyflwyno *gw.* **cyflwyno.**
chyflym *gw.* **cyflym.**
chyflymach *gw.* **cyflymach.**
chyflymaf *gw.* **cyflymaf.**
chyflymder *gw.***cyflymder.**
chyflymed *gw.* **cyflymed.**
chyflymu *gw.* **cyflymu.**
chyflymydd *gw.* **cyflymydd.**
chyflyrau *gw.* **cyflywr.**
chyfnither *gw.* **cyfnither.**
chyfoeth *gw.* **cyfoeth.**
chyfoethog *gw.* **cyfoethog.**
chyfraith *gw.* **cyfraith.**
chyfrannu *gw.* **cyfrannu.**
chyfreithiwr *gw.* **cyfreithiwr.**
chyfreithwyr *gw.* **cyfreithiwr.**
chyfres *gw.* **cyfres.**

chyfresau   chyrn

chyfresau: chyfresi *gw.* cyfres.
chyfrif *gw.* cyfrif.
chyfrifiadur *gw.* cyfrifiadur.
chyfrifiannell *gw.* cyfrifiannell.
chyfrifol *gw.* cyfrifol.
chyfrifoldeb *gw.* cyfrifoldeb.
chyfrifydd *gw.* cyfrifydd.
chyfrinach *gw.* cyfrinach.
chyfrinachol *gw.* cyfrinachol.
chyfrol *gw.* cyfrol.
chyfrwng *gw.* cyfrwng.
chyfrwys *gw.* cyfrwys.
chyfryngau *gw.* cyfrwng.
chyfun *gw.* cyfun.
chyfuwch *gw.* uchel.
chyfweld *gw.* cyfweld.
chyfweliad *gw.* cyfweliad.
chyfyng *gw.* cyfyng.
chyfyngu *gw.* cyfyngu.
chyfystyr *gw.* cyfystyr.
chyfforddus *gw.* cyfforddus.
chyffredin *gw.* cyffredin.
chyffrous *gw.* cyffrous.
chyffur *gw.* cyffur.
chyffwrdd *gw.* cyffwrdd.
chyffyrddus *gw.* cyffyrddus.
chyngerdd *gw.* cyngerdd.
chyngherddau *gw.* cyngerdd.
chynghori *gw.* cynghori.
chynghorion *gw.* cyngor.
chynghorwr *gw.* cynghorwr.
chynghrair *gw.* cynghrair.
chynghreiriad *gw.* cynghreiriad.
chyngor *gw.* cyngor.
chyhoedd *gw.* cyhoedd.
chyhoeddi *gw.* cyhoeddi.
chyhoeddiad *gw.* cyhoeddiad.
chyhoeddus *gw.* cyhoeddus.
chyhoeddusrwydd *gw.*
  cyhoeddusrwydd.
chyhoeddwr *gw.* cyhoeddwr.
chyhyd *gw.* cyhyd.
chyhyrog *gw.* cyhyrog.
chylch *gw.* cylch.
chylchfan *gw.* cylchfan.
chylchgrawn *gw.* cylchgrawn.
chylchgronau *gw.* cylchgrawn.
chylchlythyr *gw.* cylchlythyr.
chyll *gw.* collen; colli.
chyllell *gw.* cyllell.
chyllyll *gw.* cyllell.
chymaint *gw.* cymaint.
chymal *gw.* cymal.
chymanfa *gw.* cymanfa.
chymanfaoedd *gw.* cymanfa.
chymdeithas *gw.* cymdeithas.
chymdogion *gw.* cymydog.
chymeriad *gw.* cymeriad.
chymeryd *gw.* cymryd.

chymharu *gw.* cymharu.
chymhleth *gw.* cymhleth.
chymhlethdod *gw.* cymhlethdoa.
chymhlethu *gw.* cymhlethu.
chymhorthion *gw.* cymorth.
chymoedd *gw.* cwm.
chymorth *gw.* cymorth.
Chymraeg *gw,* Cymraeg.
Chymraes *gw.* Cymraes.
Chymreictod *gw.* Cymreictod.
Chymreig *gw.* Cymreig.
Chymreiges *gw.* Cymreiges.
Chymro *gw.* Cymro.
Chymru *gw.* Cymru.
Chymry *gw.* Cymro.
chymryd *gw.* cymryd.
chymwynas *gw.* cymwynas.
chymydog *gw.* cymydog.
chymylau *gw.* cwmwl.
chymylog *gw.* cymylog.
chymysg *gw.* cymysg.
chymysgu *gw.* cymysgu.
chymysgwch *gw.* cymysgwch.
chyn *gw.* cyn.
chynaeafau *gw.* cynhaeaf.
chynddrwg *gw.* cynddrwg.
chynffon *gw.* cynffon.
chynhadledd *gw.* cynhadledd.
chynhaeaf *gw.* cynhaeaf.
chynhesu *gw.* cynhesu.
chynhyrfus *gw.* cynhyrfus.
chynigion *gw.* cynnig.
chynilion *gw.* cynilion.
chynilo *gw.* cynilo.
chynllun *gw.* cynllun.
chynllunio *gw.* cynllunio.
chynlluniwr *gw.* cynlluniwr.
chynllunydd *gw.* cynlluniwr.
chynnal *gw.* cynnal.
chynnar *gw.* cynnar.
chynnes *gw.* cynnes.
chynnig *gw.* cynnig.
chynnwys *gw.* cynnwys.
chynorthwywr *gw.* cynorthwywr.
chynorthwy-ydd *gw.* cynorthwy-ydd.
chynradd *gw.* cynradd.
chynt *gw.* cynnar.
chyntaf *gw.* cyntaf, cynnar.
chynted *gw.* cynnar.
chyntedd *gw.* cyntedd.
chynteddau *gw.* cyntedd.
chynteddoedd *gw.* cyntedd.
chynulleidfa *gw.* cynulleidfa.
chypyrddau *gw.* cwpwrdd.
chyrddau *gw.* cwrdd.
chyrff *gw.* corff.
chyrion *gw.* cwr.
chyrliog *gw.* cyrliog.
chyrn *gw.* corn.

chyrraedd

chywiro

chyrraedd *gw.* cyrraedd.
chyrrau *gw.* cwr.
chyrsau *gw.* cwrs.
chyrsiau *gw.* cwrs.
chysglyd *gw.* cysglyd.
chysgod *gw.* cysgod.
chysgodau *gw.* cysgod.
chysgodi *gw.* cysgodi.
chysgodion *gw.* cysgod.
chysgu *gw.* cysgu.
chystadlaethau *gw.* cystadleuaeth.
chystadleuaeth *gw.* cystadleuaeth.
chystadleuwr *gw.* cystadleuwr.
chystadleuwyr *gw.* cystadleuwr.
chystadleuydd *gw.* cystadleuwr.
chystadlu *gw.* cystadlu.
chystal *gw.* cystal.
chystymau *gw.* cwstwm.

chysur *gw.* cysur.
chysuro *gw.* cysuro.
chysurus *gw.* cysurus.
chyswllt *gw.* cyswllt.
chytgan *gw.* cytgan.
chytsain *gw.* cytsain.
chytseiniaid *gw.* cytsain.
chytseiniau *gw.* cytsain.
chytundeb *gw.* cytundeb.
chytuno *gw.* cytuno.
chyw *gw.* cyw.
chywaith *gw.* cywaith.
chyweithiau *gw.* cywaith.
chywion *gw.* cyw.
chywir *gw.* cywir.
chywiriad *gw.* cywiriad.
chywiro *gw.* cywiro.

da 1 *a.* good, well; **bore da** good morning; **da iawn** very good, very well (*in health*); **Mae'n dda gen i weld** I'm glad to see; *gw. At. Ansoddeiriau.* 2 *e.g.* good, goodness. 3 *e. torf.* goods, stock; cattle (*S.W.*).

dabl *gw.* tabl.

dablet *gw.* tablet.

dacl *gw.* tacl.

daclo *gw.* taclo.

daclu *gw.* taclu.

daclus *gw.* taclus.

dacluso *gw.* tacluso.

daclwr *gw.* taclwr.

dacw *ad.* There is/are, behold (*far away*) (*followed by soft mutation*).

Dachwedd *gw.* Tachwedd.

dad *gw.* tad.

dadansoddi *be.* (**dadansoddaf**) to analyse.

dad-cu *gw.* tad-cu.

dadl *e.b.* *ll.* **-euon** debate, argument, dispute.

dadlau *be.* (**dadleuaf**) to argue, to debate, to dispute.

daear *e.b.* *ll.* **-oedd** earth, ground, soil, land: **Beth ar y ddaear ydy e?** What on earth is it?; **Ble ar y ddaear mae e?** Where on earth is he/it?

daeareg *e.b.* geology.

daeargryn *e.g.b.* *ll.* **-fâu, -feydd** earthquake.

daearyddiaeth *e.b.* geography.

daeth *bf.* he/she/it came; *gw.* **dod.**

dafad *e.b.* *ll.* **defaid** sheep, ewe; wart.

dafarn *gw.* tafarn.

dafarnwr *gw.* tafarnwr.

dafell *gw.* tafell.

daflegryn *gw.* taflegryn.

daflen *gw.* taflen.

daflu *gw.* taflu.

dafod *gw.* tafod.

dafodiaith *gw.* tafodiaith.

dafol *gw.* tafol.

dagfa *gw.* tagfa.

dagrau *gw.* deigryn.

dagu *gw.* tagu.

dangnefedd *gw.* tangnefedd.

daid *gw.* taid.

dail *gw.* dalen, deilen.

daioni *e.g.* goodness: **er daioni** for the good of; *gw.* **da.**

dair *gw.* tair.

daith *gw.* taith.

dal *gw.* tal.

dal: dala (*S.W.*) *be.* (**daliaf, dalaf**) to hold, to capture, to seize, to catch; to maintain; to keep, to wager, to bet; to continue; to rely, to trust: **dal annwyd** to catch a cold; **dal ati** to persevere, to stick at it; **dal dŵr** to hold water; **dal dig** to bear or retain a grudge; **dal ei dir** to hold his ground; **dal i fyny** to bear up, to uphold; **dal i lawr** to subjugate; **dal perthynas â** to be related to; **dal sylw** to take notice; **dal wrth/at** to adhere to, to persevere in; **dal y slac yn dynn** to pretend to work; **does dim dal arno** He cannot be relied upon; **Ydy e'n dal i ganu?** Does he still sing?

dâl *gw.* tâl.

dalai *gw.* talai.

dalaith *gw.* talaith.

dalcen *gw.* talcen.

daleb *gw.* taleb.

daleion *gw.* talai.

dalen *e.b.* *ll.* **dail, -nau** leaf (*of a book*); sheet (*of paper*); leaf (*of tree, plant, etc.*): **troi dalen newydd** to turn over a new leaf; **ymyl y ddalen** margin of a page; *gw.* **deilen, tudalen.**

dalent *gw.* talent.

dalentog *gw.* talentog.

dalgylch *e.g.* *ll.* **-oedd** catchment area.

dalu *gw.* talu.

dalwr *gw.* talwr.

dalwrn *gw.* talwrn.

dall 1 *a.* blind. 2 *e.g.* *ll.* **deillion, deilliaid** blind person(s).

dallu *be.* (**dallaf**) to blind, to dazzle.

damaid *gw.* tamaid.

dameg *e.b.* *ll.* **damhegion** parable.

dameidiau *gw.* tamaid.

damhegion *gw.* dameg.

damwain *e.b. ll.* **damweiniau**
accident; chance; **ar ddamwain, trwy ddamwain, wrth ddamwain** by chance.
dan: tan *ardd.* **(dana, danat, dano/dani, danon, danoch, danyn)** under, until, as far; *(followed by soft mutation) gw.* **At.** *Arddodiaid.*
dân *gw.* **tân.**
danau *gw.* **tân.**
dancer *gw.* **tancer.**
danddaear *gw.* **tanddaear.**
danfon *be.* **(danfonaf)** to send, to dispatch; to conduct, to accompany; *gw.* **anfon.**
danfor *gw.* **tanfor.**
dangos (i) *be.* **(dangosaf)** to show, to reveal.
danio *gw.* **tanio.**
danlinellu *gw.* **tanlinellu.**
danlwybr *gw.* **tanlwybr.**
danllyd *gw.* **tanllyd.**
dannau *gw.* **tant.**
dannedd *gw.* **dant.**
dannoedd *e.b.* toothache.
danseilio *gw.* **tanseilio.**
dant *e.g. ll.* **dannedd** tooth; cog; tyne; **dant blaen** front tooth; incisor; **dannedd gosod/dodi** false teeth; **at ei ddant** to his taste; **dant y llew** dandelion; *gw.* **tant.**
danwydd *gw.* **tanwydd.**
dap *gw.* **tap.**
dâp *gw.* **tâp.**
daran *gw.* **taran.**
daranu *gw.* **taranu.**
darddiad *gw.* **tarddiad.**
darddu *gw.* **tarddu.**
darfod (i) *be.* **(darfodaf)** to end; to finish, to die; to waste away; to happen *(N.W.).*
darganfod *be.* **(darganfyddaf)** to discover.
darged *gw.* **targed.**
darian *gw.* **tarian.**
darlith *e.b. ll.* **-iau** lecture.
darlithio *be.* **(darlithiaf)** to lecture.
darlithiwr: darlithydd *e.g. ll.* **darlithwyr** lecturer.
darlun *e.g. ll.* **-iau** picture.
darlunio *be.* **(darluniaf)** to describe, to draw, to illustrate.
darlledu *be.* **(darlledaf)** to broadcast.
darllen *be.* **(darllenaf)** to read.
darllenwr: darllenydd *e.g. ll.* **darllenwyr** reader.
darn *e.g. ll.* **-au** part, piece.
daro *gw.* **taro.**

darw *gw.* **tarw.**
dasg *gw.* **tasg.**
dasgu *gw.* **tasgu.**
datblygiad *e.g. ll.* **-au** development, evolution.
datblygu *be.* **(datblygaf)** to develop, to evolve.
daten *gw.* **taten.**
datgan *be.* **(datganaf)** to declare, to recite.
datganiad *e.g. ll.* **-au** declaration, rendering.
datganoli *be.* **(datganolaf)** to devolve, to decentralise.
datguddio *be.* **(datguddiaf)** to reveal, to disclose.
dato: datws *gw.* **taten.**
datod *be.* **(datodaf)** to undo, to solve, to loose; to dissolve *(N.W.).*
datrys *be.* **(datrysaf)** to solve, to unravel.
datws *gw.* **taten.**
dathlu *be.* **(dathlaf)** to celebrate.
dau 1 *a.g. (followed by soft mutation)* two. 2 *e.g. ll.* **deuoedd** two; **y ddau** both; *gw.* **dwy.**
dawel *gw.* **tawel.**
dawelu *gw.* **tawelu.**
dawelwch *gw.* **tawelwch.**
dawelydd *gw.* **tawelydd.**
dawelyn *gw.* **tawelyn.**
dawns *e.b. ll.* **-iau** dance; **dawns werin** folk dance.
dawnsio *be.* **(dawnsiaf)** to dance; **dawnsio gwerin** folk dancing.
de 1 *a.* southern; right; **y llaw dde** the right hand. 2 *e.g.* south; **pegwn y de** south pole. 3 *e.b.* right side; **ar y dde** on the right (hand) side; *gw.* **te.**
deall 1 *be.* **(deallaf)** to understand. 2 *e.g.* understanding, intelligence, intellect.
deallus *a.* intelligent.
debot *gw.* **tebot.**
debyg *gw.* **tebyg.**
debygrwydd *gw.* **tebygrwydd.**
decell *gw.* **tegell.**
dechneg *gw.* **techneg.**
dechnegol *gw.* **technegol.**
dechnegwr *gw.* **technegwr.**
dechnoleg *gw.* **technoleg.**
dechrau 1 *be.* **(dechreuaf)** to begin, originate: **Mae e'n dechrau tyfu** He/It is beginning to grow. 2 *e.g.* beginning, origin.
dechreuad *e.g.* beginning; **'Yn y dechreuad . . .'** 'In the beginning . . .'

dedwydd   diawl

dedwydd *a.* happy, blessed.
deddf *e.b. ll.* **-au** law, statute, act:
  Deddf Gwlad law of the land; **Deddf
  Uno 1536** Act of Union 1536; **Deddf
  yr Iaith** (Welsh) Language Act.
deddfu *be.* **(deddfaf)** to legislate.
defnydd *e.g. ll.* **-iau** material, cloth,
  fabric; use, purpose.
defnyddio *be.* **(defnyddiaf)** to use.
defnyddiol *a.* useful.
deffro *be.* **(deffroaf)** to awake, to
  awaken.
deg: deng 1 *a.* ten; **deng
  mlynedd** ten years, decade; **deng
  mlwydd** ten years (*of age*); **deng
  niwrnod** ten days; **a'm deg
  ewin** (*doing*) my level best; *gw, At.
  Ansoddeiriau.* **2** *e.g. ll.* **degau** ten;
  gw. **teg.**
degan *gw.* **tegan.**
degawd *e.g. ll.* **-au** decade.
degell *gw.* **tegell.**
degwch *gw.* **tegwch.**
deng *a.* ten; (*used before* **blwydd,
  blynedd** *and* **diwrnod**) followed by
  nasal mutation; *gw.* **deg.**
deheuol *a.* southern.
dei *gw.* **tei.**
deialog *e.g.b. ll.* **-au** dialogue.
deiar *gw.* **teiar.**
deidiau *gw.* **taid.**
deigr *gw.* **teigr.**
deigryn *e.g. ll.* **dagrau** tear.
deilen *e.b. ll.* **dail** leaf (*of tree*); *gw.*
  dalen.
deiliwr *gw.* **teiliwr.**
deilsen *gw.* **teilsen.**
deilwng *gw.* **teilwng.**
deilwres *gw.* **teilwres.**
deilyngdod *gw.* **teilyngdod.**
deilliaid: deillion *gw.* **dall.**
deimlad *gw.* **teimlad.**
deimlo *gw.* **teimlo.**
deintydd *e.g. ll.* **-ion** dentist.
deipiadur *gw.* **teipiadur.**
deirgwaith *gw.* **teirgwaith.**
deiseb *e.b. ll.* **-au** petition.
deisen *gw.* **teisen.**
deitl *gw.* **teitl.**
deithio *gw.* **teithio.**
deithiwr *gw.* **teithiwr.**
del *a.* pretty, neat (*N.W.*).
deledu *gw.* **teledu.**
deleffon *gw.* **teleffon.**
delw *e.b. ll.* **-au** image, idol, form,
  manner; **ar ddelw** in the image of.
delwi *be.* **(delwaf)** to become
  motionless, to be paralysed with
  fright.

delyn *gw.* **telyn.**
delyneg *gw.* **telyneg.**
delynor *gw.* **telynor.**
delynores *gw.* **telynores.**
deml *gw.* **teml.**
denau *gw.* **tenau.**
deniadol *a.* attractive, enticing.
denu *be.* **(denaf)** to attract, to entice.
derbyn *be.* **(derbyniaf, derbynnaf)** to
  receive.
derbynebau: derbynebion *gw.*
  derbynneb.
derbyniol *a.* acceptable, approved,
  receptive.
derbynneb *e.b. ll.* **derbynebau,
  derbynebion** receipt, voucher.
derfyn *gw.* **terfyn.**
deri *e. ll.* oak-trees, oak; *gw.* **derwen.**
derm *gw.* **term.**
derw *a.* of oak, oaken; *gw.* **derwen.**
derwen *e.b. ll.* **derw** oak-tree, oak
  gw. **deri, derw.**
des *gw.* **tes.**
desg *e.b. ll.* **-iau** desk.
desog *gw.* **tesog.**
destun *gw.* **testun.**
detholiad *e.g. ll.* **-au** selection,
  anthology.
deuawd *e.g.b. ll.* **-au** duet.
deuddeg 1 *a.* twelve. **2** *e.g.* twelve.
deuddegfed *a.* twelfth.
deugain 1 *a.* forty; **deugain
  mlynedd** forty years. **2** *e.g.* forty.
deulu *gw.* **teulu.**
deunaw 1 *a.* eighteen; **deunaw
  mlynedd** eighteen years.
  2 *e.g.* eighteen.
deuoedd *gw.* **dau.**
dew *gw.* **tew.**
dewch *bf.* come! (*plural*); *gw.* **dod.**
dewin *e.g. ll.* **-iaid** magician, wizard,
  diviner.
dewis 1 *be.* **(dewisaf)** to choose, to
  select. **2** *e.g. ll.* **-au** choice, desire.
dewr 1 *a. ll.* **-ion** brave, valiant. **2**
  e.g. ll. **-ion** brave man, hero.
deyrnas *gw.* **teyrnas.**
di *gw.* **ti,** *gw. At. Rhagenwau.*
diacon *e.g. ll.* **-iaid** deacon.
diafol *e.g. ll.* **diawliaid** devil.
dial (ar) 1 *be.* **(dialaf)** to avenge;
  to revenge. **2** *e.g. ll.* **-au, -on**
  vengeance.
dianc (*rhag.*) *be.* **(dihangaf)** to
  escape, to avoid.
diarfogi *be.* **(diarfogaf)** to disarm.
diarhebion *gw.* **dihareb.**
diawl *e.g. ll.* **-iaid** devil. **Cer i'r
  diawl!** To hell with you! **diawl o**

diawledig   dirlun

beth a devil of a thing.
diawledig a. devilish.
diawliaid gw. **diafol, diawl.**
di-baid a. unceasing, constant.
diben e.g. ll. **-ion** end, object, aim;
  di-ben-draw endless, interminable.
dibennu be. **(dibennaf)** to end, to
  finish, to terminate.
di-blwm a. unleaded.
dibynnu (ar) be. **(dibynnaf)** to
  depend (on), to rely (on).
diced gw. **ticed.**
diderfyn a. unlimited.
diddordeb e.g. ll. **-au** interest,
  hobby.
diddorol a. interesting, of interest.
dieithr a. strange, unfamiliar.
dieithryn e.g. ll. **dieithriaid** stranger.
diferyn e.g. ll. **-nau, diferion** drop.
difetha be. **(difethaf)** to destroy, to
  spoil.
diflannu be. **(diflannaf)** to vanish, to
  disappear.
diflas a. distasteful, dull.
drifrifol a. serious, earnest, solemn.
difyr: difyrrus a. pleasant, amusing,
  entertaining.
difyrru be. **(difyrraf)** to amuse, to
  entertain.
diffiniad e.g. ll. **-au** definition.
diffinio be. **(diffiniaf)** to define.
diffodd be. **(diffoddaf)** to extinguish,
  to quench: **diffodda'r golau, (stof/
  tân/teledu)** switch off the light,
  (stove/fire/television).
diffuant a. genuine, sincere: **yr
  eiddoch yn ddiffuant** yours
  sincerely.
diffyg e.g. ll. **-ion** defect, want, lack,
  failure, flaw.
digon 1 e.g. enough, sufficiency;
  plenty. 2 a. enough; plentiful,
  ample. 3 ad. enough, sufficiently,
  adequately: **Dyna ddigon!** That's
  enough! **yn ddigon da** good enough
  (no mutation).
digonedd e.g. abundance, plenty.
digrif a. merry, amusing.
digwydd be. **(digwyddaf)** to happen,
  to occur. **Digwyddodd hi weld y dyn.**
  She happened to see the man.
digwyddiad e.g. ll. **-au** happening,
  event.
dihareb e.b. ll. **diarhebion** proverb.
diheintydd e.g. ll. **-ion** disinfectant.
dihuno be. **(dihunaf)** to waken, to
  awaken (S.W.).
dileu be. **(dileaf)** to delete, to
  abolish, to exterminate, to erase.

dilyn be. **(dilynaf)** to follow, to
  pursue.
dillad gw. **dilledyn.**
dilledyn e.g. ll. **dillad** garment,
  dress, item of clothing: **dillad bob
  dydd** everyday clothes; **dillad
  diwedydd** clothes changed into
  after work; **dillad gwaith** working
  clothes; **dillad gwely** bedclothes;
  dillad isa(f) underclothing; **dillad
  nos** pyjamas; **dillad parch** Sunday
  best, best clothes.
dim 1 e.g. any, no. **am ddim** for
  nothing, gratis; **dim byd** nothing
  at all; **dim ond** nothing but, only,
  merely; **dim un** not a single one; **i'r
  dim** exactly.
dîm gw. **tîm.**
dinas e.b. ll. **-oedd** city.
dinasyddion gw. **dinasydd.**
dinesig a. civic, urban.
dinesydd e.g. ll. **dinasyddion**
  citizen.
dinistrio be. **(dinistriaf)** to destroy.
diniwed a. innocent, harmless,
  simple.
diod e.b. ll. **-ydd** drink, beverage;
  diod gadarn strong drink; **diod o
  ddŵr** a drink of water.
dioddef (o) 1 be. **(dioddefaf)** to
  suffer, to endure, to allow. 2 e.g.
  ll. **-au, -iadau** suffering, passion.
diofal a. careless.
diog: dioglyd a. lazy, sluggish,
  indolent.
diogel a. safe, secure, certain.
diogi 1 be. **(diogaf)** to be lazy or idle,
  to laze. 2 e.g. laziness.
dioglyd gw. **diog.**
diogyn e.g. ll. **-nod** idler, sluggard.
diolch (i, am) 1 be. **(diolchaf)** to
  thank, to give thanks. 2 e.g.
  ll. **-iadau** thanks; thanksgiving.
  diolch byth! thank heaven! **diolch
  yn fawr** many thanks (to you)
  diolch i'r nef (drefn) thank
  goodness.
diolchgar a. thankful, grateful.
diolchgarwch e.g. thankfulness,
  thanksgiving; **Cwrdd Diolchgarwch**
  Harvest Thanksgiving Service.
diolchiadau gw. **diolch.**
dip gw. **tip.**
dipyn gw. **tipyn.**
dir gw. **tir.**
dirgelwch e.g. ll. **dirgelychau**
  mystery, secret, secrecy.
dirion gw. **tirion.**
dirlun gw. **tirlun.**

diroedd   doiled

diroedd *gw.* **tiroedd.**
dirprwy *e.g. ll.* **-on** deputy, delegate,
  proxy, substitute: **dirprwy
  brifathro** deputy headmaster.
dirprwyaeth *e.b. ll.* **-au** deputation,
  delegation.
dirwy *e.b. ll.* **-on** fine, penalty.
disg *e.g.b. ll.* **-iau** disc, record.
disglair *a.* bright, brilliant.
disgleirio *be.* **(disgleiriaf)** to shine, to
  glitter.
disgrifiad *e.g. ll.* **-au** description.
disgrifio *be.* **(disgrifiaf)** to describe.
disgwyl (am) *be.* **(disgwyliaf)** to
  expect, to look, to wait for: **Mae hi'n
  disgwyl baban** She is expecting a
  baby. **Mae e'n disgwyl bws.** He is
  waiting for a bus.
disgybl *g. ll.* **-ion** disciple, pupil,
  novice, follower, adherent.
disgyblaeth *e.b. ll.* **-au** discipline.
disgyn *be.* **(disgynnaf)** to descend, to
  fall.
disian *gw.* **tisian.**
distaw *a.* silent, calm, quiet.
distawrwydd *e.g.* silence, quiet.
distewi *be.* **(distewaf)** to silence, to
  be silent, to calm.
diswyddo *be.* **(diswyddaf)** to
  dismiss, to depose, to sack.
dithau *gw.* **tithau.**
di-waith *a.* unemployed, idle.
diwallu *be.* **(diwallaf)** to satisfy, to
  supply.
diwedd 1 *e.g. ll.* **-ion, -au** end, close,
  conclusion; death; purpose. 2 *a.* last,
  final. **o'r dechrau i'r diwedd** from
  start to finish.
diweddar *a.* recent; modern, late
  (S.W.); late *(of person)*; lately,
  deceased: **y diweddar Tom
  Jones** the late Tom Jones **Ydych
  chi wedi nofio'n ddiweddar?** Have
  you been swimming lately?
  Cymraeg Diweddar Modern Welsh.
diweddglo *e.g. ll.* **diweddgloeon**
  conclusion, close, epilogue.
diwerth *a.* worthless.
diwethaf *a.* last; previous; latest;
  **Rydw i'n dal y trên nesa achos
  collais yr un diwethaf** I'm catching
  the next train because I missed the
  previous one.
diwrnod *e.g. ll.* **-au** day: **diwrnod
  braf/teg** fine day; **diwrnod
  gwaith** working day; **diwrnod
  gŵyl** holy-day, holiday; **diwrnod
  mawr** red letter day, 'big day';
  diwrnod i'r brenin a thoroughly

enjoyable day; **y diwrnod o'r
  blaen** the day before, the other day;
  ers diwrnodau for many days
  (past).
diwydiant *e.g. ll.* **diwydiannau**
  industry; **diwydiant dur** steel
  industry; **diwydiant glo** coal
  industry; **diwydiant
  ymwelwyr** tourist industry;
  diwydiant ysgafn light industry.
diwygiad *e.g. ll.* **-au** reform,
  reformation; revival; **Diwygiad
  Protestannaidd** *(Protestant)*
  Reformation.
diwygio *be.* **(diwygiaf)** to amend, to
  reform, to revise.
diwylliant *e.g. ll.* **diwylliannau**
  culture.
dlawd *gw.* **tlawd.**
dlodi *gw.* **tlodi.**
dlodion *gw,* **tlawd.**
dlos *gw.* **tlos.**
dlws *gw.* **tlws.**
dlysau *gw.* **tlws.**
do *ad.* yes *(affirmative answer to
  questions using verbs in the past
  tense).* **Fuest ti'n siopa heddiw?
  Do.** Were you shopping today? Yes.
  Welaist ti'r dyn? Do. Did you see
  the man? Yes. *gw.* **to.**
doc *e.g. ll.* **-iau** dock; **docfa** berth.
doctor *e.g. ll.* **-iaid** doctor (always
  used in title); **Y Dr Tom Huws** Dr
  Tom Huws.
docyn *gw.* **tocyn.**
docynnwr *gw.* **tocynnwr.**
dod: dyfod (at, dros, yn, i) *be.*
  (deuaf) to come, to arrive; to occur;
  to become *gw. At. Berfau.*
dodi *be.* **(dodaf)** to put, to place
  (S.W.); to give; **dodi ar ddeall** to
  explain to; **dodi bai ar** to blame;
  dodi (un) ar waith to set (one) to
  work.
dodrefnyn *e.g. ll.* **dodrefn** piece of
  furniture *(N.W.)*; *gw.* **celficyn.**
dodwy *be.* **(dodwaf)** to lay eggs.
doddi *gw.* **toddi.**
doe *ad. & e.g.b.* yesterday: **bore
  ddoe** yesterday morning;
  echdoe the day before yesterday.
does *gw.* **toes.**
doeth *a.* wise: **Y Tri Gŵr Doeth** The
  Three Wise Men.
doethineb *e.b. ll.* **-au** wisdom,
  discretion.
dof *a. ll.* **-ion** tame, domesticated.
dogfen *e.b. ll.* **-ni, -nau** document.
doiled *gw.* **toiled.**

dol   drigain

dol *e.b. ll.* **-iau** doll.
dôl *e.b. ll.* **dolydd, dolau** meadow;
dole; **ar y dôl** on the dole.
dolc *gw.* **tolc.**
dolcio *gw.* **tolcio.**
dolen *e.b. ll.* **-nau, -ni** handle, link,
ring; **dolen gydiol** connecting link.
dolur *e.g. ll.* **-iau** hurt, ailment,
pain, ache: **dolur rhydd** diarrhoea;
dolur y galon heart disease.
dolydd *gw* **dôl.**
doll *gw.* **toll.**
don *gw.* **ton.**
dôn *gw.* **dôn.**
donau *gw.* **tôn.**
donfedd *gw.* **tonfedd.**
doniol *a.* witty, humorous.
donnau *gw.* **ton.**
dorch *gw.* **torch.**
doreithiog *gw.* **toreithiog.**
doreth *gw.* **toreth.**
dorf *gw.* **torf.**
dorfeydd *gw.* **torf.**
dorheulo *gw.* **torheulo.**
Dori *gw.* **Tori.**
doriad *gw.* **toriad.**
Dorïaid *gw.* **Torïaid.**
Dorïaidd *gw.* **Torïaidd.**
dorri *gw.* **torri.**
dors *gw.* **tors.**
dorth *gw.* **torth.**
dosau *gw.* **tosyn.**
dosbarth *e.g. ll.* **-au, -iadau** class,
standard; district: **dosbarth
canol** middle class; **dosbarth
gweithiol** working class; **dosbarth
isaf** lower class; **dosbarth
uchaf** upper class; **dosbarthiadau
meithrin** nursery classes; **cyngor
dosbarth** district council; **dosbarth
nos** evening class.
dost *gw.* **tost.**
dostrwydd *gw.* **tostrwydd.**
dosyn *gw.* **tosyn.**
drachefn: trachefn *ad.* again.
draddodiad *gw.* **traddodiad.**
draddodiadol *gw.* **traddodiadol.**
draed *gw.* **traed.**
draen *e.b. ll.* **-iau** drain; **draeniau
dŵr** water drains.
draen: draenen *e.b. ll.* **drain** thorn:
draenen ddu black-thorn; **draenen
wen** hawthorn; **ar bigau'r drain** on
tenterhooks.
draenog *e.g. ll.* **-od, -iaid, -ion**
hedgehog.
draeth *gw.* **traeth.**
draethau *gw.* **traeth.**
draethawd *gw.* **traethawd.**

draethodau *gw.* **traethawd.**
drafnidiaeth *gw.* **trafnidiaeth.**
drafod *gw.* **trafod.**
drafferth *gw.* **trafferth.**
drafferthu *gw.* **trafferthu.**
draffordd *gw.* **traffordd.**
draffyrdd *gw.* **traffordd.**
dragwyddol *gw.* **tragwyddol.**
drai *gw.* **trai.**
draig *e.b. ll.* **dreigiau** dragon: **Y
Ddraig Goch** the Red Dragon.
drain *e. ll.* thorns; *gw.* **draen.**
drais *gw.* **trais.**
drallod *gw.* **trallod.**
drallwysiad *gw.* **trallwysiad.**
drama *e.b. ll.* **dramâu** drama; **drama
radio** radio play; **drama
deledu** television play; **drama
gyfres** serial; **drama un act** one-act
play.
dramodwr: dramodydd *e.g. ll.*
dramodwyr dramatist.
dramor *gw.* **tramor.**
drannoeth *gw.* **trannoeth.**
drap *gw.* **trap.**
draul *gw.* **traul.**
draw *ad.* yonder, there, beyond.
Mae'r tŷ draw fanna The house is
over there.
drawsblannu *gw.* **trawsblannu.**
drawst *gw.* **trawst.**
drechu *gw.* **trechu.**
dref: dre *gw.* **tref.**
drefi *gw.* **tref.**
drefn *gw.* **trefn.**
drefnu *gw.* **trefnu.**
drefnus *gw.* **trefnus.**
dreigiau *gw.* **draig.**
dreiglad *gw.* **treiglad.**
dreiglo *gw.* **treiglo.**
dreisio *gw.* **treisio.**
drem *gw.* **trem.**
drên *gw.* **trên.**
drenau *gw.* **trên.**
drennydd *gw.* **trennydd.**
dreser: dresel *e.g. ll.* **-i, -ydd** dresser.
dreth *gw.* **treth.**
drethdalwr *gw.* **trethdalwr.**
drethu *gw.* **trethu.**
dreuliau *gw.* **traul.**
dreulio *gw.* **treulio.**
drewdod *e.g.* stink, stench.
drewi (o) 1 *be.* **(drewaf)** to stink.
2 *e.g.* stench.
dri *gw.* **tri.**
driawd *gw.* **triawd.**
dric *gw.* **tric.**
dridiau *gw.* **tridiau.**
drigain *gw.* **trigain.**

drigfan   **duw**

drigfan *gw.* trigfan.
drigo *gw.* trigo.
drigolion *gw.* trigolion.
dringo *be.* (dringaf) to climb.
dringwr *e.g. ll.* dringwyr climber.
drin *gw.* trin.
drindod *gw.* trindod.
drioedd *gw.* trioedd.
driongl *gw.* triongl.
drist *gw.* trist.
dristwch *gw.* tristwch.
dro *gw.* tro.
drochi *gw.* trochi.
droeau *gw.* tro.
droed *gw.* troed.
droedfedd *gw.* troedfedd.
droedffordd *gw.* troedffordd.
dröedig *gw.* tröedig.
dröedigaeth *gw.* tröedigaeth.
droedio *gw.* troedio.
droednoeth *gw.* troednoeth.
droeon *gw.* tro.
drogylch *gw.* trogylch.
droi *gw.* troi.
dros: tros *ardd. (followed by soft
  mutation)* (drosto, drostot, drosto/
  drosti, droston, drostoch, drostyn):
  over, for, instead of, on behalf of;
  drosodd finished; drosodd a
  throsodd over and over again; dros
  ben exceedingly; mynd dros ben
  llestri to go over the top; dros
  dro temporary; *gw. At. Arddodiaid.*
drosedd *gw.* trosedd.
droseddu *gw.* troseddu.
droseddwr *gw.* troseddwr.
drosgais *gw.* trosgais.
drosglwyddo *gw.* trosglwyddo.
drosi *gw.* trosi.
drosiad *gw.* trosiad.
droswr *gw.* troswr.
drothwy *gw.* trothwy.
drowsus *gw.* trowsus.
druan *gw.* truan.
drud *a.* expensive, dear, precious,
  valuable.
drudwy *e.g ll.* -od starling.
drueni *gw.* trueni.
druenus *gw.* truenus.
drugaredd *gw.* trugaredd.
drugarhau *gw.* trugarhau.
drwbl *gw.* trwbl.
drwchus *gw.* trwchus.
drwg 1 *e.g.* evil, iniquity,
  wickedness: o ddrwg i waeth from
  bad to worse; y drwg yn y caws the
  source of the evil. 2 *a.* evil; bad;
  wicked; rotten: afal drwg rotten
  apple; wy drwg rotten egg; *gw. At.
  Ansoddeiriau.*

drwm *e.g. ll.* drymiau drum; *gw.*
  trwm.
drws *e.g. ll.* drysau door, entrance,
  gap: drws cefn a back door; drws
  nesaf next door; wrth y drws at
  hand, close, near; carreg y
  drws door-step.
drwser *gw.* trwser.
drwsio *gw.* trwsio.
drwsiwr *gw.* trwsiwr.
drwy: trwy *ardd. (followed by soft
  mutation)* (drwyddo, drwyddot,
  drwyddo/drwyddi, drwyddon,
  drwyddoch, drwyddyn) through, by,
  by means of; *gw. At. Arddodiaid.*
drwydded *gw.* trwydded.
drwyn *gw.* trwyn.
drwynol *gw.* trwynol.
drych *e.g. ll.* -au mirror; image,
  form; spectacle; vision.
drychineb *gw.* trychineb.
drychiolaeth *e.b. ll.* -au apparition,
  illusion.
drydan *gw.* trydan.
drydanwr *gw.* trydanwr.
drydedd *gw.* trydedd.
drydydd *gw.* trydydd.
drydyddol *gw.* trydyddol.
drygioni *e.g.* evil, wickedness; *gw.*
  drwg.
drygionus *a.* bad, wicked; *gw.* drwg.
dryloyw *gw.* tryloyw.
dryll *e.g.b. ll.* -iau gun (*S.W.*), rifle
  (*S.W.*), cannon.
drysau *gw.* drws.
drysor *gw.* trysor.
drysorfa *gw.* trysorfa.
drysori *gw.* trysori.
drysorydd *gw.* trysorydd.
drysu *bw.* (drysaf) to confuse, to
  entangle, to disarrange.
dryw *e.g.b. ll.* -od. wren.
drywydd *gw.* trywydd.
du *a. ll.* -on black; dark.
dudalen *gw.* tudalen.
dueddiad *gw.* tueddiad.
dull *e.g. ll.* -iau form, mode,
  manner.
dun *gw.* tun.
dunnell *gw.* tunnell.
duo *gw.* (duaf) to blacken, to darken.
duon *a.ll.* black *gw.* du.
dur 1 *e.g. ll.* -oedd steel. 2 *a.* steel.
duw *e.g. ll.* -iau god; Duw Dad God
  the Father; Duw
  Hollalluog Almighty God; Duw
  Tragwyddol Eternal God; bendith
  Duw the blessing of God; Duw
  Duw! Good God!

duwies *e.b. ll.* -au goddess.
dwbl *a.* double, twice.
dweud (am, wrth) *be.* **(dwedaf, dywedaf)** to say, to speak; to mention: **dweud a dweud** to keep on saying; **dweud anwiredd** to tell a lie; **dweud ei feddwl** to say what one thinks; **dweud yn dda** (am) to speak well (of); **dweud yn ddrwg (am)** to speak ill (of); **Dywedais wrtho am gau ei geg** I told him to shut up.
dwfn *a.* deep; profound.
dwfr *gw.* **dŵr.**
dwl *a.* dull, foolish.
dwlc *gw.* **twlc.**
dwll *gw.* **twll.**
dwmpath *gw.* **twmpath.**
dwndis *gw.* **twndis.**
dwnel *gw.* **twnel.**
dwp *gw.* **twp.**
dwpsyn *gw.* **twpsyn.**
dŵr: dwfr *e.g. ll.* **dyfroedd** water; **dŵr berw(edig)** boiling water; **dŵr glaw** rain-water; **dŵr golchi llestri** dish-water; **dŵr (y) môr** sea water; **gwneud dŵr** to urinate; *gw.* **twr.**
dwr *gw.* **twr.**
dwrci *gw.* **twrci.**
dwristiaeth *gw.* **twristiaeth.**
dwrn *e.g. ll.* **dyrnau** fist.
dwrw *gw.* **twrw.**
dwsin *e.g. ll.* -au dozen.
dwt *gw.* **twt.**
dwy *a.b.* two: **y ddwy** the two, both (feminine); *gw.* **dau.**
dwyieithog *a.* bilingual.
dwyieithrwydd *e.g.* bilingualism.
dwylo *e.ll.* hands; *gw.* **llaw.**
dwyll *gw.* **twyll.**
dwyllo *gw.* **twyllo.**
dwym *gw.* **twym.**
dwymo *gw.* **twymo.**
dwymyn *gw.* **twymyn.**
dwyn *be.* **(dygaf)** to take away, to bear, to convey; to bring; to steal: **dwyn ar gof** to bring to mind; **dwyn i ben** to accomplish, to complete; **dwyn ffrwyth** to bear fruit; **dwgyd** to steal (*S.W.*).
dwyrain *e.g.* east; **y Dwyrain Canol** the Middle East; **y Dwyrain Pell** the Far East.
dwys *a.* grave; intense; profound; thick, dense, concentrated; **cwrs dwys** crash course.
dwywaith *ad.* twice.
dy *rhag (followed by soft mutation)* your (*singular*); **dy chwaer** your sister; **dy lyfr** your book.
dŷ *gw.* **tŷ.**
dybied: dybio *gw.* **tybied.**
dychmygion *gw.* **dychymyg.**
dychmygu *be.* **(dychmygaf)** to imagine, to think, to contrive.
dychrynllyd *a.* frightful, dreadful, horrendous.
dychymyg *e.g. ll.* **dychmygion** imagination, fancy; idea; riddle.
dydy e/hi ddim *bf.* he/she/it does not; *gw.* **bod.**
dydd *e.g. ll.* -iau day: **Dydd da!** Good Day; **o ddydd i ddydd** from day to day; **dyddiau'r wythnos** days of the week; **ers dyddiau** many days ago; **Dydd Nadolig** Christmas Day; **Gŵyl Dewi** St David's Day; **Dydd Gwener y Groglith** Good Friday; **dydd Llun (y) Pasg** Easter Monday.
dyddiad *e.g. ll.* -au date, dating.
dyddiau *gw.* **dydd.**
dyddio *be.* **(dyddiaf)** to date (*something*).
dyddyn *gw.* **tyddyn.**
dyddynnwr *gw.* **tyddynnwr.**
dyfalu *be.* **(dyfalaf)** to conjecture, to guess; to devise.
dyfarniad *e.g. ll.* -au verdict, decision.
dyfarnu *be.* **(dyfarnaf)** to adjudicate; to adjudge; to decide.
dyfarnwr *e.g. ll.* **dyfarnwyr** judge, umpire.
dyfiant *ge.* **tyfiant.**
dyfnder *e.g. ll.* -au, -oedd deep, depth.
dyfod *gw.* **dod.**
dyfodol 1 *a.* future, coming. 2 *e.g.* future. **amser dyfodol** future tense; **yn y dyfodol** in the future; **dyfodol disglair** a brilliant future.
dyfroedd *gw.* **dŵr.**
dyfu *gw.* **tyfu.**
dyfyniad *e.g. ll.* -au quotation.
dyffryn *e.g. ll.* -noedd valley.
dynged *gw.* **tynged.**
dyngedfennol *gw.* **tyngedfennol.**
dyngu *gw.* **tyngu.**
dylanwad *e.g. ll.* -au influence.
dyle *gw.* **tyle.**
dyled *e.b. ll.* -ion debt, due, claim, obligation.
dyledus *a.* due, indebted, obligatory.
dyletswydd *e.b. ll.* -au duty, obligation.
dylino *gw.* **tylino.**

dylwyth *gw.* tylwyth.
dyllau *gw.* twll.
dyllu *gw.* tyllu.
dylluan *gw.* tylluan.
dyma *ad.* here is/are; this is; these are.
dymer *gw.* tymer.
dymestl *gw.* tymestl.
dymherau *gw.* tymheredd.
dymheredd *gw.* tymheredd.
dymhestlog *gw.* tymhestlog.
dymhorau *gw.* tymor.
dymor *gw.* tymor.
dymuniad *e.g. ll.* -au wish, desire; request: **gyda phob dymuniad da** with all best wishes; **dymuniadau gorau** best wishes.
dymuno *be.* (**dymunaf**) to wish, to desire.
dymunol *a.* desirable, pleasant; desired.
dyn *e.g. ll.* -ion man, person: **dyn cyffredin** common man; **dyn dieithr** stranger; **dyn eira** snowman; *gw.* tyn(n).
dyna *ad.* there is/are: **dyna chi** there you are; **dyna dro** what bad luck! **dyna drueni** what a pity! **dyna fe** there it is.
dyner *gw.* tyner.
dynerwch *gw.* tynerwch.
dynes *e.b. ll.* -au woman (*N.W.*).
dynion *gw.* dyn.
dyn(n) *gw.* tyn(n).
dynnu *gw.* tynnu.

dyrau *gw.* twr.
dyrfa *gw.* tyrfa.
dyrfau *gw.* twrw.
dyrnaid *e.g. ll.* **dyrneidiau** handful, little, few.
dyrnau *gw.* dwrn.
dyrneidiau *gw.* dyrnaid.
dyrrau *gw.* twr.
dysgedig *a.* learned.
dysgl *e.b. ll.* -au dish, plate; cup; disk: **dysgl de** tea cup; **dysgl gawl** soup-plate, soup-bowl.
dysgu (**i**) *be.* (**dysgaf**) to learn, to teach, to educate: **dysgu ar gof** to learn by heart.
dysgwr *e.g. ll.* **dysgwyr** learner.
dysgwyr *gw.* dysgwr.
dyst *gw.* tyst.
dystio *gw.* tystio.
dystiolaeth *gw.* tystiolaeth.
dystion *gw.* tyst.
dystysgrif *gw.* tystysgrif.
dywediad *e.g. ll.* -au saying.
dyweddïad *e.g. ll.* -au engagement, betrothal.
dywel *gw.* tywel.
dywod *gw.* tywod.
dywydd *gw.* tywydd.
dywyll *gw.* tywyll.
dywyllu *gw.* tywyllu.
dywyllwch *gw.* tywyllwch.
dywys *gw.* tywys.
dywysog *gw.* tywysog.
dywysoges *gw.* tywysoges.

dda *gw.* da.
ddadansoddi *gw.* dadansoddi.
ddadl *gw.* dadl.
ddadlau *gw.* dadlau.
ddaear *gw.* daear.
ddaeareg *gw.* daeareg.
ddaeargryn *gw.* daeargryn.
ddaearyddiaeth *gw.* daearyddiaeth.
ddaeth *gw.* daeth.
ddafad *gw.* dafad.
ddagrau *gw.* deigryn.
ddail *gw.* deilen.
ddaioni *gw.* daioni.
ddal: ddala *gw.* dal.
ddalen *gw.* dalen.
ddalgylch *gw.* dalgylch.
ddall *gw.* dall.
ddallu *gw.* dallu.
ddameg *gw.* dameg.
ddamhegion *gw.* dameg.
ddamwain *gw.* damwain.
ddanfon *gw.* danfon.
ddangos *gw.* dangos.
ddannedd *gw.* dant.
ddannoedd *gw.* dannoedd.
ddant *gw.* dant.
ddarfod *gw.* darfod.
ddarganfod *gw.* darganfod.
ddarlith *gw.* darlith.
ddarlithio *gw.* darlithio.
ddarlithiwr: darlithydd *gw.*
  darlithiwr.
ddarlun *gw.* darlun.
ddarlunio *gw.* darlunio.
ddarlledu *gw.* darlledu.
ddarllen *gw.* darllen.
ddarllenwr: ddarllenydd *gw.*
  ddarllenwr.
ddarn *gw.* darn.
ddatblygiad *gw.* datblygiad.

ddatblygu *gw.* datblygu.
ddatgan *gw.* datgan.
ddatganiad *gw.* datganiad.
ddatganoli *gw.* datganoli.
ddatguddio *gw.* datguddio.
ddatod *gw.* datod.
ddatrys *gw.* datrys.
ddathlu *gw.* dathlu.
ddau *gw.* dau.
ddawns *gw.* dawns.
ddawnsio *gw.* dawnsio.
dde *gw.* de.
ddeall *gw.* deall.
ddeallus *gw.* deallus.
ddechrau *gw.* dechrau.
ddechreuad *gw.* dechreuad.
ddedwydd *gw.* dedwydd.
ddeddf *gw.* deddf.
ddeddfu *gw.* deddfu.
ddefnydd *gw.* defnydd.
ddefnyddio *gw.* defnyddio.
ddefnyddiol *gw.* defnyddiol.
ddeffro *gw.* deffro.
ddeg: ddeng *gw.* deg.
ddegawd *gw.* degawd.
ddeheuol *gw.* deheuol.
ddeialog *gw.* deialog.
ddeigryn *gw.* deigryn.
ddeilen *gw.* deilen.
ddeilliaid: ddeillion *gw.* dall.
ddeintydd *gw.* deintydd.
ddeiseb *gw.* deiseb.
ddel *gw.* del.
ddelw *gw.* delw.
ddelwi *gw.* delwi.
ddeniadol *gw.* deniadol.
ddenu *gw.* denu.
dderbyn *gw.* derbyn.
dderbyniol *gw.* derbyniol.
dderbynneb *gw.* dderbynneb.
dderi *gw.* deri.
dderw *gw.* derw.
dderwen *gw.* derwen.
ddesg *gw.* desg.
ddetholiad *gw.* detholiad.
ddeuawd *gw.* deuawd.
ddeuddeg *gw.* deuddeg.
ddeuddegfed *gw.* deuddegfed.
ddeugain *gw.* deugain.
ddeunaw *gw.* deunaw.
ddeuoedd *gw.* deuoedd.
ddewin *gw.* dewin.
ddewis *gw.* dewis.
ddewr *gw.* dewr.
ddiacon *gw.* diacon.
ddiafol *gw.* diafol.
ddial *gw.* dial.
ddianc *gw.* dianc.
ddiarfogi *gw.* diarfogi.

ddiawl *gw*. diawl.
ddiawledig *gw*. diawledig.
ddiawliaid *gw*. diafol, diawl.
ddi-baid *gw*. di-baid.
ddiben *gw*. diben.
ddibennu *gw*. dibennu.
ddi-blwm *gw*. di-blwm.
ddibynnu *gw*. dibynnu.
ddiderfyn *gw*. diderfyn.
ddiddordeb *gw*. diddordeb.
ddiddorol *gw*. diddorol.
ddieithr *gw*. dieithr.
ddieithryn *gw*. dieithryn.
ddiferyn *gw*. diferyn.
ddifetha *gw*. difetha.
ddiflannu *gw*. diflannu.
ddiflas *gw*. diflas.
ddifrifol *gw*. difrifol.
ddifyr: ddifyrrus *gw*. difyr.
ddifyrru *gw*. difyrru.
ddiffiniad *gw*. diffiniad.
ddiffinio *gw*. diffinio.
ddiffodd *gw*. diffodd.
ddiffuant *gw*. diffuant.
ddiffyg *gw*. diffyg.
ddigon *gw*. digon.
ddigonedd *gw*. digonedd.
ddigrif *gw*. digrif.
ddigwydd *gw*. digwydd.
ddigwyddiad *gw*. digwyddiad.
ddihareb *gw*. dihareb.
ddiheintydd *gw*. diheintydd.
ddihuno *gw*. dihuno.
ddileu *gw*. dileu.
ddilyn *gw*. dilyn.
ddillad *gw*. dilledyn.
ddilledyn *gw*. dilledyn.
ddim *gw*. dim.
ddinas *gw*. dinas.
ddinasyddion *gw*. dinesydd.
ddinesig *gw*. dinesig.
ddinesydd *gw*. dinesydd.
ddinistrio *gw*. dinistrio.
ddiniwed *gw*. diniwed.
ddiod *gw*. diod.
ddioddef *gw*. dioddef.
ddiofal *gw*. diofal.
ddiog: ddioglydd *gw*. diog.
ddiogel *gw*. diogel.
ddiogi *gw*. diogi.
ddioglyd *gw*. diog.
ddiogyn *gw*. diogyn.
ddiolch *gw*. diolch.
ddiolchgar *gw*. diolchgar.
ddiolchgarwch *gw*. diolchgarwch.
ddirgelwch *gw*. dirgelwch.
ddirprwy *gw*. dirprwy.
ddirprwyaeth *gw*. dirprwyaeth.
ddirwy *gw*. dirwy.

ddisg *gw*. disg.
ddisglair *gw*. disglair.
ddisgleirio *gw*. disgleirio.
ddisgrifiad *gw*. disgrifiad.
ddisgrifio *gw*. disgrifio.
ddisgwyl *gw*. disgwyl.
ddisgybl *gw*. disgybl.
ddisgyblaeth *gw*. disgyblaeth.
ddisgyn *gw*. disgyn.
ddistaw *gw*. distaw.
ddistawrwydd *gw*. distawrwydd.
ddistewi *gw*. distewi.
ddiswyddo *gw*. diswyddo.
ddi-waith *gw*. di-waith.
ddiwallu *gw*. diwallu.
diwedd *gw*. diwedd.
ddiweddar *gw*. diweddar.
ddiweddglo *gw*. diweddglo.
ddiwerth *gw*. diwerth.
ddiwethaf *gw*. diwethaf.
ddiwrnod *gw*. diwrnod.
ddiwydiant *gw*. diwydiant.
ddiwygiad *gw*. diwygiad.
ddiwygio *gw*. diwygio.
ddiwylliant *gw*. diwylliant.
ddoc *gw*. doc.
ddoctor *gw*. doctor.
ddod: ddyfod *gw*. dod.
ddodi *gw*. dodi.
ddodrefnyn *gw*. dodrefnyn.
ddodwy *gw*. dodwy.
ddoe *gw*. doe.
ddoeth *gw*. doeth.
ddoethineb *gw*. doethineb.
ddof *gw*. dof.
ddogfen *gw*. dogfen.
ddol *gw*. dol.
ddôl *gw*. dôl.
ddolen *gw*. dolen.
ddolur *gw*. dolur.
ddoniol *gw*. doniol.
ddosbarth *gw*. dosbarth.
ddraen: ddraenen *gw*. draen.
ddraenog *gw*. draenog.
ddraig *gw*. draig.
ddrain *gw*. draen.
ddrama *gw*. drama.
ddramodwr *gw*. dramodwr.
ddramodydd *gw*. dramodwr.
ddreser: ddresel *gw*. dreser.
ddrewdod *gw*. drewdod.
ddrewi *gw*. drewi.
ddringo *gw*. dringo.
ddringwr *gw*. dringwr.
ddrud *gw*. drud.
ddrudwy *gw*. drudwy.
ddrwg *gw*. drwg.
ddrwm *gw*. drwm.
ddrws *gw*. drws.

46

ddrych

ddrych *gw*. drych.
ddrychiolaeth *gw*. drychiolaeth.
ddrygioni *gw*. drygioni.
ddrygionus *gw*. drygionus.
ddryll *gw*. dryll.
ddrylliau *gw*. dryll.
ddrysau *gw*. drws.
ddrysu *gw*. drysu.
ddryw *gw*. dryw.
ddu *gw*. du.
ddull *gw*. dull.
dduo *gw*. duo.
ddur *gw*. dur.
dduw *gw*. duw.
dduwies *gw*. duwies.
ddwbl *gw*. dwbl.
ddweud *gw*. dweud.
ddwfn *gw*. dwfn.
ddwfr *gw*. dŵr.
ddwl *gw*. dwl.
ddŵr *gw*. dŵr.
ddwrn *gw*. dwrn.
ddwsin *gw*. dwsin.
ddwy *gw*. dwy.
ddwyieithog *gw*. dwyieithog.
ddwyieithrwydd *gw*. dwyieithrwydd.
ddwylo *gw*. dwylo.
ddwyn *gw*. dwyn.
ddwyrain *gw*. dwyrain.
ddwys *gw*. dwys.
ddwywaith *gw*. dwywaith.
ddychmygion *gw*. dychymyg.
ddychmygu *gw*. dychmygu.
ddychrynllyd *w*. dychrynllyd.

ddychymyg *gw*. dychymyg.
ddydd *gw*. dydd.
ddyddiad *gw*. dyddiad.
ddyddiau *gw*. dydd.
ddyfalu *gw*. dyfalu.
ddyfarniad *gw*. dyfarniad.
ddyfarnu *gw*. dyfarnu.
ddyfarnwr *gw*. dyfarnwr.
ddyfnder *gw*. dyfnder.
ddyfod *gw*. dod.
ddyfodol *gw*. dyfodol.
ddyfroedd *gw*. dŵr.
ddyfyniaid *gw*. dyfyniad.
ddyffryn *gw*. dyffryn.
ddylanwad *gw*. dylanwad.
ddyled *gw*. dyled.
ddyledus *gw*. dyledus.
ddyletswydd *gw*. dyletswydd.
ddymuniad *gw*. dymuniad.
ddymuno *gw*. dymuno.
ddymunol *gw*. dymunol.
ddyn *gw*. dyn.
ddynes *gw*. dynes.
ddyrnaid *gw*. dyrnaid.
ddyrnau *gw*. dwrn.
ddyrneidiau *gw*. dyrnaid.
ddysgedig *gw*. dysgedig.
ddysgl *gw*. dysgl.
ddysgu *w*. dysgu.
ddysgwr *gw*. dysgwr.
ddysgwyr *gw*. dysgwr.
ddywediad *gw*. dywediad.
ddyweddïad *gw*. dyweddïad.

e: o *gw.* **ef.**
eang *a.* broad, wide, extensive.
eb: ebe: ebr *bf.* says, said (I, he/she, they, etc.).
ebol *e.g. ll.* **-ion** colt; buck.
Ebrill *e.g.* April.
economeg *e.b.* economics.
echdoe *e.g. ll. & ad.* the day before yesterday.
echnos *e.b. ll.& ad.* the night before last.
edau *e.b. ll.* **edafedd** thread.
edifar: edifeiriol *a.* sorry, penitent, contrite.
Mae'n edifar gen i I regret.
edmygu *be.* **(edmygaf)** to admire.
edrych *be.* **(edrychaf)** to look, to observe, to search, to examine; to expect: **edrych am** to look for, to expect; **edrych ar** to look on, to look upon; **edrych ar ôl** to look after, to mind; **edrych at** to look towards; **edrych dros** to overlook, to survey; **edrych allan** to look out, to seek; **edrych ymlaen** to look forward.
ef: efe: efô *rhag.* he, him, it (*N.W.*).
efallai *ad.* perhaps.
efengyl *e.b. ll.* **-au** gospel: **Efengyl Iesu Grist** the Gospel of Jesus Christ.
efo *ardd.* with, by means of (*N.W.*).
efô *gw.* **ef.**
effaith *e.b. ll.* **effeithiau** effect.
effeithiau *gw.* **effaith.**
effeithiol *a.* effective.
effro *a.* awake (*N.W.*).
egin *gw.* **eginyn.**
eginyn *e.g. ll.* **egin.** shoot, sprout, (young) blade.
eglur *a.* clear, evident, plain.

egluro *be.* **(egluraf)** to reveal; to explain; to manifest.
eglwys *e.b. ll.* **-i, -ydd** church, the church.
egni *e.g. ll.* **egnïon, egnïoedd** energy, might; effort, endeavour.
egnïoedd *gw.* **egni.**
egnïol *a.* vigorous, energetic.
egnïon *gw.* **egni.**
egwyddor *e.b. ll.* **-ion** principle; rudiment; alphabet.
egwyddorol *a.* having principles; *gw.* **gwyddor.**
egwyl *e.b. ll.* **-iau, -ion** break, interval; spell.
enghraifft *e.b. ll.* **enghreifftiau** example, instance; **er enghraifft** for example.
enghreifftiau *gw.* **enghraifft.**
englyn *e.g. ll.* **-ion** an epigrammatic four line stanza in Welsh poetry.
engyl *gw.* **angel.**
ehedydd *e.g. ll.* **-ion** lark.
ei *rhag.* his, her, its: *gw. At. Treigladau.*
eich *rhag.* your.
Eidal, Yr *e.b.* Italy.
Eidaleg *e.b.* Italian language.
Eidales *e.b. ll.* **-au** Italian woman.
Eidalwr *e.g. ll.* **Eidalwyr** Italian man.
eiddo 1 *e.g.* possession(s), property, estate; **ei eiddo** his possessions.
2 *ad.* his, hers, etc.
eifr *gw.* **gafr.**
Eingl-Gymro *e.g. ll.* **Eingl-Gymry** Anglo-Welshman.
eiliad *e.g.b. ll.* **-au** second, moment.
eilwaith *ad.* again, a second time.
ein *rhag.* our.
eira *e.g. ll.* **-oedd** snow.
eirch *gw.* **arch.**
eirchion *gw.* **arch.**
eirfa *gw.* **geirfa.**
eiriadur *gw.* **geiriadur.**
eiriau *gw.* **gair.**
eirin *gw.* **eirinen.**
eirinen *e.b. ll.* **eirin** plum, damson; berry: **eirin gwlanog** peaches.
eirio *gw.* **geirio.**
eirlys *e.g. ll.* **-iau** snowdrop; *gw.* **tlws yr eira.**
eirth *gw.* **arth.**
eisiau *e.g.* need, want, lack, poverty: **Rydw i eisiau** — I need —, I want — **Mae eisiau — arnaf i** I need —, I want —
eisoes *ad.* already.
eistedd *be.* **(eisteddaf)** to sit, to seat.

eisteddfod *e.b. ll.* -au eisteddfod.
eisteddfodwr *e.g. ll.* **eisteddfodwyr**
a frequenter of *eisteddfodau.*
eitem *e.b. ll.* -au item.
eithaf 1 *e.g. ll.* -ion, -oedd, -edd end,
extremity, uttermost part. 2
a. farthest, superlative: **y gosb
eithaf** capital punishment.
3 *ad.* very, quite.
eithafol *a.* extreme.
eithr 1 *rhag.* except, besides. 2
c. but.
eithrio *be.* **(eithriaf)** to except, to
exclude; **ac eithrio** except,
excepting.
eleni *ad.* this year.
elfen *e.b. ll.* -nau element, particle,
factor, tendency: **yn fy elfen** in my
element.
elfennau *gw.* **elfen.**
elfennol *a.* elementary, constituent,
simple.
eliffant *e.g. ll.* -od, -iaid elephant.
elw *e.g. ll.* -on profit, gain.
elwa *be.* **(elwaf)** to profit, to gain.
elyn *gw.* **gelyn.**
elltydd *gw.* **allt.**
em *gw.* **gem.**
emyn *e.g. ll.* -au hymn: **emyn-
dôn** hymn-tune.
emynydd *e.g. ll.* **emynwyr** hymn-
writer.
ên *gw.* **gên.**
enaid *e.g. ll.* **eneidiau** soul, spirit;
life.
enau *gw.* **genau.**
enedigaeth *gw.* **genedigaeth.**
eneidiau *gw.* **enaid.**
eneth *gw.* **geneth.**
eneuau *gw.* **genau.**
enfawr *a.* enormous, vast, immense,
huge.
enfys *e.b. ll.* -au rainbow.
eni *gw.* **geni.**
enillwr: enillydd *e.g. ll.* **enillwyr**
earner; victor, winner.
ennill 1 *be.* **(enillaf)** to gain, to profit,
to get; to win. 2 *e.g. ll.* **enillion**
winnings; salary; profit.
ennyd *e.g.b.* a while, moment.
enw *e.g. ll.* -au name; noun; **enw
anwes** pet name; **enw
benywaidd** feminine noun; **enw
gwrywaidd** masculine noun; **enw
torfol** collective noun;
ffugenw nom de plume,
pseudonym.
enwad *e.g. ll.* -au religious
denomination.

enwedig *a.* especial.
enwi *be.* **(enwaf)** to name.
enwog 1 *a.* famous, renowned,
eminent. 2 *e.ll.* -ion. persons of
renown or fame; celebrities.
enwogrwydd *e.g.* fame.
eos *e.b. ll.* -iaid nightingale.
epa *e.g. ll.* -od ape.
er *ardd.* because of, for, in order to;
since (*a fixed point in time*); despite:
er anrhydedd in honour; **er
bod** although; **er cof** in memory, *in
memoriam;* **er gwaethaf** in spite of,
despite; **er hynny** yet, since then; **er
lles/budd** for the benefit of; **er
mwyn** for the sake of, in order to; **er
dydd Llun** since Monday.
eraill *gw.* **arall.**
erbyn *ardd.* against, facing,
opposite; by, for, in preparation for:
erbyn hyn by this time, by now;
mynd yn erbyn to oppose, to go
against; **erbyn meddwl** coming to
think of it.
erddi *gw.* **gardd.**
erfin *gw.* **erfinen.**
erfinen *e.b. ll.* **erfin** turnip, swede.
erfyn 1 *be.* **(erfyniaf)** to beg, to
entreat, to pray, to implore. 2 *e.g.
ll.* **arfau** weapon, tool; *gw.* **arf.**
ergyd *e.g.b. ll.* -ion blow, knock,
shot, hit, bang, detonation.
erioed *ad.* ever.
erlid *be.* **(erlidiaf)** to pursue, to
persecute.
erlyn *be.* **(erlynaf)** to prosecute.
erlyniad *e.g. ll.* -au prosecution.
erlynydd *e.g. ll.* -ion prosecutor.
ernes *e.b. ll.* -au security, pledge;
deposit.
ers *ardd.* for, since (*a continuing
period*): **ers pythefnos** for the last
fortnight.
erthygl *e.b. ll.* -au article, literary
composition; clause.
erthyliad *e.g. ll.* -au abortion,
miscarriage.
erthylu *be.* **(erthylaf)** to abort, to
miscarry.
erw *e.b. ll.* -au acre.
eryr *e.g. ll.* -od eagle.
Eryri *e.b.* Snowdonia.
es i *bf.* I went; *gw.* **mynd.**
esboniad *e.g. ll.* -au commentary;
explanation, exposition.
esbonio (i) *be.* **(esboniaf)** to explain (to).
esgeulus *a.* negligent.
esgeuluso *be.* **(esgeulusaf)** to
neglect.

esgeulustod: esgeulustra
e.g. negligence.
esgid *e.b. ll.* **-iau** boot; shoe:
esgidiau mawr/uchel high boots;
esgidiau ysgafn light boots or
shoes; **yr esgid yn gwasgu** a
difficult financial situation.
esgob *e.g. ll.* **-ion** bishop, **Esgob
Tyddewi** Bishop of St David's;
Esgobaeth diocese: **Esgob!** Oh
Lord!
esgus *e.g. ll.* **-ion, -odion** excuse;
pretence (*S.W.*): **mae e'n esgus
cysgu** he's pretending to sleep.
esgusion *gw.* **esgus.**
esgusodi *be.* **(esgusodaf)** to make
an excuse, to excuse; **Esgusodwch
fi** Excuse me.
esgusodion *gw.* **esgus.**
esgyrn *gw.* **asgwrn; Esgyrn
Dafydd!** Good heavens!
esiampl *e.b. ll.* **-au** example.
esmwyth *a.* soft, easy, comfortable.
estron *e.g. ll.* **-iaid** foreigner, alien,
stranger.
estyn *be.* **(estynnaf)** to extend, to
reach; to stretch, to lengthen; to
give.
estyniad *e.g. ll.* **-au** extension.

etifeddu *be.* **(etifeddaf)** to inherit.
eto, *c. & ad.* again a second time, yet,
still, nevertheless.
ethol *be.* **(etholaf)** to elect, to choose,
to select.
etholaeth *e.b. ll.* **-au** constituency;
electorate.
etholiad *e.g. ll.* **-au** election: **etholiad
cyffredinol** general election; **is-
etholiad** by-election.
eu *rhag.* (*words beginning with a
vowel are aspirated when preceded
by* **eu**) their: **eu hafalau** their
apples; **eu hemynau** their hymns;
eu hysgolion their schools; *gw. At.
Rhagenwau.*
euog *a.* guilty; **euog neu
ddieuog** guilty or not guilty.
euogrwydd *e.g.* guilt.
euraid: euraidd *a.* gold, golden.
ewch *bf.* go! (*plural*); *gw.* **mynd.**
ewin *e.g.b. ll.* **-edd** nail, claw, talon;
hoof: **â'i ddeg ewin** with all his
might.
ewyllys *e.b. ll.* **-iau, -ion** will; desire;
testament; **yn erbyn ei
ewyllys** against his will.
ewyn *e.g.* foam, froth; *gw.* **gewyn.**
ewythr *e.g. ll.* **-edd, -od** uncle.

fab *gw*. mab.
faban *gw*. baban.
fabanaidd *gw*. babanaidd.
fabi *gw*. babi.
fabolgamp *gw*. mabolgamp.
facio *gw*. bacio.
fach *gw*. bach.
fachau *gw*. bach, bachyn.
fachgen *gw*. bachgen.
fachgennaidd *gw*. bachgennaidd.
fachlud *gw*. machlud.
fachu *gw*. bachu.
fachyn *gw*. bach.
fad *gw*. bad.
fadarch *gw*. madarch.
fae *gw*. bae.
faer *gw*. maer.
faeres *gw*. maeres.
faes *gw*. maes.
faestref *gw*. maestref.
fafon *gw*. mafonen.
fag *gw*. bag.
fagddu, y *e.b*. utter darkness.
fagiau *gw*. bag.
fagu *gw*. magu.
Fai *gw*. Mai.
fai *gw*. bai.
faich *gw*. baich.
fain *gw*. main.
faint *rhag. gof*. how much? how
  many? *gw*. maint.
falch *gw*. balch.
falchder *gw*. balchder.
faldod *gw*. maldod.
faldodi *gw*. maldodi.
faled *gw*. baled.
faledwr *gw*. baledwr.
falot *gw*. balot.
falu *gw*. malu.
falŵn *gw*. balŵn.

falwoden *gw*. malwoden.
fam *gw*. mam.
fam-gu *gw*. mam-gu.
fân *gw*. mân.
fan *e.b. ll.* -iau van; *gw*. ban, man.
fanana *gw*. banana.
fanc *gw*. banc.
fancio *gw*. bancio.
fand *gw*. band.
fandal *e.g. ll.* -iaid vandal.
fandaleiddio *be*. (fandaleiddiaf) to
  vandalise.
fandaliaeth *e.b*. vandalism.
faneg *gw*. maneg.
faner *gw*. baner.
fannau *gw*. ban, man.
fannod *gw*. bannod.
fans *gw*. mans.
fantais *gw*. mantais.
fanteisio *gw*. manteisio.
fanteision *gw*. mantais.
fantell *gw*. mantell.
fanwl *gw*. manwl.
fanylion *gw*. manylyn.
fanylu *gw*. manylu.
fanylyn *gw*. manylyn.
fap *gw*. map.
far *gw*. bar.
fara *gw*. bara.
farc *gw*. marc.
farcio *gw*. marcio.
farchnad *gw*. marchnad.
farchog *gw*. marchog.
fardd *gw*. bardd.
farddoniaeth *gw*. barddoniaeth.
farf *gw*. barf.
farn *gw*. barn.
farnwr *gw*. barnwr.
farrau *gw*. bar.
fart *gw*. mart.
farw *gw*. marw.
farwaidd *gw*. marwaidd.
farwol *gw*. marwol.
farwolaeth *gw*. marwolaeth.
fas *gw*. bas.
fasged *gw*. basged.
fasn *gw*. basn.
fasnach *gw*. masnach.
fasnachwr *gw*. masnachwr.
fasnau: fasnys *gw*. basn.
faswr *gw*. baswr, maswr.
fat *gw*. bat, mat.
fater *gw*. mater.
fatsen: fatsien *gw*. matsen.
fath *gw*. bath, math
fathdy *gw*. bathdy.
fathemateg *gw*. mathemateg.
fathemategol *gw*. mathemategol.
fathemategwr *gw*. mathemategwr.

fathodyn   figwrn

fathodyn *gw.* bathodyn.
fathu *gw.* bathu.
faw *gw.* baw
fawd *gw.* bawd.
fawl *gw.* mawl.
fawn *gw.* mawn.
fawr *gw.* mawr.
fawredd *gw.* mawredd.
Fawrth *gw.* Mawrth.
fe 1 *rhag.* he, him, it. 2
geir. particle *(may be used before*
verbs (S.W.); fe welais; fe glywais;
fe gwympodd *gw. At. Berfau –*
Fe/Mi.
feallai *ad.* perhaps.
fecso *gw.* becso.
fechan *gw.* bechan.
fechgyn *gw.* bachgen.
fechnïaeth *gw.* mechnïaeth.
Fedi *gw.* Medi.
fedi *gw.* medi.
fedru *gw.* medru.
fedrus *gw.* medrus.
fedwen *gw.* bedwen.
fedyddio *gw.* bedyddio.
Fedyddiwr *gw.* Bedyddiwr.
fedd *gw.* bedd, medd.
feddal *gw.* meddal.
feddalu *gw.* meddalu.
feddu *gw.* meddu.
feddw *gw.* meddw.
feddwi *gw.* meddwi.
feddwl *gw.* meddwl.
feddyg *gw.* meddyg.
feddygfa *gw.* meddygfa.
feddyginiaeth *gw.* meddyginiaeth.
feddylgar *gw.* meddylgar.
feddyliau *gw.* meddwl.
fefus *gw.* mefusen.
Fehefin *gw.* Mehefin.
feiau *gw.* bai.
feibion *gw.* mab.
Feibl *gw.* Beibl.
feic *gw.* beic.
feicrodon *gw.* meicrodon.
feichiau *gw.* baich.
feichiog *gw.* beichiog.
feiddio *gw.* meiddio.
feim *gw.* meim.
feinir *gw.* meinir.
feio *gw.* beio.
feirdd *gw.* bardd.
feirioli *gw.* meirioli.
feirniad *gw.* beirniad.
feirniadu *gw.* beirniadu.
feirniaid *gw.* beirniad.
feistr *gw.* meistr.
feistres *gw.* meistres.
feistri: feistriaid *gw.* meistr.

feithrin *gw.* meithrin.
fel *c.* as, so, like; fel arfer usually; fel
pe bai/petai/petasai as if.
fêl *gw.* mêl.
felen *gw.* melen.
felin *gw.* melin.
felyn *gw.* melyn.
felys *gw.* melys.
fellten *gw.* mellten.
felltith *gw.* melltith.
felly *ad.* so, thus.
fendigedig *gw.* bendigedig.
fendith *gw.* bendith.
fenig *gw.* maneg.
fenter *gw.* menter.
fentrau *gw.* menter.
fentro *gw.* mentro.
fentrus *gw.* mentrus.
fenthyca *gw.* benthyca.
fenyn *gw.* menyn.
fenyw *gw.* benyw, menyw.
fenywaidd *gw.* benywaidd,
menywaidd.
fer *gw.* ber.
fêr *gw.* mêr.
ferch *gw.* merch.
Fercher *gw.* Mercher.
ferchetaidd *gw.* merchetaidd.
ferf *gw.* berf.
ferfa *gw.* berfa.
ferfenw *gw.* berfenw.
ferlod *gw.* merlyn.
ferlota *gw.* merlota.
ferlotwr *gw.* merlotwr.
ferlyn *gw.* merlyn.
fersiwn *e.g. ll.* fersiynau version.
ferthyr *gw.* merthyr.
ferw *gw.* berw.
ferwi *gw.* berwi.
fes *gw.* mesen.
fesen *gw.* mesen.
festri *e.b. ll.* festrïoedd, festrïau
vestry.
fesul *gw.* mesul.
fesur *gw.* mesur.
fesurydd *gw.* mesurydd.
fetel *gw.* metel.
fetr *gw.* metr.
fetrig *gw.* metrig.
fethiant *gw.* methiant.
fewn *gw.* mewn.
fewnwr *gw.* mewnwr.
feysydd *gw.* maes.
fi: mi *rhag.* I , me, *gw.* mi.
ficer *e.g. ll.* -iaid vicar.
ficerdai *gw.* ficerdy.
ficerdy *e.g. ll.* ficerdai vicarage.
ficrodon *gw.* microdon.
figwrn *gw.* migwrn.

fil   **fory**

fil *gw*. mil.
filfeddyg *gw*. milfeddyg.
filgi *gw*. milgi.
filiwn *gw*. miliwn.
filoedd *gw*. mil.
filwr *gw*. milwr.
filltir *gw*. milltir.
fin *gw*. bin.
fin *gw*. min.
finegr *e.g. ll*. -au vinegar.
finiog *g.w*. miniog.
finlliw *gw*. minlliw.
finnau *gw*. minnau.
fiola *e.b. ll*. -s viola.
fioled *e.b. ll*. -au violet.
fioleg *gw*. bioleg.
firi *gw*. miri.
firws *e.g. ll*. -au virus.
fis *gw*. mis.
fisged *gw*. bisged.
fisgïen *gw*. bisgïen.
fisglwyf *gw*. misglwyf.
fisoedd *gw*. mis.
fisol *gw*. misol.
fisolyn *gw*. misolyn.
fitw *gw*. bitw.
fiwsig *gw*. miwsig.
flaen *gw*. blaen.
flaenor *gw*. blaenor.
flaenwr *gw*. blaenwr.
flaguro *gw*. blaguro.
flaguryn *gw*. blaguryn.
flaidd *gw*. blaidd.
flanced *gw*. blanced.
flas *gw*. blas
flasu *gw*. blasu.
flasus *gw*. blasus.
flawd *gw*. blawd.
fleiddiaid *gw*. blaidd.
flew *gw*. blewyn.
flewyn *gw*. blewyn.
flin *gw*. blin.
flinder *gw*. blinder.
flinedig *gw*. blinedig.
flino *gw*. blino.
flodau *gw*. blodyn.
flodeugerdd *gw*. blodeugerdd.
flodfresychen *gw*. blodfresychen.
flodyn *gw*. blodyn.
floedd *gw*. bloedd.
floeddio *gw*. bloeddio.
flows *gw*. blows.
flwch *gw*. blwch.
flwydd *gw*. blwydd.
flwyddyn *gw*. blwyddyn.
flychau *gw*. blwch.
flynedd *gw*. blwyddyn.
flynyddoedd *gw*. blwyddyn.
fo *rhag*. he, him it *(N.W.)*.

focs *gw*. bocs.
foch *gw*. boch, mochyn.
fochyn *gw*. mochyn.
fod *gw*. bod.
fodau *gw*. bod.
fodfedd *gw*. modfedd.
fodiau *gw*. bodiau.
fodio *gw*. bodio.
fodlon: foddlon *gw*. bodlon.
fodloni *gw*. bodloni.
fodrwy *gw*. modrwy.
fodryb *gw*. modryb.
fodur *gw*. modur.
fodurwr *gw*. modurwr.
fodd *gw*. bodd, modd.
foddhad *gw*. boddhad.
foddi *gw*. boddi.
foddion *gw*. moddion.
foel *gw*. moel.
foelni *gw*. moelni.
foes *gw*. moes.
foesol *gw*. moesol.
foethus *gw*. moethus.
fogi *gw*. mogi.
fol *gw*. bol.
fola *gw*. bola.
foli *gw*. moli.
foliau *gw*. bol.
follt *gw*. bollt.
folltau *gw*. bollt.
fom *gw*. bom.
Fôn *gw*. Môn.
fôn *gw*. bôn.
foneddiges *gw*. boneddiges.
foneddigion *gw*. bonheddwr.
fonheddig *gw*. bonheddig.
fonheddwr *gw*. bonheddwr.
fonion *gw*. bôn.
fôr *gw*. môr.
ford *gw*. bord.
fordau: fordydd *gw*. bord.
forddwyd *gw*. morddwyd.
fore *gw*. bore.
forfa *gw*. morfa.
forfil *gw*. morfil.
forgais *gw*. morgais.
Forgannwg *gw*. Morgannwg.
forgeisiau *gw*. morgais.
forgrugyn *gw*. morgrugyn.
forio *gw*. morio.
fôr-leidr *gw*. môr-leidr.
forlo *gw*. morlo.
foroedd *gw*. môr.
foron *gw*. moronen.
foronen *gw*. moronen.
forthwyl *gw*. morthwyl.
forwr *gw*. morwr.
forwyn *gw*. morwyn.
fory: yfory *ad*. tomorrow.

fos   **fyglyd**

fos *gw.* bos.
fotwm *gw.* botwm.
fotymu *gw.* botymu.
fowlen *gw.* bowlen.
fraich *gw.* braich.
fraint *gw.* braint.
frân *gw.* brân.
fras *gw.* bras.
fraslun *gw.* braslun.
fraster *gw.* braster.
fraw *gw.* braw.
frawd *gw.* brawd.
frawddeg *gw.* brawddeg.
frecwast *gw.* brecwast.
frech *gw.* brech.
frechdan *gw.* brechdan.
frechiad *gw.* brechiad.
freichiau *gw.* braich.
freichled *gw.* breichled.
freiniau: freintiau *gw.* braint.
frenhines *gw.* brenhines.
frenhinoedd *gw.* brenin.
frenhinol *gw.* brenhinol.
frenin *gw.* brenin.
fres *gw.* bres.
frest *gw.* brest.
fresychen *gw.* bresychen.
frethyn *gw.* brethyn.
freuddwyd *gw.* breuddwyd.
freuddwydio *gw.* breuddwydio.
freuddwydion *gw.* breuddwyd.
frifo *gw.* brifo.
frig *gw.* brig.
frigau *gw.* brig, brigyn.
frigyn *gw.* brigyn.
friwsion *gw.* briwsionyn.
friwsionyn *gw.* briwsionyn.
fro *gw.* bro.
frodor *gw.* brodor.
frodyr *gw.* brawd.
froga *gw.* broga.
fron *gw.* bron.
fronfraith *gw.* bronfraith.
fronnau: fronnydd *gw.* bron.
frown *gw.* brown.
fröydd *gw.* bro.
frwdfrydig *gw.* brwdfrydig.
frwnt *gw.* brwnt.
frws: frwsh *gw.* brws.
frwsio: frwshio *gw.* brwsio.
frwsys: frwshys *gw.* brws.
frwydr *gw.* brwydr.
frwydrau *gw.* brwydr.
fryd *gw.* bryd.
fryn *gw.* bryn.
fryniau *gw.* bryn.
frys *gw.* brys.
frysio *gw.* brysio.
fuan *gw.* buan.

fuarth *gw.* buarth.
fuchod *gw.* buwch.
fud *gw.* mud.
fudiad *gw.* mudiad.
fudr *gw.* budr.
fuddugol *gw.* buddugol.
fuddugoliaeth *gw.* buddugoliaeth.
fues i *bf.* I was, I have been; *gw.* bod.
fugail *gw.* bugail.
fugeiliaid *gw.* bugail.
fugeilio *gw.* bugeilio.
ful *gw.* mul.
fûm: fues *bf.* I was, I have been; *gw.* bod.
funud *gw.* munud.
fur *gw.* mur.
fusnes *gw.* busnes.
fuwch *gw.* buwch.
fwced *gw.* bwced.
fwg *gw.* mwg.
fwgwd *gw.* mwgwd.
fwlch *gw.* bwlch.
fwnci *gw.* mwnci.
fwrdeistref *gw.* bwrdeistref.
fwrdd *gw.* bwrdd.
fwriad *gw.* bwriad.
fwriadu *gw.* bwriadu.
fwrw *gw.* bwrw.
fws *gw.* bws.
fwstwr *gw.* mwstwr.
fwthyn *gw.* bwthyn.
fwy *gw.* mawr.
fwyaf *gw.* mawr.
fwyar *gw.* mwyaren.
fwyaren *gw.* mwyaren.
fwyd *gw.* bwyd.
fwydo: fwyda *gw.* bwydo.
fwydlen *gw.* bwydlen.
fwydydd *gw.* bwyd.
fwydyn *gw.* mwydyn.
fwyn *gw.* mwyn.
fwynhad *gw.* mwynhad.
fwynhau *gw.* mwynhau.
fwyta: fyta *gw.* bwyta.
fy *rhag. (followed by nasal mutation)* my, of me; *gw. At. Rhagenwau.*
fychan *gw.* bychan.
fyd *gw.* byd.
fydoedd *gw.* byd.
fydd e/o/hi *bf.* he/she/it will be; *gw.* bod.
fyddar *gw.* byddar.
fyddin *gw.* byddin.
fyddinoedd *gw.* byddin.
fyfyrdod *gw.* myfyrdod.
fyfyrio *gw.* myfyrio.
fyfyriwr *gw.* myfyriwr.
fyglyd *gw.* myglyd.

fygu

fygu *gw.* mygu.
fygydau *gw.* mwgwd.
fylchau *gw.* bwlch.
fynach *gw.* mynach.
fynachlog *gw.* mynachlog.
fynachod *gw.* mynach.
fynaich *gw.* mynach.
fynd: fyned *gw.* mynd.
fynedfa *gw.* mynedfa.
fynedfeydd *gw.* mynedfa.
fynediad *gw.* mynediad.
fynegai *gw.* mynegai.
fynegeion *gw.* mynegai.
fynegi *gw.* mynegi.
fynnu *gw.* mynnu.
fynwent *gw.* mynwent.
fyny, i *ad.* up, upwards: **oddi**
   fyny from above; **ar i fyny** upwards;
   in good spirits, in a cheerful mood.

fynydd *gw.* mynydd.
fynyddig: fynyddog *gw.* mynyddig.
fyr *gw.* byr.
fyrbryd *gw.* byrbryd.
fyrddau *gw.* bwrdd.
fyrfodd *gw.* byrfodd.
fyrr *gw.* myrr.
fys *gw.* bys.
fysedd *gw.* bys.
fystyrau *gw.* mwstwr.
fysys *gw.* bws.
fyth *gw.* myth.
fythynnod *gw.* bwthyn.
fyw *gw.* byw.
fywiog *gw.* bywiog.
fywyd *gw.* bywyd.
fywydeg *gw.* bywydeg.

ffa *gw.* **ffäen.**
ffäen: ffeuen *e.b. ll.* **ffa.** bean.
ffactor *e.g.b. ll.* **-au** factor.
ffaelu (â) *be.* **(ffaelaf)** to fail, to miss, to mistake *(S.W.).*
ffafr *e.b. ll.* **-au** favour, respect.
ffair *e.b. ll.* **ffeiriau** fair: **ffair haf** summer fair; **ffair lyfrau** book fair; **ffair sborion** jumble sale; **fel ffair** an utter mess, very busy.
ffaith *e.b. ll.* **ffeithiau** fact.
ffarm: fferm *e.b. ll.* **ffermydd** farm; **tŷ fferm** farmhouse.
ffarmio: ffermio *be.* **(ffarmiaf: ffermiaf)** to farm.
ffarmwr: ffermwr *e.g. ll.* **ffermwyr** farmer, agriculturist.
ffárwel: ffarwél *e.b.* farewell; **Ffárwel haf** Michaelmas daisy.
ffarwelio (â) *be.* **(ffarweliaf)** to bid farwel, to say goodbye.
ffatri *e.b. ll.* **ffatrïoedd** factory.
ffau *e.b. ll.* **ffeuau** den, lair, burrow, set.
ffefryn *e.g. ll.* **-nau** favourite.
ffeiriau *gw.* **ffair.**
ffeithiau *gw.* **ffaith.**
ffel *a.* dear; knowing – especially of a dog.
ffenestr *e.b. ll.* **-i** window.
fferm *gw.* **ffarm.**
ffermdai *gw.* **ffermdy.**
ffermdy *e.g. ll.* **ffermdai** farmhouse.
ffermio *gw.* **ffarmio.**
ffermwr *gw.* **ffarmwr.**
ffermwyr *gw.* **ffarmwr.**
fferyllydd *e.g. ll.* **-ion** pharmacist, chemist.
ffeuau *gw.* **ffau.**
ffeuen *gw.* **ffäen.**

ffiaidd *a.* foul, loathsome, odious.
ffigur *e.g. ll.* **-au** figure, type, form; diagram.
ffin *e.b. ll.* **-iau, -ion** boundary, border, frontier, limit.
ffiniau *gw.* **ffin.**
ffiniol *a.* bordering.
ffinion *gw.* **ffin.**
ffiseg *e.b.* physics.
fflachio *be.* **(fflachiaf)** to flash.
fflam *e.b. ll.* **-au, -iau** flame, blaze.
fflamau: fflamiau *gw.* **fflam.**
ffoadur *e.g. ll.* **-iaid, -ion** fugitive, refugee; deserter.
ffoaduriaid: ffoadurion *gw.* **ffoadur.**
ffodus *a.* fortunate, lucky, prosperous.
ffoi *(rhag.) be.* **(ffoaf)** to flee, to escape; to desert.
ffôl *a.* foolish, unwise, silly, foolhardy.
ffolineb *e.g. ll.* **-au** foolishness, folly.
ffon *e.b. ll.* **ffyn** stick, walking-stick, staff; rod; club.
ffôn *e.g. ll.* **ffonau** telephone, phone; *gw.* **teleffon.**
ffonio *be.* **(ffoniaf)** to phone.
fforc *e.b. ll.* **ffyrc** fork.
fforchio *be.* **(fforchiaf)** to fork; to straddle.
ffordd *e.b. ll.* **ffyrdd** road, way, street, route: **ffordd allan** exit; **ffordd fawr** highway; **ffordd osgoi** bypass; **priffordd** highway; **traffordd** motorway; **ffordd ddeuol** dual carriageway; **pontffordd** viaduct; **trosffordd** fly-over.
ffortiwn *e.b. ll.* **ffortiynau** fortune.
ffortiynau *gw.* **ffortiwn.**
ffos *e.b. ll.* **-ydd** ditch, trench.
ffosydd *gw.* **ffos.**
ffowls *gw.* **ffowlyn.**
ffowlyn *e.g. ll.* **ffowls** chicken, fowl *(S.W.).*
ffraeo (â) *be.* **(ffraeaf)** to quarrel, to bicker.
Ffrangeg *e.b.* French (language).
Ffrainc *e.b.* France.
Ffrances *e.b. ll.* **-au** Frenchwoman.
Ffrancod *gw.* **Ffrancwr.**
Ffrancwr *e.g. ll.* **Ffrancwyr, Ffrancod** Frenchman.
Ffrancwyr *gw.* **Ffrancwr.**
Ffrengig *a.* French.
ffrind *e.b. ll.* **-iau** friend.
ffrindiau *gw.* **ffrind.**
ffrio *be.* **(ffriaf)** to fry.
ffroen *e.b. ll.* **-au** nostril.

ffroesen *e.b. ll.* **ffroes** pancake
(S.W.). gw. **crempog.**
ffrog: ffroc *e.b. ll.* **-iau** frock: **ffrog
felen** a yellow frock; **ffrog wen** a
white frock.
ffroga *e.g. ll.* **ffrogaod** frog;
gw. **broga.**
ffrwd *e.b. ll.* **ffrydiau** swift stream;
torrent, flood; current.
ffrwydro *be.* **(ffrwydraf)** to explode.
ffrwyth *e.g. ll.* **ffrwythau** fruit;
produce; result, effect.
ffrwythlon *a.* fruitful, fertile.
ffrwythloni *be.* **(ffrwythlonaf)** to
become or be fruitful; to fertilise.
ffrydiau *gw.* **ffrwd.**
ffrynt *e.g.b. ll.* **-iau** front: **ffrynt
gynnes** warm front; **ffrynt oer** cold
front; **drws (y) ffrynt** front door; **o'r
ffrynt** from the front.
ffug *a.* deceptive, sham, counterfeit,
false: **dogfen ffug** forged
document.
ffug-bas *e.b. ll.* **-ys** dummy-pass
(rugby).
ffugenw *e.g. ll.* **-au** pseudonym, nom
de plume.
ffugio *be* **(ffugiaf)** to pretend, to
disguise, to forge, to feign.
ffuglen *e.b.* fiction.
ffurf *e.b. ll.* **-iau** form, shape;
appearance, likeness; substance.
ffurfafen *e.b. ll.* **-nau** sky; heavens.

ffurfiau *gw.* **ffurf.**
ffurfio *be.* **(ffurfiaf)** to form, to
fashion, to create.
ffurflen *e.b. ll.* **-ni** form, chart:
ffurflen gais application form.
ffurflenni *gw.* **ffurflen.**
ffŵl *e.g. ll.* **ffyliaid** fool.
ffwr *e.g. ll.* **ffyrrau** fur.
ffwrdd, i *ad.* away; **ffwrdd-â-hi** slap-
dash, precipitate.
ffwrn *e.b. ll.* **ffyrnau** oven, furnace:
ffwrn microdon microwave oven.
ffws *e.g.* fuss.
ffydd *e.b. ll.* **-iau** faith, belief,
confidence.
ffyddlon *a.* faithful, loyal.
ffyliaid *gw.* **ffŵl.**
ffyn *gw.* **ffon.**
ffynhonnau *gw.* **ffynnon.**
ffynhonnell *e.b. ll.* **ffynonellau**
source, spring, fount; origin.
ffynidwydden *e.b. ll.* **ffynidwydd**
fir-tree, pine-tree.
ffynnon *e.b. ll.* **ffynhonnau** spring,
fountain, well; source, origin.
ffynonellau *gw.* **ffynhonnell.**
ffyrc *gw.* **fforc.**
ffyrdd *gw.* **ffordd.**
ffyrnau *gw.* **ffwrn.**
ffyrnig *gw.* fierce, savage, furious,
wild.
ffyrnigrwydd *e.g.* ferocity.
ffyrrau *gw.* **ffwr.**

ga i *bf.* may I . . .? *gw.* **cael.**
gaban *gw.* **caban.**
gacen *gw.* **cacen.**
gacwn *gw.* **cacwn.**
gacynen *gw.* **cacynen.**
gadach *gw.* **cadach.**
gadael *be.* **(gadawaf)** to leave, to desert; to allow; **gadewais** I left; **gadewaist** you left.
gadair *gw.* **cadair.**
gadeiriau *gw.* **cadair.**
gadeirio *gw.* **cadeirio.**
gadeiriol *gw.* **cadeiriol.**
gadeirydd *gw.* **cadeirydd.**
gadno *gw.* **cadno.**
gadw *gw.* **cadw.**
gadwyn *gw.* **cadwyn.**
gadwyno *gw.* **cadwyno.**
gae *gw.* **cae.**
gaeaf *e.g. ll.* **-au** winter.
gaeau *gw.* **cae.**
gael *gw.* **cael.**
gaer *gw.* **caer.**
Gaer *gw.* **Caer.**
Gaerdydd *gw.* **Caerdydd.**
Gaeredin *gw.* **Caeredin.**
Gaerfyrddin *gw.* **Caerfyrddin.**
Gaergybi *gw.* **Caergybi.**
gaets *gw.* **caets.**
gaf *gw.* **cael.**
gafael (yn) *be.* **(gafaelaf)** to hold tight, to clutch; to grip: **Gafael yn fy llaw** Take my hand.
gafodd *gw.* **cael.**
gafr *e.b. ll.* **geifr** goat.
gaffe *gw.* **caffe.**
gangen *gw.* **cangen.**
ganghennau *gw.* **cangen.**
gaiff *gw.* **caiff.**
gair *e.g. ll.* **geiriau** word; **gair**

ganeuon

bach short address, brief note; **geirda** good report, commendation, reference; **gair drwg** bad reputation; **ar y gair** instantly: **cadw at ei air** to keep his word; **dweud gair** to speak or address (a meeting, etc.); **Gair Duw** God's word; **gair yn ei bryd** timely advice.
gais *gw.* **cais.**
galan *gw.* **calan.**
galar *e.g.* mourning, grief.
galed *gw.* **caled.**
galedi *gw.* **caledi.**
galedwch *gw.* **caledwch.**
galendr *gw.* **calendr.**
galennig *gw.* **calennig.**
galetach *gw.* **caled.**
galetaf *gw.* **caled.**
galeted *gw.* **caled.**
galon *gw.* **calon.**
galw (ar, am) *be.* **(galwaf)** to call, to summon; to visit; to name.
galwad *e.b.g. ll.* **-au** a call; vocation, calling, profession: **Cafodd y gweinidog alwad i Lanelli** The minister received a call to Llanelli.
galwyn *e.g. ll.* **-i, -au** gallon.
gall *gw.* **call.**
gallach *gw.* **call.**
gallaf *gw.* **call.**
galled *gw.* **call.**
gallu 1 *be.* **(gallaf)** to be able; **2** *e.g. ll.* **-oedd** ability, power; wealth.
galluog *a.* able, powerful.
gam *gw.* **cam.**
gamarwain *gw.* **camarwain.**
gamddeall *gw.* **camddeall.**
gamera *gw.* **camera.**
gamp *gw.* **camp.**
gampfa *gw.* **campfa.**
gampfeydd *gw.* **campfa.**
gampus *gw.* **campus.**
gampwaith *gw.* **campwaith.**
gampweithiau *gw.* **campwaith.**
gamsyniad *gw.* **camsyniad.**
gamu *gw.* **camu.**
gan *ardd.* (*followed by soft mutation*) (*personal forms:* **gen i, gen ti, ganddo/ganddi, gennyn, gennych, ganddyn**). with, by, from, since; **gan amlaf** usually, mostly: **gan hynny** therefore; **gan mwyaf** mostly, almost; *gw. At. Arddodiaid;* **can, cant.**
gân *gw.* **cân.**
ganddi: ganddo *gw.* **gan.**
ganddyn *gw.* **gan.**
ganeuon *gw.* **cân.**

ganfed *gw.* canfed.
ganhwyllbren *gw.* canhwyllbren.
ganiad *gw.* caniad.
ganiadaeth *gw.* caniadaeth.
ganiadau *gw.* cân, caniad.
ganiatâd *gw.* caniatâd.
ganiatáu *gw.* caniatáu.
ganiedydd *gw.* caniedydd.
ganmlwydd *gw.* canmlwydd.
ganmlwyddiannau *gw.*
  canmlwyddiant.
ganmlwyddiant *gw.* canmlwyddiant.
ganmol *gw.* canmol.
ganmoliaeth *gw.* canmoliaeth.
gannoedd *gw.* cant.
gannwyll *gw.* cannwyll.
ganol *gw.* canol.
ganolbarth *gw.* canolbarth.
ganolbwyntio *gw.* canolbwyntio.
ganoldir *gw.* canoldir.
ganolfan *gw.* canolfan.
ganolwr *gw.* canolwr.
ganradd *gw.* canradd.
ganran *gw.* canran.
ganrif *gw.* canrif.
ganrifau: ganrifoedd *gw.* canrif.
gant *gw.* cant.
gantor *gw.* cantor.
gantores *gw.* cantores.
ganu *gw.* canu.
ganŵ *gw.* canŵ.
ganŵio *gw.* canŵio.
ganwr *gw.* canwr.
ganwriad *gw.* canwriad.
ganwyd *bf.* he/she was born:
  Ganwyd ef yng Nghymru He was
  born in Wales; *gw.* geni.
gap *gw.* cap.
gapel *gw.* capel.
gapten *gw.* capten.
gar *gw.* car.
garafán *gw.* carafán.
garafana *gw.* carafana.
garco *gw.* carco.
garcus *gw.* carcus.
garchar *gw.* carchar.
garcharor *gw.* carcharor.
garcharu *gw.* carcharu.
gardiau *gw.* cerdyn.
gardd *e.b. ll.* gerddi garden.
garddio *be.* (garddiaf) to garden, to
  cultivate a garden.
garddwr *e.g. ll.* garddwyr gardener.
garedig *gw.* caredig.
garedigrwydd *gw.* caredigrywdd.
garej *e.g. ll.* -ys garage.
gariad *gw.* cariad.
gariadon *gw.* cariad.
gariadus *gw.* cariadus.

gario *gw.* cario.
garol *gw.* carol.
garped *gw.* carped.
garreg *gw.* carreg.
gartref *ad.* at home: Mae e'n byw
  gartref He's living at home; *gw.*
  cartref.
gartrefi *gw.* cartref.
gartrefu *gw.* cartrefu.
gartrefydd *gw.* cartref.
garw *a. ll.* geirwon coarse, rough,
  harsh.
garu *gw.* caru.
gas *gw.* cas.
gasáu *gw.* casáu.
gasgen *gw.* casgen.
gasgenni *gw.* casgen.
gasgliad *gw.* casgliad.
gasglu *gw.* casglu.
Gas-gwent *gw.* Cas-gwent.
Gasllwchwr *gw.* Casllwchwr.
Gasnewydd *gw.* Casnewydd.
gastell *gw.* castell.
Gastell-nedd *gw.* Castell-nedd.
gât *e.b. ll.* gatiau, gâts, gatsys
  (*never undergoes soft mutation*) gate:
  yr hen gât the old gate; dwy gât
  two gates; y gât wen the white gate;
  gw. clwyd; *gw.* iet.
gath *gw.* cath.
gau *a.* (*precedes noun*) false; gau
  broffwyd a false prophet; *gw.* cau.
gawl *gw.* cawl.
gawod *gw.* cawod.
gawr *gw.* cawr.
gaws *gw.* caws.
gefn *gw.* cefn.
gefnder *gw.* cefnder.
gefndir *gw.* cefndir.
gefndiroedd *gw.* cefndir.
gefndyr *gw.* cefnder.
gefnu *gw.* cefnu.
gefnwr *gw.* cefnwr.
geffyl *gw.* ceffyl.
geg *gw.* ceg.
gegin *gw.* cegin.
gei *gw.* cei.
geidwad *gw.* ceidwad.
geifr *gw.* gafr.
geiliog *gw.* ceiliog.
Geinewydd *gw.* Ceinewydd.
geiniog *gw.* ceiniog.
geir *gw.* car.
geirfa *e.b. ll.* -oedd vocabulary.
geiriadur *e.g. ll.* -on dictionary.
geiriau *gw.* gair.
geirio *be.* (geiriaf) to word, to
  phrase.

geirwon   glêr

geirwon *gw.* garw.
geisiadau: geisiau *gw.* cais.
geisio *gw.* ceisio.
gelf *gw.* celf.
gelfi *gw.* celficyn.
gelficyn *gw.* celficyn.
gelwydd *gw.* celwydd.
gelwyddog *gw.* celwyddog.
gelyn *e.g. ll.* -ion enemy: **gelyn
pennaf** chief enemy; *gw.* **celynnen.**
gelynnen *gw.* celynnen.
gell *gw.* cell.
gellau: gelloedd *gw.* cell.
gem *e.b.g. ll.* -au gem.
gêm *e.b. ll.* gêmau (*doesn't mutate*)
game: **Dyma gêm dda** Here's a
good game; **dwy gêm rygbi** two
rugby games; **Dewch i gêmau'r
ysgol** Come to the school's games.
gemeg *gw.* cemeg.
gen *gw.* gan.
gên *e.b. ll.* genau chin, jaw.
genau *e.g. ll.* geneuau mouth; *gw.*
gên.
genedigaeth *e.b. ll.* -au birth.
genedl *gw.* cenedl.
genedlaethol *gw.* cenedlaethol.
genedlaetholdeb *gw.*
cenedlaetholdeb.
genedlaetholwr *gw.* cenedlaetholwr.
geneth *e.b. ll.* -od girl (*N.W.*).
geneuau *gw.* genau.
genfigennus *gw.* cenfigennus.
genhadaeth *gw.* cenhadeth.
genhadol *gw.* cenhadol.
genhadu *gw.* cenhadu.
genhadwr *gw.* cenhadwr.
genhedlaeth *gw.* cenhedlaeth.
genhedloedd *gw.* cenedl.
genhinen *gw.* cenhinen.
geni *be.* to be born, to give birth to:
dyddiad geni date of birth.
gennin *gw.* cenhinen.
gennych *gw.* gan.
gennym *gw.* gan.
ger *ardd.* at, by, near, before, in
front of; **gerllaw** close to.
gêr *e.ll.* gear, tackle; rubbish.
gerbron *gw.* ger.
gerdyn *gw.* cerdyn.
gerdd *gw.* cerdd.
gerdded *gw.* cerdded.
gerddi *gw.* cerdd, gardd.
gerddor *gw.* cerddor.
gerddorfa *gw.* cerddorfa.
gerddoriaeth *gw.* cerddoriaeth.
gerddorol *gw.* cerddorol.
gerddwr *gw.* cerddwr.
gerddwyr *gw.* cerddwr.

gerflun *gw.* cerflun.
gerllaw *gw.* ger.
gerrig *gw.* carreg.
ges *gw.* cael.
gesair *gw.* cesair.
gestyll *gw.* castell.
gewri *gw.* cawr.
gewyn *gw. ll.* -nau, -ion sinew,
tendon, ligament; nerve; *gw.* **cewyn.**
geyrydd *gw.* caer.
gi *gw.* ci.
gig *gw.* cig.
gigydd *gw.* cigydd.
gilio *gw.* cilio.
gilydd *rhag.* other, another, another
of the same class or kind: **ei
gilydd** each other; **gyda'i
gilydd** together (they); **gyda'ch
gilydd** together (you); **gyda'n
gilydd** together (we).
ginio *gw.* cinio.
gipolwg *gw.* cipolwg.
gist *gw.* cist.
glaf *gw.* claf.
glai *gw.* clai.
glan *e.b. ll.* -nau, glennydd bank,
shore: **glan y môr** sea-shore; **glan
yr afon** river's bank; **glan y
bedd** the grave-side; **gwyliwr y
glannau** coast-guard.
glân *a.* clean, pure, holy; beautiful,
fair.
glanhau *be.* (**glanhaf**) to clean, to
purify; to heal.
glanio *be.* (**glaniaf**) to land, to come
or go ashore, disembark; bring to
land.
glannau *gw.* glan.
glas 1 *a. ll.* gleision blue, green,
grey, silver; wan, pallid; raw: **arian
gleision** silver (money), silver
coins; **glas y dorlan** kingfisher. 2
e.g. blue.
glaswelltyn *e.g. ll.* glaswellt green
grass.
glasur *gw.* clasur.
glasurol *gw.* clasurol.
glaw *e.g. ll.* -ogydd rain; **bwrw
glaw** to rain; **eirlaw** sleet; **glaw
mân** drizzle.
glawdd *gw.* clawdd.
glawr *gw.* clawr.
glebran *gw.* clebran.
glefyd *gw.* clefyd.
gleision *gw.* glas.
glendid *e.g.* cleanness, cleanliness,
purity; beauty; piety, holiness.
glennydd *gw.* glan.
glêr *gw.* cleren.

glerc   gogydd

glerc *gw.* clerc.
gleren *gw.* cleren.
glin *e.g.b.* *ll.* -iau knee.
glir *gw.* clir.
glirio *gw.* clirio.
glo *e.g.* coal: glo brig open-cast
coal; glo carreg anthracite coal; glo
mân small coal; glo
rhwym bituminous coal; *gw.* clo.
gloc *gw.* cloc.
gloch *gw.* cloch.
glod *gw.* clod.
glodfori *gw.* clodfori.
gloddiau *gw.* clawdd.
glofa *e.b.* *ll.* glofeydd colliery.
glofeydd *gw.* glofa.
gloff *gw.* cloff.
gloffi *gw.* cloffi.
glogwyn *gw.* clogwyn.
glogyn *gw.* clogyn.
gloi *gw.* cloi.
glorian *gw.* clorian.
glown *gw.* clown.
glöwr *e.g.* *ll.* glowyr collier, coal-
miner.
glöyn byw *e.g.* *ll.* glöynnod
byw butterfly (*N.W.*).
gloyw *a.* *ll.* -on clear, bright, shiny;
Cymro glân gloyw a thoroughbred
Welshman.
glud *e.g.* *ll.* -ion glue.
gludio: gludo *be.* (gludiaf: gludaf) to
glue; to adhere.
glun *gw.* clun.
glust *gw.* clust.
glustog *gw.* clustog.
glwm *gw.* clwm.
glwtyn *gw.* clwtyn.
Glwyd *gw.* Clwyd.
glwyd *gw.* clwyd.
glwyf *gw.* clwyf.
glychau *gw.* cloch.
glymau *gw.* clwm, cwlwm.
glymu *gw.* clymu.
glyn *e.g.* *ll.* -noedd valley, glen.
Glynebwy *e.b.* Ebbw Vale.
glynu (wrth) *be.* (glynaf) to adhere,
to cling.
glyw *gw.* clyw.
glywed *gw.* clywed.
gnau *gw.* cneuen.
gneuen *gw.* cneuen.
gnoc *gw.* cnoc.
gnocio *gw.* cnocio.
gnoi *gw.* cnoi.
go *ad.* (*precedes noun and causes soft
mutation*) rather, somewhat; small,
little exceeding (*N.W.*): go
ddrud somewhat expensive.

gobaith *e.g.* *ll.* gobeithion hope.
goban *gw.* coban.
gobeithio *gw.* (gobeithiaf) to hope.
gobeithion *gw.* gobaith.
gobennydd *e.g.* *ll.* gobenyddion
pillow, bolster.
goch *gw.* coch.
gochach *gw.* coch.
gochaf *gw.* coch.
goched *gw.* coch.
godi *gw.* codi.
godidog *gw.* excellent.
godre *e.g.* *ll.* -on edge, hem, fringe;
foot or bottom (*of mountain, hill,
etc.*); foot (*of page*).
godro *be.* (godraf) to milk.
goddef *be.* (goddefaf) to suffer, to
bear, to endure, to tolerate.
goddrych *e.g.* *ll.* -au subject.
Goed-duon *gw.* Coed-duon.
goeden *gw.* coeden.
goedwig *gw.* coedwig.
goes *gw.* coes.
gof *e.g.* *ll.* -aint smith, blacksmith;
gw. cof.
gofal *e.g.* *ll.* -on care; charge.
gofalu (am) *be.* (gofalaf) to take care;
to worry, to vex.
gofalus *a.* careful, anxious, worried.
gofalwr *e.g.* *ll.* gofalwyr caretaker,
custodian.
gofid *e.g.* *ll.* -iau trouble, sorrow,
grief, affliction.
gofidio (am) *be.* (gofidiaf) to grieve,
to vex.
gofio *gw.* cofio.
gofleidio *gw.* cofleidio.
gofod *e.g.* *ll.* -au space, gap; *gw.*
gwagle.
gofodwr *e.g.* *ll.* gofodwyr
astronaut.
gofrestr *gw.* cofrestr.
gofrestru *gw.* cofrestru.
gofyn (am) 1 *be.* (gofynnaf) to ask
(for). 2 *e.g.* *ll.* -ion request,
requirement, demand: yn ôl y
gofyn according to demand.
goffi *gw.* coffi.
gog *gw.* cog.
goginio *gw.* coginio.
gogledd 1 *e.g.* north. 2 *a.* north,
northern: Pegwn y Gogledd North
Pole.
gogleddol *a.* northern.
gogleddwr *e.g.* *ll.* gogleddwyr
northerner.
gogoniant *e.g.* *ll.* gogoniannau
glory.
gogydd *gw.* cogydd.

61

gôl *e.b. ll.* **goliau** goal (*soccer*).
golau 1 *e.g.* light. **2** *a.* light, fair (*colour*); *gw.* **goleuni.**
golchi *be.* **(golchaf)** to wash; to flow over or past.
golchydd *e.g. ll.* **-ion** washer, washing machine.
goleg *gw.* **coleg.**
goler *gw.* **coler.**
goleudy *e.g. ll.* **goleudai** lighthouse.
goleuni *e.g.* light; *gw.* **golau.**
goleuo *be.* **(goleuaf)** to light, to enlighten; to set fire to.
goliau *gw.* **gôl.**
golofn *gw.* **colofn.**
golud *e.g. ll.* **-oedd** wealth, riches.
goluro *gw.* **coluro.**
golwg *e.g.b. ll.* **golygon** sight; appearance, view: **golygon** eyes; **i bob golwg** to all appearances; **o'r golwg** out of sight; **y fath olwg!** what a sight; **rhagolygon y tywydd** weather prospects; **roedd golwg wael arni** she looked ill.
golygfa *e.b. ll.* **golygfeydd** view, scenery, scene.
golygon *gw.* **golwg.**
golygu *be.* **(golygaf)** to view; to mean, to imply, to intend; to edit: **Beth rwyt ti'n ei olygu?** What do you mean?
golled *gw.* **colled.**
gollen *gw.* **collen.**
golli *gw.* **colli.**
gollwng *be.* **(gollyngaf)** to release; to leak.
gonest *a.* honest, sincere.
gopïo *gw.* **copïo.**
gopyn *gw.* **copyn.**
gôr *gw.* **côr.**
gorau *gw.* **côr, da.**
gorchfygu *be.* **(gorchfygaf)** to defeat, to conquer, to subdue.
gorchymyn (i) 1 *be.* **(gorchmynnaf)** to command, to order, to decree, to charge. **2** *e.g. ll.* **gorch(y)mynion, gorch(y)mynnau** command, command, decree, order: **Y Deg Gorchymyn** The Ten Commandments.
gordyn *gw.* **cordyn.**
gorfod 1 *e.g.b. ll.* **-au** compulsion, obligation; victory, success. **2** *a.* enforced, compulsory, obligatory; conquering, victorious. **3** *be.* **(gorfodaf)** to be obliged, forced or compelled to, to have (to): **Rwyt ti'n gorfod mynd** You have to go.
gorfodaeth *e.b.g. ll.* **-au** compulsion,

obligation; victory success;
gorfodaeth filwrol military conscription.
gorfodi (i) *be.* **(gorfodaf)** to compel, to oblige; to conquer, to overcome.
gorfodol *a.* compulsory, obligatory.
gorfoleddus *a.* joyful.
gorff *gw.* **corff.**
gorffen *be.* **(gorffennaf)** to finish, to conclude.
Gorffennaf *e.g.* July.
gorffennol 1 *e.g.* the past. **2** *a.* past.
gorfforol *gw.* **corfforol.**
gorffwys *e.g.* rest.
gorffwyso *be.* **(gorffwysaf)** to rest.
gorgi *gw.* **corgi.**
gorlawn *a.* overflowing, overcrowded.
gorllewin *e.g.* west; **Gorllewin Morgannwg** West Glamorgan.
gormod 1 *e.g.* excess; too many. **2** *a. & ad.* too much, excessive: **gormod o gwynion** too many complaints; **gormod o straeon** too many stories; **gormod o stŵr** too much noise; **gormod o drafferth** too much trouble; **bwyta gormod** to eat too much.
gorn *gw.* **corn.**
gornel *gw.* **cornel.**
gornest *e.b. ll.* **-au** contest, battle; match.
goron *gw.* **coron.**
goroni *gw.* **coroni.**
gorryn *gw.* **corryn.**
gorsaf *e.b. ll.* **-oedd** station: **gorsaf betrol** petrol station; **gorsaf bŵer** power station; **gorsaf dân** fire station.
gorsedd *e.b. ll.* **-au** throne: **Gorsedd y Beirdd** the Gorsedd of Bards (*bardic institution*).
goruchaf *a.* most high, supreme.
gorwedd *be.* **(gorweddaf)** to lie, to lie down.
gorwel *e.g. ll.* **-ion** horizon.
gosb *gw.* **cosb.**
gosbi *gw.* **cosbi.**
gosi *gw.* **cosi.**
gosod 1 *be.* **(gosodaf)** to put; to plant; to let; to bestow; to fix: **gosod gerbron** to set before; **gosod mewn trefn** to set in order; **gosod pris** to fix a price; **gosod yr ardd** to plant the garden. **2** *a.* false, artificial, applied: **dannedd gosod** false teeth, dentures; **gwallt gosod** false hair, wig.
gostus *gw.* **costus.**

gostwng   gwael

gostwng *be.* **(gostyngaf)** to lower, to
  reduce; to diminish; to ease.
gostyngedig *a.* humble.
gostyngiad *e.g. ll.* **-au** reduction.
gosyn *gw.* **cosyn.**
got: gôt *gw.* **cot.**
gotwm *gw.* **cotwm.**
grac *gw.* **crac.**
grachach *gw.* **crachach.**
gradd *e.b. ll.* **-au** step, grade, degree,
  university degree: **gradd
  anrhydedd** an honours degree; **i'r
  fath raddau** to such an extent;
  mewn graddau by degrees,
  gradually; **o radd i radd** step by
  step, by degrees.
graddfa *e.b. ll.* **graddfâu,
  graddfeydd** scale; **ar raddfa
  eang** on a large scale; **graddfa
  Celsius** Celsius Scale.
graddio *be.* **(graddiaf)** to graduate, to
  grade, to scale.
graddol *a.* gradual; **yn raddol** by
  degrees.
graenus *a.* of good quality, glossy,
  sleek.
grafu *gw.* **crafu.**
gragen *gw.* **cragen.**
graig *gw.* **craig.**
gramadeg *e.g. ll.* **-au** grammar; **llyfr
  gramadeg** grammar book.
grant *e.g. ll.* **-iau** grant.
gras *e.g. ll.* **-au, -usau** grace;
  gw. **cras.**
grasu *gw.* **crasu.**
gredu *gw.* **credu.**
grefydd *gw.* **crefydd.**
grefft *gw.* **crefft.**
grefftwr *gw.* **crefftwr.**
gregyn *gw.* **cragen.**
greigiau *gw.* **craig.**
greigiog *gw.* **creigiog.**
greision *gw.* **cras, creisionyn.**
grempog *gw.* **crempog.**
gresyn *e.g. ll.* **-au** pity (*N.W.*):
  Gresyn iddo farw Pity that he died;
  Gresyn o beth It's a shame.
gresynu *be.* **(gresynaf)** to deplore, to
  be sorry, to pity.
greulon *gw.* **creulon.**
greulondeb *gw.* **creulondeb.**
gri *gw.* **cri.**
grib *gw.* **crib.**
gribo *gw.* **cribo.**
griced *gw.* **criced.**
gricedwr *gw.* **cricedwr.**
grio *gw.* **crio.**
gris *e.g. ll.* **-iau** step, stair.
Gristion *gw.* **Cristion.**

griw *gw.* **criw.**
Groeg 1 *e.b.* Greece. 2 *e.b.* &
  a. the
  Greek language, Greek; pertaining
  to the Greek language, to Greece or
  to the Greeks.
Groegaidd *a.* Grecian, Greek.
Groeges *e.b. ll.* **-au** Greek female.
Groegwr *e.g. ll.* **Groegwyr** Greek,
  Grecian.
groen *gw.* **croen.**
groes *gw.* **croes.**
groesair *gw.* **croesair.**
groesawu *gw.* **croesawu.**
groesawus *gw.* **croesawus.**
groesfan *gw.* **croesfan.**
groesffordd *gw.* **croesffordd.**
groesholi *gw.* **croesholi.**
groesi *gw.* **croesi.**
groeso *gw.* **croeso.**
gronfa *gw.* **cronfa.**
grud *gw.* **crud.**
grudd *e.b.g. ll.* **-iau** cheek.
grug *e.g.* heather.
grŵp *e.g. ll.* **grwpiau** group: **grŵp
  pop** pop group.
grwst *gw.* **crwst.**
gryd *gw.* **cryd.**
gryf *gw.* **cryf.**
gryfach *gw.* **cryf.**
gryfaf *gw.* **cryf.**
gryfed *gw.* **cryf.**
grym *e.g. ll.* **-oedd** force; energy;
  power.
grymus *a.* powerful, strong, mighty.
grynhoi *gw.* **crynhoi.**
gryno *gw.* **cryno.**
grynodeb *gw.* **crynodeb.**
grynu *gw.* **crynu.**
grys *gw.* **crys.**
grystyn *gw.* **crystyn.**
gu *gw.* **cu.**
guddio *gw.* **cuddio.**
gul *gw.* **cul.**
guro *gw.* **curo.**
gusan *gw.* **cusan.**
gusanu *gw.* **cusanu.**
gwadu *be.* **(gwadaf)** to deny, to
  disown.
gwaed *e.g.* blood: **yn y gwaed** in the
  blood as a family trait; **Cymro o
  waed coch cyfan** a thoroughbred
  Welshman.
gwaedu *be.* **(gwaedaf)** to bleed:
  gwaedu fel mochyn to bleed like a
  (slaughtered) pig.
gwaedd *e.b. ll.* **-au** shout.
gwael *a.* poor; miserable; sick; vile:
  tro gwael â an unworthy act (with).

gwaelod   gwdihŵ

gwaelod *e.g. ll.* **-ion** bottom, base, foundation: **ar waelod** at the bottom; **yng ngwaelod** in the bottom; **gwaelodion** sediment, dregs.

gwaeth *gw.* **drwg.**

gwaethaf *gw.* **drwg**; **er gwaethaf** in spite of: **gwaetha'r modd** the more the pity; worse luck.

gwaethed *gw.* **drwg.**

gwag *a. ll.* **gweigion** empty; desolate; vacant.

gwagedd *e.g. ll.* **-au** vanity; void.

gwagio: gwagu *be.* **(gwagiaf: gwagaf)** to empty.

gwagle *e.g. ll.* **-oedd** space, void; *gw.* **gofod.**

gwagu *gw.* **gwagio.**

gwahân *e.g.* separation; difference; **ar wahân** apart; separately; independently: **byw ar wahân** to live apart.

gwahaniaeth *e.g.* difference, separation.

gwahanol *a.* different, various.

gwahodd 1 *be.* **(gwahoddaf)** to invite, to ask. 2 *e.g. ll.* **-ion** invitation, bidding.

gwahoddedig *e.g. ll.* **-ion** invited, bidden, called; **gwahoddedigion** guests.

gwahoddiad *e.g. ll.* **-au** invitation.

gwahoddion *gw.* **gwahodd.**

gwair *e.g. ll.* **gweiriau** grass (*grown for harvesting*); hay (*S.W.*).

gwaith 1 *e.g. ll.* **gweithiau** work; composition; works: **gwaith annwyd** cold sores; **gwaith cartref** homework; **gwaith glo** coal-mine, colliery; **gwaith tŷ** house work. 2 *e.b. ll.* **gweithiau.** time, occasion, turn: **unwaith** once; **dwywaith** twice; **teirgwaith** three times; **canwaith** a hundred times; **y waith honno** that occasion. 3 *c.* for, because.

gwal *e.b. ll.* **gwaliau, gwelydd** wall.

gwâl *e.b. ll.* **gwalau** lair; bed.

gwall *e.g. ll.* **-au** mistake, defect, want.

gwallt *e.g. ll.* **-au, -iau** hair; **blewyn** (*one*) hair.

gwallus *a.* faulty, inaccurate, erroneous.

gwan *a. ll.* **gweiniaid, gweinion** weak, feeble; **esgus wan** a feeble excuse.

gwanwyn *e.g. ll.* **-au** spring.

gwar *e.b.g. ll.* **-rau** nape of the neck.

gwarchod *be.* **(gwarchodaf)** to watch, to guard, to baby-sit.

gwaredu (*rhag.*) *be.* **(gwaredaf)** to save, to redeem, to deliver, to rid.

gwaredwr *e.g. ll.* **gwaredwyr** saviour, deliverer.

gwario *be.* **(gwariaf)** to spend (*money*).

gwarrau *gw.* **gwar.**

gwartheg *e.ll.* cattle; *gw.* **buwch, da.**

gwas *e.g. ll.* **gweision** servant; boy, lad.

gwasanaeth *e.g. ll.* **-au** service; use.

gwasanaethu *be.* **(gwasanaethaf)** to serve, to minister.

gwasg 1 *e.b. ll.* **-au, -oedd, gweisg** press, pressure; waist: **gwasg argraffu** printing-press; **gwasg gaws** cheese-press; **gwasg ddillad** clothes-press; **gwŷr y wasg** the press (*reporters*). 2 *e.g. ll.* **-au, -oedd** stress; waist.

gwasgedd *e.g. ll.* **-au** pressure; **gwasgedd isel** low pressure; **gwasgedd uchel** high pressure.

gwasgfa *e.b. ll.* **gwasgfeydd** squeeze.

gwasgod *e.b. ll.* **-au** waistcoat.

gwasgu *be.* **(gwasgaf)** to press, to squeeze, to wring, to crush.

gwastad *a.* flat, level, even; constant: **yn wastad** always (*S.W.*).

gwastraff *e.g. ll.* **-au, -oedd** waste: **gwastraff niwclear** nuclear waste.

gwastraffu *be.* **(gwastraffaf)** to waste.

gwau *be.* **(gweaf, gweuaf)** to weave; to knit: **dillad gwau** knitted garments *gw.* **gweu.**

gwaun *e.b. ll.* **gweunydd** meadow; moor.

gwawd *e.g. ll.* **-iau, -ion** scorn, satire.

gwawdio *be.* **(gwawdiaf)** to scorn, to mock, to jeer.

gwawr *e.b.g. ll.* **-iau, -oedd** dawn; hue; shade: **ar doriad gwawr** at day-break; **roedd gwawr las yn y brethyn** there was a shade of blue in the material.

gwawrio *be.* **(gwawriaf)** to dawn.

gwawroedd *gw.* **gwawr.**

gwb *gw.* **cwb.**

gwbl *gw.* **cwbl.**

gwcw *gw.* **cwcw.**

gwch *gw.* **cwch.**

gwd *gw.* **cwd.**

gwdihŵ *e.b. ll.* **-aid, -s** owl (*S.W.*); *gw.* **tylluan.**

gwdyn *gw.* cwdyn.
gwddf *e.g. ll.* gyddfau neck, throat;
neckline: gwddf crwn round neck;
gwddf ffrog neckline; gwddf
sgwâr square neck; gwddf V
V neck.
gwddwg *e.g. ll.* gwddygau neck,
throat; neckline (*S.W.*).
gweddi *e.b. ll.* gweddïau prayer:
Gweddi'r Arglwydd The Lord's
Prayer; cwrdd gweddi prayer
meeting.
gweddill *e.g. ll.* -ion remnant.
gweddïo *be.* (gweddïaf) to pray.
gweddol 1 *a.* fair: pris gweddol a
fairly good price; cyflog gweddol a
fairly good wage. 2 *ad.* (*precedes the
adjective and is followed by soft
mutation*); yn weddol dawel fairly
quiet; yn weddol gyflym fairly
quick.
gwefus *e.b. ll.* -au lip.
gweiddi *be.* (gwaeddaf) to shout.
gweigion *gw.* gwag.
gweiniaid *gw.* gwan.
gweinidog *e.g. ll.* -ion minister,
servant: Gweinidog yr Efengyl
Minister of the Gospel; Prif Weinidog
Prime Minister; Gweinidog Gwladol
Minister of State.
gweinion *gw.* gwan.
gweinyddes *e.b. ll.* -au female
attendant; nurse: gweinyddes
feithrin nursery nurse.
gweiriau *gw.* gwair.
gweisg *gw.* gwasg.
gweision *gw.* gwas.
gweithdy *e.g. ll.* gweithdai
workshop.
gweithiau *gw.* gwaith.
gweithio *be.* (gweithiaf) to work; to
ferment; to operate.
gweithiwr *e.g. ll.* gweithwyr worker.
gweithred *e.b. ll.* -oedd act, deed.
gweithredu *be.* (gweithredaf) to act,
to operate, to execute.
gweithwyr *gw.* gweithiwr.
gwelâu *gw.* gwely.
gweld: gweled *be.* (gwelaf) to see, to
perceive; gweler see (*when
referring to something*).
gwely *e.g. ll.* -au, gwelâu bed.
gwelydd *gw.* gwal.
gwell *a.* better (*note: nouns following
gwell do not mutate.*).
gwella *be.* (gwellaf) to improve, to
better; to cure; to mend.
gwellt *e. torf.* grass, sward; straw;
gw. gwelltyn.

gwelltyn *e.g. ll.* gwellt blade of
grass; a straw; gw. gwellt.
gwen *a.b.* white: ffrog wen a white
frock; torth wen a white loaf; *gw.*
gwyn.
gwên *e.b. ll.* gwenau smile.
gwenau *gw.* gwên.
gwendid *e.g. ll.* -au weakness; wane
(*of the moon*): y lleuad yn ei
gwendid the wane of the moon.
Gwener *e.b.* Venus: dydd
Gwener Friday.
gwenith *e.ll.* wheat;
gwenithen a grain of wheat.
gwennol *e.b. ll.* gwenoliaid
swallow.
Gwent *e.b.* a county in S.E. Wales.
gwenu (ar) *be.* (gwenaf) to smile.
gwenwyn *e.g. ll.* -au, -ion poison;
venom; malice; spite.
gwenwynig: gwenwynol *a.*
poisonous.
gwenynen *e.b. ll.* gwenyn bee.
gwêr *e.g. ll.* gwerau tallow.
gwerdd *a.b.* green: ffrog werdd a
green frock; deilen werdd a green
leaf; y Blaid Werdd The Green
Party; *gw.* gwyrdd.
gwerin *e.b. & e.torf. ll.* -oedd, -edd
ordinary people, peasantry, folk;
proletariat: amgueddfa werin folk
museum; can werin folk song;
dawns werin folk dance.
gweriniaeth *e.b. ll.* -au democracy,
republic.
Gweriniaeth Iwerddon *e.b.* Eire.
gwers *e.b. ll.* -i lesson; stanza of
poetry: gwers Gymraeg Welsh
lesson; gwers hanes history lesson.
gwerslyfr *e.g. ll.* -au textbook.
gwersyll *e.g. ll.* -oedd camp.
gwerth *e.g. ll.* -oedd worth, value:
mae'n werth y drafferth it's worth
the trouble; ar werth for sale; mae'n
werth punt It's worth a pound; Ga i
werth pum punt o betrol? May I
have five pounds worth of petrol?
gwerthfawr *a.* valuable, precious.
gwerthfawrogi *be.*
(gwerthfawrogaf) to appreciate.
gwerthfawrogiad *e.g. ll.* -au
appreciation.
gwerthiant *e.g. ll.* gwerthiannau
sale.
gwerthoedd *gw.* gwerth.
gwerthu *be.* (gwerthaf) to sell.
gwerthwr *e.g. ll.* gwerthwyr seller,
salesman.
gweryl *gw.* cweryl.

gweryla   gwraidd

gweryla *gw.* cweryla.
gwestai *e.g. ll.* gwesteion guest; *gw.*
  gwesty.
gwesteion *gw.* gwestai.
gwesteiwr *e.g. ll.* gwesteiwyr host;
  gwesteiwraig hostess.
gwestiwn *gw.* cwestiwn.
gwestiyna *gw.* cwestiyna.
gwestiynau *gw.* cwestiwn.
gwesty *e.g. ll.* gwestai, gwestyau
  hotel, inn.
gweu *be.* (gweuaf) to weave; to knit;
  gw. gwau.
gweunydd *gw.* gwaun.
gwg *e.g. ll.* -on, gygau frown, scowl.
gwgu (ar) *be.* (gwgaf) to frown, to
  scowl, to glower.
gwiail *gw.* gwialen.
gwialen *e.b. ll.* gwiail, gwialennod
  rod, cane, stick; gwialen
  fedw birch rod.
gwialennod *gw.* gwialen.
gwin *e.g. ll.* -oedd wine: gwin
  coch red wine; gwin gwyn white
  wine.
gwir 1 *e.g.* truth: yn wir in truth,
  indeed. 2 *a.* true; real; net: stori
  wir a true story; (*the adjective may
  also precede a noun and convey
  additional emphasis, it then causes a
  soft mutation*); gwir bwysau net
  weight; gwir Gymro a real
  Welshman; y gwir ystyr the real
  meaning.
gwirionedd *e.g. ll.* -au truth, reality.
gwisg *e.b. ll.* -oedd dress: gwisg
  briodas wedding-dress; gwisg
  nos night-dress.
gwisgo *be.* (gwisgaf) to dress; to
  wear.
gwiwer *e.b. ll.* -od squirrel: y wiwer
  goch the red squirrel; y wiwer
  lwyd the grey squirrel.
gwlad *e.b. ll.* gwledydd country,
  land: gwlad fy nhadau land of my
  fathers.
Gwlad Belg *e.b.* Belgium.
gwladfa *e.b. ll.* gwladfaoedd,
  gwladfeydd colony; settlement;
  Y Wladfa Patagonia.
gwladgarwr *e.g. ll.* gwladgarwyr
  patriot.
gwladol *a.* civil; country; state;
  national: Ysgrifennydd
  Gwladol Secretary of State.
Gwlad Pwyl *e.b.* Poland.
Gwlad y Basg *e.b.* Basque Country.
Gwlad yr Haf *e.b.* Somerset.
Gwlad yr Iâ *e.b.* Iceland.

gwlân *e.g. ll.* gwlanoedd wool.
gwlanen *e.b. ll.* -ni homespun,
  home-made cloth or flannel:
  gwlanen goch red flannel; gwlanen
  wen white flannel; gwlanen
  ymolchi face-cloth; crys
  gwlanen flannel shirt.
gwledig *a.* rural; rustic; boorish:
  Cymru Wledig Rural Wales.
gwledydd *gw.* gwlad.
gwledd *e.b. ll.* -oedd feast; gwledd
  briodas marriage-feast.
gwledda *be.* (gwleddaf) to feast.
gwleidydd *e.g. ll.* -ion politician,
  statesman.
gwleidyddiaeth *e.b.* politics.
gwleidyddol *a.* political.
gwlff *e.g. ll.* gylffau gulf.
gwlith *e.g. ll.* -oedd dew.
gwlwm *gw.* cwlwm.
gwlyb *a. ll.* -ion wet.
gwlybaniaeth *e.g.* moisture, wet,
  humidity.
gwlychu *be.* (gwlychaf) to wet, to
  moisten; to get wet.
gwm *e.g. ll.* gymiau gum; *gw.* cwm.
gwmni *gw.* cwmni.
gwmnïau *gw.* cwmni.
gwmnïoedd *gw.* cwmni.
gwmwl *gw.* cwmwl.
gwn *e.g. ll.* gynnau gun; *gw.*
  gwybod.
gŵn *e.g. ll.* gynau gown: gŵn
  gwisgo dressing gown; gŵn
  nos night-gown; *gw.* ci.
gwneud: gwneuthur *be.* (gwnaf) to
  make; to do; *gw.* At. Berfau.
gwningen *gw.* cwningen.
gwniadyddes: gwnïyddes *e.b. ll.* -au
  dressmaker, seamstress.
gwnïo *be.* (gwnïaf) to sew, to stitch:
  peiriant gwnïo sewing machine.
gwnïyddes *gw.* gwniadyddes.
gwobr *e.b. ll.* -au prize, reward: y
  wobr gyntaf the first prize; gwobr
  gysur consolation prize.
gwobrwyo *be.* (gwobrwyaf) to
  reward, to award prize to.
gwpan *gw.* cwpan.
gwpla *gw.* cwpla.
gwpwrdd *gw.* cwpwrdd.
gwr *gw.* cwr.
gŵr *e.g. ll.* gwŷr man; husband:
  gŵr dieithr stranger; gŵr
  gwadd guest, guest speaker; gwŷr y
  wasg pressmen, the press.
gwrach *e.b. ll.* -od, -ïod hag, witch.
gwragedd *gw.* gwraig.
gwraidd *gw.* gwreiddyn.

66

gwraig   gwyllt

gwraig *e.b. ll.* **gwragedd** wife; woman.

gwrandawiad *e.g. ll.* -**au** listening, hearing.

gwrandawr *e.g. ll.* **gwrandawyr** listener, hearer.

gwrando (ar) *be.* **(gwrandawaf)** to listen: **Gwrandewais ar** I listened to; **Gwrandewaist ar** You listened to.

gwrdd *gw.* **cwrdd.**

gwreichionen *e.b. ll.* **gwreichion** spark.

gwreiddiau *gw.* **gwreiddyn.**

gwreiddio *be.* **(gwreiddiaf)** to root, to ground.

gwreiddiol *a.* original.

gwreiddyn *e.g. ll.* **gwraidd, gwreiddiau** root; stock.

gwres *e.g. ll.* -**au** heat, warmth; zeal.

gwresog *a.* hot, warm; fervent.

gwresogydd *e.g. ll.* -**ion** heater.

gwrido *be.* **(gwridaf)** to blush.

gwridog *a.* rosy-cheeked, ruddy.

gwrol *a.* brave, courageous.

gwrs *gw.* **cwrs.**

gwrtais *gw.* **cwrtais.**

gwrtaith *e.g. ll.* **gwrteithiau** manure, fertiliser.

gwrth- *rhagdd. Prefix with the sense 'against, contra-, counter-, anti-' in nouns, adjectives and verbs, and followed by soft mutation;* **gwrth- ddweud** to contradict.

gwrthblaid *e.b. ll.* **gwrthbleidiau** opposition (*party*).

gwrthdystio *be.* **(gwrthdystiaf)** to protest.

gwrthod *be.* **(gwrthodaf)** to refuse; to reject: **Fe wrthododd e fynd adref** He refused to go home.

gwrthrych *e.g. ll.* -**au** object.

gwrthrychol *a.* objective.

gwrthryfel *e.g. ll.* -**oedd** rebellion, mutiny, insurrection.

gwrthwyneb 1 *e.g. ll.* -**au** in opposition to. 2 *a.* contrary, opposite: **i'r gwrthwyneb** to the contrary, in the opposite direction.

gwrthwynebu *be.* **(gwrthwynebaf)** to oppose; to object.

gwrthwynebwr: gwrthwynebydd *e.g. ll.* **gwrthwynebwyr** opponent; objector; antagonist; **gwrthwynebydd cydwybodol** conscientious objector.

gwrw *gw.* **cwrw.**

gwryw 1 *e.g. ll.* -**od** male; **gwryw a benyw** male and female. 2 *a.* male.

gwrywaidd: gwrywol *a.* male;

gwrywgydiwr homosexual; *gw.* **gwryw.**

gwsg *gw.* **cwsg.**

gwsmer *gw.* **cwsmer.**

gwstwm *gw.* **cwstwm.**

gwt *gw.* **cwt.**

gwta *gw.* **cwta.**

gwthiad *e.g. ll.* -**au** heave, thrust.

gwthio *be.* **(gwthiaf)** to push, to thrust.

gwthiwr *e.g. ll.* **gwthwyr** pusher.

gwybedyn *e.g. ll.* **gwybed** gnat.

gwybod (am) *be.* **(gwn)** to know; *gw. At. Berfau; e.g. ll.* -**au** knowledge: **heb yn wybod(i)** without knowing, unwittingly.

gwybodaeth *e.b. ll.* -**au** knowledge.

gwych *a.* fine, splendid; brilliant.

gwydr *e.g. ll.* -**au** glass: **gwydr gwin** wine-glass; **gwydr lliw** coloured glass, stained glass; **gwydr nadd** cut-glass; **tŷ gwydr** glasshouse.

gwydrau *gw.* **gwydr, gwydryn.**

gwydryn *e.g. ll.* **gwydrau** drinking-glass.

gŵydd 1 *e.b. ll.* **gwyddau** goose; **croen gŵydd** goose-flesh. 2 *e.g.* presence: **yng ngŵydd fy ngelynion** in the presence of my enemies.

gwyddbwyll *e.b.* chess.

Gwyddel *e.g. ll.* -**od, Gwyddyl** Irishman.

Gwyddeleg *e.b.* Irish language.

Gwyddeles *e.b. ll.* -**au** Irishwoman.

Gwyddelig *a.* Irish.

gwyddoniaeth *e.b.* science.

gwyddonol *a.* scientific.

gwyddonydd *e.g. ll.* **gwyddonwyr** scientist.

gwyddor *e.b. ll.* -**ion** rudiment, science: **yr wyddor** the alphabet.

gwyfyn *e.g. ll.* -**od** moth.

gŵyl *e.b. ll.* **gwyliau** feast, festival; holiday: **Gŵyl Dewi** Saint David's Day.

gwylan *e.b. ll.* -**od** seagull.

gwyliadwrus *a.* watchful, cautious.

gwyliau *gw.* **gŵyl.**

gwylio (dros) *be.* **(gwyliaf)** to mind; watch (over); to guard.

gwyliwr *e.g. ll.* **gwylwyr** sentry, guard, watchman.

gwylnos *e.b. ll.* -**au** vigil, watch-night.

gwylwyr *gw.* **gwyliwr.**

gwyll *e.g.* darkness.

gwyllt *a.* wild, mad: **yn wyllt**

gwylltio

gyfrifol

gacwn furiously cross, in a mad rage.
gwylltio: gwylltu *be.* **(gwylltiaf: gwylltaf)** to lose one's temper, to excite violently.
gwymon *e.g.* seaweed.
gwymp *gw.* **cwymp.**
gwympo *gw.* **cwympo.**
gwyn *a. ll.* **-ion** white; holy: **Gwlad y menig gwynion** Land of the white gloves (*alluding to the frequent presentation of white gloves to assize judges in Wales, when there were no cases for trial*; *gw.* **cwyn, gwen.**
Gwynedd *e.b.* county in N.E. Wales.
gwynegon *e.g.* rheumatism (*S.W.*).
gwynegu *be.* **(gwynegaf)** to ache (*S.W.*).
gwynfa *e.b.* paradise.
gwynfyd *e.g. ll.* **-au** blessedness, bliss: **Y Gwynfydau** The Beatitudes.
gwyngalch *e.g.* white-lime, whitewash.
gwynion *gw.* **cwyn, gwyn.**
gwynnu *be.* **(gwynnaf)** to whiten, to bleach.
gwynt *e.g. ll.* **-oedd** wind; smell: **a'i wynt yn ei ddwrn** breathless, panting, having one's heart in one's mouth; **prin ei wynt** short of breath.
gwyntog *a.* windy; bombastic; **hirwyntog** longwinded.
gwyr *gw.* **cwyr.**
Gŵyr *e.b.* Gower.
gŵyr 1 *a.* crooked, inclined, aslant. 2 *bf.* he/she/it knows; *gw.* **gwybod.**
gwŷr *gw.* **gŵr.**
gwyrdd 1 *a. ll.* **-ion** green. 2 *e.g.* green, *gw.* **gwerdd.**
gwyriad *e.g. ll.* **-au** deviation.
gwyro: gwyrio *be.* **(gwyraf: gwyriaf)** to bend, to deviate, to incline, to swerve.
gwyrth *e.b. ll.* **-iau** miracle.
gwyrthiol *a.* miraculous: **Roedd hi'n wyrthiol ei weld** It was miraculous to see him.
gwyryf *e.b. ll.* **-on** virgin.
gwŷs *e.b. ll.* **gwysion** summons.
gwystl *e.g. ll.* **-on** hostage; pledge.
gwywo *be.* **(gwywaf)** to wither, to fade.
gychod *gw.* **cwch.**
gychwyn *gw.* **cychwyn.**
gyd, i *ad.* (*always immediately follows the noun to which it refers*) all: **Roedd y plant i gyd yn dost** All the

children were ill.
gyda: gydag *ardd.* together with; in company of.
gydadrodd *gw.* **cydadrodd.**
gydio *gw.* **cydio.**
gydnabod *gw.* **cydnabod.**
gyddfau *gw.* **gwddf.**
gyfaill *gw.* **cyfaill.**
gyfan *gw.* **cyfan.**
gyfangwbl *gw.* **cyfangwbl.**
gyfansoddi *gw.* **cyfansoddi.**
gyfansoddwr *gw.* **cyfansoddwr.**
gyfanswm *gw.* **cyfanswm.**
gyfarch *gw.* **cyfarch.**
gyfarfod *gw.* **cyfarfod.**
gyfarwyddiadur *gw.* **cyfarwyddiadur.**
gyfarwyddo *gw.* **cyfarwyddo.**
gyfarwyddwr *gw.* **cyfarwyddwr.**
gyfeilles *gw.* **cyfeilles.**
gyfeillgar *gw.* **cyfeillgar.**
gyfeillgarwch *gw.* **cyfeillgarwch.**
gyfeillion *gw.* **cyfaill.**
gyfeiriad *gw.* **cyfeiriad.**
gyfeirio *gw.* **cyfeirio.**
gyfenw *gw.* **cyfenw.**
gyferbyn (â) *ardd.* in the opposite: **yn y tŷ gyferbyn** in the opposite house; **gyferbyn â'n tŷ ni** opposite our house.
gyfiawn *gw.* **cyfiawn.**
gyfiawnder *gw.* **cyfiawnder.**
gyfieithiad *gw.* **cyfieithiad.**
gyfieithu *gw.* **cyfieithu.**
gyfieithydd *gw.* **cyfieithydd.**
gyfle *gw.* **cyfle.**
gyfleu *gw.* **cyfleu.**
gyfleus *gw.* **cyfleus.**
gyflog *gw.* **cyflog.**
gyflogi *gw.* **cyflogi.**
gyflogwr *gw.* **cyflogwr.**
gyflwr *gw.* **cyflwr.**
gyflwyno *gw.* **cyflwyno.**
gyflym *gw.* **cyflym.**
gyflymach *gw.* **cyflym.**
gyflymaf *gw.* **cyflym.**
gyflymder *gw.* **cyflymder.**
gyflymed *gw.* **cyflym.**
gyflymu *gw.* **cyflymu.**
gyflymydd *gw.* **cyflymydd.**
gyfnither *gw.* **cyfnither.**
gyfoeth *gw.* **cyfoeth.**
gyfoethog *gw.* **cyfoethog.**
gyfraith *gw.* **cyfraith.**
gyfrannu *gw.* **cyfrannu.**
gyfreithiwr *gw.* **cyfreithiwr.**
gyfres *gw.* **cyfres.**
gyfrif *gw.* **cyfrif.**
gyfrifiadur *gw.* **cyfrifiadur.**
gyfrifol *gw.* **cyfrifol.**

gyfrifoldeb

gystadleuaeth

gyfrifoldeb *gw.* cyfrifoldeb.
gyfrifydd *gw.* cyfrifydd.
gyfrinach *gw.* cyfrinach.
gyfrinachol *gw.* cyfrinachol.
gyfrol *gw.* cyfrol.
gyfrwng *gw.* cyfrwng.
gyfrwys *gw.* cyfrwys.
gyfun *gw.* cyfun.
gyfuwch *gw.* uchel.
gyfweld *gw.* cyfweld.
gyfweliad *gw.* cyfweliad.
gyfyng *gw.* cyfyng.
gyfyngu *gw.* cyfyngu.
gyfystyr *gw.* cyfystyr.
gyfforddus *gw.* cyfforddus.
gyffredin *gw.* cyffredin.
gyffrous *gw.* cyffrous.
gyffur *gw.* cyffur.
gyffwrdd *gw.* cyffwrdd.
gygau *gw.* gwg.
gyngerdd *gw.* cyngerdd.
gynghori *gw.* cynghori.
gynghorwr *gw.* cynghorwr.
gyngor *gw.* cyngor.
gyhoedd *gw.* cyhoedd.
gyhoeddi *gw.* cyhoeddi.
gyhoeddiad *gw.* cyhoeddiad.
gyhoeddus *gw.* cyhoeddus.
gyhoeddusrwydd *gw.*
  cyhoeddusrwydd.
gyhoeddwr *gw.* cyhoeddwr.
gyhyd *gw.* cyhyd.
gyhyrog *gw.* cyhyrog.
gylch *gw.* cylch.
gylchgrawn *gw.* cylchgrawn.
gylchlythyr *gw.* cylchlythyr.
gyll *gw.* cyll.
gyllell *gw.* cyllell.
gyllyll *gw.* cyllell.
gymaint *gw.* mawr.
gymal *gw.* cymal.
gymanfa *gw.* cymanfa.
gymdeithas *gw.* cymdeithas.
gymdogion *gw.* cymydog.
gymeriad *gw.* cymeriad.
gymeryd *gw.* cymeryd.
gymharu *gw.* cymharu.
gymhleth *gw.* cymhleth.
gymhlethdod *gw.* cymhlethdod.
gymhlethu *gw.* cymhlethu.
gymoedd *gw.* cwm.
gymorth *gw.* cymorth.
Gymraeg *gw.* Cymraeg.
Gymraes *gw.* Cymraes.
Gymreictod *gw.* Cymreictod.
Gymreig *gw.* Cymreig.
Gymreiges *gw.* Cymraes.
Gymro *gw.* Cymro.
Gymru *gw.* Cymru.

Gymry *gw.* Cymro.
gymryd *gw.* cymryd.
gymwynas *gw.* cymwynas.
gymydog *gw.* cymydog.
gymylau *gw.* cwmwl.
gymylog *gw.* cymylog.
gymysg *gw.* cymysg.
gymysgu *gw.* cymysgu.
gymysgwch *gw.* cymysgwch.
gyn *gw.* cyn.
gynaeafau *gw.* cynhaeaf.
gynau *gw.* gŵn.
gynddrwg *gw.* cynddrwg.
gynffon *gw.* cynffon.
gynhadledd *gw.* cynhadledd.
gynhaeaf *gw.* cynhaeaf.
gynhesu *gw.* cynhesu.
gynhyrfus *gw.* cynhyrfus.
gynigion *gw.* cynnig.
gynilion *gw.* cynilion.
gynilo *gw.* cynilo.
gynllun *gw.* cynllun.
gynllunio *gw.* cynllunio.
gynlluniwr *gw.* cynlluniwr.
gynllunydd *gw.* cynlluniwr.
gynnal *gw.* cynnal.
gynnar *gw.* cynnar.
gynnau *gw.* gwn.
gynnes *gw.* cynnes.
gynnig *gw.* cynnig.
gynradd *gw.* cynradd.
gynt *ad.* formerly; *née;* long since;
  ages ago: **Rhian Smith (gynt
  Jones)** Rhian Smith (*née* Jones); **yr
  hen ddyddiau gynt** the old days,
  ages ago; *gw.* cynnar.
gyntaf *gw.* cynnar.
gynted *gw.* cynnar.
gyntedd *gw.* cyntedd.
gynulleidfa *gw.* cynulleidfa.
gyrddau *gw.* cwrdd.
gyrfa *e.b.* *ll.* -oedd, gyrfeydd race;
  career; course.
gyrfeydd *gw.* gyrfa.
gyrff *gw.* corff.
gyrion *gw.* cwr.
gyrliog *gw.* cyrliog.
gyrn *gw.* corn.
gyrraedd *gw.* cyrraedd.
gyrrau *gw.* cwr.
gyrru *be.* **(gyrraf)** to drive; to send;
  to push.
gyrrwr *e.g.* *ll.* gyrwyr driver; sender.
gyrwyr *gw.* gyrrwr.
gysglyd *gw.* cysglyd.
gysgod *gw.* cysgod.
gysgodi *gw.* cysgodi.
gysgu *gw.* cysgu.
gystadleuaeth *gw.* cystadleuaeth.

69

gystadleuwr *gw.* cystadleuwr.
gystadleuydd *gw.* cystadleuwr.
gystadlu *gw.* cystadlu.
gystal *gw.* da.
gystymau *gw.* cwstwm.
gysur *gw.* cysur.
gysuro *gw.* cysuro.
gysurus *gw.* cysurus.
gywsllt *gw.* cyswllt.

gytgan *gw.* cytgan.
gytsain *gw.* cytsain.
gytundeb *gw.* cytundeb.
gytuno *gw.* cytuno.
gyw *gw.* cyw.
gywaith *gw.* cywaith.
gywir *gw.* cywir.
gywiriad *gw.* cywiriad.
gywiro *gw.* cywiro.

nghae *gw.* cae.
nghael *gw.* cael.
Nghaer *gw.* Caer.
nghaer *gw.* caer.
Nghaerdydd *gw.* Caerdydd.
Nghaerfyrddin *gw.* Caerfyrddin.
Nghaergybi *gw.* Caergybi.
Nghaerloyw *gw.* Caerloyw.
Nghaersalem *gw.* Caersalem.
nghaets *gw.* caets.
nghaffe *gw.* caffe.
nghangen *gw.* cangen.
nghais *gw.* cais.
nghalan *gw.* calan.
nghaledi *gw.* caledi.
nghaledu *gw.* caledu.
nghaledwch *gw.* caledwch.
nghalendr *gw.* calendr.
nghalennig *gw.* calennig.
nghalon *gw.* calon.
ngham *gw.* cam.
nghamarwain *gw.* camarwain.
nghamddeall *gw.* camddeall.
nghamera *gw.* camera.
nghamp *gw.* camp.
nghampfa *gw.* campfa.
nghampwaith *gw.* campwaith.
nghamsyniad *gw.* camsyniad.
nghan *gw.* can.
nghân *gw.* cân.
nghaneuon *gw.* cân.
nghanfed *gw.* canfed.
nghanhwyllau *gw.* cannwyll.
nghanhwyllbren *gw.* canhwyllbren.
nghaniad *gw.* caniad.
nghaniadaeth *gw.* caniadaeth.
nghaniadau *gw.* cân; caniad.
nghaniatâd *gw.* caniatâd.
nghaniatáu *gw.* caniatáu.
nghaniedydd *gw.* caniedydd.
nghanmlwydd *gw.* canmlwydd.
nghanmol *gw.* canmol.
nghanmoliaeth *gw.* canmoliaeth.
nghannoedd *gw.* cant.
nghannwyll *gw.* cannwyll.
nghanol *gw.* canol.
nghanolbarth *gw.* canolbarth.
nghanoldir *gw.* canoldir.
nghanolfan *gw.* canolfan.
nghanolwr *gw.* canolwr.
nghanradd *gw.* canradd.
nghanran *gw.* canran.
nghanrif *gw.* canrif.
nghanrifau: nghanrifoedd *gw.* canrif.
nghant *gw.* cant.
nghantor *gw.* cantor.
nghantores *gw.* cantores.
nghanu *gw.* canu.
nghanŵ *gw.* canŵ.

ngadael *gw.* gadael.
ngaeaf *gw.* gaeaf.
ngafael *gw.* gafael.
ngafr *gw.* gafr.
ngair *gw.* gair.
ngalar *gw.* galar.
ngalw *gw.* galw.
ngalwad *gw.* galwad.
ngalwyn *gw.* galwyn.
ngallu *gw.* gallu.
ngardd *gw.* gardd.
ngarddio *nw.* garddio.
ngarddwr *gw.* garddwr.
ngarej *gw.* garej.
ngât *gw.* gât.
ngeirfa *gw.* geirfa.
ngeiriadur *gw.* geiriadur.
ngeiriau *gw.* gair.
ngelyn *gw.* gelyn.
ngem *gw.* gem.
ngên *gw.* gên.
ngenau *gw.* gên, genau.
ngeneth *gw.* geneth.
ngeneuau *gw.* genau.
ngeni *gw.* geni.
ngêr *w.* gêr.
ngewyn *gw.* gewyn.
nghaban *gw.* caban.
nghacen *gw.* cacen.
nghacwn *gw.* cacynen.
nghacynen *gw.* cacynen.
nghadach *gw.* cadach.
nghadair *gw.* cadair.
nghadeirio *gw.* cadeirio.
nghadeirydd *gw.* cadeirydd.
nghadnawes *gw.* cadno.
nghadno *gw.* cadno.
nghadw *gw.* cadw.
nghadwyn *gw.* cadwyn.
nghadwyno *gw.* cadwyno.

nghanŵio   nghloddiau

nghanŵio *gw.* canŵio.
nghanwr *gw.* canwr.
nghap *gw.* cap.
nghapel *gw.* capel.
nghapten *gw.* capten.
nghar *gw.* car.
ngharafán *gw.* carafán.
ngharafana *gw.* carafana.
ngharco *gw.* carco.
ngharchar *gw.* carchar.
ngharcharor *gw.* carcharor.
ngharacharu *gw.* carcharu.
nghardiau *gw.* cerdyn.
ngharedigrwydd *gw.* caredigrwydd.
nghariad *gw.* cariad.
nghariadon *gw.* cariad.
nghariadus *gw.* cariadus.
ngharlo *gw.* cario.
ngharol *gw.* carol.
ngharped *gw.* carped.
ngharreg *gw.* carreg.
nghartref *gw.* cartref.
nghartrefi *gw.* cartref.
nghartrefu *gw.* cartrefu.
nghartrefydd *gw.* cartref.
ngharu *gw.* caru.
nghas *gw.* cas.
nghasáu *gw.* casáu.
nghasgen *gw.* casgen.
nghasgliad *gw.* casgliad.
nghasglu *gw.* casglu.
Nghas-gwent *gw.* Cas-gwent.
Nghasllwchwr *gw.* Casllwchwr.
Nghasnewydd *gw.* Casnewydd.
nghastell *gw.* castell.
Nghastell-nedd *gw.* Castell-nedd.
nghath *gw.* cath.
nghau *gw.* cau.
nghawl *gw.* cawl.
nghawod *gw.* cawod.
nghawr *gw.* cawr.
nghaws *gw.* caws.
nghefn *gw.* cefn.
nghefnder *gw.* cefnder.
nghefndir *gw.* cefndir.
nghefndiroedd *gw.* cefndir.
nghefndyr *gw.* cefnder.
nghefnu *gw.* cefnu.
nghefnwr *gw.* cefnwr.
nghefnwyr *gw.* cefnwr.
ngheffyl *gw.* ceffyl.
ngheg *gw.* ceg.
nghegin *gw.* cegin.
nghei *gw.* cei.
ngheidwad *gw.* ceidwad.
ngheiliog *gw.* ceiliog.
Ngheinewydd *gw.* Ceinewydd.
ngheiniog *gw.* ceiniog.
ngheisio *gw.* ceisio.

nghelf *gw.* celf.
nghelfi *gw.* celficyn.
nghelficyn *gw.* celficyn.
nghelwydd *gw.* celwydd.
nghelyn *gw.* celynnen.
nghelynnen *gw.* celynnen.
nghell *gw.* cell.
nghellau: nghelloedd *gw.* cell.
nghemeg *gw.* cemeg.
nghenedl *gw.* cenedl.
nghenedlaetholdeb *gw.*
  cenedlaetholdeb.
nghenedlaetholwr *gw.*
  cenedlaetholwr.
nghenhadaeth *gw.* cenhadaeth.
nghenhadon *gw.* cenhadwr.
nghenhadu *gw.* cenhadu.
nghenhadwr *gw.* cenhadwr.
nghenhedlaeth *gw.* cenhedlaeth.
nghenhinen *gw.* cenhinen.
nghennin *gw.* cennin.
ngherdyn *gw.* cerdyn.
ngherdd *gw.* cerdd.
ngherddor *gw.* cerddor.
ngherddorfa *gw.* cerddorfa.
ngherddoriaeth *gw.* cerddoriaeth.
ngherddwr *gw.* cerddwr.
ngherflun *gw.* cerflun.
ngherrig *gw.* carreg.
nghesair *gw.* cesair.
nghestyll *gw.* castell.
nghewri *gw.* cawr.
nghewyn *gw.* cewyn.
ngheyrydd *gw.* caer.
nghi *gw.* ci.
nghig *gw.* cig.
nghigydd *gw.* cigydd.
nghinio *gw.* cinio.
nghipolwg *gw.* cipolwg.
nghist *gw.* cist.
nghlaf *gw.* claf.
nghlai *gw.* clai.
nghlasur *gw.* clasur.
nghlawdd *gw.* clawdd.
nghlawr *gw.* clawr.
nghlebran *gw.* clebran.
nghledr *gw.* cledr.
nghlefyd *gw.* clefyd.
nghleifion *gw.* claf.
nghlêr *gw.* cleren.
nghlerc *gw.* clerc.
nghleren *gw.* cleren.
nghlirio *gw.* clirio.
nghlo *gw.* clo.
nghloc *gw.* cloc.
nghloch *gw.* cloch.
nghlod *gw.* clod.
nghlodfori *gw.* clodfori.
nghloddiau *gw.* clawdd.

nghlloffi   **nghusanu**

nghlloffi *gw*. cloffi.
nghlogwyn *gw*. clogwyn.
nghlogyn *gw*. clogyn.
nghloi *gw*. cloi.
nghlorian *gw*. clorian.
nghloriau *gw*. clawr.
nghlown *gw*. clown.
nghlun *gw*. clun.
nghlust *gw*. clust.
nghlustog *gw*. clustog.
nghlwm *gw*. clwm.
nghlwtyn *gw*. clwtyn.
Nghlwyd *gw*. Clwyd.
nghlwyd *gw*. clwyd.
nghlwydau : nghlwydi *gw*. clwyd.
nghlwyf *gw*. clwyf.
nghlychau *gw*. cloch.
nghlymau *gw*. clwm.
nghlymu *gw*. clymu.
nghlytiau *gw*. clwtyn.
nghlyw *gw*. clyw.
nghlywed *gw*. clywed.
nghnau *gw*. cneuen.
nghneuen *gw*. cneuen.
nghnoc *gw*. cnoc.
nghnocio *gw*. cnocio.
nghnoi *gw*. cnoi.
nghoban *gw*. coban.
nghoch *gw*. coch.
nghodi *gw*. codi.
nghoed *gw*. coeden.
Nghoed-duon *gw*. Coed-duon.
nghoeden *gw*. coeden.
nghoedwig *gw*. coedwig.
nghoes *gw*. coes.
nghof *gw*. cof.
nghofion *gw*. cof.
nghofleidio *gw*. cofleidio.
nghofrestr *gw*. cofrestr.
nghofrestru *gw*. cofrestru.
nghoffi *gw*. coffi.
nghog *gw*. cog
nghoginio *gw*. coginio.
nghogydd *gw*. cogydd.
ngholeg *gw*. coleg.
ngholer *gw*. coler.
ngholofn *gw*. colofn.
ngholuro *gw*. coluro.
ngholled *gw*. colled.
nghollen *gw*. collen.
ngholli *gw*. colli.
nghopïo *gw*. copïo.
nghopyn *gw*. copyn.
nghôr *gw*. côr.
nghorau *gw*. côr.
nghordyn *gw*. cordyn.
nghorff *gw*. corff.
nghorgi *gw*. corgi.
nghorn *gw*. corn.

nghornel *gw*. cornel.
nghoron *gw*. coron.
nghoroni *gw*. coroni.
nghorryn *gw*. corryn.
nghosb *gw*. cosb.
nghosbi *gw*. cosbi.
nghot *gw*. cot.
nghôt *gw*. cot.
nghotwm *gw*. cotwm.
nghrac *gw*. crac.
nghrachach *gw*. crachach.
nghrafu *gw*. crafu.
nghragen *gw*. cragen.
nghraig *gw*. craig.
nghrasu *gw*. crasu.
nghredu *gw*. credu.
nghrefydd *gw*. crefydd.
nghrefft *gw*. crefft.
nghrefftwr *gw*. crefftwr.
nghregyn *gw*. cragen.
nghreigiau *gw*. craig.
nghreision *gw*. creision.
nghrempog *gw*. crempog.
nghreulondeb *gw*. creulondeb.
nghri *gw*. cri.
nghrib *gw*. crib.
nghribo *gw*. cribo.
nghriced *gw*. criced.
nghricedwr *gw*. cricedwr.
nghricsyn *gw*. cricsyn.
nghrio *gw*. crio.
Nghristion *gw*. Cristion.
Nghristnogion *gw*. Cristion.
nghriw *gw*. criw.
nghroen *gw*. croen.
nghroes *gw*. croes.
nghroesair *gw*. croesair.
nghroesau *gw*. croes.
nghroesawu *gw*. croesawu.
nghroesfan *gw*. croesfan.
nghroesffordd *gw*. croesffordd.
nghroesholi *gw*. croesholi.
nghroesi *gw*. croesi.
nghroeso *gw*. croeso.
nghronfa *gw*. cronfa.
nghronfeydd *gw*. cronfa.
nghrud *gw*. crud.
nghrwst *gw*. crwst.
nghrwyn *gw*. croen.
nghryd *gw*. cryd.
nghrynodeb *gw*. crynodeb.
nghrynu *gw*. crynu.
nghrys *gw*. crys.
nghrystiau *gw*. crwst, crystyn
nghrystyn *gw*. crystyn.
nghuddio *gw*. cuddio.
nghuro *gw*. curo.
nghusan *gw*. cusan.
nghusanu *gw*. cusanu.

nghwb

Nghymreiges

nghwb *gw.* cwb.
nghwbl *gw.* cwbl.
nghwcw *gw.* cwcw.
nghwch *gw.* cwch.
nghwd *gw.* cwd.
nghwdyn *gw.* cwdyn.
nghweryl *gw.* cweryl.
nghwestiwn *gw.* cwestiwn.
nghwestiyna *gw.* cwestiyna.
nghwestiynau *gw.* cwestiwn.
nghwlwm *gw.* cwlwm.
nghwm *gw.* cwm.
nghwmni *gw.* cwmni.
nghwmnïau: nghwmnïoedd *gw.*
  cwmni.
nghwmwl *gw.* cwmwl.
nghŵn *gw.* ci.
nghwningen *gw.* cwningen.
nghwningod *gw.* cwningen.
nghwpan *gw.* cwpan.
nghwpla *gw.* cwpla.
nghwpwrdd *gw.* cwpwrdd.
nghwr *gw.* cwr.
nghwrdd *gw.* cwrdd.
nghwrs *gw.* cwrs.
nghwrw *gw.* cwrw.
nghwsg *gw.* cwsg.
nghwsmer *gw.* cwsmer.
nghwstwm *gw.* cwstwm.
nghwt *gw.* cwt.
nghwymp *gw.* cwymp.
nghwyn *gw.* cwyn.
nghwyno *gw.* cwyno.
nghwyr *gw.* cwyr.
nghychod *gw.* cwch.
nghychwyn *gw.* cychwyn.
nghydadrodd *gw.* cydadrodd.
nghydau *gw.* cwd, cwdyn.
nghydnabod *gw.* cydnabod.
nghyfaill *gw.* cyfaill.
nghyfan *gw.* cyfan.
nghyfansoddi *gw.* cyfansoddi.
nghyfansoddwr *gw.* cyfansoddwr.
nghyfanswm *gw.* cyfanswm.
nghyfarch *gw.* cyfarch.
nghyfarfod *gw.* cyfarfod.
nghyfarfodydd *gw.* cyfarfod.
nghyfarwyddiadur *gw.*
  cyfarwyddiadur.
nghyfarwyddo *gw.* cyfarwyddo.
nghyfarwyddwr *gw.* cafarwyddwr.
nghyfeilles *gw.* cyfeilles.
nghyfeillgarwch *gw.* cyfeillgarwch.
nghyfeillion *gw.* cyfaill.
nghyfeiriad *gw.* cyfeiriad.
nghyfeirio *gw.* cyfeirio.
nghyfenw *gw.* cyfenw.
nghyfiawnder *gw.* cyfiawnder.
nghyfieithiad *gw.* cyfieithiad.

nghyfieithu *gw.* cyfieithu.
nghyfieithydd *gw.* cyfieithydd.
nghyfle *gw.* cyfle.
nghyflog *gw.* cyflog.
nghyflogi *gw.* cyflogi.
nghyflogwr *gw.* cyflogwr.
nghyflwr *gw.* cyflwr.
nghyflwyno *gw.* cyflwyno.
nghyflymder *gw.* cyflymder.
nghyflymu *gw.* cyflymu.
nghyflymydd *gw.* cyflymydd.
nghyfnither *gw.* cyfnither.
nghyfoeth *gw.* cyfoeth.
nghyfraith *gw.* cyfraith.
nghyfreithiwr *gw.* cyfreithiwr.
nghyfres *gw.* cyfres.
nghyfrif *gw.* cyfrif.
nghyfrifiadur *gw.* cyfrifiadur.
nghyfrifiannell *gw.* cyfrifiannell.
nghyfrifoldeb *gw.* cyfrifoldeb.
nghyfrifydd *gw.* cyfrifydd.
nghyfrinach *gw.* cyfrinach.
nghyfrol *gw.* cyfrol.
nghyfrwng *gw.* cyfrwng.
nghyfweliad *gw.* cyfweliad.
nghyfyngu *gw.* cyfyngu.
nghyffur *gw.* cyffur.
nghyffwrdd *gw.* cyffwrdd.
nghyngerdd *gw.* cyngerdd.
nghyngori *gw.* cynghori.
nghynghorwr *gw.* cynghorwr.
nghynghrair *gw.* cynghrair.
nghyngor *gw.* cyngor.
nghyhoeddi *gw.* cyhoeddi.
nghyhoeddiad *gw.* cyhoeddiad.
nghyhoeddusrwydd *gw.*
  cyhoeddusrwydd.
nghyhoeddwr *gw.* cyhoeddwr.
nghylch *gw.* cylch.
nghylchfan *gw.* cylchfan.
nghylchgrawn *gw.* cylchgrawn.
nghylchgronau *gw.* cylchgrawn.
nghylchlythyr *gw.* cylchlythyr.
nghyll *gw.* collen.
nghyllell *gw.* cyllell.
nghyllyll *gw.* cyllell.
nghymal *gw.* cymal.
nghymanfa *gw.* cymanfa.
nghymdeithas *gw.* cymdeithas.
nghymdogion *gw.* cymydog.
nghymeriad *gw.* cymeriad.
nghymharu *gw.* cymharu.
nghymhlethdod *gw.* cymhlethdod.
nghymoedd *gw.* cwm.
nghymorth *gw.* cymorth.
Nghymraeg *gw.* Cymraeg.
Nghymraes *gw.* Cymraes.
Nghymreictod *gw.* Cymreictod.
Nghymreiges *gw.* Cymreiges.

Nghymro   ngorwel

Nghymro *gw*. Cymro.
Nghymru *gw*. Cymru.
Nghymry *gw*. Cymro.
nghymryd *gw*. cymryd.
nghymwynas *gw*. cymwynas.
nghymydog *gw*. cymydog.
nghymylau *gw*. cwmwl.
nghymysgu *gw*. cymysgu.
nghymysgwch *gw*. cymysgwch.
nghyn- *gw*. cyn-.
nghynaeafau *gw*. cynhaeaf.
nghynffon *gw*. cynffon.
nghynhadledd *gw*. cynhadledd.
nghynhaeaf *gw*. cynhaeaf.
nghynhesu *gw*. cynhesu.
nghynilion *gw*. cynilion.
nghynllun *gw*. cynllun.
nghynllunio *gw*. cynllunio.
nghynlluniwr *gw*. cynlluniwr.
nghynnal *gw*. cynnal.
nghynnig *gw*. cynnig.
nghynnwys *gw*. cynnwys.
nghynorthwywr *gw*. cynorthwywr.
nghynorthwy-ydd *gw*. cynorthwy-
  ydd.
nghyntaf *gw*. cyntaf.
nghyntedd *gw*. cyntedd.
nghynulleidfa *gw*. cynulleidfa.
nghypyrddau *gw*. cwpwrdd.
nghyrddau *gw*. cwrdd.
nghyrff *gw*. corff.
nghyrn *gw*. corn.
nghyrraedd *gw*. cyrraedd.
nghyrsau: nghyrsiau *gw*. cwrs.
nghysgod *gw*. cysgod.
nghysgodi *gw*. cysgodi.
nghysgodion *gw*. cysgod.
nghysgu *gw*. cysgu.
nghystadlaethau *gw*. cystadleuaeth.
nghystadleuaeth *gw*. cystadleuaeth.
nghystadleuwr *gw*. cystadleuwr.
nghystadlu *gw*. cystadlu.
nghystymau *gw*. cwstwm.
nghysur *gw*. cysur.
nghysuro *gw*. cysuro.
nghyswllt *gw*. cyswllt.
nghytgan *gw*. cytgan.
nghytsain *gw*. cytsain.
nghytundeb *gw*. cytundeb.
nghytuno *gw*. cytuno.
nghyw *gw*. cyw.
nghywaith *gw*. cywaith.
nghywiriad *gw*. cywiriad.
nghywiro *gw*. cywiro.
nglân *gw*. glan.
nglân *gw*. glân.
nglanhau *gw*. glanhau.
nglanio *gw*. glanio.
nglannau *gw*. glan.

nglas *gw*. glas.
nglaswelltyn *gw*. glaswelltyn.
nglaw *gw*. glaw.
nglendid *gw*. glendid.
nglin *gw*. glin.
nglo *gw*. glo.
nglofa *gw*. glofa.
nglöwr *gw*. glöwr.
nglöyn byw *gw*. glöyn byw.
nglud *gw*. glud.
ngludio *gw*. gludio.
ngludo *gw*. gludio.
nglyn *gw*. glyn.
nglynu *gw*. glynu.
ngobaith *gw*. gobaith.
ngobeithion *gw*. gobaith.
ngobennydd *gw*. gobennydd.
ngodre *gw*. godre.
ngodro *gw*. godro.
ngoddef *gw*. goddef.
ngoddrych *gw*. goddrych.
ngof *gw*. gof.
ngofaint *gw*. gof.
ngofal *gw*. gofal.
ngofalwr *gw*. gofalwr.
ngofid *gw*. gofid.
ngofidio *gw*. gofidio.
ngofod *gw*. gofod.
ngofodwr *gw*. gofodwr.
ngofynion *gw*. gofyn
ngogledd *gw*. gogledd.
ngogogiant *gw*. gogoniant.
ngôl *gw*. gôl.
ngolau *gw*. golau.
ngolchi *gw*. golchi.
ngolchydd *gw*. golchydd.
ngoleudy *gw*. goleudy.
ngoleuni *gw*. goleuni.
ngoleuo *gw*. goleuo.
ngolud *gw*. golud.
ngolwg *gw*. golwg.
ngolygfa *gw*. golygfa.
ngolygfeydd *gw*. golygfa.
ngolygon *gw*. golwg.
ngollwng *gw*. gollwng.
ngorau *gw*. gorau.
ngorchfygu *gw*. gorchfygu.
ngorchymyn *gw*. gorchymyn.
ngorfodaeth *gw*. gorfodaeth.
ngorfodi *gw*. gorfodi.
Ngorffennaf *gw*. Gorffennaf.
ngorffennol *gw*. gorffennol.
ngorffwys *gw*. gorffwys.
ngorffwyso *gw*. gorffwyso.
ngorllewin *gw*. gorllewin.
ngornest *gw*. gornest.
ngorsaf *gw*. gorsaf.
ngorsedd *gw*. gorsedd.
ngorwel *gw*. gorwel.

ngosod

ngwg

ngosod *gw.* gosod.
ngostwng *gw.* gostwng.
ngostyngiad *gw.* gostyngiad.
ngradd *gw.* gradd.
ngraddfa *gw.* graddfa.
ngramadeg *gw.* gramadeg.
ngrant *gw.* grant.
ngras *gw.* gras.
ngris *gw.* gris.
Ngroeg *gw.* Groeg.
ngrudd *gw.* grudd.
ngrug *gw.* grug.
ngrŵp *gw.* grŵp.
ngrym *gw.* grym.
ngwadu *gw.* gwadu.
ngwaed *gw.* gwaed.
ngwaedu *gw.* gwaedu.
ngwaedd *gw.* gwaedd.
ngwaelod *gw.* gwaelod.
ngwaelodion *gw.* gwaelod.
ngwaethaf *gw.* gwaethaf.
ngwagedd *gw.* gwagedd.
ngwagle *gw.* gwagle.
ngwahanol *gw.* gwahanol.
ngwahodd *gw.* gwahodd.
ngwahoddedigion *gw.*
  gwahoddedig.
ngwahoddiad *gw.* gwahoddiad.
ngwair *gw.* gwair.
ngwaith *gw.* gwaith.
ngwal *gw.* gwal.
ngwâl *gw.* gwâl.
ngwalau *gw.* gwâl.
ngwaliau *gw.* gwal.
ngwall *gw.* gwall.
ngwallt *gw.* gwallt.
ngwanwyn *gw.* gwanwyn.
ngwar *gw.* gwar.
ngwarchod *gw.* gwarchod.
ngwaredu *gw.* gwaredu.
ngwaredwr *gw.* gwaredwr.
ngwario *gw.* gwario.
ngwartheg *gw.* gwartheg.
ngwas *gw.* gwas.
ngwasanaeth *gw.* gwasanaeth.
ngwasanaethu *gw.* gwasanaethu.
ngwasg *gw.* gwasg.
ngwasgedd *gw.* gwasgedd.
ngwasgfa *gw.* gwasgfa.
ngwasgod *gw.* gwasgod.
ngwasgu *gw.* gwasgu.
ngwastraff *gw.* gwastraff.
ngwastraffu *gw.* gwastraffu.
ngwau *gw.* gwau.
ngwaun *gw.* gwaun.
ngwawdio *gw.* gwawdio.
ngwawr *gw.* gwawr.
ngwdihŵ *gw.* gwdihŵ.
ngwddf *gw.* gwddf.

ngwddwg *gw.* gwddwg.
ngweddi *gw.* gweddi.
ngweddill *gw.* gweddill.
ngweddïo *gw.* gweddïo.
ngwefus *gw.* gwefus.
ngweiddi *gw.* gweiddi.
ngweigion *gw.* gwag.
ngweiniaid *gw.* gwan.
ngweinidog *gw.* gweinidog.
ngweinion *gw.* gwan.
ngweinyddes *gw.* gweinyddes.
ngweiriau *gw.* gwair.
ngweisg *gw.* gwasg.
ngweision *gw.* gwas.
ngweithdy *gw.* gweithdy.
ngweithiau *gw.* gwaith.
ngweithio *gw.* gweithio.
ngweithiwr *gw.* gweithiwr.
ngweithred *gw.* gweithred.
ngweithwyr *gw.* gweithiwr.
ngwelâu *gw.* gwely.
ngweld *gw.* gweld.
ngwely *gw.* gwely.
ngwelyau *gw.* gwely.
ngwell *gw.* da.
ngwella *gw.* gwella.
ngwellt *gw.* gwellt, gwelltyn.
ngwelltyn *gw.* gwelltyn.
ngwên *gw.* gwên.
ngwenau *gw.* gwên.
ngwendid *gw.* gwendid.
Ngwener *gw.* Gwener.
ngwenith *gw.* gwenith.
ngwennol *gw.* gwennol.
Ngwent *gw.* Gwent.
ngwenu *gw.* gwenu.
ngwenwyn *gw.* gwenwyn.
ngwenynen *gw.* gwenynen.
ngwêr *gw.* gwêr.
ngwerin *gw.* gwerin.
ngweriniaeth *gw.* gweriniaeth.
ngwers *gw.* gwers.
ngwerslyfr *gw.* gwerslyfr.
ngwersyll *gw.* gwersyll.
ngwerth *gw.* gwerth.
ngwerthfawrogi *gw.* gwerthfawrogi.
ngwerthfawrogiad *gw.*
  gwerthfawrogiad.
ngwerthiant *gw.* gwerthiant.
ngwerthu *gw.* gwerthu.
ngwerthwr *gw.* gwerthwr.
ngwestai *gw.* gwestai, gwesty.
ngwesteion *gw.* gwestai.
ngwesteiwr *gw.* gwesteiwr.
ngwesteiwraig *gw.* gwesteiwr.
ngwesty *gw.* gwesty.
ngweu *gw.* gweu.
ngweunydd *gw.* gwaun.
ngwg *gw.* gwg.

76

ngwgu   ngyrwyr

ngwgu *gw*. gwgu.
ngwiail *gw*. gwialen.
ngwialen *gw*. gwialen.
ngwialennod *gw*. gwialen.
ngwin *gw*. gwin.
ngwir *gw*. gwir.
ngwirionedd *gw*. gwirionedd.
ngwisg *gw*. gwisg.
ngwisgo *gw*. gwisgo.
ngwiwer *gw*. gwiwer.
ngwlad *gw*. gwlad.
ngwladfa *gw*. gwladfa.
ngwladgarwyr *gw*. gwladgarwr.
ngwlân *gw*. gwlân.
ngwlanen *gw*. gwlanen.
ngwledydd *gw*. gwlad.
ngwledd *gw*. gwledd.
ngwledda *gw*. gwledda.
ngwleidydd *gw*. gwleidydd.
ngwleidyddiaeth *gw*.
  gwleidyddiaeth.
ngwlff *gw*. gwlff.
ngwlith *gw*. gwlith.
ngwlybaniaeth *gw*. gwlybaniaeth.
ngwlychu *gw*. gwlychu.
ngwn *gw*. gwn.
ngŵn *gw*. gŵn.
ngwneud *gw*. gwneud.
ngwniadyddes *gw*. gwniadyddes.
ngwnïo *gw*. gwnïo.
ngwnïyddes *gw*. gwniadyddes.
ngwobr *gw*. gwobr.
ngwobrwyo *gw*. gwobrwyo.
ngŵr *gw*. gŵr.
ngwrach *gw*. gwrach.
ngwragedd *gw*. gwraig.
ngwraidd *gw*. gwreiddyn.
ngwraig *gw*. gwraig.
ngwrandawiad *gw*. gwrandawiad.
ngwrandawr *gw*. gwrandawr.
ngwrando *gw*. gwrando.
ngwreichion *gw*. gwreichionen.
ngwreiddiau *gw*. gwreiddyn.
ngwreiddio *gw*. gwreiddio.
ngwreiddyn *gw*. gwreiddyn.
ngwres *gw*. gwres.
ngwresogydd *gw*. gwresogydd.
ngwrtaith *gw*. gwrtaith.
ngwrthblaid *gw*. gwrthblaid.
ngwrthdystio *gw*. gwrthdystio.
ngwrthod *gw*. gwrthod.
ngwrthrych *gw*. gwrthrych.

ngwrthryfel *gw*. gwrthryfel.
ngwrthwyneb *gw*. gwrthwyneb.
ngwrthwynebu *gw*. gwrthwynebu.
ngwrthwynebwr *gw*. gwrthwynebwr.
ngwrthwynebydd *gw*.
  gwrthwynebwr.
ngwthiad *gw*. gwthiad.
ngwthio *gw*. gwthio.
ngwthiwr *gw*. gwthiwr.
ngwybod *gw*. gwybod.
ngwybodaeth *gw*. gwybodaeth.
ngwydr *gw*. gwydr.
ngwydrau *gw*. gwydr, gwydryn.
ngwydryn gw. gwydryn.
ngŵydd *gw*. gŵydd.
ngwyddbwyll *gw*. gwyddbwyll.
Ngwyddel *gw*. Gwyddel.
Ngwyddeleg *gw*. Gwyddeleg.
ngwyddoniaeth *gw*. gwyddoniaeth.
ngwyddonydd *gw*. gwyddonydd.
ngwyddor *gw*. gwyddor.
ngwyfyn *gw*. gwyfyn.
ngŵyl *gw*. gŵyl.
ngwylan *gw*. gwylan.
ngwyliau *gw*. gŵyl.
ngwylio *gw*. gwylio.
ngwyliwr *gw*. gwyliwr.
ngwylnos *gw*. gwylnos.
ngwylwyr *gw*. gwyliwr.
ngwyll *gw*. gwyll.
ngwylltio *gw*. gwylltio.
ngwymon *gw*. gwymon.
ngwyn *gw*. gwyn.
Ngwynedd *gw*. Gwynedd.
ngwynegon *gw*. gwynegon.
ngwynfa *gw*. gwynfa.
ngwynfyd *gw*. gwynfyd.
ngwyngalch *gw*. gwyngalch.
ngwynt *gw*. gwynt.
ngwŷr *gw*. gŵr.
ngwyrdd *gw*. gwyrdd.
ngwyriad *gw*. gwyriad.
ngwyro *gw*. gwyro.
ngwyrth *gw*. gwyrth.
ngwŷs *gw*. gwŷs.
ngwystlon *gw*. gwystl.
ngynnau *gw*. gwn.
ngyrfa *gw*. gyrfa.
ngyrfeydd *gw*. gyrfa.
ngyrru *gw*. gyrru.
ngyrrwr *gw*. gyrrwr.
ngyrwyr *gw*. gyrrwr.

In certain circumstances **h** is prefixed to words beginning with a vowel. If the word you require does not appear in this section ignore the initial **h** and look it up in the appropriate section, for example, ll. **hawr**, see **awr**. See Appendix Pronouns.

had *e, torf.* seed; *gw.* **hadyn, hedyn.**
hadu *be.* (**hadaf**) to sow, to propagate; to run to seed.
hadyn: hedyn *e.g. ll.* **had** a seed; *gw.* **had.**
haearn 1 *e.g. ll.* **heyrn** iron. **2** *a.* of iron, iron.
haeddu *be.* (**haeddaf**) to deserve, to merit: **haeddu ennill** to deserve to win; **haeddu clod** to deserve praise.
hael *a.* generous, liberal.
haelioni *e.g.* generosity, liberality.
haelionus *a.* generous, liberal.
haenen *e.b. ll.* **-nau** layer, strata, seam (*of rock*).
haerllug *a.* impudent.
haerllugrwydd *e.g.* impudence.
haeru *be.* (**haeraf**) to assert, to affirm.
haf *e.g. ll.* **-au** summer, summer-time.
hafaidd *a.* summer-like, summery.
hafaliad *e.g. ll.* **-au** equation:
  hafaliad cydamserol simultaneous equation; **hafaliad dwyradd** quadratic equation; **hafaliad syml** simple equation; **hafaliad unradd** linear equation.
hafan *e.b. ll.* **-au** haven, port, harbour.
hafdy *e.g. ll.* **hafdai** summer-house: **tŷ haf** holiday cottage.
hafddydd *e.g. ll.* **-iau** summer's day.

hafod *e.b. ll.* **-ydd** (*often seen in place names*) summer residence formerly occupied by the family and its stock during the summer months only; *gw.* **hendref.**
hafoty *e.g. ll.* **hafotai** chalet, holiday cottage.
Hafren *e.b.* Severn.
  Afon Hafren River Severn, the Severn. **Pont Hafren** Severn Bridge.
hagr *a.* ugly, unsightly (*N.W.*).
hagrwch *e.g.* ugliness.
haid *e.b. ll.* **heidiau** swarm, flock, drove; **haid o wenyn** swarm of bees.
haidd *e. torf.* barley; *gw.* **heidden.**
haig *e.b. ll.* **heigiau** shoal: **haig o bysgod** shoal of fish.
haint *e.b. ll.* **heintiau** disease, infection, plague; faint, fit: **Fe ges i haint pan welais i'r ysbryd** I had a fit when I saw the ghost.
hala *be.* (**halaf**) to spend; to send; to drive; to spread (*S.W.*).
halen *e.g. ll.* **-au** salt, brine: **halen y ddaear** salt of the earth.
hallt *a.* salty, briny; harsh, severe: **talu'n hallt** to pay dearly.
halltu *be.* (**halltaf**) to salt, to cure.
hamdden *e.g.b.* leisure, respite: **canolfan hamdden** leisure centre; **oriau hamdden** leisure hours, spare time.
hamddena *be.* (**hamddenaf**) to concern oneself with leisure pursuits.
hamddenol *a.* leisurely.
hances *e.b. ll.* **-i** handkerchief.
hanerau *gw.* **hanner.**
haneri *gw.* **hanner.**
hanerwr *e.g. ll.* **hanerwyr** half-back (games).
hanes *e.g. ll.* **-ion** history; story of the past, tale, record, report: **Glywaist ti'r hanes am Wil?** Did you hear the tale about Wil?.
haneswyr *gw.* **hanesydd.**
hanesydd: haneswr *e.g. ll.* **hanesyddion: haneswyr** historian.
hanesyn *e.g. ll.* **-nau** anecdote.
hanfodol *a.* essential; integral.
haniaethol *a.* abstract.
hanner *e.g. ll.* **hanerau, haneri** half: **hanner-awr** half an hour; **hanner-call** foolish, half-witted; **hanner-cylch** semicircle; **hanner-dydd** midday, noon; **hanner-munud!** half a minute! half a moment! **hanner**

nos midnight; **hanner-pan** half-soaked; half-wit; **hanner-pris** half-price.
hap *e.b.* *ll.* **-au, -iau** chance, luck, fortune: **chwarae hap** to gamble.
ar hap a damwain by chance, by luck.
hapus *a.* happy, cheerful.
hapusrwydd *e.g.* happiness, bliss, blessedness.
harbwr *e.g.* *ll.* **-s** harbour, port.
hardd *a.* *ll.* **heirdd** beautiful, comely, handsome, fine, splendid (*of person or object*).
harddwch *e.g.* beauty, fairness, comeliness.
hau: heu *be.* **(heuaf)** to sow, to scatter; to disseminate.
haul *e.g.* *ll.* **heuliau** sun.
hawdd *a.* easy; **Mae'n hawdd gweld** It is easy to see **Mae'n hawdd nofio** It is easy to swim **Mae'n hawdd siopa** It is easy to shop; *gw. At. Ansoddeiriau.*
hawl *e.b.g.* *ll.* **-au, -iau** legal claim, right, demand; question: **hawliau dyn** the rights of man, human rights; **hawliau sifil** civil rights.
hawlfraint *e.b.* *ll.* **hawlfreintiau** privilege; copyright.
hawlio *be.* **(hawliaf)** to claim, to demand.
haws *gw.* **hawdd.**
hawsaf *gw.* **hawdd.**
hawsed *gw.* **hawdd.**
heb *ardd.* (*followed by soft mutation*) **hebddo, hebddot, hebddo/hebddi, hebddon, hebddoch, hebddyn)** without, minus, free from, besides; *gw. At. Arddodiaid.*
heblaw *ardd.* besides, without.
hebog *e.g.* *ll.* **-au, -iaid. -ion** hawk, falcon: **gwylio fel hebog** to watch like a hawk, to watch intensely.
Hebraeg *e.b.* Hebrew language.
Hebreig *a.* Hebrew.
Hebrëwr *e.g.* *ll.* **Hebrëwyr** Hebrew; **Hebrëes** female Hebrew.
hebrwng *be.* **(hebryngaf)** to lead, to accompany, to escort: **cynhebrwng** funeral, funeral procession; **tŷ hebrwng** funeral home, 'chapel of rest'.
hecsagon *e.g.* *ll.* **-au** hexagon.
hedeg *be.* **(hedaf)** to fly; *gw.* **ehedaf.**
hedfan *be.* **(hedfanaf)** to fly.
hedydd *e.g.* *ll.* **-ion** lark; *gw.* **ehedydd.**
hedyn *gw.* **hadyn.**
hedd *e.g.b.* *ll.* **-au** peace,

tranquillity, serenity, calm.
heddiw *ad.* today.
heddlu *e.g.* *ll.* **-oedd** police force.
heddwas *e.g.* *ll.* **heddweision** policeman.
heddwch *e.g.* peace, tranquillity, stillness.
heddweision *gw.* **heddwas.**
hefo *gw.* **efo** (*N.W.*).
hefyd *c. & ad.* also, too, in addition; likewise.
heibio *ad.* past; aside, beside, by: **heibio i'r tŷ** past the house.
heidiau *gw.* **haid.**
heidden *e.b.* *ll.* **haidd** grain of barley.
heigiau *gw.* **haig.**
heini *a.* active, lively, agile, nimble: **dosbarth cadw'n heini** keep fit class.
heintiau *gw.* **haint.**
heintus *a.* diseased, infectious, contagious.
heirdd *gw.* **hardd.**
hel: hela *be.* **(heliaf: helaf)** to drive; to chase, to pursue; to send; to hunt; to gather, to collect; to fetch; **hel achau** to genealogise (*N.W.*) **hel straeon** to gossip (*N.W.*).
helaeth *a.* ample, large, broad; plentiful.
helfa *e.b.* *ll.* **helfâu, helfeydd** a hunting, hunt, chase, catch: **helfa drysor** treasure hunt; **helfa dda** a good catch.
helgi *e.g.* *ll.* **helgwn** hound.
heliwr *e.g.* *ll.* **helwyr** huntsman, gatherer.
help *e.g.b.* *ll.* **-iau, -oedd** help, aid; assistance; support: **help llaw** helping hand.
helpu (i) *be.* **(helpaf)** to help, to assist.
helygen *e.b.* *ll.* **helyg** willow.
helynt *e.g.* *ll.* **-ion** course or way (*of life, etc.*); fuss, bother; business; **Beth yw ei hynt a'i helynt?** What has become of him?
hem *e.b.* *ll.* **-iau** hem, border, seam.
hen *a.* old, aged; ancient (*Precedes the noun and causes soft mutation.*): **hen bryd** high time; **hen ddigon** quite enough; **henffasiwn** old-fashioned; **hen gariad** former sweetheart, 'old flame'; **hen gownt** outstanding account, debit; grudge; **hen lanc** (old) bachelor; **wedi hen farw** long since dead; **yr Hen Wlad** the Old Country, term of

endearment for Wales; *gw. At Ansoddeiriau*.
henach *gw.* **hen.**
henaf *gw.* **hen.**
henaidd *a.* oldish, old-fashioned.
henaint *e.g.* old age; senility.
hendaid *e.g. ll.* **hendeidiau** great-grandfather; forefather, ancestor.
hendeidiau *gw.* **hendaid.**
hendref *e.b. ll.* **hendrefi, hendrefydd** winter dwelling located in the valley, to which the family and its stock returned after the summer months in the **hafod** on the mountain; *gw.* **hafod.**
hendrefi *gw.* **hendref.**
hendrefydd *gw.* **hendref.**
henebion *e.ll* ancient monuments.
hened *gw.* **hen.**
heneiddio *be.* (**heneiddiaf**) to grow old, to become old.
heneiniau *gw.* **hennain.**
henffasiwn *gw.* **hen.**
hennain *e.b. ll.* **heneiniau** great-grandmother (*N.W.*).
heno *ad.* tonight, (on) this night.
henoed *e.g. & e.torf. & a.* old age, great age; old person; old people, old, elderly: **cartref henoed** old people's home.
henwr *e.g. ll.* **henwyr** old man.
heol: hewl *e.b. ll.* **-ydd** street, road, way; **heol ddeuol** dual carriageway; **heol fawr** highway; **heol gefn** back-road, by-way.
heolydd *gw.* **heol.**
her *e.b. ll.* **-iau** challenge, defiance, a provoking.
hercyd *be.* (**hercaf**) to fetch, to reach (*S.W.*).
herio *be.* (**heriaf**) to challenge, to defy, to dare.
herwfilwr *e.g. ll.* **herwfilwyr** guerilla.
herwgipiad *e.g. ll.* **-au** hijack.
herwgipio *be.* (**herwgipiaf**) to hijack.
herwgipiwr *e.g. ll.* **herwgipwyr** hijacker.
herwgydiad *e.g. ll.* **-au** kidnap.
herwgydio *be.* (**herwgydiaf**) to kidnap.
herwgydiwr *e.g. ll.* **herwgydwyr** kidnapper.
herwydd *ardd.* according to, by: **o'r herwydd** on account of that.
het *e.b. ll.* **-au, -iau** hat.
heu *gw.* **hau.**
heuad *e.g.* a sowing.
heulog *a.* sunny.
heuliau *gw.* **haul.**

heulwen *e.b.* sunshine; a girl's name. **Heulwen ydy enw'r ferch** The girl's name is Heulwen.
heuwr *e.g. ll.* **heuwyr** sower.
hewl *gw.* **heol.**
hewlydd *gw.* **heol.**
heyrn *gw.* **haearn.**
hi *rhag.* she, her, it.
hidio (am) *be.* (**hidiaf**) to heed, to care, to mind (*S.W.*).
hil *e.b. ll.* **-ion, -iau** race, lineage; offspring, descendants.
hiliol *a.* racial.
hin *e.b. ll.* **-oedd** weather.
hindda *e.b.* fine weather. **hindda a drycin** fair weather and foul.
hinsawdd *e.b. ll.* **hinsoddau** climate.
hir *a. ll.* **-ion** long, lengthy; *gw. At Ansoddeiriau*.
hirach *gw.* **hir.**
hiraeth *e.g. ll.* **-au** longing, nostalgia, homesickness, grief.
hiraethu (am) *be.* (**hiraethaf**) to long (for), to yearn (for), to sorrow, to grieve.
hiraf *gw.* **hir.**
hirbell *a.* distant, remote; **o hirbell** from afar; **dysgu o hirbell** distance learning.
hired *gw.* **hir.**
hirgylch *e.g. ll.* **-au, -oedd** ellipse.
hirion *gw.* **hir.**
hirlwm *e.g.* lean period at the end of winter.
hirnod *e.g. ll.* **-au** circumflex accent (ˆ).
hithau *rhag.* she, she too.
hiwmor *e.g.* humour.
hoe *e.g. ll.* **-au** pause, break, respite: **Sioni hoe** a layabout (*S.W.*).
hoel: hoelen *e.g.b. ll.* **hoelion, hoelon** nail: **taro'r hoelen ar ei phen** to comment appropriately with a fitting remark; to hit the nail on the head.
hoelio *be.* (**hoeliaf**) to nail.
hofrennydd *e.g. ll.* **hofrenyddion** helicopter.
hoff *a.* (*precedes the noun and causes soft mutation*) dear, beloved, favourite: **fy hoff le bwyta** my favourite eating place.
hoffi *be.* (**hoffaf**) to like, to be pleased (with).
hoffter *e.g. ll.* **-au** liking, fondness.
hogen *e.b. ll.* **-nod** girl, lass (*N.W.*).
hogi *be.* (**hogaf**) to sharpen, to whet:

hogiau   hydrogen

carreg hogi whetstone.
hogiau *gw.* **hogyn.**
hogyn *e.g. ll.* **hogiau, hogynnau** boy, lad *(N.W.).*
hongian *be.* **(hongiaf)** to hang, to suspend.
hôl *be.* **(holaf)** to fetch *(S.W.); gw.* **holi, nôl.**
holi *be.* **(holaf)** to question, to inquire, to ask (about); **holi am** to ask about, to ask after.
holiadur *e.g. ll.* **-on** questionnaire.
holwr *e.g. ll.* **holwyr** questioner, examiner, interrogator.
holwyddoreg *e.b. ll.* **-au** catechism.
holl *a. (precedes the noun and causes soft mutation)* all, whole: **yr holl bobl** all the people; **yr holl fyd** the whole world.
hollalluog *a.* almighty.
hollfyd *e.g.* universe.
holliach *a.* whole, sound (of health).
hollol *a. & ad. (precedes the adjective and causes soft mutation)* whole, entire, complete; **yn hollol dawel** completely quiet; **yn hollol gywir** wholly correct.
hon *a.b. & rhag.* this (one), she (her), it.
honedig *a.* alleged, reputed.
honiad *e.g. ll.* **-au** assertion, claim.
honni *be.* **(honnaf)** to allege, to assert, to profess, to pretend, to claim.
honno, honna *a.b. & rhag.* that (one), she (her), it; *gw.* **hwnnw.**
hosan *e.b. ll.* **-au** stocking, sock.
hoyw *a.* lively, sprightly; gay, homosexual.
hud *e.g. ll.* **-ion** magic, charm, spell.
hudo *be.* **(hudaf)** to charm, to allure.
hudol *a.* enchanting.
huddygl *e.g.* soot.
hufen *e.g. ll.* **-nau** cream; **hufen iâ** ice-cream.
hugain *gw.* **ugain.**
hun: hunan 1. *rhag. ll.* **hunain** self; **fi fy hun(an)** I myself; **ti dy hun(an)** you yourself; **ef ei hun(an)** he himself; **nhw eu hunain** they themselves; **ei hunan bach** alone. 2 *rhagdd.* self-.
hunain *gw.* **hun.**
hunan-barch *e.g.* self-respect.
hunangofiant *e.g.* autobiography.
hunanladdiad *e.g. ll.* **-au** suicide.
hunanol *a.* selfish.
hunllef *e.b.* nightmare.
huno *be.* **(hunaf)** to sleep, to fall asleep.

Hunodd, 5 Mai 1940 Died 5 May 1940 *(on gravestones).*
hurt *a.* stupid, dull, stunned; **hurtyn** stupid person, blockhead.
hwch *e.b. ll.* **hychod** sow. **Mae hi'n hen hwch** She is slovenly.
hwiangerdd *e.b. ll.* **-i** lullaby; nursery-rhyme.
hwn *a.g. & rhag.* this (one).
hwnnw, hwnna *a.g. & rhag.* that (one); *gw.* **honno.**
hwnt *ad.* beyond, aside, away: **tu hwnt** beyond; **yn gyflym tu hwnt** exceedingly fast.
hwp *e.g.* push, thrust, shove.
hwrdd *e.g. ll.* **hyrddod.** ram *(S.W.).*
hwrê *ebych. & e.b.* hooray!
hwy: hwynt: nhw *rhag.* they, them; *gw.* **hir.**
hwyaf *gw.* **hir.**
hwyad: hwyaden *e.b. ll.* **hwyaid** duck.
hwyaid *gw.* **hwyad.**
hwyl *e.b. ll.* **-iau** sail; journey; religious fervour; mood; fun; goodbye: **mewn hwyliau da** in a good mood; **hwyl!** bye! **Pob hwyl ichi** All the best.
hwyliau *gw.* **hwyl.**
hwylio *be.* **(hwyliaf)** to sail, to set out on a journey.
hwylus *a.* ease, comfortable, expedient, convenient.
hwyluso *be.* **(hwylusaf)** to facilitate.
hwylustod *e.g.* easy, convenience, facility, expediency.
hwynt *gw.* **hwy.**
hwyr 1 *a.* late. 2 *e.g.* (late) evening.
hwyrach *ad.* perhaps *(N.W.).*
hwythau *rhag.* they, they also.
hyblyg *a.* flexible, pliable, pliant.
hybu *be.* **(hybaf)** to recover; to promote.
hychod *gw.* **hwch.**
hyd 1 *ardd. (followed by soft mutation)* to, till, for, as far as; **hyd yn hyn** up till now; **hyd at bum punt** up to £5; *gw. At Treigladau.* 2 *e.g. ll.* **-au, -oedd, -ion** length; while.
hyder *e.g.* confidence, trust.
hyderu *be.* **(hyderaf)** to be confident; to trust, rely or depend (on).
hyderus *a.* confident.
Hydref *e.g.* October.
hydref *e.g. ll.* **-au** autumn.
hydrefol *a.* autumnal.
hydrogen *e.g.* hydrogen.

hydd *e.g. ll.* **-od** stag.
hyddysg *a.* learned, well-versed.
hyf *a.* bold.
hyfdra *e.g.* boldness.
hyfryd *a.* pleasant, delightful, fine, agreeable.
hyfrydwch *e.g.* delight, pleasure.
hyfforddi *be.* **(hyfforddaf)** to train, to direct, to instruct.
hyfforddiant *e.g. ll.* **hyfforddiannau** training, instruction.
hyfforddwr *e.g. ll.* **hyfforddwyr** instructor, guide, trainer, coach.
hyhi *rhag.* she, her (*emphatic*).
hylif *a. & e.g. ll.* **-au** liquid, flowing; fluid; a liquid, a fluid; a flow.
hyll *a.* ugly, hideous.
hyn *a. & rhag.* this, these.
hŷn *gw.* **hen.**
hynaf *gw.* **hen.**
hynafiad *e.g. ll.* **hynafiaid** ancestor.
hynafol *a.* ancient.
hyned *gw.* **hen.**
hynny *a. & rhag.* that, those.
hynod *a.* remarkable, notable; exceptional: **yn hynod o**

dda exceptionally well; **yn hynod o gyfoethog** exceptionally rich.
hynt *e.b. ll.* **-iau, -oedd** way, course, journey; career; (one's) fate or lot, condition, state: **Beth yw ei hynt erbyn hyn?** What's his fate by now?
hyrddod *gw.* **hwrdd.**
hysbyseb *e.b.g. ll.* **-ion** advertisement, announcement.
hysbysebiad *e.g. ll.* **-au** advertisement.
hysbysebu *be.* **(hysbysebaf)** to advertise.
hysbysebwr *e.g. ll.* **hysbysebwyr** advertiser.
hysbysfwrdd *e.g. ll.* **hysbysfyrddau** noticeboard.
hysbysiad *e.g. ll.* **-au** announcement, notice, advertisement.
hysbysu *be.* **(hysbysaf)** to announce, to inform; to advertise.
hytrach *ad.* rather; more so.

i 1 *ardd. (followed by soft mutation.)* **(i fi/mi, i ti, iddo/iddi, i ni, i chi, iddyn nhw)** to, into, for: **i'r dim** exactly, precisely; **i fyny** up, upwards; **i ffwrdd** away; **i gyd** all; **i lawr** down; **i mewn** into; *gw.* At. *Arddodiaid.* **2** *rhag.* I, me; *gw.* At. *Rhagenwau Personol.*
iâ *e.g.* ice; **cloch iâ** icicle.
iach *a.* healthy, well.
iacháu *be.* **(iacháf)** to heal, to cure.
iachawdwr *e.g. ll.* **iachawdwyr** saviour.
iachawdwriaeth: iechydwriaeth *e.b.* salvation, healing.
iachus *a.* healthy, wholesome.
iaith *e.b. ll.* **ieithoedd** language: **iaith lafar** spoken language; **iaith gyntaf** first language, mother tongue; **ail iaith** second language; **dwyieithog** bilingual.
iâr *e.b. ll.* **ieir** hen; **iâr fach yr haf** butterfly.
iard *e.b. ll.* **ierdydd** yard (of school, etc.).
iarll *e.g. ll.* **ieirll** earl.
iarlles *e.b. ll.* **-au** countess.
ias *e.b. ll.* **-au** thrill, shiver; temper.
iasol *a.* thrilling; intensely cold.
Iau *e.g.* Thursday.
iau 1 *e.g. ll.* **ieuau** liver. **2** *e.b. ll.* **ieuau** yoke; *gw.* **ieuanc.**
iawn 1 *ad.* very; **yn dda iawn** very good. **2** *e.g.* rightness, truth; compensation; atonement; **talu'r iawn am** to compensate. **3** *a.* right, true, correct.
iawndal *e.g. ll.* **-oedd** compensation, damages, indemnity.

iawnder *e.g. ll.* **-au** justice, right, rightness: **iawnderau dynol: iawnderau sifil** civil rights, civil liberties.
idiom *e.b. ll.* **-au** idiom.
Iddew *e.g. ll.* **-on** Jew.
Iddewes *e.b. ll.* **-au** Jewess.
Iddewig *a.* Jewish.
Iddewaeth *e.b.* Judaism.
ie *ad.* yes *((positive response to a question that does not begin with a verb).*
iechyd *e.g.* health, soundness, well-being.
iechyd da! good health *(in drinking a toast).*
ieir *gw.* **iâr.**
ieirll *gw.* **iarll.**
ieithoedd *gw.* **iaith.**
ierdydd *gw.* **iard.**
Iesu *e.g.* Jesus: **Iesu Grist** Jesus Christ; **Iesu Mab Duw** Jesus Son of God.
iet *e.b. ll.* **-au, -iau** gate; *gw.* **clwyd.**
ieuangach *gw.* **ieuanc.**
ieuangaf *gw.* **ieuanc.**
ieuanged *gw.* **ieuanc.**
ieuainc *gw.* **ieuanc.**
ieuanc: ifanc *a. ll.* **ieuainc: ifainc.** young; *gw.* At. *Ansoddeiriau.*
ieuau *gw.* **iau.**
ieuenctid *e.g. & e.ll.* youth; **côr ieuenctid** youth choir.
ifainc *gw.* **ieuanc.**
ifanc *gw.* **ieuanc.**
ifancach *gw.* **ieuanc.**
ifancaf *gw.* **ieuanc.**
ig *e.b. ll.* **-ion** hiccup.
igam-ogam *a.* zigzag.
igian *be.* **(igiaf)** to hiccup.
ing *e.g. ll.* **-oedd** anguish, agony, distress.
ildio *be.* **(ildiaf)** to yield.
ill *rhag.* both, they, them; **ill dau (dwy)** both of them.
imwnedd *e.g.* immunity.
imwneiddiad *e.g. ll.* **-au** immunisation.
imwneiddio *be.* **(imwneiddiaf)** to immunise.
incwm *e.g.* income; **Treth Incwm** Income Tax.
India, Yr *e.b.* India.
indiad *e.g. ll.* **Indiaid** an Indian; **Un o'r India yw e/hi** He/she is Indian.
injan: injin *e.b. ll.* **-s** engine.
Ionawr *e.g.* January.
iorwg *e.g.* ivy *(S.W.).*

iro *be.* **(iraf)** to grease; to anoint; to oil; to lubricate.
is 1 *ardd.* below, under; *gw.* **isel. 2** *rhagdd. (followed by soft mutation)* sub-, under-, vice-.
isaf *gw.* **isel.**
ised *gw.* **isel.**
isel *a.* low; humble; base; depressed; *gw. At. Ansoddeiriau.*
Iseldiroedd, Yr *e.b.* The Netherlands.

is-etholiad *e.g. ll.* **-au** by-election.
is-gadeirydd *e.g. ll.* **-ion** vice-chairman.
islaw *ardd.* below, beneath.
is-lywydd *e.g. ll.* **-ion** vice-president.
israddol *a.* inferior; subordinate.
isymwybod *e.g.* subconscious.
Iwerddon Ireland: **byw yn Iwerddon** to live in Ireland; **dod o Iwerddon** to come from Ireland; **mynd i Iwerddon** to go to Ireland.

jac: Jac *e.g. ll.* -s jack.
jac-codi-baw *e.g.* 'J.C.B.',
  mechanical excavator.
jac-do: jac-y-do *e.g. ll.* -s jackdaw.
jac-y-do *gw.* jac-do.
jam *e.g. ll.* -iau jam.
Japán Japan.
Japanëad *e.g. ll.* Japanëaid a
  Japanese.
Japanëaidd *a.* Japanese.
Japanëeg *e.b.* Japanese (language).

jar: jâr *e.b. ll.* jariau, jarrau jar.
jas *e.g.* jazz.
jeli *e.g. ll.* -s, jeliau jelly.
jersi: jyrsi: siersi *e.b. ll.* -s jersey.
jet *e.g. ll.* -iau jet (of water, gas, etc);
  jet (nozzle); jet plane: awyren jet jet
  aircraft, jet plane; peiriant jet jet
  engine.
ji-binc *e.b. ll.* -od chaffinch.
jig-so *e.g.* jigsaw: pos jig-so jigsaw
  puzzle.
jins *e.g.* jeans.
jîp *e.g.* jeep.
jiráff *e.g. ll.* jiraffod giraffe.
jiwbilî: jubilî *e.b. ll.* jiwbilîau jubilee,
  occasion or season of rejoicing.
job *e.g.b. ll.* -iau, -s job, piece of
  work; occupation.
jobyn *e.g. ll.* jobiau a small job:
  Jobyn da! Good job!
jôc *e.b. ll.* -s a joke, witticism; object
  of ridicule.
jocan *bf.* (jocaf) to joke *(S.W.).*
joio *bf.* (joiaf) to enjoy.
jubilî *gw.* jiwbilî.
jwg: siwg *e.b. ll.* jygiau: siygiau jug:
  jwg laeth milk jug.
jygiau *gw.* jwg.
jyngl *e.b. ll.* -oedd jungle.
jyrsi *gw.* jersi.

85

labed *gw.* llabed.
labordy *e.g. ll.* labordai laboratory.
labrwr *e.g. ll.* labrwyr labourer.
lac *gw.* llac.
lacio *gw.* llacio.
lacs *gw.* llacs.
lacsog *gw.* llacsog.
lachar *gw.* llachar.
Ladin *gw.* Lladin.
ladrad *gw.* lladrad.
ladrata *gw.* lladrata.
ladron *gw.* lleidr.
ladd *gw.* lladd.
ladd-dy *gw.* lladd-dy.
laes *gw.* llaes.
laesu *gw.* llaesu.
laeth *gw.* llaeth.
lafant *e.g.* lavender.
lafar *gw.* llafar.
lafariad *gw.* llafariad.
lafn *gw.* llafn.
lafur *gw.* llafur.
lafurio *gw.* llafurio.
lafurus *gw.* llafurus.
lafurwr *gw.* llafurwr.
lai *gw.* llai.
lain *gw.* llain.
lais *gw.* llais.
laith *gw.* llaith.
lam *gw.* llam.
lamp *e.b. ll.*-au lamp: lamp ôl rear-
   lamp, tail-light of vehicle; lamp
   olew oil lamp.
lamplen *e.b.* lampshade.
lamu *gw.* llamu.
lan *ad.* up; *gw.* glan, llan.
lân *gw.* glân.
lanc *gw.* llanc.
lances *gw.* llances.
lanciau *gw.* llanc.

lanhau *gw.* glanhau.
lanio *gw.* glanio.
lannau *gw.* glan, llan.
lanw *gw.* llanw.
lapio (am) *be.* (lapiaf) to lap, to wrap:
   papur lapio wrapping paper.
larwm *e.g.* alarm: cloc larwm
   alarm clock.
las *gw.* glas.
laswelltyn *gw.* glaswelltyn.
lathen *gw.* llathen.
lau *gw.* lleuen.
law *gw.* glaw, llaw.
lawen *gw.* llawen.
lawenhau *gw.* llawenhau.
lawenydd *gw.* llawenydd.
lawer *gw.* llawer.
lawes *gw.* llawes.
lawfeddyg *gw.* llawfeddyg.
lawfeddygaeth *gw.* llawfeddygaeth.
lawfeddygol *gw.* llawfeddygol.
lawlif *gw.* llawlif.
lawlyfr *gw.* llawlyfr.
lawn *gw.* llawn.
lawnder *gw.* llawnder.
lawnt *e.g.b. ll.* -iau, -ydd lawn.
lawr, i *ad.* down; *gw.* llawr.
lawysgrif *gw.* llawysgrif.
lawysgrifen *gw.* llawysgrifen.
le *gw.* lle.
lecyn *gw.* llecyn.
lechen *gw.* llechen.
lechi *gw.* llechen.
led *gw.* lled.
ledled *gw.* lledled.
ledr *gw.* lledr.
ledrith *gw.* lledrith.
ledu *gw.* lledu.
lef *gw.* llef.
lefain *e.g.b.* leaven; *gw.* llefain.
lefaru *gw.* llefaru.
lefarwr *gw.* llefarwr.
lefarwyr *gw.* llefarwr.
lefarydd *gw.* llefarydd.
lefau *gw.* llef.
lefel *e.b.g. ll.* -au, -ydd, leflau level;
   lefel y môr sea-level.
lefelyn *gw.* llefelyn.
leflau *gw.* lefel.
lefrith *gw.* llefrith.
lefydd *gw.* lle.
leiaf *gw.* bach.
leiafrif *gw.* lleiafrif.
leian *gw.* lleian.
leidr *gw.* lleidr.
leihau *gw.* lleihau.
lein *e.b. ll.* -au, -iau, leins line, cord;
   telephone line; line-out; lein
   ddillad clothes line; lein

86

fach narrow-gauge railway.
leiniau *gw.* **lein, llain.**
leinio *be.* **(leiniaf)** to line up; to form
a line-out; to thrash, to give (one) a
hiding *(N.W.).*
leisiau *gw.* **llais.**
leisio *gw.* **lleisio.**
leithder *gw.* **lleithder.**
len *gw.* **llen.**
lên *gw.* **llên.**
lencyndod *gw.* **llencyndod.**
lendid *gw.* **glendid.**
lenni *gw.* **llen.**
lennydd *gw.* **glan.**
lenor *gw.* **llenor.**
lenwi *gw.* **llenwi.**
lenyddiaeth *gw.* **llenyddiaeth.**
lenyddol *gw.* **llenyddol.**
leoedd *gw.* **lle.**
leol *gw.* **lleol.**
Lerpwl *e.b.* **Liverpool.**
leoli *gw.* **lleoli.**
leoliad *gw.* **lleoliad.**
les 1 *e.b. ll.* **-oedd** lease. 2 *e.b. ll.*
-au lace; *gw.* **lles.**
lesol *gw.* **llesol.**
lestr *gw.* **llestr.**
letchwith *gw.* **lletchwith.**
lety *gw.* **llety.**
letya *gw.* **lletya.**
letys *gw.* **letysen.**
letysen *e.b. ll.* **letys** lettuce.
leuad *gw.* **lleuad.**
leuen *gw.* **lleuen.**
lew *gw.* **llew.**
lewygu *gw.* **llewygu.**
lewyrch *gw.* **llewyrch.**
lewyrchu *gw.* **llewyrchu.**
lewyrchus *gw.* **llewyrchus.**
lewys *gw.* **llawes.**
liain *gw.* **lliain.**
lid *gw.* **llid.**
lieiniau *gw.* **lliain.**
lif *gw.* **llif.**
lifio *gw.* **llifio.**
lifo *gw.* **llifo.**
lifogydd *gw.* **llif.**
lifft *e.g. ll.* **-iau** lift.
lili *e.b. ll.* **-s, liliau** lily; **lili wen**
fach snowdrop.
lin *gw.* **glin.**
lindysyn *e.g. ll.* **lindys** caterpillar.
linell *gw.* **llinell.**
linyn *gw.* **llinyn.**
lipa *gw.* **llipa.**
litr *e.g. ll.* **-au** litre.
lithren *gw.* **llithren.**
lithriad *gw.* **llithriad.**
lithrig *gw.* **llithrig.**

lithro *gw.* **llithro.**
liw *gw.* **lliw.**
liwgar *gw.* **lliwgar.**
liwiau *gw.* **lliw.**
liwio *gw.* **lliwio.**
liwiog *gw.* **lliwiog.**
liwo *gw.* **lliwo.**
lo *gw.* **glo, llo.**
loches *gw.* **lloches.**
lochesu *gw.* **llochesu.**
Loegr *gw.* **Lloegr.**
loer *gw.* **lloer.**
loeren *gw.* **lloeren.**
lofa *gw.* **glofa.**
lofnod *gw.* **llofnod.**
lofnodi *gw.* **llofnodi.**
lofrudd *gw.* **llofrudd.**
lofruddiaeth *gw.* **llofruddiaeth.**
lofruddio *gw.* **llofruddio.**
lofft *gw.* **llofft.**
log *gw.* **llog.**
logi *gw.* **llogi.**
long *gw.* **llong.**
longddrylliad *gw.* **llongddrylliad.**
longwr *gw.* **llongwr.**
loi *gw.* **llo.**
lol *e.b.* frivolity; nonsense: **Paid â**
siarad lol! Don't talk nonsense!.
lolfa *e.b. ll.* **lolfeydd** lounge, sitting-
room.
lolian: lolian *be.* **(lolaf: lolaf)** to
lounge; to joke, to talk nonsense
(S.W.).
lon *gw.* **llon.**
lôn *e.b. ll.* **lonydd** lane, road: **y Lôn**
Goed the Tree-Lined Way
(place name in N.W. Wales); **y lôn**
gefn the back lane; **lôn**
ddianc escape lane.
loncian *be.* **(lonciaf)** to jog.
lonciwr *e.g. ll.* **loncwyr** jogger.
lond *gw.* **llond.**
longyfarch *gw.* **llongyfarch.**
longyfarchiad *gw.* **llongyfarchiad.**
lonydd *gw.* **lôn, llonydd.**
lonyddwch *gw.* **llonyddwch.**
loriau *gw.* **llawr.**
loriau *gw.* **lorri.**
lorri *e.b. ll.* **loriau, lorris** lorry: **lorri**
laeth milk-lorry; **lorri lo** coal-lorry;
lorri wartheg cattle-lorry.
losg *gw.* **llosg.**
losgi *gw.* **llosgi.**
losin *gw.* **losinen.**
losinen: losen *e.b. ll.* **losin** sweet,
lozenge.
löwr *gw.* **glöwr.**
löyn byw *gw.* **glöyn byw.**
loyw *gw.* **gloyw.**

lu *gw.* llu.
lud *gw.* glud.
ludio: ludo *gw.* gludio.
ludw *gw.* lludw.
Lun *gw.* Llun.
lun *gw.* llun.
Lundain *gw.* Llundain.
luniaidd *gw.* lluniaidd.
lunio *gw.* llunio.
luoedd *gw.* llu.
luosi *gw.* lluosi.
luosog *gw.* lluosog.
lusern *gw.* llusern.
lusgo *gw.* llusgo.
luwch *gw.* lluwch.
luwchfa *gw.* lluwchfa.
lw *gw.* llw.
lŵans: lwfans *e.g.b.* allowance,
  concession.
lwc *e.b.g.* luck, fate, chance: **Pob**
  lwc i ti! Good luck to you! **Lwc**
  dda! Good luck! prosperity, success.
lwcus *a.* lucky, fortunate.
lwch *gw.* llwch.
lwfans *gw.* lŵans.
lwfr *gw.* llwfr.
lwgu *gw.* llwygu.
lwnc *gw.* llwnc.
lwncdestun *gw.* llwncdestun.
lwon *gw.* llw.
lwy *gw.* llwy.
lwybr *gw.* llwybr.
lwyd *gw.* llwyd.
lwydo *gw.* llwydo.
lwydrew *gw.* llwydrew.
lwydrewi *gw.* llwydrewi.
lwydd *gw.* llwydd.
lwyddiannus *gw.* llwyddiannus.
lwyddiant *gw.* llwydd.
lwyddo *gw.* llwyddo.
lwyfan *gw.* llwyfan.
lwyfannu *gw.* llwyfannu.
lwyn *gw.* llwyn.
lwynog *gw.* llwynog.
lwyr *gw.* llwyr.
lwyrymwrthodwr *gw.*
  llwyrymwrthodwr.
lwyth *gw.* llwyth.

lwytho·*gw.* llwytho.
lwythog *gw.* llwythog.
lydan *gw.* llydan.
lydanu *gw.* llydanu.
Lydaw *gw.* Llydaw.
lyfelyn *gw.* llyfelyn.
lyfn *gw.* llyfn.
lyfr *gw.* llyfr.
lyfrgell *gw.* llyfrgell.
lyfrgellydd *gw.* llyfrgellydd.
lyfryn *gw.* llyfryn.
lyfu *gw.* llyfu.
lyffant *gw.* llyfant.
lygad *gw.* llygad.
lygadu *gw.* llygadu.
lygaid *gw.* llygad.
lygod *gw.* llygoden.
lygoden *gw.* llygoden.
lygredig *gw.* llygredig.
lygredd *gw.* llygredd.
lygru *gw.* llygru.
lynges *gw.* llynges.
lyn *gw.* glyn, llyn.
lynciau *gw.* llwnc.
lyncu *gw.* llyncu.
lynnau *gw.* llyn.
lynnoedd *gw.* glyn, llyn.
lynu *gw.* glynu.
lys *gw.* llys.
lysenw *gw.* llysenw.
lysenwi *gw.* llysenwi.
lysfam *gw.* llysfam.
lysgenhadaeth *gw.* llysgenhadaeth.
lysgennad *gw.* llysgennad.
lysiau *gw.* llysieuyn.
lysieuyn *gw.* llysieuyn.
lythrennau *gw.* llythyren.
lythrennog *gw.* llythrennog.
lythyr *gw.* llythyr.
lythyren *gw.* llythyren.
lyw *gw.* llyw.
lywio *gw.* llywio.
lywodraeth *gw.* llywodraeth.
lywodraethu *gw.* llywodraethu.
lywodraethwr *gw.* llywodraethwr.
lywydd *gw.* llywydd.
lywyddu *gw.* llywyddu.

llabed *e.b.* *ll.* **-au** lapel, flap.
llac *a.* slack, loose; lax.
llacio *be.* (**llaciaf**) to slacken; to loosen; to relax.
llacs *e.g.* mud, dirt *(S.W.)*.
llacsog *a.* muddy, dirty *(S.W.)*.
llachar *a.* bright, brilliant, dazzling.
Lladin *e.b.* & *a.* Latin.
  America Ladin Latin America.
lladrad *e.g.* *ll.* **-au** theft, robbery.
lladrata *be.* (**lladrataf**) to rob, to steal, to thieve.
lladron *gw.* **lleidr.**
lladd *be.* (**lladdaf**) to kill, to stay, to slaughter; to cut, to mow, to fell: **lladd ar** to run down, to criticise adversely; **lladd gwair** to mow *(hay)*; **lladd mawn** to cut peat; **fel lladd nadroedd** at full speed, with might and main *(lit. like killing snakes)*.
lladd-dy *e.g.* *ll.* **lladd-dai** slaughter-house.
llaes *a.* loose, long, flowing.
llaesu *be.* (**llaesaf**) to slacken, to loosen, to relax; **llaesu dwylo** to become idle, weak or indifferent, to stay one's hand(s).
llaeth *e.g.* *ll.* **-au** milk *(S.W.); gw.* **llefrith.**
llafar 1 *e.g.* *(verbal)* expression, spoken or colloquial language; **iaith lafar** the spoken language. 2 *a.* loud, clear, vociferous; pertaining to the voice; oral; **arholiad llafar** oral *(as opposed to written)* examination.
llafariad *e.b.* *ll.* **llafariaid** vowel.
llafn *e.g.* *ll.* **-au** blade.
llafur *e.g.* *ll.* **-iau** labour, toil; tillage,

corn: **llafur cariad** labour of love; **Y Blaid Lafur** The Labour Party.
llafurio: llafuro *be.* (**llafuriaf: llafuraf**) to labour, to toil, to work.
llafurus *a.* laborious, painstaking, industrious.
llafurwr *e.g.* *ll.* **llafurwyr** labourer, worker, husbandman.
llai *gw.* **bach.**
llain *e.b.* *ll.* **lleiniau** *(long narrow)* strip of land, cloth &c., piece, patch, pitch, wicket *(cricket)*, plot *(of land)*: **llain galed** hard shoulder *(of motorway);* **llain glanio** landing-strip, airstrip; **llain o dir** strip of land, isthmus.
llais *e.g.* *ll.* **lleisiau** voice, sound.
llaith *a.* damp, moist, dank.
llall *rhag.* *ll.* **lleill** the other *(one)*, another: **y llall** the other *(person, thing);* **y lleill** the others, the other persons/things.
llam *e.g.* *ll.* **-au** leap, jump, bound, stride.
llamu *be.* (**llamaf**) to leap, to jump, to bound, to stride.
llan *e.b.* *ll.* **-nau** (parish) church, churchyard; enclosure, yard.
llanc *e.g.* *ll.* **-iau** youth, lad.
llances *e.b.* *ll.* **-i, -au** young woman, lass.
llanciau *gw.* **llanc.**
llannau *gw.* **llan.**
llanw 1. *e.g.* *ll.* **-au** flow (of tide): **trai a llanw** ebb and flow. 2 *be.* (**llanwaf**) to fill, to fill up.
llathen *e.b.* *ll.* **-ni** yard, yardstick: **Doedd e ddim yn llawn llathen** He wasn't all there.
llau *gw.* **lleuen.**
llaw *e.b.* *ll.* **dwylo** hand; **i law** to hand: **llawchwith** left handed; **llawdde** skilful, dextrous; **llawfer** shorthand; **llaw galed** trouble, rough time, hard time *(especially with sick person);* **llaw yn llaw** hand in hand; **ail-law** second-hand; **hen law ar** one who possesses the 'know how', *(lit. an old hand);* **rhoi help llaw** to give a helping hand.
llawen *a.* cheerful, merry, glad.
llawenhau (yn) *be.* (**llawenhaf**) to rejoice, to be joyful.
llawenydd *e.g.* joy, jubilation, rejoicing.
llawer *e.g.* *ll.* **-oedd** many, much; abundant. 2 *ad.* by far, much *(with comparative adjective)*.
  o lawer by far, by a great deal, by

llawes   **llewys**

much; **llawer gwaith** many times;
yn llawer gwell much better; **llawer
tro** many a time.
llawes e.b. ll. **llewys** sleeve.
llawfeddyg e.g. ll. **-on** surgeon.
llawfeddygaeth e.b. surgery.
llawfeddygol a. surgical.
llawlif e.b. ll. **-iau** hand-saw.
llawlyfr e.g. ll. **-au** handbook,
manual.
llawn a. ll. **-ion** full; **yn llawn
bryd** high time.
llawnder e.g. abundance, fullness.
llawnion gw. **llawn.**
llawr e.g. ll. **lloriau** floor, ground;
storey; earth: **ar lawr** down,
exhausted, on (to) the ground, on the
ground floor, downstairs, up *(from
bed)*, not yet gone to bed; **ar lawr
gwlad** on the lowlands; **y llawr
cyntaf** the first floor.
llawysgrif e.b. ll. **-au** manuscript.
llawysgrifen e.b. ll. **llawysgrifennau**
handwriting.
lle e.g. ll. **-oedd, llefydd** place, room,
accommodation.
lle bwyd café, restaurant: **lle
chwech** toilet; **lle tân** fireplace; **o'i
le** out of (its) place or order, wrong,
inappropriate.
llecyn e.g. ll. **-nau** spot, place.
llechen e.b. ll. **llechi** slate.
llechi gw. **llechen.**
lled 1 e.g. ll. **-au** breadth, width.
Mae stori ar led yn a pentref There is
a story going around the village. 2
ad. rather, partly, almost.
lledled *ardd.* throughout; **lledled y
byd** throughout the world.
lledr e.g. ll. **-au** leather.
lledrith e.g. ll. **-oedd** magic,
enchantment; spectre; fantasy: **hud
a lledrith** magic and fantasy.
lledu *be.* **(lledaf)** to spread, to widen,
to open, to expand.
llef e.b. ll. **-au** voice, cry.
llefain *be.* **(llefaf)** to cry *(S.W.).*
llefaru *be.* **(llefaraf)** to speak, to utter.
llefarwr e.g. ll. **llefarwyr** speaker.
llefarwyr gw. **llefarwr.**
llefarydd e.g. ll. **-ion** speaker,
spokesman: **Y Llefarydd** (the)
Speaker of the House of Commons.
llefau gw. **llef.**
llefelyn e.g. ll. **-od** stye *(in eye); gw.*
llyfelyn, llefrithen.
llefrith e.g. milk *(N.W.); gw.* **llaeth.**
llefrithen e.b. stye (in eye) *(N.W.);
gw.* **llefelyn, llyfelyn.**

llefydd gw. **lle.**
lleiaf a. smallest, least: **o leiaf** at
least; **gorau po leiaf** least the
better.
lleiafrif e.g. ll. **-au, -oedd** minority.
lleian e.b. ll. **-od** nun.
lleidr e.g. ll. **lladron** thief, robber,
bandit: **lleidr pen ffordd**
highwayman.
lleihau *be.* **(lleihaf)** to become
smaller, to diminish, to shrink.
lleill gw. **llall.**
lleiniau gw. **llain.**
lleisiau gw. **llais.**
lleisio *be.* **(lleisiaf)** to use the voice
(in speaking, shouting, etc.), to
sound, to cry out.
lleithder e.g. ll. **-au** damp, moisture.
llen e.b. ll. **-ni** curtain, veil, sheet: **Y
Llen Haearn** The Iron Curtain.
llên e.b. literature; **llên
gwerin** folklore; **ffuglen** fiction.
llencyndod e.g. adolescence.
llenni gw. **llen.**
llenor e.g. ll. **-ion** author, writer,
literary person.
llenwi *be.* **(llenwaf)** to fill.
llenyddiaeth e.b. ll. **-au** literature.
llenyddol a. literary.
lleoedd gw. **lle.**
lleol a. local; **llywodraeth leol** local
government.
lleoli *be.* **(lleolaf)** to locate, to
localise, to place.
lleoliad e.g. ll. **-au** location, setting.
lles e.g. ll. **-au** benefit, profit,
advantage, welfare: **er lles** for the
benefit of, to the advantage of; **o
les** of benefit; **Y Wladwriaeth
Les** The Welfare State.
llesol a. beneficial, profitable,
advantageous.
llestr e.g. ll. **-i** vessel; cup, dish, pot.
lletchwith a. awkward, clumsy.
llety e.g. ll. **-au** lodging(s).
lletya *be.* **(lletyaf)** to lodge.
lleuad e.b. ll. **-au** moon: **lleuad
lawn** full moon; **lleuad
newydd** new moon; *gw.* **lloer.**
lleuen e.b. ll. **llau** louse.
llew e.g. ll. **-od** lion; **llewes** lioness.
llewygu *be.* **(llewygaf)** to faint, to
swoon.
llewyrch e.g. brightness, light,
gleam, lustre.
llewyrchu *be.* **(llewyrchaf)** to shine,
to gleam.
llewyrchus a. bright, prosperous.
llewys gw. **llawes.**

lliain

llusgo

lliain *e.g. ll.* **lieiniau** linen, cloth, towel, napkin.
llid *e.g. ll.* **-iau, -ion** wrath; irritation, inflammation; passion: **llid yr ymennydd** meningitis.
llieiniau *gw.* **lliain.**
llif 1 *e.g. ll.* **-ogydd** stream, flow, flood, deluge, current. 2 *e.b. ll.* **-iau** saw; **llif gadwyn** chain saw.
llifio *be.* **(llifiaf)** to saw; to rasp, to file.
llifo *be.* **(llifaf)** to flow, to stream, to flood.
llifogydd *gw.* **llif.**
llinell *e.b. ll.* **-au** line, axis; line-out: **llinell gam** crooked line; **llinell syth** straight line.
llinyn *e.g. ll.* **-nau** line, string, cord, tape, twine: **llinyn mesur** measuring tape.
llipa *a.* limp, flaccid, weak.
llithren *e.b. ll.* **-nau** chute, slide.
llithriad *e.g. ll.* **-au** a slip, glide, slur; error, mistake.
llithrig *a.* slippery; fluent.
llithro *be.* **(llithraf)** to slip, to slide; to slur.
lliw *e.g. ll.* **-iau** colour, countenance, hue: **lliw dydd** by day; **lliw nos** by night; **lliwiau'r hydref** autumn colours.
lliwgar *a.* colourful.
lliwiau *gw.* **lliw.**
lliwio: lliwo *be.* **(lliwiaf: lliwaf)** to colour, to dye.
lliwiog *a.* coloured, tinted.
lliwo *gw.* **lliwio.**
llo *e.g. ll.* **lloi, lloeau** calf; **fel llo** gormless.
lloches *e.g. ll.* **-au** refuge, shelter, lair.
llochesu *be.* **(llochesaf)** to harbour, to shelter.
lloeau *gw.* **llo.**
Lloegr *e.b.* England.
lloer *e.b. ll.* **-au** moon *(literary usage); gw.* **lleuad.**
lloeren *e.b. ll.* **-ni, -nau** satellite, sputnik.
llofnod *e.g. ll.* **-au, -ion** signature.
llofnodi *be.* **(llofnodaf)** to sign.
llofrudd *e.g. ll.* **-ion** murderer.
llofruddiaeth *e.g. ll.* **-au** murder.
llofruddio *be.* **(llofruddiaf)** to murder.
llofft *e.b. ll.* **-ydd** loft, upstairs; gallery; bedroom: **ar y llofft** upstairs; **lan llofft** upstairs *(S.W.).*
llog *e.g. ll.* **-au** interest, hire; **ar log** for hire.

llogi *be.* **(llogaf)** to hire.
llong *e.b. ll.* **-au** ship: **llong hwyliau** sailing ship; **llong danfor** submarine; **llong ryfel** warship.
llongddrylliad *e.g. ll.* **-au** shipwreck.
llongwr *e.g. ll.* **llongwyr** sailor.
lloi *gw.* **llo.**
llon *a.* merry, cheerful.
llond *e.g.* as much as something will hold; fullness, sufficiency: **llond llwy de o siwgr** a teaspoonful of sugar; **llond tŷ o blant** a houseful of children.
llongyfarch (ar) *be.* **(llongyfarchaf)** to congratulate.
llongyfarchiad *e.g. ll.* **-au** congratulation;
llongyfarchiadau! congratulations!.
llonydd *a.* quiet, still, calm; **gad lonydd i fi!** let me have some peace!.
llonyddwch *e.g.* stillness, tranquillity, quietness; peace.
lloriau *gw.* **llawr.**
llosg 1 *e.g. ll.* **-iadau** burning, arson. 2. burning, burnt;
llosgfynydd volcano; **pwnc llosg** burning issue.
llosgi *be.* **(llosgaf)** to burn, to scorch, to smart.
llosgydd *e.g. ll.* **-ion** incinerator, burner.
llu *e.g. ll.* **-oedd** host, multitude, *(follows plural noun and undergoes soft mutation)* crowd: **Daeth milwyr lu o rywle** A host of soldiers came from somewhere.
lluched *e. torf.* flash of lightning; lighting flashes.
lludw *e.g.* ash, ashes: **Lludw i ludw** Ashes to ashes; **dydd Mercher y Lludw** Ash Wednesday; **lorri ludw** ashcart.
Llun *e.g.* Monday: **Llun y Pasg** Easter Monday.
llun *e.g. ll.* **-iau** picture, drawing, image.
Llundain *e.b.* London.
lluniaidd *a.* shapely, graceful.
lluniau *gw.* **llun.**
llunio *be.* **(lluniaf)** to form, to fashion, to shape.
lluoedd *gw.* **llu.**
lluosi *be.* **(lluosaf)** to multiply.
lluosog *a.* numerous, plural.
llusern *e.b. ll.* **-au** lamp, lantern.
llusgo *be.* **(llusgaf)** to drag, to trail, to draw, to crawl: **llusgo traed** to drag (one's) feet.

lluwch

llyo

lluwch *e.g. ll.* **-au** snow-drift; dust, specks.

lluwchfa *e.b. ll.* **lluwchfeydd** snow-drift.

llw *e.g. ll.* **-on** oath; curse: **ar fy llw** on oath, on my word; **cymryd llw** to take an oath.

llwch *e.g. ll.* **llychau** dust, powder; ashes; lake, loch.

llwfr *a.* cowardly, timid.

llwgu *be.* **(llwgaf)** to starve, to be ravenously hungry.

llwm *a.* poor, bare.

llwnc *e.g. ll.* **llynciau** gullet, throat; draught, gulp.

llwncdestun *e.g. ll.* **-au** toast (health).

llwon *gw.* **llw.**

llwy *e.b. ll.* **-au** spoon: **llwy bren** wooden spoon; **llwy de** teaspoon; **llwy gawl** soup-spoon; **llwy garu** love-spoon.

llwybr *e.g. ll.* **-au** path, track, route: **llwybr tarw** straight path, short cut; **ar y llwybr iawn** on the right track.

llwyd *a.* grey, pale, hoary; **Brawd Llwyd** Grey Friar, Cistercian Friar.

llwydo *be.* **(llwydaf)** to turn grey; to become mouldy.

llwydrew *e.g. ll.* **-ogydd** hoar-frost *(S.W.)*.

llwydrewi *be.* **(llwydrewaf)** to cast a hoar-frost, to be frosty *(S.W.)*.

llwydd: llwyddiant *e.g. ll.* **llwyddiannau** success, prosperity.

llwyddiannus *a.* successful, prosperous.

llwyddo (i) *be.* **(llwyddaf)** to succeed, to prosper.

llwyfan *e.g.b. ll.* **-nau** platform, stage: **llwyfan olew** oil rig.

llwyfannu *be.* **(llwyfannaf)** to stage.

llwyn 1 *e.g. ll.* **-i** grove, bush: **o lech i lwyn** furtively, stealthily, slyly *(literally from rock to bush).* 2 *e.b. ll.* **-au** loin.

llwynog *e.g. ll.* **-od** fox *(N.W.)*; **llwynoges** vixen.

llwyr 1 *a.* complete, entire, utter, total. 2 *ad.* entirely, altogether. 3 *rhag.* total.

llwyrymwrthodwr *e.g. ll.* **llwyrymwrthodwyr** teetotaller.

llwyth *e.g. ll.* **-au** tribe, clan; *e.g. ll.* **-i** load, burden, freight.

llwytho *be.* **(llwythaf)** to load, to burden.

llwythog *a.* laden, burdened.

llydan *a.* wide, broad.

llydanu *be.* **(llydanaf)** to widen.

Llydaw *e.b.* Britanny.

Llydawr *e.g.* Breton.

Llydawes *e.b.* Breton woman.

Llydaweg *e.b.* Breton language.

llyfelyn *e.g. ll.* **llyfelod** stye (in eye; *gw.* **llefelyn, llefrithen.**

llyfn *a.* smooth, sleek.

llyfr *e.g. ll.* **-au** book: **llyfr emynau** hymn book; **llyfr gosod** set book *(in syllabus);* **llyfr lloffion** scrap-book; **llyfr lluniau** picture book; **llyfr sieciau** cheque book; **llawlyfr** handbook, manual.

llyfrgell *e.b. ll.* **-oedd** library: **llyfrgell y sir** county library.

llyfrgellydd *e.g. ll.* **-ion, llyfrgellwyr** librarian.

llyfryn *e.g. ll.* **-nau** booklet, pamphlet.

llyfu *be.* **(llyfaf)** to lick.

llyffant *e.g. ll.* **-od, llyffaint** toad; **caws llyffant** toadstool.

llygad *e.g.b. ll.* **llygaid** eye: **llygad tro** squint; **llygad y fynnon** fountain head, original source of information; **yn llygad ei le** perfectly right, quite correct. **yn llygaid i gyd** all eyes, all attention; **(dim ond) dau lygad a thrwyn** '(only) two eyes and a nose', said of a thin person.

llygadu *be.* **(llygadaf)** to eye, to watch, to have (one's) eye upon.

llygaid *gw.* **llygad.**

llygod *gw.* **llygoden.**

llygoden *e.b. ll.* **llygod** mouse: **llygoden fach** mouse; **llygoden fawr/Ffrengig** rat.

llygredig *a.* corrupt, degraded, defiled.

llygredd *e.g. ll.* **-au** corruption; pollution, contamination.

llygru *be.* **(llygraf)** to corrupt, to pollute, to contaminate.

llynges *e.b. ll.* **-au** fleet, navy: **Y Llynges** The Navy.

llym *a.* sharp, keen, severe.

llyn *e.g.b. ll.* **-noedd, -nau** lake, pool.

llynciau *gw.* **llwnc.**

llyncu *be.* **(llyncaf)** to swallow, to devour, to gulp.

llynedd *ad. (the definite article is used with the adverb).* last year: **Gwelais ef y llynedd** I saw him last year.

llynnau *gw.* **llyn.**

llynnoedd *gw.* **llyn.**

llyo *be.* **(llyaf)** to lick *(S.W.)*.

llys

llywyddu

llys *e.g. ll.* **-oedd** court, hall, palace:
Llys y Goron The Crown Court;
Llys yr Ynadon The Magistrates'
Court; **Yr Uchel Lys** The High
Court.
llysenw *e.g. ll.* **-au** nickname.
llysenwi *be.* **(llysenwaf)** to
nickname.
llysfam *e.b. ll.* **-au** stepmother.
llysgenhadaeth *e.b. ll.*
llysgenadaethau embassy.
llysgennad *e.g. ll.* **llysgenhadon**
ambassador.
llysiau *gw.* **llysieuyn.**
llysieuyn *e.g. ll.* **llysiau** vegetable,
herb.
llythrennau *gw.* **llythyren.**
llythrennog *a.* literate.
llythyr *e.g. ll.* **-au, -on** letter, epistle:
llythyr caru love-letter; **llythyr
cyfreithiwr** solicitor's letter.
llythyren *e.b. ll.* **llythrennau** letter of

the alphabet: **llythrennau'r
abiec** letters of the alphabet;
priflythrennau capital letters;
llythyren y ddeddf letter of the law.
llyw *e.g. ll.* **-iau** leader, ruler;
rudder, helm.
(bod) wrth y llyw (to be) at the
helm, (to be) in charge.
llywio *be.* **(llywiaf)** to govern, to rule;
to steer, to pilot.
llywodraeth *e.b. ll.* **-au** government:
llywodraeth ganolog central
government; **llywodraeth leol** local
government.
llywodraethu *be.* **(llywodraethaf)** to
govern, to rule, to control.
llywodraethwr *e.g. ll.*
llywodraethwyr governor.
llywydd *e.g. ll.* **-ion** president *(of
society); gw.* **arlywydd.**
llywyddu *be.* **(llywyddaf)** to preside.

93

dimension; magnitude; amount,
quantity; extent.
malchder *gw.* **balchder.**
maldod *e.g.* indulgence, pampering,
spoiling; caresses; affectation.
maldodi *be.* **(maldodaf)** to pamper, to
fondle, to pet.
maled *gw.* **baled.**
maledwr *gw.* **baledwr.**
malot *gw.* **balot.**
malu *be.* **(malaf)** to grind, to crush, to
smash; **malu awyr** to talk nonsense,
to talk idly.
malwn *gw.* **balwn.**
malwen: *(N.W.)* **malwoden** *(S.W.)*
e.b. *ll.* **malwod** snail, slug.
malwoden *(S.W.) gw.* **malwen.**
mam *e.b.* *ll.* **-au** mother:
mamfaeth foster-mother; **mam-
yng-nghyfraith** mother-in-law.
mam-gu *e.b.* grandmother *(S.W.);*
gw. **nain.**
mân *a.* tiny, small, minute; fine;
petty: **arian mân** small change,
small coin; **glaw mân** fine rain,
drizzle; **glo mân** small coal, slack;
yn fân ac yn fuan quickly and in
short gasps *(of breath);* with small
quick steps or movements.
man *e.g.b.* *ll.* **-nau** place, spot;
mark; blemish; **man a man (i fi,
i ti . . .)** (it is) all the same (to me, to
you . . .), (it makes) no difference;
man cychwyn starting-point; **man
cyfarfod** meeting place; **man
gwan** weak spot; **yn y fan a'r lle** in
the (very) place, on the (very) spot;
yn y man soon, before (very) long,
presently; on the spot, immediately,
at once, now; *gw.* **ban.**
manana *gw.* **banana.**
manc *gw.* **banc.**
mancio *gw.* **bancio.**
mand *gw.* **band.**
mandiau *gw.* **band.**
maneg *e.b.* *ll.* **menig** glove,
gauntlet; **Gwlad y menig
gwynion** Land of the white gloves
(alluding to the frequent
presentation of white gloves to
assize judges in Wales, when there
were no cases for trial).
maner *gw.* **baner.**
mannau *gw.* **ban, man.**
mans *e.g.* manse.
mantais *e.b.* *ll.* **manteision**
advantage: **o fantais** of
advantage; **cymryd mantais (ar)** to
take advantage (of).

mab *e.g.* *ll.* **meibion** boy, son, man,
male.
maban *gw.* **baban.**
mabi *gw.* **babi.**
mabolgamp *e.b.* *ll.* **-au** game, sport,
feat: **mabolgampau'r ysgol** school
sports.
mach *gw.* **bach.**
machau *gw.* **bach; bachyn.**
machgen *gw.* **bachgen.**
machlud *e.g.* *ll.* **-oedd** setting *(of the
sun),* going down; **machlud
haul** sunset.
machu *gw.* **bachu.**
machyn *gw.* **bachyn.**
mad *gw.* **bad.**
madarch *e. torf.* mushrooms;
madarchen *e.b.* a mushroom.
mae *gw.* **bae, bod.**
maer *e.g.* *ll.* **meiri** mayor; **maer y
dre** the town mayor.
maeres *e.b.* *ll.* **-au** mayoress.
maes *e.g.* *ll.* **meysydd** field, square;
syllabus: **maes chwarae** playing
field; **maes o law** shortly.
maestref *e.b.* *ll.* **-i, -ydd** suburb.
mafonen *e.b.* *ll.* **mafon** raspberry.
mag *gw.* **bag.**
magiau *gw.* **bag.**
magu *be.* **(magaf)** to breed, to nurse,
to gain: **magu bola** to acquire a pot
belly; **magu hyder** to gain
confidence.
Mai *e.g.* May.
mai *c.* that *(emphatic):* **Rwy'n sicr
mai Tom yw e** I'm sure that it is
Tom *(and nobody else); gw.* **bai.**
maich *gw.* **baich.**
main *a.* thin, lean, slim, shrill, fine.
maint *e.g.b.* *ll.* **meintiau** size,

manteisio (ar) *be.* **(manteisiaf)** to take advantage to profit (from).

manteision *gw.* **mantais.**

mantell *e.b. ll.* **-oedd, mentyll** mantle, cloak, robe.

manwl *a.* exact, careful, strict; fine; particular; **yn fanwl** in detail.

manylion *e.ll.* details, particulars.

manylu (ar) *be.* **(manylaf)** to particularise, to go into detail (about), to be exact.

manylyn *e.g. ll.* **manylion** detail.

map *e.g. ll.* **-iau** map.

mar *gw.* **bar.**

mara *gw.* **bara.**

marc *e.g. ll.* **-iau, -au** mark; **gwneud marc** to make one's mark.

marcio *be.* **(marciaf)** to mark, to mark out.

marchnad *e.b. ll.* **-oedd** market: **y Farchnad Gyffredin** the Common market; **y farchnad rydd** the free market.

marchog *e.g. ll.* **-ion** horseman, rider; knight.

mardd *gw.* **bardd.**

marddoniaeth *gw.* **barddoniaeth.**

marf *gw.* **barf.**

marn *gw.* **barn.**

marnwr *gw.* **barnwr.**

mart *e.g. ll.* **-iau** mart *(S.W.)*.

marw 1 *be.* **(marwaf)** to die; **wedi marw: yn farw** dead. **2** *a. ll.* **meirw, meirwon** dead, deceased. **3** *e.g. ll.* **meirw, meirwon** the dead.

marwaidd *a.* lifeless, listless, sluggish.

marwol *a.* deadly, fatal, mortal: **ergyd farwol** mortal blow.

marwolaeth *e.b. ll.* **-au** death.

mas *gw.* **bas.**

masged *gw.* **basged.**

masn *gw.* **basn.**

masnach *e.b. ll.* **-au** trade, commerce.

masnachwr *e.g. ll.* **masnachwyr** merchant, tradesman, dealer.

masnau: masnys *gw.* **basn.**

maswr *e.g. ll.* **maswyr** outside-half *(rugby).*

mat *e.g. ll.* **-iau** mat; *gw.* **bat.**

mater *e.g. ll.* **-ion** matter, subject.

matsen: matsien *e.b. ll.* **matsys** match: **fel matsien** wild tempered, fiery *(lit. like a match).*

math *e.g. ll.* **-au** sort, kind, species; *gw.* **bath.**

mathemateg *e.g.* mathematics.

mathemategol *a.* mathematical.

mathemategwr *e.g. ll.* **mathemategwyr** mathematician.

mathodyn *gw.* **bathodyn.**

maw *gw.* **baw.**

mawd *gw.* **bawd.**

mawl *e.g.* praise.

mawn *e.g.* peat; **lladd mawn** to cut peat.

mawnog *e.b. ll.* **-ydd** a peat bog.

mawr *a. ll.* **-ion** great, big, large; *gw. At. Ansoddeiriau.*

mawredd *e.g.* greatness, majesty, grandeur; **Mawredd mawr!** Good gracious!

Mawrth *e.g.* March; Tuesday; Mars.

mecso *gw.* **becso.**

mechan *gw.* **bechan.**

mechgyn *gw.* **bachgen.**

mechniaeth *e.b.* bail, suretyship.

Medi *e.g.* September.

medi *be.* **(medaf)** to reap, to harvest, to cut.

medru *be.* **(medraf)** to be able to do or accomplish *(a thing)*; to be able to speak, know *(a language)*; to hit, to strike, to shoot: **medru'r Gymraeg** to know Welsh, to be able to speak Welsh.

medrus *a.* skilful, able, clever *(with one's hands)*; correct.

medw *gw.* **bedwen.**

medwen *gw.* **bedwen.**

medyddio *gw.* **bedyddio.**

medd *e.g.* mead; *gw.* **bedd, meddaf.**

meddaf *bf.* I say, I said; **meddwn i** I would say; **medd** he/she/it says/ said; *gw.* **meddu.**

meddai *bf.* he/she/it was saying, he/ she/it was used to saying.

meddal *a.* soft, tender, pliable.

meddalu *be.* **(meddalaf)** to soften, to become soft; to thaw.

meddu *be.* **(meddaf)** to possess, to own.

meddw *a. ll.* **-on** drunk; **yn feddw gaib** blind drunk.

meddwi (ar) *be* **(meddwaf)** to be drunk, to become drunk.

meddwl (am) 1 *be.* **(meddyliaf, meddylaf)** to think, to mean, to intend: **meddwl y byd o** to think the world of. **2** *e.g. ll.* **meddyliau** thought, mind, meaning, opinion.

meddyg *e.g. ll.* **-on** doctor of medicine.

meddygfa *e.b. ll.* **meddygfeydd** surgery.

meddyginiaeth *e.b. ll.* **-au** remedy, medicine.

meddylgar *a.* thoughtful, pensive.
meddyliau *gw.* **meddwl.**
mefusen *e.b. ll.* **mefus** strawberry.
Mehefin *e.g.* June.
meiau *gw.* **bai.**
meibion *gw.* **mab.**
Meibl *gw.* **Beibl.**
meic *e.g. ll.* **-iau** microphone; *gw.* **beic.**
meicrodon *gw.* **microdon.**
meichiau *gw.* **baich.**
meiddio *be.* **(meiddiaf)** to dare, to venture; *gw.* **beiddio.**
meim *e.g.b. ll.* **-iau** mime.
meinir *e.b.* maiden.
meintiau *gw.* **maint.**
meio *gw.* **beio.**
meirdd *gw.* **bardd.**
meiri *gw.* **maer.**
meirioli *be.* **(meiriolaf)** to thaw, to melt.
meirniad *gw.* **beirniad.**
meirniadu *gw.* **beirniadu.**
meirniaid *gw.* **beirniad.**
meistr *e.g. ll.* **-i, -iaid** master, owner.
meistres *e.b. ll.* **-i** mistress.
meistri *meistriaid* *gw.* **meistr.**
meithrin *be.* **(meithrinaf)** to nurture, to rear, to foster: **meithrinfa** nursery; **ysgol feithrin** nursery school.
mêl *e.g.* honey: **mis mêl** honeymoon; **yn fêl ar ei fysedd** music to his ears, to his extreme gratification.
melen *a.b.* yellow: **ffrog felen** yellow frock; *gw.* **melyn.**
melin *e.b. ll.* **-au** mill: **melin ddŵr** water mill; **melin wlân** woollen mill; **melin wynt** windmill; **gwneud melin ac eglwys** to make a great to-do of, to make a fuss about nothing.
melyn *a.g.* yellow: **crys melyn** yellow shirt, **cyw melyn olaf** youngest child of family, last of the brood; **melynwy** yolk of an egg; *gw.* **melen.**
melys *a.* sweet; **melysion** sweets.
mellt *gw.* **mellten.**
mellten *e.b. ll.* **mellt** lightning: **fel mellten** like a flash *(of lightning)*, fast.
melltith *e.b. ll.* **-ion** curse: **Melltith arno!** Curse him!.
menig *gw.* **maneg.**
menter *e.b. ll.* **mentrau** venture, hazard.
mentrau *gw.* **menter.**

mentro (ar)*be.* **(mentraf)** to venture.
mentrus *a.* venturesome.
mentyll *gw.* **mantell.**
menthyca *gw.* **benthyca.**
menyn: ymenyn *e.g.* butter; **blodau menyn** buttercups.
menyw 1 *e.b. ll.* **-od** woman. **2** *a.* female *(S.W.).*
mêr *e.g. ll.* **merion** marrow.
merch *e.b. ll.* **-ed** girl.
Mercher *e.g.* Wednesday; Mercury: **Dydd Mercher Lludw** Ash Wednesday.
merchetaidd *a.* effeminate.
merf *gw.* **berf.**
merfa *gw.* **berfa.**
merfenw *gw.* **berfenw.**
merlod *gw.* **merlyn.**
merlota *bf.* to go pony-trekking.
merlotwr *e.g. ll.* **merlotwyr** pony-trekker.
merlyn *e.g. ll.* **-nod, merlod** pony.
merthyr *e.g. ll.* **-on** martyr: **Merthyr Tudful** valley town in South Wales.
merw *gw.* **berw.**
merwi *gw.* **berwi.**
mesen *e.b. ll.* **mes** acorn.
mesul *ad.* in the measure of: **Daeth y plant ymlaen fesul un** The children came in one by one; **fesul tri** three at a time.
mesur *e.g. ll.* **-au 1** measure, metre; **ffon fesur** rule, ruler. **2** *be.* to measure.
mesurydd *e.g. ll.* **-ion** measurer, meter, gauge: **mesurydd glaw** rain gauge.
metel *e.g. ll.* **-oedd, -au** metal; mettle.
metr *e.g. ll.* **-au** metre: **metr sgwâr** square metre.
metrig *a.* metric.
methiant *e.g. ll.* **methiannau** failure.
methu (â) *be.* **(methaf)** to fail.
meudwy *e.g. ll.* **-aid, -od** hermit, recluse.
mewian *be.* **(mewiaf)** to mew.
mewn *ardd.* in, within; **i mewn: i fewn** in, inward(s): **mewn a maes** in and out; **mewn bod** in being, extant; **mewn cariad** in love; **mewn eiliad** in a moment, at once, instantly; **mewn gwaith** in work, employed; **mewn llaw** in hand, receiving attention, under consideration; **mewn trefn** in order; **o fewn y mis** within the month; **y tu mewn: y tu fewn** inside.
mewnwr *e.g. ll.* **mewnwyr** scrum-

half *(rugby)*, inside-forward
(soccer).
meysydd *gw.* maes.
mha *gw.* pa.
Mhab *gw.* Pab.
mhabell *gw.* pabell.
mhabi *gw.* pabi.
mhabydd *gw.* pabydd.
mhac *gw.* pac.
mhaced *gw.* paced.
mhacio *gw.* pacio.
mhadell *gw.* padell.
mhader *gw.* pader.
mhaent *gw.* paent.
mhafiliwn *gw.* pafiliwn.
mhafin *gw.* pafin.
mhagan *gw.* pagan.
mhais *gw.* pais.
mhâl *gw.* pâl.
mhalas *gw.* palas.
mhalau: mhalod *gw.* pâl.
mhalu *gw.* palu.
mhamffled *gw.* pamffled.
mhamffledyn *gw.* pamffledyn.
mhanasen *gw.* panasen.
mhanel *gw.* panel.
mhannas *gw.* panasen.
mhant *gw.* pant.
mhapur *gw.* papur.
mhapuro *gw.* papuro.
mhâr *gw.* pâr.
mharagraff *gw.* paragraff.
mharatoi *gw.* paratoi.
mharc *gw.* parc.
mharch *gw.* parch.
mharchu *gw.* parchu.
mharchus *gw.* parchus.
mhardwn *gw.* pardwn.
mharhad *gw.* parhad.
mharsel *gw.* parsel.
mharti *gw.* parti.
Mhasg *gw.* Pasg.
mhasiant *gw.* pasiant.
mhatrwm *gw.* patrwm.
mhatrwn *gw.* patrwn.
mhatrymau *gw.* patrwm.
mhatrynau *gw.* patrwn.
mhawb *gw.* pawb.
mhawen *gw.* pawen.
mhebyll *gw.* pabell.
mhecyn *gw.* pecyn.
mhechadur *gw.* pechadur.
mhechod *gw.* pechod.
mhedair *gw.* pedair.
mhedol *gw.* pedol.
mhedwar *gw.* pedwar.
mhedwaredd *gw.* pedwaredd.
mhedwerydd *gw.* pedwerydd.
mheg *gw.* peg.

mhegwn *gw.* pegwn.
mhegynau *gw.* pegwn.
mheilot *gw.* peilot.
mheint *gw.* peint.
mheintio *gw.* peintio.
mheintiwr *gw.* peintiwr.
mheiriannau *gw.* peiriant.
mheiriant *gw.* peiriant.
mheisiau *gw.* pais.
mhêl *gw.* pêl.
mhelydr *gw.* pelydr.
mhellter *gw.* pellter.
mhen *gw.* pen.
mhenaethiaid *gw.* pennaeth.
mhenawdau *gw.* pennawd.
mhen-blwydd *gw.* pen-blwydd.
mhencadlys *gw.* pencadlys.
mhencampwr *gw.* pencampwr.
mhenderfyniad *gw.* penderfyniad.
mhenelin *gw.* penelin.
mhen-glin *gw.* pen-glin.
mhenillion *gw.* pennill.
mhen-lin *gw.* pen-glin.
mhennaeth *gw.* pennaeth.
mhennau *gw.* pen.
mhennawd *gw.* pennawd.
mhennill *gw.* pennill.
mhennod *gw.* pennod.
mhenodau *gw.* pennod.
mhenodi *gw.* penodi.
mhenodiad *gw.* penodiad.
mhenrhyn *gw.* penrhyn.
mhensaer *gw.* pensaer.
mhensil *gw.* pensil.
mhensiwn *gw.* pensiwn.
mhensiynwr *gw.* pensiynwr.
mhenteulu *gw.* penteulu.
mhentref *gw.* pentref.
mhentwr *gw.* pentwr.
mhêr *gw.* pêr.
mherchen: mherchennog *gw.*
  perchen.
mheren *gw.* peren.
mhererin *gw.* pererin.
mherfedd *gw.* perfedd.
mherffaith *gw.* perffaith.
mherffeithio *gw.* perffeithio.
mheri *gw.* peri.
mherl *gw.* perl.
mherllan *gw.* perllan.
mhersli *gw.* persli.
mherson *gw.* person.
mhersonoliaieth *gw.* personoliaeth.
mherth *gw.* perth.
mherthynas *gw.* perthynas.
mherygl *gw.* perygl.
mheswch *gw.* peswch.
mhesychiad *gw.* pesychiad.
mheth *gw.* peth.

mhiano

mhriodi

mhiano *gw.* piano.
mhianydd *gw.* pianydd.
mhib *gw.* pib.
mhiben *gw.* piben.
mhicil *gw.* picil.
mhictiwr *gw.* pictiwr.
mhicwn *gw.* picwnen.
mhicwnen *gw.* picwnen.
mhigiad *gw.* pigiad.
mhigo *gw.* pigo.
mhil *gw.* pil.
mhiler *gw.* piler.
mhilion *gw.* pil.
mhili-pala *gw.* pili-pala.
mhilsen *gw.* pilsen.
mhilyn *gw.* pilyn.
mhin *gw.* pin.
mhîn *gw.* pîn.
mhinnau *gw.* pin.
mhinsio *gw.* pinsio.
mhinwydden *gw.* pinwydden.
mhioden *gw.* pioden.
mhisyn *gw.* pisyn.
mhlaid *gw.* plaid.
mhlan *gw.* plan.
mhlanced *gw.* blanced, planced.
mhlanhigyn *gw.* planhigyn.
mhlannu *gw.* plannu.
mhlant *gw.* plant.
mhlas *gw.* plas.
mhlasty *gw.* plasty.
mhlât *gw.* plât.
mhlatiau *gw.* plât.
mhleidiau *gw.* plaid.
mhleidlais *gw.* pleidlais.
mhleidleisiau *gw.* pleidlais.
mhleidleisio *gw.* pleidleisio.
mhleidleisiwr *gw.* pleidleisiwr.
mhlentyn *gw.* plentyn.
mhleser *gw.* pleser.
mhleserus *gw.* pleserus.
mhlesio *gw.* plesio.
mhlisgyn *gw.* plisgyn.
mhlisman: mhlismon *gw.* plisman.
mhlu *gw.* pluen.
mhluen *gw.* pluen.
mhluf *gw.* plufyn.
mhlufyn *gw.* plufyn.
mhlwc *gw.* plwc.
mhlwg *gw.* plwg.
mhlwm *gw.* plwm.
mhlwyf *gw.* plwyf.
mhlygu *gw.* plygu.
mhob *gw.* pob.
mhobi *gw.* pobi.
mhobl *gw.* pobl.
mhoblogaeth *gw.* poblogaeth.
mhobman *gw.* pobman.
mhobydd *gw.* pobydd.

mhoced *gw.* poced.
mhoen *gw.* poen.
mhoeni *gw.* poeni.
mhoenus *gw.* poenus.
mhoenydio *gw.* poenydio.
mhoer: mhoeri *gw.* poer, poeri.
mhoethi *gw.* poethi.
mholyn *gw.* polyn.
mhont *gw.* pont.
mhopeth *gw.* popeth.
mhopty *gw.* popty.
mhorfa *gw.* porfa.
mhorfeydd *gw.* porfa.
mhorffor *gw.* porffor.
mhortread *gw.* portread.
mhorth *gw.* porth.
mhorthladd *gw.* porthladd.
mhôs *gw.* pôs.
mhosibilrwydd *gw.* posibilrwydd.
mhost *gw.* post.
mhostman: mhostmon *gw.* postman.
mhostyn *gw.* postyn.
mhotel *gw.* potel.
mhowdr: mhowdwr *gw.* powdr.
mhowdrau *gw.* powdr.
mhowlen *gw.* bowlen.
mhraidd *gw.* praidd.
mhram *gw.* pram.
mhrawf *gw.* prawf.
mhregeth *gw.* pregeth.
mhregethu *gw.* pregethu.
mhregethwr *gw.* pregethwr.
mhreiddiau *gw.* praidd.
mhren *gw.* pren.
mhrennau *gw.* pren.
mhrentis *gw.* prentis.
mhrentisiaeth *gw.* prentisiaeth.
mhrentisiaid *gw.* prentis.
mhres *gw.* pres.
mhreseb *gw.* preseb.
mhresennol *gw.* presennol.
mhresenoldeb *gw.* presenoldeb.
mhresgripsiwn *gw.* presgripsiwn.
mhreswyl: mhreswylfod *gw.*
　preswyl.
mhridwerth *gw.* pridwerth.
mhridd *gw.* pridd.
mhrifardd *gw.* prifardd.
mhrifathrawes *gw.* prifathrawes.
mhrifathro *gw.* prifathro.
mhrifddinas *gw.* prifddinas.
mhrifeirdd *gw.* prifardd.
mhrifysgol *gw.* prifysgol.
mhriffordd *gw.* priffordd.
mhrinder *gw.* prinder.
mhrintio *gw.* printio.
mhriod *gw.* priod.
mhriodas *gw.* priodas.
mhriodi *gw.* priodi.

ll (m) n o p ph r rh s t th u w y

mhriodol   **mlinder**

mhriodol *gw.* priodol.
mhris *gw.* pris.
mhroblem *gw.* problem.
mhrofi *gw.* profi.
mhrofiad *gw.* profiad.
mhrofion *gw.* prawf.
mhrofocio: mhryfocio *gw.* profocio.
mhroffid *gw.* proffid.
mhroffwyd *gw.* proffwyd.
mhryd *gw.* pryd.
Mhrydain *gw.* Prydain.
mhrydau *gw.* pryd.
mhryder *gw.* pryder.
mhrydferthwch *gw.* prydferthwch.
mhrydiau *gw.* pryd.
mhryf: mhryfedyn: mhryfyn *gw.* pryf.
mhryfocio *gw.* profocio.
mhrynhawn *gw.* prynhawn.
mhrynu *gw.* prynu.
mhrynwr *gw.* prynwr.
mhrysurdeb *gw.* prysurdeb.
mhulpud *gw.* pulpud.
mhum: mhump *gw.* pum.
mhunnau *gw.* punt.
mhunnoedd *gw.* punt.
mhunt *gw.* punt.
mhupur *gw.* pupur.
mhurfa *gw.* purfa.
mhuro *gw.* puro.
mhwdin *gw.* pwdin.
mhwdryn *gw.* pwdryn.
mhŵer *gw.* pŵer.
mhwll *gw.* pwll.
mhwllyn *gw.* pwllyn.
mhwmp *gw.* pwmp.
mhwnc *gw.* pwnc.
mhwrpas *gw.* pwrpas.
mhwrs *gw.* pwrs.
mhwyll *gw.* pwyll.
mhwyllgor *gw.* pwyllgor.
mhwynt *gw.* pwynt.
mhwys *gw.* pwys.
mhwysedd *gw.* pwysedd.
mhwysigrwydd *gw.* pwysigrwydd.
mhwyslais *gw.* pwyslais.
mhwyso *gw.* pwyso.
mhwyth *gw.* pwyth.
mhyllau *gw.* pwll *gw.* pyllau.
mhyllyn *gw.* pyllyn.
mhymtheg *gw.* pymtheg.
mhymthegfed *gw.* pymthegfed.
mhynciau *gw.* pwnc.
mhyped *gw.* pyped.
mhyrsau *gw.* pwrs.
mhyrth *gw.* porth.
mhys *gw.* pysen.
mhysen *gw.* pysen.
mhysgodyn *gw.* pysgodyn.
mhysgota *gw.* pysgota.

mhysgotwr *gw.* pysgotwr.
mhyst *gw.* postyn.
mhythefnos *gw.* pythefnos.
mi *gw.* fi; *geiryn (particle used before a verb) (N.W.); gw.* fe.
microdon: meicrodon *e.b.g.* microwave; microwave oven.
migwrn *e.g. ll.* migyrnau. ankle, knuckle.
mil *e.b. ll.* -oedd thousand.
mil *gw.* bil.
milfeddyg *e.g. ll.* -on veterinary surgeon.
milgi *e.g. ll.* milgwn greyhound: fel milgi swift, like a greyhound.
miliwn *e.b. ll.* miliynau million; miliynydd millionaire.
miloedd *gw.* mil.
milwr *e.g. ll.* milwyr soldier.
milltir *e.b. ll.* -oedd mile: milltir sgwâr square mile; immediate locality.
min *e.g. ll.* -ion lip; side, bank; (cutting) edge (of blade): min y gyllell the edge of the knife; min y ffordd the wayside; min y môr the sea-shore, seaside; byw wrth fin y gyllell to live from hand to mouth; *gw.* bin.
miniog *a.* sharp, keen, edged.
minlliw *e.g.* lipstick.
minnau *rhag.* I also, me.
mioleg *gw.* bioleg.
miri *e.g.* merriment, fun.
mis *e.g. ll.* -oedd month: Mis Bach February.
misged *gw.* bisged.
misgedi *gw.* bisged.
misgïen *gw.* bisgïen.
misglwyf *e.g.* menstruation, period.
misoedd *gw.* mis.
misol *a.* monthly.
misolyn *e.g. ll.* misolion monthly (magazine).
miwsig *e.g.* music.
mlaen *gw.* blaen.
mlaenor *gw.* blaenor.
mlaenwr *gw.* blaenwr.
mlagur *gw.* blaguryn.
mlaguryn *gw.* blaguryn.
mlaidd *gw.* blaidd.
mlanced *gw.* blanced.
mlas *gw.* blas.
mlasu *gw.* blasu.
mlawd *gw.* blawd.
mleiddiaid *gw.* blaidd.
mlew *gw.* blewyn.
mlewyn *gw.* blewyn.
mlinder *gw.* blinder.

mlino   mraw

mlino *gw.* blino.
mlodau *gw.* blodyn.
mlodeugerdd *gw.* blodeugerdd.
mlodfresychen *gw.* blodfresychen.
mlodyn *gw.* blodyn.
mloedd *gw.* bloedd.
mloeddio *gw.* bloeddio.
mlows *gw.* blows.
mlwch *gw.* blwch.
mlwydd *gw.* blwydd.
mlwyddyn *gw.* blwyddyn.
mlychau *gw.* blwch.
mlynedd *gw.* blwyddyn.
mlynyddoedd *gw.* blwyddyn.
mocs *gw.* bocs.
moch *gw.* boch, mochyn.
mochyn *e.g. ll.* moch pig.
  fel mochyn dirty, filthy, fat, like a
  pig.
mod *gw.* bod.
modfedd *e.b. ll.* -i inch.
modiau *gw.* bawd.
modloni *gw.* bodloni.
modrwy *e.b. ll.* -on ring: modrwy
  aur gold ring; modrwy
  briodas wedding-ring; modrwy
  glust ear-ring.
modryb *e.b. ll.* -edd aunt.
modur *e.g. ll.* -on motor.
modurwr *e.g. ll.* modurwyr
  motorist.
modd *e.g. ll.* -ion manner; means,
  wealth: gwaetha'r modd worse
  luck; modd bynnag however; pa
  fodd? how? *gw.* bodd.
moddhad *gw.* boddhad.
moddi *gw.* boddi.
moddion *e. ll.* means; medicine:
  moddion gras means of grace; *gw.*
  modd.
moel *a.* bare; bald.
moelni *e.g.* bareness; baldness.
moes *e.b. ll.* -au usual behaviour,
  habit, wont; *in plural:* manners;
  morals: moesau da good manners;
  good morals.
moesol *a.* ethical; moral.
moethus *a.* luxurious, comfortable.
mogi *be.* (mogaf) to suffocate, to
  smother: Brawd mogi yw tagu
  Suffocating is akin to choking,
  one is as bad as the other.
mol *gw.* bol.
mola *gw.* bola.
moli *be.* (molaf) to praise.
moliau *be.* bol.
mollt *gw.* bollt.
mom *gw.* bom.
Môn, Ynys *e.b.* Anglesey: Môn

Mam Cymru Anglesey Mother of
  Wales.
môn *gw.* bôn.
moneddiges *gw.* boneddiges.
moneddigion *gw.* bonheddwr.
monheddwr *gw.* bonheddwr.
môr *e.g. ll.* moroedd sea, ocean: Y
  Môr Canol dir Mediterranean Sea;
  Môr Iwerydd Atlantic Ocean; Môr
  Tawel Pacific Ocean.
mor *ad. (followed by soft mutation,
  except for adjectives beginning with
  ll and rh)* as, so, how: mor dew â
  mochyn as fat as a pig; mor ddu â'r
  nos as black as the night; mor goch
  â thân as red as fire; mor wyn ag
  eira as white as snow.
mord *gw.* bord.
mordau: mordydd *gw.* bord.
morddwyd *e.b. ll.* -ydd thigh.
more *gw.* bore.
morfa *e.b.g. ll.* morfeydd sea-
  marsh, bog, fen.
morfeydd *gw.* morfa.
morfil *e.g. ll.* -od whale.
morgais *e.g. ll.* morgeisiau
  mortgage.
Morgannwg *e.b.* Glamorgan: De
  Morgannwg South Glamorgan;
  Gorllewin Morgannwg West
  Glamorgan; Morgannwg
  Ganol Mid Glamorgan.
morgeisiau *gw.* morgais.
morgrugyn *e.g. ll.* morgrug ant.
morio *be.* (moriaf) to sail.
môr-leidr *e.g. ll.* môr-ladron pirate.
morlo *e.g. ll.* morloi seal.
moroedd *gw.* môr.
moron *gw.* moronen.
moronen *e.b. ll.* moron carrot.
morthwyl *e.g. ll.* -ion hammer.
morwr *e.g. ll.* morwyr sailor,
  seaman.
morwyn *e.b. ll.* morynion maid, girl,
  virgin: y Forwyn Fair the Virgin
  Mary.
morwyr *gw.* morwr.
mos *gw.* bos.
mosys *gw.* bos.
motwm *gw.* botwm.
motymau *gw.* botwm.
mowlen *gw.* bowlen.
mraich *gw.* braich.
mrain *gw.* brân.
mraint *gw.* braint.
mrân *gw.* brân.
mraslun *gw.* braslun.
mraster *gw.* braster.
mraw *gw.* braw.

mrawd *gw.* brawd.
mrawddeg *gw.* brawddeg.
mrecwast *gw.* brecwast.
mrech *gw.* brech.
mrechdan *gw.* brechdan.
mrechiad *gw.* brechiad.
mreichiau *gw.* braich.
mreichled *gw.* breichled.
mrenhines *gw.* brenhines.
mrenin *gw.* brenin.
mres *gw.* bres.
mrest *gw.* brest.
mresychen *gw.* bresychen.
mrethyn *gw.* brethyn.
mreuddwyd *gw.* breuddwyd.
mreuddwydio *gw.* breuddwydio.
mreuddwydion *gw.* breuddwyd.
mrifo *gw.* brifo.
mrig *gw.* brig.
mrigau *gw.* brig, brigyn.
mrigyn *gw.* brigyn.
mriwsionyn *gw.* briwsionyn.
mro *gw.* bro.
mrodorion *gw.* brodor.
mrodyr *gw.* brawd.
mroga *gw.* broga.
mron *gw.* bron.
mronfraith *gw.* bronfraith.
mronnau: mronnydd *gw.* bron.
mrown *gw.* brown.
mröydd *gw.* bro.
mrws: mrwsh *gw.* brws.
mrwsio: mrwsho *gw.* brwsio.
mrwsys: mrwshys *gw.* brws.
mrwydr *gw.* brwydr.
mrwydrau *gw.* brwydr.
mryd *gw.* bryd.
mryn *gw.* bryn.
mryniau *gw.* bryn.
mrys *gw.* brys.
mrysio *gw.* brysio.
muarth *gw.* buarth.
muchod *gw.* buwch.
mud *a.* dumb, mute.
mudiad *e.g. ll.* **-au** movement:
  Mudiad Ysgolion Meithrin (Welsh)
  Nursery Schools' Movement.
muddugoliaeth *gw.* buddugoliaeth.
mugail *gw.* bugail.
mugeiliaid *gw.* bugail.
mugeilio *gw.* bugeilio.
mul *e.g. ll.* **-od** donkey; mule.
munud *e.g.b. ll.* **-au** minute:
  Arhoswch funud! Wait a minute!
mur *e.g. ll.* **-iau** wall.
musnes *gw.* busnes.
muwch *gw.* buwch.
mwced *gw.* bwced.
mwg *e.g.* smoke.

mwgwd *e.g. ll.* **mygydau** mask.
mwlch *gw.* bwlch.
mwnci *e.g. ll.* **mwncïod** monkey.
mwrdeistref *gw.* bwrdeistref.
mwrdd *gw.* bwrdd.
mwriad *gw.* bwriad.
mws *gw.* bws.
mwstwr *e.g. ll.* **mystyrau** noise,
  commotion, bustle *(S.W.)*.
mwthyn *gw.* bwthyn.
mwy **1** *a.* bigger, larger, greater,
  more, louder, longer, further. **2**
  ad. more. *Often followed by* **na**
  (**mwy na** more than): **mwy na**
  digon too much, excessive; **mwy na**
  mwy a lot, a great deal, very many,
  too much, exceedingly; **mwy na**
  thebyg more than likely; **mwy neu**
  lai more or less; *gw.* **mawr.**
mwyach *ad.* any more, any longer,
  again, henceforth.
mwyaf *gw.* mawr.
mwyar *gw.* mwyaren.
mwyaren *e.b. ll.* **mwyar** blackberry.
mwyd *gw.* bwyd.
mwydlen *gw.* bwydlen.
mwydo: mwyda *gw.* bwydo.
mwydod *gw.* mwydyn.
mwydyn *e.g. ll.* **mwydod** worm.
mwyn **1** *e.g. ll.* **-au** mineral; ore. **2**
  e.g. sake: **er mwyn** for the sake of:
  er mwyn Duw for God's sake.
  3 *a.* gentle, mild, dear.
mwynhad *e.g.* enjoyment, pleasure.
mwynhau *be.* **(mwynhaf)** to enjoy; to
  become mild.
mwyta: myta *gw.* bwyta.
mychan *gw.* bychan.
myd *gw.* byd.
myddin *gw.* byddin.
myfi *rhag.* I, me, myself.
myfyrdod *e.g. ll.* **-au** meditation.
myfyrio *be.* **(myfyriaf)** to study, to
  meditate.
myfyriwr *e.g. ll.* **myfyrwyr** student:
  myfyriwr hŷn mature student.
myglyd *a.* smoky, close, stifling.
mygu *be.* **(mygaf)** to smoke; to
  smother; to suffocate.
mygydau *gw.* mwgwd.
mylchau *gw.* bwlch.
mynach *e.g. ll.* **-od, mynaich** monk.
mynachlog *e.b. ll.* **-ydd** monastery.
mynachod *gw.* mynach.
mynaich *gw.* mynach.
mynd: myned *be.* **(af)** to go, to
  proceed; *gw. At. Berfau.*
mynedfa *e.b. ll.* **mynedfeydd**
  entrance, passage.

mynedfeydd *gw.* **mynedfa.**
mynediad *e.g. ll.* **-au** admission,
access, entry, going: **mynediad am
ddim** admission free.
mynegai *e.g. ll.* **mynegeion** index,
concordance.
mynegeion *gw.* **mynegai.**
mynegi (i) *be.* **(mynegaf)** to tell, to
indicate.
mynnu *be.* **(mynnaf)** to will, to insist,
to wish, to obtain.
mynwent *e.b. ll.* **-ydd** graveyard,
churchyard, cemetery.
mynydd *e.g. ll.* **-oedd** mountain;
llosgfynydd volcano.
mynyddig: mynyddog
a. mountainous.

myrbryd *gw.* **byrbryd.**
myrddau *gw.* **bwrdd.**
myrfodd *gw.* **byrfodd.**
myrfoddau *gw.* **byrfodd.**
myrr *e.g.* myrrh.
mys *gw.* **bys.**
mysedd *gw.* **bys.**
mysiau *gw.* **bws.**
mystyrau *gw.* **mwstwr.**
mysys *gw.* **bws.**
myta *gw.* **bwyta.**
myth *e.g. ll.* **-au** myth.
mythynnod *gw.* **bwthyn.**
myw *gw.* **byw.**
mywyd *gw.* **bywyd.**
mywydeg *gw.* **bywydeg.**

na 1 c. (*followed by spirant mutation*)
nor, neither, than. 2 ad. no, not; gw.
da. *At. Treigladau.*
nabod gw. adnabod.
nac 1 c. neither, nor. 2 ad. no, not.
nad ad. not.
nadansoddi gw. dadansoddi.
nadl gw. dadl.
nadlau gw. dadlau.
Nadolig e.g. ll. -au Christmas:
Nadolig llawen Merry Christmas.
nadredd: nadroedd gw. neidr.
naddo ad. no (*negative answer to
questions using verbs in the past
tense*): Fuest ti yn y dre ddoe?
Naddo. Were you in the town
yesterday? No. Ganodd e gyda'r
côr? Naddo. Did he sing with the
choir? No. Fuoch chi yn Rhos
erioed? Naddo. Were you ever in
Rhos? No.
naddu be. (naddaf) to chip, to hew, to
whittle.
naear gw. daear.
naeareg gw. daeareg.
naeargryn gw. daeargryn.
naearyddiaeth gw. daearyddiaeth.
nafad gw. dafad.
nag c. than.
nage ad. not so, no.
nagrau gw. deigryn.
nai e.g. ll. neiaint nephew.
naid e.g. ll. neidiau jump, leap,
bound.
nail gw. dalen, deilen.
naill rhag. the one, either: y naill
neu'r llall the one or the other; naill
ai Ebrill neu Fai either April or
May.
nain e.b. ll. neiniau grandmother
(N.W.); gw. mam-gu.

naioni gw. daioni.
nal: nala gw. dal.
nalen gw. dalen.
nalgylch gw. dalgylch.
nallu gw. dallu.
nam e.g. ll. -au flaw, blemish, mark.
nameg gw. dameg.
namhegion gw. dameg.
namwain gw. damwain.
nanfon gw. danfon.
nangos gw. dangos.
nannedd gw. dannedd.
nannoedd gw. dannoedd.
nant e.b. ll. nentydd brook, stream;
gw. dant.
narganfod gw. darganfod.
narlith gw. darlith.
narlithio gw. darlithio.
narlithiwr: narlithydd gw. darlithiwr.
narlun gw. darlun.
narlunio gw. darlunio.
narlledu gw. darlledu.
narllen gw. darllen.
narllenwr: narllenydd gw. darllenwr.
narn gw. darn.
natblygiad gw. datblygiad.
natblygu gw. datblygu.
natgan gw. datgan.
natganiad gw. datganiad.
natganoli gw. datganoli.
natguddio gw. datguddio.
natod gw. datod.
natrys gw. datrys.
natur e.b. nature; temper.
naturiol a. natural.
nathlu gw. dathlu.
nau gw. dau.
naw 1 a. nine. 2 e.g. nine: naw
deg ninety; naw deg un ninety
one; deunaw eighteen; naw wfft
ichi! blow you!
nawdd e.g. refuge; patronage,
support.
nawns gw. dawns.
nawnsio gw. dawnsio.
nawr ad. now: gw. rŵan.
naws e.b. ll. -au feeling, nature,
tingle, disposition, nuance: naws y
gaeaf feeling of winter; naws
oer cold feeling.
ne gw. de.
neall gw. deall.
neb e.g. anyone, no one: Does neb
yma There's no one here.
nechrau gw. dechrau.
nechreuad gw. dechreuad.
neddf gw. deddf.
neddfu gw. deddfu.
nef: nefoedd e.b. heaven: Nefoedd

nefol   nhaleb

Wen! Good heavens!
nefol: nefolaidd *a.* heavenly.
nefnydd *gw.* **defnydd.**
nefnyddio *gw.* **defnyddio.**
neffro *gw.* **deffro.**
neg: neng *gw.* **deg.**
negawd *gw.* **degawd.**
neges *e.b. ll.* **-au** message, errand;
negesydd messenger.
negyddol *a.* negative.
neiaint *gw.* **nai.**
neialog *gw.* **deialog.**
neidiau *gw.* **naid.**
neidio *be.* (**neidiaf**) to jump, to leap.
neidiwr *e.g. ll.* **neidwyr** jumper,
leaper.
neidr *e.b. ll.* **nadroedd, nadredd**
snake.
neidwyr *gw.* **neidiwr.**
neigryn *gw.* **deigryn.**
neilen *gw.* **deilen.**
neilliaid: neillion *gw.* **dall.**
neilltu *e.g.* one side; **o'r neilltu** apart,
aside.
neilltuo *be.* (**neilltuaf**) to reserve, to
set aside, to earmark.
neilltuol *a.* special, particular,
peculiar: **yn neilltuol o oer**
particularly cold.
neiniau *gw.* **nain.**
neintydd *gw.* **deintydd.**
neis *a.* nice.
neiseb *gw.* **deiseb.**
neithiwr *ad.* last night.
nelw *gw.* **delw.**
nen *e.b. ll.* **-nau, -noedd** ceiling;
heaven, sky.
nenfwd *e.g. ll.* **nenfydau** ceiling.
nentydd *gw.* **nant.**
nenu *gw.* **denu.**
nerbyn *gw.* **derbyn.**
nerbynneb *gw.* **derbynneb.**
nerf *e.b. ll.* **-au** nerve.
nerfus *a.* nervous.
neri *gw.* **deri.**
nerth *e.g. ll.* **-oedd** strength, might,
power.
nerthoedd *gw.* **nerth.**
nerw *gw.* **derw.**
nerwen *gw.* **derwen.**
nes *c. & ardd.* until; *gw.* **agos.**
nesaf *a.* next; *gw.* **agos.**
nesáu (at) *be.* (**nesâf**) to approach, to
draw near.
nesed *gw.* **agos.**
nesg *gw.* **desg.**
netholiad *gw.* **detholiad.**
neu *c.* (*followed by soft mutation*) or:
bachgen neu ferch boy or girl; **eira**

neu law rain or snow.
Note: conjugated forms of verbs do not
mutate after **neu: Rhedodd neu**
cerddodd He walked or ran; **Holais**
neu gofynnais I questioned or
asked.
neuadd *e.b. ll.* **-au** hall: **Neuadd**
Gyhoeddus Public Hall; **Neuadd**
Les Welfare Hall.
neuawd *gw.* **deuawd.**
neuddeg *gw.* **deuddeg.**
neuddegfed *gw.* **deuddegfed.**
neugain *gw.* **deugain.**
neunaw *gw.* **deunaw.**
neuoedd *gw.* **dau.**
newid 1 *be.* (**newidiaf**) to change, to
alter. 2 *e.g. ll.* **-iadau** change.
newin *gw.* **dewin.**
newis *gw.* **dewis.**
newydd 1 *a.* new; **newydd**
sbon brand new. 2 *e.g. ll.* **-ion**
news; **papur**
newydd newspaper.
newydd-ddyfodiad *e.g. ll.* **newydd-**
ddyfodiaid newcomer.
newyddiadurwr *e.g. ll.*
newyddiadurwyr journalist.
newyddion *gw.* **newydd.**
newyn *e.g.* famine, hunger.
nhabl *gw.* **tabl.**
nhabled *gw.* **tabled.**
nhacl *gw.* **tacl.**
nhaclo *gw.* **taclo.**
nhaclu *gw.* **taclu.**
nhaclwr *gw.* **taclwr.**
Nhachwedd *gw.* **Tachwedd.**
nhad *gw.* **tad.**
nhad-cu *gw.* **tad-cu.**
nhafarn *gw.* **tafarn.**
nhafarnwr *gw.* **tafarnwr.**
nhafell *gw.* **tafell.**
nhaflegryn *gw.* **taflegryn.**
nhaflen *gw.* **taflen.**
nhaflu *gw.* **taflu.**
nhafod *gw.* **tafod.**
nhafodiaith *gw.* **tafodiaith.**
nhafol *gw.* **tafol.**
nhagfa *gw.* **tagfa.**
nhagu *gw.* **tagu.**
nhangnefedd *gw.* **tangnefedd.**
nhai *gw.* **tŷ.**
nhaid *gw.* **taid.**
nhair *gw.* **tair.**
nhaith *gw.* **taith.**
nhâl *gw.* **tâl.**
nhalai *gw.* **talai.**
nhalaith *gw.* **talaith.**
nhalcen *gw.* **talcen.**
nhaleb *gw.* **taleb.**

nhalent
nhrafnidiaeth

nhalent *gw.* talent.
nhaloedd *gw.* tâl.
nhalu *gw.* talu.
nhalwr *gw.* talwr.
nhalwrn *gw.* talwrn.
nhamaid *gw.* tamaid.
nhameidiau *gw.* tamaid.
nhân *gw.* tân.
nhanau *gw.* tân.
nhancer *gw.* tancer.
nhanio *gw.* tanio.
nhannau *gw.* tant.
nhanseilio *gw.* tanseilio.
nhant *gw.* tant.
nhanwydd *gw.* tanwydd.
nhap *gw.* tap.
nhâp *gw.* tâp.
nhapiau *gw.* tap, tâp.
nharan *gw.* taran.
nharddiad *gw.* tarddiad.
nharged *gw.* targed.
nharian *gw.* tarian.
nhariannau *gw.* tarian.
nharo *gw.* taro.
nharw *gw.* tarw.
nhasg *gw.* tasg.
nhasgu *gw.* tasgu.
nhaten *gw.* taten.
nhato: nhatws *gw.* taten.
nhawelu *gw.* tawelu.
nhawelwch *gw.* tawelwch.
nhawelydd *gw.* tawelydd.
nhawelyn *gw.* tawelyn.
nhe *gw.* te.
nhebot *gw.* tebot.
nhebygrwydd *gw.* tebygrwydd.
nhecell *gw.* tecell.
nhechneg *gw.* techneg.
nhechnegwr *gw.* technegwr.
nhechnoleg *gw.* technoleg.
nhegan *gw.* tegan.
nhegell *gw.* tecell.
nhegwch *gw.* tegwch.
nhei *gw.* tei.
nheiar *gw.* teiar.
nheidiau *gw.* taid.
nheigr *gw.* teigr.
nheiliwr *gw.* teiliwr.
nheilsen *gw.* teilsen.
nheilwres *gw.* teilwres.
nheilyngdod *gw.* teilyngdod.
nheimlad *gw.* teimlad.
nheimlo *gw.* teimlo.
nheipiadur *gw.* teipiadur.
nheisen *gw.* teisen.
nheitl *gw.* teitl.
nheithiau *gw.* taith.
nheithio *gw.* teithio.
nheithiwr *gw.* teithiwr.

nhelediad *gw.* telediad.
nheledu *gw.* teledu.
nheleffon *gw.* teleffon.
nhelyn *gw.* telyn.
nhelyneg *gw.* telyneg.
nhelynor *gw.* telynor.
nhelynores *gw.* telynores.
nhelynorion *gw.* telynor.
nheml *gw.* teml.
nherfyn *gw.* terfyn.
nherfysg *gw.* terfysg.
nherfysgaeth *gw.* terfysgaeth.
nherfysgwr *gw.* terfysgwr.
nherm *gw.* term.
nhes *gw.* tes.
nhestun *gw.* testun.
nheulu *gw.* teulu.
nheyrnas *gw.* teyrnas.
nhiced *gw.* ticed.
nhîm *gw.* tîm.
nhip *gw.* tip.
nhipyn *gw.* tipyn.
nhir *gw.* tir.
nhirlun *gw.* tirlun.
nhiroedd *gw.* tir.
nhlodi *gw.* tlodi.
nhlws *gw.* tlws.
nhlysau *gw.* tlws.
nho *gw.* to.
nhocyn *gw.* tocyn.
nhocynnwr *gw.* tocynnwr.
nhoddi *gw.* toddi.
nhoes *gw.* toes.
nhoiled *gw.* toiled.
nholc *gw.* tolc.
nholl *gw.* toll.
nhon *gw.* ton.
nhôn *gw.* tôn.
nhonau *gw.* tôn.
nhonfedd *gw.* tonfedd.
nhonnau *gw.* ton.
nhorch *gw.* torch.
nhorf *gw.* torf.
nhorfeydd *gw.* torf.
nhoriad *gw.* toriad.
nhorri *gw.* torri.
nhors *gw.* tors.
nhorth *gw.* torth.
nhosau *gw.* tosyn.
nhost *gw.* tost.
nhostrwydd *gw.* tostrwydd.
nhosyn *gw.* tosyn.
nhrachwant *gw.* trachwant.
nhraddodiad *gw.* traddodiad.
nhraed *gw.* troed.
nhraeth *gw.* traeth.
nhraethau *gw.* traeth.
nhraethawd *gw.* traethawd.
nhrafnidiaeth *gw.* trafnidiaeth.

105

nhrafod

nhyner

nhrafod *gw.* trafod.
nhrafferth *gw.* trafferth.
nhrafferthu *gw.* trafferthu.
nhraffordd *gw.* traffordd.
nhraffyrdd *gw.* traffordd.
nhrai *gw.* trai.
nhrais *gw.* trais.
nhrallod *gw.* trallod.
nhrallwysiad *gw.* trallwysiad.
nhrap *gw.* trap.
nhraul *gw.* traul.
nhrawsblannu *gw.* trawsblannu.
nhrawst *gw.* trawst.
nhrechu *gw.* trechu.
nhref: nhre *gw.* tref.
nhrefn *gw.* trefn.
nhrefnu *gw.* trefnu.
nhrefnydd *gw.* trefnydd.
nhrefydd *gw.* tref.
nhreial *gw.* treial.
nhreiglad *gw.* treiglad.
nhreiglo *gw.* treiglo.
nhreisio *gw.* treisio.
nhrên *gw.* trên.
nhrenau *gw.* trên.
nhreth *gw.* treth.
nhrethdalwr *gw.* trethdalwr.
nhrethu *gw.* trethu.
nhreuliau *gw.* traul.
nhreulio *gw.* treulio.
nhri *gw.* tri.
nhriawd *gw.* triawd.
nhric *gw.* tric.
nhrigain *gw.* trigain.
nhrigfan *gw.* trigfan.
nhrigolion *gw.* trigolion.
nhrin *gw.* trin.
nhrindod *gw.* trindod.
nhrioedd *gw.* trioedd.
nhriongl *gw.* triongl.
nhristwch *gw.* tristwch.
nhro *gw.* tro.
nhrochi *gw.* trochi.
nhroeau *gw.* tro.
nhroed *gw.* troed.
nhroedfedd *gw.* troedfedd.
nhroedffordd *gw.* troedffordd.
nhröedigaeth *gw.* tröedigaeth.
nhroedio *gw.* troedio.
nhroeon *gw.* tro.
nhrogylch *gw.* trogylch.
nhroi *gw.* troi.
nhrosedd *gw.* trosedd.
nhroseddwr *gw.* troseddwr.
nhrosgais *gw.* trosgais.
nhrosglwyddo *gw.* trosglwyddo.
nhrosiad *gw.* trosiad.
nhroswr *gw.* troswr.
nhrothwy *gw.* trothwy.

nhrowsus *gw.* trowsus.
nhruan *gw.* truan.
nhrueni *gw.* trueni.
nhrugaredd *gw.* trugaredd.
nhrwbl *gw.* trwbl.
nhrwser *gw.* trwser.
nhrwsiwr *gw.* trwsiwr.
nhrwydded *gw.* trwydded.
nhrwyn *gw.* trwyn.
nhrychineb *gw.* trychineb.
nhrydan *gw.* trydan.
nhrydanwr *gw.* trydanwr.
nhrydedd *gw.* trydedd.
nhrydydd *gw.* trydydd.
nhrysor *gw.* trysor.
nhrysorfa *gw.* trysorfa.
nhrysori *gw.* trysori.
nhrysorydd *gw.* trysorydd.
nhrywydd *gw.* trywydd.
nhudalen *gw.* tudalen.
nhueddiad *gw.* tueddiad.
nhun *gw.* tun.
nhunnell *gw.* tunnell.
nhw: hwy *rhag.* they, them: **Ble maen nhw?** Where are they? **Gwelodd nhw** He/she saw them.
nhwlc *gw.* twlc.
nhwll *gw.* twll.
nhwmpath *gw.* twmpath.
nhwndis *gw.* twndis.
nhwnel *gw.* twnel.
nhwpsyn *gw.* twpsyn.
nhŵr *gw.* tŵr.
nhwr *gw.* twr.
nhwrci *gw.* twrci.
nhwristiaeth *gw.* twristiaeth.
nhwrw *gw.* twrw.
nhwyll *gw.* twyll.
nhwyllo *gw.* twyllo.
nhwymo *gw.* twymo.
nhwymyn *gw.* twymyn.
nhŷ *gw.* tŷ.
nhybied: nhybio *gw.* tybied.
nhyddyn *gw.* tyddyn.
nhyddynnwr *gw.* tyddynnwr.
nhyfiant *gw.* tyfiant.
nhyfu *gw.* tyfu.
nhynged *gw.* tynged.
nhyle *gw.* tyle.
nhylwyth *gw.* tylwyth.
nhyllau *gw.* twll.
nhyllu *gw.* tyllu.
nhylluan *gw.* tylluan.
nhymer *gw.* tymer.
nhymestl *gw.* tymestl.
nhymheredd *gw.* tymheredd.
nhymhorau *gw.* tymor.
nhymor *gw.* tymor.
nhyner *gw.* tyner.

nhynerwch *gw.* tynerwch.
nhynnu *gw.* tynnu.
nhyrfa *gw.* tyrfa.
nhyst *gw.* tyst.
nhystiolaeth *gw.* tystiolaeth.
nhystysgrif *gw.* tystysgrif.
nhywel *gw.* tywel.
nhywod *gw.* tywod.
nhywydd *gw.* tywydd.
nhywyllu *gw.* tywyllu.
nhywyllwch *gw.* tywyllwch.
nhywys *gw.* tywys.
nhwysog *gw.* tywysog.
nhywysoges *gw.* tywysoges.
ni *rhag.* we, us.
ni: nid *ad.* not.
niacon *gw.* diacon.
niafol *gw.* diafol.
nial *gw.* dial.
nianc *gw.* dianc.
niawl *gw.* diawl.
niawliaid *gw.* diafol, diawl.
niben *gw.* diben.
nid *gw.* ni.
niddordeb *gw.* diddordeb.
nieithryn *gw.* dieithryn.
nifer (o) *e.g.b.* *ll.* -oedd, -i number,
   quantity: nifer o fechgyn a
   number of boys.
niferyn *gw.* diferyn.
nifetha *gw.* difetha.
nifyrru *gw.* difyrru.
niffiniad *gw.* diffiniad.
niffinio *gw.* diffinio.
niffodd *gw.* diffodd.
niffyg *gw.* diffyg.
nigon *gw.* digon.
nigonedd *gw.* digonedd.
nigwyddiad *gw.* digwyddiad.
nihareb *gw.* dihareb.
niheintydd *gw.* diheintydd.
nihuno *gw.* dihuno.
nileu *gw.* dileu.
nilyn *gw.* dilyn.
nilliad *gw.* dilledyn.
nilledyn *gw.* dilledyn.
nim *gw.* dim.
ninas *gw.* dinas.
ninasyddion *gw.* dinesydd.
ninesydd *gw.* dinesydd.
ninistrio *gw.* dinistrio.
ninnau *rhag.* we also.
niod *gw.* diod.
nioddef *gw.* dioddef.
niogi *gw.* diogi.
niogyn *gw.* diogyn.
niolch *gw.* diolch.
niolchgarwch *gw.* diolchgarwch.
nirgelwch *gw.* dirgelwch.

nirprwy *gw.* dirprwy.
nirprwyaeth *gw.* dirprwyaeth.
nirwy *gw.* dirwy.
nis *ad.* not . . . him/her/it/them; nis
   gwelais I did not see him/etc.
nisg *gw.* disg.
nisgrifiad *gw.* disgrifiad.
nisgrifio *gw.* disgrifio.
nisgwyl *gw.* disgwyl.
nisgybl *gw.* disgybl.
nisgyblaeth *gw.* disgyblaeth.
nisgyn *gw.* disgyn.
nistawrwydd *gw.* distawrwydd.
nistewi *gw.* distewi.
niswyddo *gw.* diswyddo.
nith *e.b.* *ll.* -oedd niece.
niwallu *gw.* diwallu.
niwed *e.g.* *ll.* niweidiau harm,
   damage, injury: gwneud niwed i to
   harm.
niwedd *gw.* diwedd.
niweddglo *gw.* diweddglo.
niweidiau *gw.* niwed.
niwl *e.g.* *ll.* -oedd mist, haze; niwl
   trwchus fog.
niwlog *a.* misty, foggy, hazy.
niwrnod *gw.* diwrnod.
niwydiant *gw.* diwydiant.
niwygiad *gw.* diwygiad.
niwygio *gw.* diwygio.
niwylliant *gw.* diwylliant.
noc *gw.* doc.
noctor *gw.* doctor.
nod *e.g.b.* *ll.* -au, -ion note; mark,
   token, aim.
nodau *gw.* nod, nodyn.
nodedig *a.* remarkable, noted,
   appointed, specified.
nodi *be.* (nodaf) to note, to mark, to
   appoint, to state; *gw.* dodi.
nodrefn *gw.* dodrefnyn.
nodrefnyn *gw.* dodrefnyn.
nodwedd *e.b.* *ll.* -ion character,
   feature, characteristic: rhaglen
   nodwedd feature programme.
nodweddiadol *a.* characteristic,
   typical.
nodwydd *e.b.* *ll.* -au needle.
nodyn *e.g.* *ll.* nodau note.
noddwr *e.g.* *ll.* noddwyr protector,
   patron.
noe *gw.* doe.
noeth *a.* naked, bare, exposed, raw,
   sheer.
noethineb *gw.* doethineb.
nofel *e.b.* *ll.* -au novel.
nofelwr: nofelydd *e.g.* *ll.* nofelwyr
   novelist.
nofiad *e.g.* a swim.

nofió *be.* **(nofiaf)** to swim.
nogfen *gw.* **dogfen.**
nol *gw.* **dol.**
nôl: hôl *be.* **(nolaf: holaf)** to fetch;
   gw. **dôl.**
nolen *gw.* **dolen.**
nolur *gw.* **dolur.**
Norman *e.g. ll.* **-iaid** Norman:
   castell Normanaidd Norman castle.
nos *e.b. ll.* **-au** night: **nos da** good
   night; **nos Sul** Sunday night; **nos**
   yfory tomorrow night.
nosbarth *gw.* **dosbarth.**
noson: noswaith *e.b. ll.* **nosweithiau**
   evening: **noswaith dda** good
   evening; **noson lawen** merry
   evening; **am ddwy noson** for two
   evenings.
nosweithiau *gw.* **noson.**
nraen: nraenen *gw.* **draen.**
nraenog *gw.* **draenog.**
nraig *gw.* **draig.**
nrain *gw.* **draen.**
nrama *gw.* **drama.**
nramodwr *gw.* **dramodwr.**
nramodydd *gw.* **dramodwr.**
nreigiau *gw.* **draig.**
nreser: nresel *gw.* **dreser.**
nrewdod *gw.* **drewdod.**
nringwr *gw.* **dringwr.**
nrudwy *gw.* **drudwy.**
nrwg *gw.* **drwg.**
nrwm *gw.* **drwm.**
nrws *gw.* **drws.**
nrych *gw.* **drych.**
nrychiolaeth *gw.* **drychiolaeth.**
nrygioni *gw.* **drygioni.**
nryll *gw.* **dryll.**
nryliau *gw.* **dryll.**
nrysau *gw.* **drws.**
nrysu *gw.* **drysu.**
nryw *gw.* **dryw.**
null *gw.* **dull.**
nuo *gw.* **duo.**
nur *gw.* **dur.**
nuw *gw.* **duw.**
nuwies *gw.* **duwies.**

nwfr *gw.* **dŵr**
nŵr *gw.* **dŵr.**
nwrn *gw.* **dwrn.**
nwsin *gw.* **dwsin.**
nwy *e.g. ll.* **-on, -au** gas: **Nwy Môr y**
   Gogledd North Sea gas; *gw.* **dwy.**
nwyau *gw.* **nwy.**
nwydd *e.g. ll.* **-au** material, article:
   nwyddau goods (*note: only the*
   plural form is used).
nwyon *gw.* **nwy.**
nwyieithrwydd *gw.* **dywieithrwydd.**
nwylo *gw.* **dwylo.**
nwyn *gw.* **dwyn.**
nwyrain *gw.* **dwyrain.**
nychmygion *gw.* **dychymyg.**
nychmygu *gw.* **dychmygu.**
nychymyg *gw.* **dychymyg.**
nydd *gw.* **dydd.**
nyddiad *gw.* **dyddiad.**
nyfarniad *gw.* **dyfarniad.**
nyfarnu *gw.* **dyfarnu.**
nyfarnwr *gw.* **dyfarnwr.**
nyfnder *gw.* **dyfnder.**
nyfodol *gw.* **dyfodol.**
nyfroedd *gw.* **dŵr.**
nyfyniad *gw.* **dyfyniad.**
nyffryn *gw.* **dyffryn.**
nylanwad *gw.* **dylanwad.**
nyled *gw.* **dyled.**
nyletswydd *gw.* **dyletswydd.**
nymuniad *gw.* **dymuniad.**
nyn *gw.* **dyn.**
nynes *gw.* **dynes.**
nyni *rhag.* we, us.
nyrnaid *gw.* **dyrnaid.**
nyrnau *gw.* **dwrn.**
nyrs *e.g.b. ll.* **-ys** nurse.
nyrsio *be.* **(nyrsiaf)** to nurse.
nysgl *gw.* **dysgl.**
nysgu *gw.* **dysgu.**
nysgwr *gw.* **dysgwr.**
nyth *e.b. ll.* **-od** nest: **nyth y**
   dryw the wren's nest.
nywediad *gw.* **dywediad.**
nyweddïad *gw.* **dyweddïad.**

o *ardd. (followed by soft mutation)*
(personal forms: **ohono, ohonot,
ohono/ohoni, ohonon, ohonoch,
ohonyn)** from, of, out of: **o
amgylch** around; **o chwith** wrongly,
the wrong way about; **o flaen**
before, ahead of; **o gwbl** at all; **o
gwmpas** about, at all; **o hyd** still;
o'r blaen beforehand, earlier,
previously; **o'r diwedd** at last; **o'r
gloch** o'clock; **o'r gorau** very well;
gw. At. Arddodiaid; gw. **ef.**
obaith *gw.* **gobaith.**
obeithio *gw.* **gobeithio.**
obeithion *gw.* **gobaith.**
obennydd *gw.* **gobennydd.**
oblegid *c. & ardd* because, for.
ochenaid *e.b. ll.* **ocheneidiau** sigh.
ochneidio *be.* **(ochneidiaf)** to sigh, to
groan.
ochr *e.b. ll.* **-au** side: **ochr yn ochr**
side by side; **wrth ochr** beside;
yr ochr draw i (on) the other side to.
od *a.* odd, bizarre; remarkable.
odidog *gw.* **godidog.**
odl *e.b. ll.* **-au** rhyme; ode, song.
odli *be.* **(odlaf)** to rhyme.
odre *gw.* **godre.**
odro *gw.* **godro.**
oddef *gw.* **goddef.**
oddeutu *ardd. & ad.* about, around.
oddi *ardd.* out of, from: **oddi
allan** outside; **oddi ar** from off;
since; **oddieithr** except, unless; **oddi
mewn** within; **oddi wrth** from; **oddi
yma** from here.
oddrych *gw.* **goddrych.**
oed *e.g. ll.* **-au** age; time: **blwydd
oed** year old; **saith oed** seven years
of age; **gwneud oed â** to arrange a
tryst, to make a date.

oedfa *e.b. ll.* **-on, oedfeuon** service,
meeting.
oedi *be.* **(oedaf)** to delay, to postpone;
to linger.
oedolion *gw.* **oedolyn.**
oedolyn *e.g. ll.* **oedolion** adult.
oedran *e.g. ll.* **-nau** age.
oedrannus *a.* aged, elderly.
oedd *bf.* was, were; *gw.* **bod.**
oen *e.g. ll.* **ŵyn** lamb.
oer *a.* cold, chill, chilly; frigid.
oerfel *e.g.* cold.
oeri *be.* **(oeraf)** to cool, to become
cold.
oes 1 *eb. ll.* **-au, -oedd** age, lifetime:
ers oes from an age; **o oes i oes**
from age to age; **yn oes oesoedd** for
ever and ever. 2 *bf.* is, are; *gw.* **bod.**
of *gw.* **gof.**
ofal *gw.* **gofal.**
ofalu *gw.* **gofalu.**
ofalus *gw.* **gofalus.**
ofalwr *gw.* **gofalwr.**
ofer *a.* vain; prodigal; waste; **ymgais
ofer** a vain attempt.
oferedd *e.g.* vanity, dissipation,
frivolity.
ofergoel *e.b. ll.* **-ion** superstition.
ofergoeledd: **ofergoeliaeth**
e.g. superstition.
ofergoelus *a.* superstitious.
ofid *gw.* **gofid.**
ofidio *gw.* **gofidio.**
ofn *e.g. ll.* **-au** fear, terror, dread:
Mae ofn arno fe He is afraid; **Mae
ofn llygod arna i** I am afraid of
mice.
ofnadwy *a.* awful, dreadful,
horrendous.
ofnau *gw.* **ofn.**
ofni *be.* **(ofnaf)** to fear, to dread.
ofnus *a.* timid, nervous.
ofod *gw.* **gofod.**
ofodwr *gw.* **gofodwr.**
ofyn *gw.* **gofyn.**
offeiriad *e.g. ll.* **offeiriaid** priest,
parson.
offer *gw.* **offeryn.**
offeryn *e.g. ll.* **-nau, offer**
instrument, tool, apparatus,
equipment: **offeryn cerdd** musical
instrument; **offeryn chwyth** wind
instrument; **offeryn llinynnol**
stringed instrument; **offerynnau
taro** percussion instruments.
offerynnol *a.* instrumental; **darn
offerynnol** instrumental piece *(of
music).*
ogledd *gw.* **gogledd.**

ogleddol *gw.* **gogleddol.**
ogleddwr *gw.* **gogleddwr.**
ogof *e.b.* *ll.* **-au, -âu** cave, cavern; den.
ogoniant *gw.* **gogoniant.**
ogylch *ardd.* about.
ongl *e.b.* *ll.* **-au** angle: **ongl sgwâr** right angle; **triongl** triangle.
onglog *a.* angular.
oherwydd *c.* & *ardd.* because, for.
ôl 1 *e.g.* *ll.* **olion** mark, print; track; trace: **ôl bysedd** finger-marks; **ôl traed** footprints. 2 *a.* back, hint: **ar ôl** after; **pen ôl** behind, bottom *(buttocks)*; **yn ôl** according to; ago; **y tu ôl i** behind.
olaf *a.* last *(the very last)*; *gw.* **hwyr.**
olau *gw.* **golau.**
olchi *gw.* **golchi.**
olchydd *gw.* **golchydd.**
oleudy *gw.* **goleudy.**
oleuni *gw.* **goleuni.**
oleuo *gw.* **goleuo.**
olew *e.g.* *ll.* **-au** oil; **maes olew** oilfield.
olion *gw.* **ôl.**
ôl-nodiad *e.g.* *ll.* **ôl-nodiadau** postscript.
ôl-ofal *e.g.* *ll.* **ôl-ofalon** after-care.
olrhain *be.* **(olrheiniaf)** to trace, to track.
olud *gw.* **golud.**
olwg *gw.* **golwg.**
olwr *e.g.* *ll.* **olwyr** back *(rugby, etc.)*
olwyn *e.b.* *ll.* **-ion** wheel: **cadair olwynion** wheelchair; **olwyn fesur** trundle wheel.
olwyr *gw.* **olwr.**
olygfa *gw.* **golygfa.**
olygon *gw.* **golwg.**
olygu *gw.* **golygu.**
oll *ad.* all, wholly; ever, at all.
ollwng *gw.* **gollwng.**
ond 1 *c.* but, only. 2 *ardd.* except; save; but.
onest *gw.* **gonest.**
oni: onid 1 *ad.* not? is it not? 2 *c.* if not, unless. 3 *ardd.* except; save; but: **onid e?** otherwise; else; is it not?
onibai (am) *c.* were it not (for).

onid *gw.* **oni.**
onnen *e.b.* *ll.* **ynn** ash-tree.
opera *e.b.* *ll.* **operâu** opera: **opera ddigri** comic opera; **opera fawreddog** grand opera; **opera ysgafn** light opera; **opera sebon** soap opera.
optegwr: optegydd *e.g.* *ll.* **optegwyr** optician.
orau *gw.* **da.**
orchfygu *gw.* **gorchfygu.**
orchymyn *gw.* **gorchymyn.**
oren *e.g.* *ll.* **-au** orange.
orfod *gw.* **gorfod.**
orfodaeth *gw.* **gorfodaeth.**
orfodi *gw.* **gorfodi.**
orfodol *gw.* **gorfodol.**
orfoleddus *gw.* **gorfoleddus.**
orffen *gw.* **gorffen.**
Orffennaf *gw.* **Gorffennaf.**
orffennol *gw.* **gorffennol.**
orffwys *gw.* **gorffwys.**
orffwyso *gw.* **gorffwyso.**
organ *e.g.b.* *ll.* **-au** organ; **organ geg** mouth-organ.
organig *a.* organic.
organydd *e.g.* *ll.* **-ion** organist.
oriau *gw.* **awr.**
oriel *e.b.* *ll.* **-au** gallery.
orlawn *gw.* **gorlawn.**
orllewin *gw.* **gorllewin.**
ormod *gw.* **gormod.**
ornest *e.b.* *ll.* **-au** contest, combat, duel, match; *gw.* **gornest.**
orsaf *gw.* **gorsaf.**
orsedd *gw.* **gorsedd.**
oruchaf *gw.* **goruchaf.**
orwedd *gw.* **gorwedd.**
orwel *gw.* **gorwel.**
os *c.* if *(definite not conjecture)*. **Os daw Tom, dof i hefyd** If Tom comes, I will come too.
osgoi *be.* **(osgoiaf)** to avoid, to swerve, to evade; to shirk: **ffordd-osgoi** bypass.
osod *gw.* **gosod.**
ostwng *gw.* **gostwng.**
ostyngedig *gw.* **gostyngedig.**
ostyngiad *gw.* **gostyngiad.**
owns *e.b.* *ll.* **-ys** ounce; **dwy owns** two ounces.

pedair

pa *a.* Which? What? **(Pa) beth?**
What (thing)? **Pa bryd? Pryd?**
When? **Pa fodd?** How? **P'un?**
Which one? *gw.* **pam.**
Pab *e.g. ll.* **-au** Pope.
pabell *e.b. ll.* **pebyll** tent, pavilion.
pabi *e.b. ll.* **pabïau** poppy.
pabydd *e.g. ll.* **-ion** papist.
pac *e.g. ll.* **-au, -iau** pack, bundle.
paced *e.g. ll.* **-i** packet, package.
paciau *gw.* **pac.**
pacio *be.* **(paciaf)** to pack.
padell *e.b. ll.* **-i** bowl, pan.
pader *e.g. ll.* **-au** the Lord's prayer,
prayers: **dweud pader/dysgu pader
i berson** 'to teach your
grandmother to suck eggs'.
paent *e.g. ll.* **-iau** paint.
pafiliwn *e.g.* pavilion.
pafin *e.g. ll.* **-au** pavement *(S.W.)*.
pagan *e.g.* **-iaid** pagan.
paham *gw.* **pam.**
pais *e.b. ll.* **peisiau** petticoat.
pâl 1 *e.b. ll.* **palau** spade *(S.W.)*. **2**
e.g. ll. **palod** puffin.
palas *e.g. ll.* **-au, -oedd** palace.
palau *gw.* **pâl.**
palmant *e.g. ll.* **-au** pavement
(N.W.).
palod *gw.* **pâl.**
palu *be.* **(palaf)** to dig over *(not
down)*.
pallu *be.* **(pallaf)** to refuse, to fail, to
cease, to lack.
pam: paham: pa *ad.* why?
pamffled *e.g. ll.* **-i, -au** pamphlet.
pamffledyn *e.g.* pamphlet.
pan *c.* when.
panasen *e.b. ll.* **pannas** parsnip.
panel *e.g. ll.* **-i** panel.

pannas *gw.* **panasen.**
pant *e.g. ll.* **-au, -iau** valley, hollow;
dent: **Mae e bant** He's away; **o bant
i bentan** from pillar to post.
papur *e.g. ll.* **-au** paper; **papur
newydd** newspaper; **papur deg
punt** ten-pound note; **papur
wal** wall-paper.
papuro *be.* **(papuraf)** to paper.
pâr *e.g. ll.* **parau** pair.
para (i): parhau (i) *be.* **(paraf)** to
continue (to).
paragraff *e.g. ll.* **-au** paragraph.
paratoi (i) *be.* **(paratoaf)** to prepare
(to): **paratoi i fynd** to prepare to go.
parau *gw.* **pâr.**
parc *e.g. ll.* **-au, -iau** park; field
(S.W.W.).
parch *e.g.* respect: **dillad
parch** Sunday best, best clothes *(lit.
the clothes of respect)*.
parchedig *a. ll.* **-ion** *(often
abbreviated to* **y parchg.** reverend,
reverent: **Y Parchedig Ifan Rhys**
Reverend Ifan Rhys.
parchu *be.* **(parchaf)** to respect.
parchus *be.* respectable, respectful.
pardwn *e.g. ll.* **pardynau** pardon.
parhad *e.g.* continuation.
parhau *gw.* **para.**
parod *a.* ready, willing, prepared:
yn barod already; **arian
parod** ready cash.
parsel *e.g. ll.* **-au, -i** parcel.
parti *e.g. ll.* **-ion** party.
Pasg *e.g.* Easter: **Dydd Llun y
Pasg** Easter Monday; **wy
Pasg** Easter egg; **y Pasg** Easter.
pasiannau *gw.* **pasiant.**
pasiant *e.g. ll.* **pasiannau** pageant.
patrwm *e.g. ll.* **patrymau** pattern.
patrwn *e.g. ll.* **patrynau** pattern.
patrymau *gw.* **patrwm.**
patrynau *gw.* **patrwn.**
pawb *e.g.* everybody, all.
pawen *e.b. ll.* **-nau** paw.
pe *cys.* if: **Pe bawn i yno** If I were
there.
pebyll *gw.* **pabell.**
pecyn *e.g. ll.* **-nau** package, packet.
pechadur *e.g. ll.* **-iaid** sinner.
pechod *e.g. ll.* **-au** sin: **Dyna
bechod!** What a pity!
pechu *be.* **(pechaf)** to sing; **pechu yn
erbyn** to sin against.
pedair *e.b. & a.b. (adjective placed
before feminine noun)* four: **pedair
merch** four girls; **pedair
cadair** four chairs; *gw.* **pedwar.**

111

pedol   person

pedol *e.b. ll.* -au horse-shoe.
pedwar *e.g. ll. & a.g.* four: *gw.*
pedair.
pedwaredd *a.b.* fourth: **y
bedwaredd ferch** the fourth girl.
pedwerydd *a.g.* fourth: **y
pedwerydd bachgen** the fourth
boy.
peg *e.g. ll.* -iau peg.
pegwn *e.g. ll.* **pegynau** pole:
Pegwn y De South Pole; **Pegwn y
Gogledd** North Pole.
pegynau *gw.* **pegwn.**
peidio (â) be. **(peidiaf)** to cease, to
stop: **Paid (â) siarad** Don't talk.
peilot *e.g. ll.* -iaid pilot.
peint *e.g. ll.* -iau pint: **peint a
hanner** a pint and a half.
peintio *be.* **(peintiaf)** to paint.
peintiwr *e.g. ll.* **peintwyr** painter.
peiriannau *gw.* **peiriant.**
peiriant *e.g. ll.* **peiriannau** engine,
machine: **peiriant golchi** washing
machine; **peiriant car** car engine;
peiriant gwnïo sewing machine.
peisiau *gw.* **pais.**
pêl *e.b. ll.* **peli, pelau** ball: **pêl-
droed** football; **pêl rygbi** rugby
ball.
pelydr *e.g. ll.* -au ray, beam: **pelydr
X** X ray.
pell *a.* far; *gw. At. Ansoddeiriau.*
pellach *gw.* **pell.**
pellaf *gw.* **pell.**
pelled *gw.* **pell.**
pellter *e.g. ll.* -au, -oedd distance:
yn y pellter in the distance; **o
bellter** from a distance.
pen 1 *e.g. ll.* -nau head, top, end,
mouth: **ar ben** on top of, ended; **ar
ei phen ei hun** by herself; **pen y
bryn** top of the hill; **pen ôl** behind,
bottom *(buttocks).* 2 *a.* chief,
supreme.
penaethiaid *gw.* **pennaeth.**
penawdau *gw.* **pennawd.**
pen-blwydd *e.g. ll.* -i birthday.
pencadlys *e.g. ll.* -oedd
headquarters.
pencampwr *e.g. ll.* **pencampwyr**
champion.
pendant *a.* positive, definite,
emphatic.
penderfyniad *e.g. ll.* -au resolution,
determination.
penderfynol *a.* resolute, determined:
yn benderfynol o determined to.
penderfynu *be.* **(penderfynaf)** to
decide, to resolve: **Fe benderfynodd**

fynd He decided to go.
penelin *e.g.b. ll.* -oedd elbow.
penfoel *a.* bald-headed.
pen-glin: pen-lin *e.b. ll.* **pengliniau:
penliniau** knee.
penigamp *a.* splendid, excellent.
penillion *gw.* **pennill.**
pen-lin *gw.* **pen-glin.**
penlinio *be.* **(penliniaf)** to kneel.
pennaeth *e.g. ll.* **penaethiaid** chief.
pennaf *a.* principal, chief.
pennau *gw.* **pen.**
pennawd *e.g. ll.* **penawdau**
heading: headline: **penawdau'r
newyddion** the news headlines.
pennill *e.g. ll.* **penillion** stanza,
verse.
pennod *e.b. ll.* **penodau** chapter.
penodau *gw.* **pennod.**
penodi *be.* **(penodaf)** to appoint.
penodiad *e.g. ll.* -au appointment.
penrhyn *e.g. ll.* -au promontory,
headland.
pensaer *e.g. ll.* **penseiri** architect.
penseiri *gw.* **pensaer.**
pensil *e.g. ll.* -iau pencil.
pensiwn *e.g. ll.* **pensiynau** pension.
pensiynau *gw.* **pensiwn.**
pensiynwr *e.g. ll.* **pensiynwyr**
pensioner.
penteulu *e.g. ll.* -oedd head of
family.
pentref *e.g. ll.* -i village.
pentwr *e.g. ll.* **pentyrrau** heap,
mass, pile.
pentyrrau *gw.* **pentwr.**
pêr *a.* sweet *(of sound); gw.* **peren.**
perchen: perchennog *e.g. ll.*
perchenogion owner, proprietor:
Roedd e'n berchen ar dŷ He was a
house owner.
perchenogaeth *e.b.* ownership.
perchenogi *be.* to own.
peren *e.b. ll.* **pêr** pear.
pererin *e.g. ll.* -ion pilgrim.
perfedd *e.g. ll.* -ion entrails, guts,
middle: **perfedd gwlad** heart of
countryside; **perfedd nos** dead of
night.
perffaith *a.* perfect.
perffeithio *be.* **(perffeithiaf)** to
perfect.
peri (i) *be.* **(peraf)** to cause.
perl *e.g. ll.* -au pearl.
perllan *e.b. ll.* -nau orchard.
persawr *e.g. ll.* -au perfume,
fragrance.
persli *e.g.* parsley.
person *e.g. ll.* -au person. *e.g.*

personol

pluf

personol *ll.* **-iaid** parson.
personol *a.* personal.
personoliaeth *e.b. ll.* **-au**
personality.
pert *a.* pretty.
perth *e.b. ll.* **-i** bush; hedge *(S.W.).*
perthnasau *gw.* **perthynas.**
perthnasol *a.* relevant.
perthyn (i) *be.* **(perthynaf)** to belong,
to be related.
perthynas *e.b.g. ll.* **perthnasau**
relation; relationship.
perygl *e.g. ll.* **peryglon** danger.
peryglus *a.* dangerous.
peswch 1 *be.* **(pesychaf)** to cough.
2 *e.g.* a cough.
pesychiad *e.g. ll.* **-au** cough.
petai *bf.* if it were *(conjecture);* **pe
bai** if; **pe basai** if.
petrol *e.g. ll.* **-au** petrol: **petrol
di-blwm** unleaded petrol.
peth *e.g. ll.* **-au** thing, some, part:
pa beth? what (thing)? **oes peth ar
ôl** is there some left?
piano *e.g.b. ll.* **-s** piano.
pianydd *e.g. ll.* **-ion** pianist.
pib *e.b. ll.* **-au: pibell** *e.b. ll.* **-au, -i**
pipe *(smoking, musical variety):*
canu'r pibau to play the pipes;
tanio pib to light a pipe.
piben *e.b. ll.* **-ni** pipe *(drainpipe,
etc.).*
picil *e.g.* pickle, trouble; **mewn
picil** in trouble.
pictiwr *e.g. ll.* **pictiyrau** picture.
picwn *gw.* **picwnen.**
picwnen *e.b. ll.* **picwn** wasp *(S.W.).*
pigfain *a.* tapering.
pigiad *e.g. ll.* **-au** prick, sting;
injection.
pigo *be.* **(pigaf)** to pick, to sting, to
prick, to peck.
pigog *a.* prickly, irritable.
pil *e.g. ll.* **-ion** peel.
piler *e.g. ll.* **-au, -i** pillar, column: **o
biler i bost** from pillar to post.
pilio *be.* **(piliaf)** to peel.
pilion *gw.* **pil.**
pili-pala *e.g. ll.* **pili-palod** butterfly
(S.W.).
pilsen *e.b. ll.* **pils** pill.
pilyn *e.g. ll.* **-nau** garment *(S.W.):*
rag: **pilyn gorau** best garment;
pilyn parch Sunday garment, best
garment.
pin *e.g. ll.* **-nau** pin; pen: **pin
ysgrifennu** writing pen; **pinnau
bawd** drawing pins.
pîn *gw.* **pinwydden.**

pinc *a.* pink: **yn y pinc** in very good
health.
pinnau *gw.* **pin.**
pinsio *be.* **(pinsiaf)** to pinch.
pinwydden *e.b. ll.* **pîn, pinwydd**
pine.
piod *gw.* **pioden.**
pioden *e.b. ll.* **piod** magpie.
pisyn *e.g. ll.* **-nau** piece *(S.W.):* **Mae
hi'n bisyn!** She's good looking!
piti *e.g.* pity.
plaid *e.b. ll.* **pleidiau** party, side; **o
blaid** in favour: **Y Blaid
Geidwadol** The Conservative
Party; **Y Blaid Lafur** The Labour
Party; **Y Blaid (Plaid Cymru)** The
Welsh Nationalist Party; **Y Blaid
Werdd** The Green Party.
plan *e.g. ll.* **-nau, -iau** plan.
planced *gw.* **blanced.**
planhigyn *e.g. ll.* **planhigion** plant.
planiau *gw.* **plan.**
plannau *gw.* **plan.**
plannu *be.* **(plannaf)** to plant.
plant *gw.* **plentyn.**
plas *e.g. ll.* **-au** palace, mansion.
plastai *gw.* **plasty.**
plasty *e.g. ll.* **plastai** palace,
mansion.
plât *e.g. ll.* **platiau** plate.
platiau *gw.* **plât.**
pleidiau *gw.* **plaid.**
pleidlais *e.b. ll.* **pleidleisiau** vote.
pleisleisiau *gw.* **pleidlais.**
pleidleisio *be.* **(pleidleisiaf)** to vote;
bwrw pleidlais to cast a vote.
pleidleiswr *e.g. ll.* **pleidleiswyr**
voter.
plentyn *e.g. ll.* **plant** child.
plentynnaidd *a.* childish.
pleser *e.g. ll.* **-au** pleasure: **rhoi
pleser i** to give pleasure to.
plesurus *a.* pleasant, pleasurable.
plesio *be.* **(plesiaf)** to please.
plisgyn *e.g. ll.* **plisg** shell, pod,
casing.
plisman: plismon *e.g. ll.* **plismyn**
policeman.
plismyn *gw.* **plisman.**
plith *e.g.* midst: **i blith** into the
midst of; **o blith** from among;
ymhlith among; **blith draphlith** in
confusion, intermingled.
plu *gw.* **pluen.**
pluen *e.b. ll.* **plu** feather; fly
(fishing-bait): **clymu plu** to fashion
fishing-flies; **yn ysgafn fel pluen**
light as a feather.
pluf *gw.* **plufyn.**

plufyn   prif

plufyn *e.b. ll.* **pluf** feather *(S.W.).*
plwc *e.g. ll.* **plyciau** pull, jerk.
plwg *e.g. ll.* **plygiau** plug.
plwm 1 *e.g.* lead; 2 *a.* leaden, vertical.
plwyf *e.g. ll.* **-i** parish: **ar y plwyf** on the parish, destitute.
plyciau *gw.* **plwc.**
plygiau *gw.* **plwg.**
plygu *be.* **(plygaf)** to fold, to bend, to stoop, to bow, to submit.
pob *a.* each, every, all; roast: **pob cynnig** every attempt, every offer; **pob dydd** every day; **pob tro** every occasion; **pob un** everyone; **tatws pob** roast potatoes.
pobi *be.* **(pobaf)** to bake, to roast.
pobl *e.b. ll.* **-oedd** people; **y bobl hyn** these people.
poblogaeth *e.b. ll.* **-au** population.
poblogaidd *a.* popular.
pobman *ad.* everywhere.
pobydd *e.g. ll.* **-ion** baker.
poced *e.b. ll.* **-i** pocket.
poen *e.g.b. ll.* **-au** pain, ache, agony.
poeni *be.* **(poenaf)** to pain, to worry, to tease: **Paid poeni!** Don't worry!
poenus *a.* painful.
poenydio *be.* **(poenydiaf)** to torture, to torment.
poer: poeri *e.g.* spittle, saliva.
poeri (at, i'r) *be.* **(poeraf)** to spit; *gw.* **poer.**
poeth *a.* hot.
poethi *be.* **(poethaf)** to heat, to be heated.
polion *gw.* **polyn.**
politicaidd *a.* political.
polyn *e.g. ll.* **polion** pole, stake.
pont *e.b. ll.* **-ydd** bridge.
pontydd *gw.* **pont.**
Pont-y-pŵl *e.b.* Pontypool.
popeth *e.g.* everything.
poptai *gw.* **popty.**
popty *e.g. ll.* **poptai** bakehouse; oven.
porfa *e.b. ll.* **porfeydd** pasture; grass *(S.W.).*
porfeydd *gw.* **porfa.**
porffor *e.g. ll. & a.* purple.
pori *be.* **(poraf)** to graze.
portread *e.g. ll.* **-au** portrait, portrayal.
porth *e.g. ll.* **pyrth** door; porch.
porthladd *e.g. ll.* **-oedd** harbour.
pôs *e.g. ll.* **posau** puzzle, riddle: **pôs croeseiriau** crossword puzzle.
posibilrwydd *e.g.* possibility.
posibl *a.* possible.

post 1 *e.g. ll.* **pyst** post, pillar. 2 *e.g. ll.* **-iau** post, mail.
postio *be.* **(postiaf)** to post.
postman: postmon *e.g. ll.* **postmyn** postman.
postmyn *gw.* **postman.**
postyn *e.g. ll.* **pyst** post: **fel postyn** deaf *(as a post).*
potel *e.b. ll.* **-i** bottle: **potel ddŵr poeth** hotwater bottle.
powdr: powdwr *e.g. ll.* **powdrau** powder.
powdrau *gw.* **powdr.**
powlen *gw.* **bowlen.**
praidd *e.g. ll.* **preiddiau** flock.
pram *e.g. ll.* **-iau** pram.
prawf *e.g. ll.* **profion** trial, test, proof: **prawf darllen** reading test; **prawf gyrru** driving test; **ar brawf** on trial, on probation; **blwyddyn brawf** probationary year; **Gwasanaeth Prawf** Probation Service; **swyddog prawf** probation officer.
pregeth *e.b. ll.* **-au** sermon.
pregethu *be.* **(pregethaf)** to preach.
pregethwr *e.g. ll.* **pregethwyr** preacher.
preiddiau *gw.* **praidd.**
preifat *a.* private.
pren *e.g. ll.* **-nau** tree, wood, timber: **pren afalau** apple tree; **pren caled** hardwood; **pren meddal** softwood; **llwy bren** a wooden spoon.
prennau *gw.* **pren.**
prentis *e.g. ll.* **-iaid** apprentice.
prentisiaeth *e.b. ll.* **-au** apprenticeship.
prentisiaid *gw.* **prentis.**
pres 1 *e.g.* brass, bronze; money. 2 *a.* brass: **band pres** brass band; **jwg bres** brass jug.
preseb *e.g. ll.* **-au** crib, stall, manger.
presennol *a.* present: **yr amser presennol** the present tense.
presenoldeb *e.g. ll.* **-au** presence, attendance.
presgripsiwn *e.g. ll.* **presgripsiynau** prescription.
preswyl: preswylfod *e.g. ll.* **preswylfeydd** dwelling place: **ysgol breswyl** boarding school; **neuadd breswyl** hall of residence.
pridwerth *e.g.* ransom.
pridd *e.g. ll.* **-oedd** soil, earth.
prif *a. (precedes the noun it qualifies and is followed by soft mutation)* prime, chief, major, principal: **prif**

prifardd   pwll

ddiddordeb chief interest; **prif westeion** principal guests; **prif lyfrgell** main library.
prifardd *e.g. ll.* **prifeirdd** chief bard *(one who has won chair or crown at National Eisteddfod).*
prifathrawes *e.b. ll.* **-au** headmistress, principal.
prifathro *e.g. ll.* **prifathrawon** headmaster, principal.
prifddinas *e.b. ll.* **-oedd** capital city.
prifeirdd *gw.* **prifardd.**
prifio *be.* **(prifiaf)** to grow *(S.W.).*
prifysgol *e.b. ll.* **-ion** university: **Prifysgol Cymru** University of Wales.
priffordd *e.b. ll.* **priffyrdd** highway.
priffyrdd *gw.* **priffordd.**
prin *a.* rare, scarce.
prinder *e.g. ll.* **-au** scarcity.
printio *be.* **(printiaf)** to print.
priod 1 *a.* own, proper; married. 2 *e.g.b.* husband or wife: **ei phriod** her husband; **fy mhriod** my partner *(husband/wife);* **ei briod le** his proper place; **priodfab** bridegroom; **priodferch** bride; **gŵr priod** married man; **gwraig briod** married woman; **Ydych chi'n briod?** Are you married?
priodas *e.b. ll.* **-au** marriage, wedding.
priodi (â) *be.* **(priodaf)** to marry.
priodol *a.* appropriate, proper.
pris *e.g. ll.* **-iau, -oedd** price.
problem *e.g. ll.* **-au** problem.
profi *be.* **(profaf)** to prove, to test, to taste.
profiad *e.g. ll.* **-au** experience.
profiadol *a.* experienced.
profion *gw.* **prawf.**
profocio: pryfocio *be.* **(profociaf: pryfociaf)** to provoke.
proffid *e.b. ll.* **-iau** profit.
proffiddiol *a.* profitable.
proffwyd *e.g. ll.* **-i** prophet; **proffwydes** prophetess.
proffwydo *be.* **(proffwydaf)** to prophesy.
Protestant *e.g. ll.* **Protestaniaid** Protestant.
prudd *a.* sad, grave, serious.
pryd 1 *e.g. ll.* **-au** meal: **byrbryd** snack; **tamaid i aros pryd** temporary provision whilst awaiting arrival of something more substantial. 2 *e.g. ll.* **-iau** time, season: **Pryd? Pa bryd?** What time? **mewn pryd** in time; **ar y**

pryd at the time; impromptu; **hen bryd** about time.
Prydain *e.b.* Britain.
prydau *gw.* **pryd.**
Prydeinig *a.* British.
pryder *e.g. ll.* **-on** anxiety, care, worry.
pryderu *be.* **(pryderaf)** to be anxious.
pryderus *a.* anxious.
prydferth *a.* beautiful, handsome.
prydferthwch *e.g.* beauty.
prydiau *gw.* **pryd.**
prydlon *a.* punctual.
pryf: pryfedyn: pryfyn *e.g. ll.* **pryfed** insect; vermin; animal; worm: **pryf copyn** spider *(N.W.).*
pryfed *gw.* **pryf.**
pryfocio *gw.* **profocio.**
pryfyn *gw.* **pryf.**
prynhawn *e.g. ll.* **-au** afternoon: **prynhawn da!** good afternoon!.
prynu *be.* **(prynaf)** to buy.
prynwr *e.g. ll.* **prynwyr** buyer, redeemer.
prysur *a.* busy, hasty; diligent; serious.
prysurdeb *e.g.* haste, hurry; busyness.
prysuro (i) *be.* **(prysuraf)** to hasten (to), to hurry: **Rwy'n prysuro i esbonio** I hasten to explain.
pulpud *e.g. ll.* **-au** pulpit.
pum: pump *e.g. ll. & a.* five: **pumed** fifth.
p'un *gw.* **pa.**
punnau *gw.* **punt.**
punnoedd *gw.* **punt.**
punt *e.b. ll.* **punnau, punnoedd** pound *(£).*
pupur *e.g. ll.* **-au** pepper; **fel melin bupur** very talkative.
pur 1 *a.* pure, sincere; **Yr eiddoch yn bur** Yours sincerely. 2 *ad.* very, fairly: **yn bur wael** very poorly; **yn bur dda** fairly good.
purfa *e.b. ll.* **purfeydd** refinery; **purfa olew** oil refinery.
puro *be.* **(puraf)** to purify.
pwdin *e.g. ll.* **-au** pudding, sweet *(after dinner).* **Bydd pwdin yn dilyn** There's a sweet to follow.
pwdr *a.* rotten, corrupt, lazy *(S.W.).*
pwdryn *e.g.* idler, sluggard *(S.W.).*
pwdu *be.* **(pwdaf)** to sulk, to pout.
pŵer *e.g. ll.* **-au** power.
pwll *e.g. ll.* **pyllau** pit, pool. pond: **pwll glo** coal-pit, coal-mine.

pwmp *e.g. ll.* **pympiau** pump.
pwnc *e.g. ll.* **pynciau** subject, topic:
pynciau craidd core subjects;
pynciau sylfaen foundation
subjects; **Cymanfa Bwnc** assembly
for cathechising and discussing
prepared portions of Scripture.
pwrpas *e.g. ll.* **-au** purpose.
pwrs *e.g. ll.* **pyrsau** purse.
pwy *rhag. gof.* who?: **pwy
bynnag** whosoever.
pwyll *e.g.* sense, discretion: **colli ei
bwyll** to lose his senses, to become
enraged; **cymryd pwyll** to take
time; **mynd gan bwyll** to go
steadily.
pwyllgor *e.g. ll.* **-au** committee:
pwyllgor addysg education
committee; **pwyllgor
brys** emergency committee;
pwyllgor gwaith executive
committee.
pwyllo *be.* **(pwyllaf)** to pause, to
consider, to reflect.
pwynt *e.g. ll.* **-iau** point: **dau pwynt
pump** 2.5 *(two point five)*;
rhewbwynt freezing-point.
pwys 1 *e.g. ll.* **-au** weight;
importance: **ar bwys** near; **ennill
pwysau** to put on weight; **o
bwys** important; **codi pwys ar** to
make one feel sick. 2 *e.g. ll.*
-i pound *(lb)*.

pwysedd *e.g.* pressure: **pwysedd
gwaed** blood pressure.
pwysig *a.* important.
pwysigrwydd *e.g.* importance.
pwyslais *e.g. ll.* **pwysleisiau**
emphasis.
pwyso (ar) *be.* **(pwysaf)** to weigh, to
lean (on), to rest.
pwyth *e.g. ll.* **-au** stitch; **talu'r
pwyth** to avenge; retaliate.
pydru *be.* **(pydraf)** to rot, to decay.
pyllau *gw.* **pwll. pyllyn.**
pyllyn *e.g. ll.* **pyllau** pool, pond.
pympiau *gw.* **pwmp.**
pymtheg 1 *e.g. ll.* **-au** fifteen. 2 *a.*
fifteen.
pymthegfed *a.* fifteenth.
pynciau *gw.* **pwnc.**
pyped *e.g. ll.* **-au** puppet.
pyrsau *gw.* **pwrs.**
pyrth *gw.* **porth.**
pys *gw.* **pysen.**
pysen *e.b. ll.* **pys** pea: **pys
pêr** sweetpeas.
pysgod *gw.* **pysgodyn.**
pysgodyn *e.g. ll.* **pysgod** a fish:
pysgodyn aur a goldfish.
pysgota *be.* **(pysgotaf)** to fish.
pysgotwr *e.g. ll.* **pysgotwyr**
fisherman.
pyst *gw.* **post, postyn.**
pythefnos *e.g.b. ll.* **-au** fortnight.

pharchus *gw*. parchus.
phardwn *gw*. pardwn.
pharhad *gw*. parhad.
pharhau *gw*. parhau.
pharod *gw*. parod.
pharsel *gw*. parsel.
pharti *gw*. parti.
Phasg *gw*. Pasg.
phasiannau *gw*. pasiant.
phasiant *gw*. pasiant.
phatrwm *gw*. patrwm.
phatrwn *gw*. patrwn.
phatrymau *gw*. patrwm.
phatrynau *gw*. patrwn.
phawb *gw*. pawb.
phawen *gw*. pawen.
phe *gw*. pe.
phebyll *gw*. pabell.
phecyn *gw*. pecyn.
phechadur *gw*. pechadur.
phechod *gw*. pechod.
phechu *gw*. pechu.
phedair *gw*. pedair.
phedol *gw*. pedol.
phedwar *gw*. pedwar.
phedwaredd *gw*. pedwaredd.
phedwerydd *gw*. pedwerydd.
pheg *gw*. peg.
phegwn *gw*. pegwn.
phegynau *gw*. pegwn.
pheidio *gw*. peidio.
pheilot *gw*. peilot.
pheint *gw*. peint.
pheintio *gw*. peintio.
pheintiwr *gw*. peintiwr.
pheiriannau *gw*. peiriant.
pheiriant *gw*. peiriant.
pheisiau *gw*. pais.
phêl *gw*. pêl.
phelydr *gw*. pelydr.
phell *gw*. pell.
phellach *gw*. pell.
phellaf *gw*. pell.
phelled *gw*. pell.
phellter *gw*. pellter.
phen *gw*. pen.
phenaethiaid *gw*. pennaeth.
phenawdau *gw*. pennawd.
phen-blwydd *gw*. pen-blwydd.
phencadlys *gw*. pencadlys.
phencampwr *gw*. pencampwr.
phendant *gw*. pendant.
phenderfyniad *gw*. penderfyniad.
phenderfynol *gw*. penderfynol.
phenderfynu *gw*. penderfynu.
phenelin *gw*. penelin.
phenfoel *gw*. penfoel.
phen-glin *gw*. pen-glin.
phenigamp *gw*. penigamp.

pha *gw*. pa.
Phab *gw*. Pab.
phabell *gw*. pabell.
phabi *gw*. pabi.
phabydd *gw*. pabydd.
phac *gw*. pac.
phaced *gw*. paced.
phacio *gw*. pacio.
phadell *gw*. padell.
phader *gw*. pader.
phaent *gw*. paent.
phafiliwn *gw*. pafiliwn.
phafin *gw*. pafin.
phagan *gw*. pagan.
phaham *gw*. paham.
phais *gw*. pais.
phâl *gw*. pâl.
phalas *gw*. palas.
phalau *gw*. pâl.
phalod *gw*. pâl.
phalu *gw*. palu.
phallu *gw*. pallu.
pham *gw*. pam.
phamffled *gw*. pamffled.
phamffledyn *gw*. pamffled.
phan *gw*. pan.
phanasen *gw*. panasen.
phanel *gw*. panel.
phannas *gw*. panasen.
phant *gw*. pant.
phapur *gw*. papur.
phapuro *gw*. papuro.
phâr *gw*. pâr.
phara *gw*. para.
pharagraff *gw*. paragraff.
pharatoi *gw*. paratoi.
pharc *gw*. parc.
pharch *gw*. parch.
pharchedig *gw*. parchedig.
pharchu *gw*. parchu.

phenillion

phobl

phenillion *gw.* pennill.
phen-lin *gw.* pen-glin.
phenlinio *gw.* penlinio.
phennaeth *gw.* pennaeth.
phennaf *gw.* pennaf.
phennau *gw.* pen.
phennawd *gw.* pennawd.
phennill *gw.* pennill.
phennod *gw.* pennod.
phenodau *gw.* pennod.
phenodi *gw.* penodi.
phenodiad *gw.* penodiad.
phenrhyn *gw.* penrhyn.
phensaer *gw.* pensaer.
phenseiri *gw.* pensaer.
phensil *gw.* pensil.
phensiwn *gw.* pensiwn.
phensiynau *gw.* pensiwn.
phensiynwr *gw.* pensiynwr.
phenteulu *gw.* penteulu.
phentref *gw.* pentref.
phentwr *gw.* pentwr.
phêr *gw.* pêr.
pherchen *gw.* perchen.
pherchennog *gw.* perchen.
pheren *gw.* peren.
phererin *gw.* pererin.
pherfedd *gw.* perfedd.
pherffaith *gw.* perffaith.
pherffeithio *gw.* perffeithio.
pheri *gw.* peri.
pherl *gw.* perl.
pherllan *gw.* perllan.
phersli *gw.* persli.
pherson *gw.* person.
phersonol *gw.* personol.
phersonoliaeth *gw.* personoliaeth.
phert *gw.* pert.
pherth *gw.* perth.
pherthnasau *gw.* perthynas.
pherthnasol *gw.* perthnasol.
pherthyn *gw.* perthyn.
pherthynas *gw.* perthynas.
phergyl *gw.* perygl.
pheryglus *gw.* peryglus.
pheswch *gw.* peswch.
phesychiad *gw.* pesychiad.
phetai *gw.* petai.
phetrol *gw.* petrol.
pheth *gw.* peth.
phiano *gw.* piano.
phianydd *gw.* pianydd.
phib *gw.* pib.
phiben *gw.* piben.
phicil *gw.* picil.
phictiwr *gw.* pictiwr.
phicwn *gw.* picwnen.
phicwnen *gw.* picwnen.
phigfain *gw.* pigfain.

phigiad *gw.* pigiad.
phigo *gw.* pigo.
phigog *gw.* pigog.
phil *gw.* pil.
philer *gw.* piler.
philio *gw.* pilio.
philion *gw.* pil.
phili-pala *gw.* pili-pala.
philsen *gw.* pilsen.
philyn *gw.* pilyn.
phin *gw.* pin.
phîn *gw.* pîn.
phinc *gw.* pinc.
phinnau *gw.* pin.
phinsio *gw.* pinsio.
phinwydden *gw.* pinwydden.
phioden *gw.* pioden.
phisyn *gw.* pisyn.
phiti *gw.* piti.
phlaid *gw.* plaid.
phlan *gw.* plan.
phlanced *gw.* blanced.
phlanhigyn *gw.* planhigyn.
phlaniau *gw.* plan.
phlannau *gw.* plan.
phlannu *gw.* plannu.
phlant *gw.* plant.
phlas *gw.* plas.
phlastai *gw.* plasty.
phlasty *gw.* plasty.
phlât *gw.* plât.
phlatiau *gw.* plât.
phleidiau *gw.* plaid.
phleidlais *gw.* pleidlais.
phleidleisiau *gw.* pleidlais.
phleidleisio *gw.* pleidleisio.
phleidleisiwr *gw.* pleidleisiwr.
phlentyn *gw.* plentyn.
phientynnaidd *gw.* plentynnaidd.
phleser *gw.* pleser.
phleserus *gw.* pleserus.
phlesio *gw.* plesio.
phlisgyn *gw.* plisgyn.
phlisman: phlismon *gw.* plisman.
phlismyn *gw.* plisman.
phlu *gw.* pluen.
phluen *gw.* pluen.
phluf *gw.* plufyn.
phlufyn *gw.* plufyn.
phlwc *gw.* plwc.
phlwg *gw.* plwg.
phlwm *gw.* plwm.
phlwyf *gw.* plwyf.
phlyciau *gw.* plwc.
phlygiau *gw.* plwg.
phlygu *gw.* plygu.
phob *gw.* pob.
phobi *gw.* pobi.
phobl *gw.* pobl.

phoblogaeth

phunnoedd

phoblogaeth *gw.* poblogaeth.
phoblogaidd *gw.* poblogaidd.
phobman *gw.* pobman.
phobydd *gw.* pobydd.
phoced *gw.* poced.
phoen *gw.* poen.
phoeni *gw.* poeni.
phoenus *gw.* poenus.
phoenydio *gw.* poenydio.
phoer *gw.* poer.
phoeri *gw.* poer, poeri (at, i'r).
phoeth *gw.* poeth.
phoethi *gw.* poethi.
pholion *gw.* polyn.
pholiticaidd *gw.* politicaidd.
pholyn *gw.* polyn.
phont *gw.* pont.
phontydd *gw.* pont.
Phont-y-pŵl *gw.* Pont-y-pŵl.
phopeth *gw.* popeth.
phoptai *gw.* popty.
phopty *gw.* popty.
phorfa *gw.* porfa.
phorfeydd *gw.* porfa.
phorffor *gw.* porffor.
phori *gw.* pori.
phortread *gw.* portread.
phorth *gw.* porth.
phorthladd *gw.* porthladd.
phôs *gw.* pôs.
phosibilrwydd *gw.* posibilrwydd.
phosibl *gw.* posibl.
phost *gw.* post.
phostio *gw.* postio.
phostman: phostmon *gw.* postman.
phostmyn *gw.* postman.
phostyn *gw.* postyn.
photel *gw.* potel.
phowdr: phowdwr *gw.* powdr.
phowdrau *gw.* powdr.
phowlen *gw.* bowlen.
phraidd *gw.* praidd.
phram *gw.* pram.
phrawf *gw.* prawf.
phregeth *gw.* pregeth.
phregethu *gw.* pregethu.
phregethwr *gw.* pregethwr.
phreiddiau *gw.* praidd.
phreifat *gw.* preifat.
phren *gw.* pren.
phrennau *gw.* pren.
phrentis *gw.* prentis.
phrentisiaeth *gw.* prentisiaeth.
phrentisiaid *gw.* prentis.
phres *gw.* pres.
phreseb *gw.* preseb.
phresennol *gw.* presennol.
phresenoldeb *gw.* presenoldeb.
phresgripsiwn *gw.* presgripsiwn.

phreswyl: phreswylfod *gw.* preswyl.
phridwerth *gw.* pridwerth.
phridd *gw.* pridd.
phrif *gw.* prif.
phrifardd *gw.* prifardd.
phrifathrawes *gw.* prifathrawes.
phrifathro *gw.* prifathro.
phrifddinas *gw.* prifddinas.
phrifeirdd *gw.* prifardd.
phrifio *gw.* prifio.
phrifysgol *gw.* prifysgol.
phriffordd *gw.* priffordd.
phriffyrdd *gw.* priffordd.
phrin *gw.* prin.
phrinder *gw.* prinder.
phrintio *gw.* printio.
phriod *gw.* priod.
phriodas *gw.* priodas.
phriodi *gw.* priodas.
phriodol *gw.* priodol.
phris *gw.* pris.
phroblem *gw.* problem.
phrofi *gw.* profi.
phrofiad *gw.* profiad.
phrofiadol *gw.* profiadol.
phrofion *gw.* prawf.
phrofocio *gw.* profocio.
phroffid *gw.* proffid.
phroffidiol *gw.* proffidiol.
phroffwyd *gw.* proffwyd.
phroffwydo *gw.* proffwydo.
Phrotestant *gw.* Protestant.
phrudd *gw.* prudd.
phryd *gw.* pryd.
Phrydain *gw.* Prydain.
phrydau *gw.* pryd.
Phrydeinig *gw.* Prydeinig.
phryder *gw.* pryder.
phryderu *gw.* pryderu.
phryderus *gw.* pryderus.
phrydferth *gw.* prydferth.
phrydferthwch *gw.* prydferthwch.
phrydiau *gw.* pryd.
phrydlon *gw.* prydlon.
phryf: phryfedyn: phryfyn *gw.* pryf.
phryfed *gw.* pryf.
phryfocio *gw.* profocio.
phryfyn *gw.* pryf.
phrynhawn *gw.* prynhawn.
phrynu *gw.* prynu.
phrynwr *gw.* prynwr.
phrysur *gw.* prysur.
phrysurdeb *gw.* prysurdeb.
phrysuro *gw.* prysuro.
phulpud *gw.* pulpud.
phum: phump *gw.* pum.
ph'un *gw.* pa.
phunnau *gw.* punt.
phunnoedd *gw.* punt.

phunt *gw*. punt.
phupur *gw*. pupur.
phur *gw*. pur.
phurfa *gw*. purfa.
phuro *gw*. puro.
phwdin *gw*. pwdin.
phwdr *gw*. pwdr.
phwdryn *gw*. pwdryn.
phwdu *gw*. pwdu.
phŵer *gw*. pŵer.
phwll *gw*. pwll.
phwllyn *gw*. pwllyn.
phwmp *gw*. pwmp.
phwnc *gw*. pwnc.
phwrpas *gw*. pwrpas.
phwrs *gw*. pwrs.
phwy *gw*. pwy.
phwyll *gw*. pwyll.
phwyllgor *gw*. pwyllgor.
phwyllo *gw*. pwyllo.
phwynt *gw*. pwynt.
phwys *gw*. pwys.
phwysedd *gw*. pwysedd.

phwysig *gw*. pwysig.
phwysigrwydd *gw*. pwysigrwydd.
phwyslais *gw*. pwyslais.
phwyso *gw*. pwyso.
phwyth *gw*. pwyth.
phwytho *gw*. pwytho.
phydru *gw*. pydru.
phyllau *gw*. pwll, pyllyn.
phyllyn *gw*. pyllyn.
phympiau *gw*. pwmp.
phymtheg *gw*. pwmtheg.
phymthegfed *gw*. pymthegfed.
phynciau *gw*. pwnc.
phyped *gw*. pyped.
phyrsau *gw*. pwrs.
phyrth *gw*. porth.
phys *gw*. pysen.
physgod *gw*. pysgodyn.
physgodyn *gw*. pysgodyn.
physgota *gw*. pysgota.
physgotwr *gw*. pysgotwr.
physt *gw*. post, postyn.
phythefnos *gw*. pythefnos.

raca *gw.* rhaca.
raced *e.b.g. ll.* -i racket.
racs *gw.* rhecsyn.
rad *gw.* rhad.
radio *e.g. ll.* -s radio.
radd *gw.* gradd.
raddfa *gw.* graddfa.
raddio *gw.* graddio.
raddol *gw.* graddol.
raeadr *gw.* rhaeadr.
raenus *gw.* graenus.
raff *gw.* rhaff.
ragair *gw.* rhagair.
ragbrawf *gw.* rhagbrawf.
ragbrofion *gw.* rhagbrawf.
ragenw *gw.* rhagenw.
ragfarn *gw.* rhagfarn.
ragfarnllyd *gw.* rhagfarnllyd.
ragflas *gw.* rhagflas.
Ragfyr *gw.* Rhagfyr.
raglen *gw.* rhaglen.
raglenni *gw.* rhaglen.
ragor *gw.* rhagor.
ragori *gw.* rhagori.
ragorol *gw.* rhagorol.
rai *gw.* rhai.
raid *gw.* rhaid.
ramadeg *gw.* gramadeg.
ramantaidd *gw.* rhamantus.
ramantus *gw.* rhamantus.
ran *gw.* rhan.
ranbarth *gw.* rhanbarth.
randir *gw.* rhandir.
raniad *gw.* rhaniad.
rannau *gw.* rhan.
rannu *gw.* rhannu.
ras *e.b. ll.*-ys race (*competitive*):
  ras-gyfnewid relay race; *gw.* gras.
raw *gw.* rhaw.
record *e.b. ll.*-iau record.

recsyn *gw.* rhecsyn.
redeg *gw.* rhedeg.
redwr *gw.* rhedwr.
redyn *gw.* rhedynen.
redynen *gw.* rhedynen.
reg *gw.* rheg.
regfeydd *gw.* rheg.
regi *gw.* rhegi.
reidiau *gw.* rhaid.
reilffordd *gw.* rheilffordd.
reilffyrdd *gw.* rheilffordd.
reis *e.g.* rice: pwdin reis rice
  pudding.
reol *gw.* rheol.
reolaidd *gw.* rheolaidd.
reoli *gw.* rheoli.
reolwr *gw.* rheolwr.
reolwyr *gw.* rheolwr.
res *gw.* rhes.
resi *gw.* rhes.
restr *gw.* rhestr.
restrau *gw.* rhestr.
restri *gw.* rhestr.
reswm *gw.* rheswm.
resymau *gw.* rheswm.
resynu *gw.* gresynu.
rew *gw.* rhew.
rewgell *gw.* rhewgell.
rewi *gw.* rhewi.
rewlif *gw.* rhewlif.
rëydr *gw.* rhaeadr.
riant *gw.* rhiant.
rieni *gw.* rhiant.
rif *gw.* rhif.
rifau *gw.* rhif.
rifo *gw.* rhifo.
rifyddeg *gw.* rhifyddeg.
rifyn *gw.* rhifyn.
rifynnau *gw.* rhifyn.
riffl *e.g. ll.* -au rifle.
rigwm *gw.* rhigwm.
rigymau *gw.* rhigwm.
rihyrsal *e.b. ll.* -s rehearsal.
rinwedd *gw.* rhinwedd.
ris *gw.* gris.
risiau *gw.* gris.
riw *gw.* rhiw.
robin goch *e.g.* robin.
roced *e.b. ll.* -i rocket.
rodd *gw.* rhodd.
roddi *gw.* rhoddi.
roddion *gw.* rhodd.
roedd -e/-hi *bf.* he/she/it/was; *gw.*
  bod.
Roeg *gw.* Groeg.
Roegaidd *gw.* Groegaidd.
Roegwr *gw.* Groegwr.
rofiau *gw.* rhaw.
roi *gw.* rhoddi.

Romania *e.b.* Romania.
rolio *gw.* rholio.
ros *gw.* rhos.
rosydd *gw.* rhos.
rosyn *gw.* rhosyn.
rosynnau *gw.* rhosyn.
ruban *e.g. ll.* **-au** ribbon.
rudd *gw.* **grudd.**
Rufain *gw.* **Rhufain.**
Rufeinig *gw.* **Rhufeinig.**
rug *gw.* **grug.**
ruo *gw.* **rhuo.**
ruthro *gw.* **rhuthro.**
rŵan *ad.* now *(N.W.): gw.* **nawr.**
rwbio *gw.* **rhwbio.**
rwber *e.g.* rubber.
Rwsia *e.b.* Russia.
Rwsiad *e.g. ll.* **Rwsiaid** a Russian.
Rwsieg *e.g.* Russian (language).
rwyd *gw.* **rhwyd.**
rwydi *gw.* **rhwyd.**
rwydd *gw.* **rhwydd.**
rwyfo *gw.* **rhwyfo.**
rwyfus *gw.* **rhwyfus.**
rwygo *gw.* **rhwygo.**
rwymo *gw.* **rhwymo.**
rwystr *gw.* **rhwystr.**
rybudd *gw.* **rhybudd.**

rybuddio *gw.* **rhybuddio.**
ryd *gw.* **rhyd.**
rydw i *bf.* I am; *gw.* **bod.**
Rydychen *gw.* **Rhydychen.**
rydd *gw.* **rhydd.**
ryddhau *gw.* **rhyddhau.**
ryddid *gw.* **rhyddid.**
ryddion *gw.* **rhydd.**
ryfedd *gw.* **rhyfedd.**
ryfeddod *gw.* **rhyfeddod.**
ryfeddol *gw.* **rhyfeddol.**
ryfeddu *gw.* **rhyfeddu.**
ryfel *gw.* **rhyfel.**
ryngwladol *gw.* **rhyngwladol.**
rym *gw.* **grym.**
rymus *gw.* **grymus.**
rysáit *eb. ll.* **-s.** recipe, prescription.
ryw *gw.* **rhyw.**
rywbeth *gw.* **rhywbeth.**
rywbryd *gw.* **rhywbryd.**
rywdro *gw.* **rhywdro.**
rywfaint *gw.* **rhywfaint.**
rywiol *gw.* **rhywiol.**
rywle *gw.* **rhywle.**
rywrai *gw.* **rhywun.**
rywsut *gw.* **rhywsut.**
rywun *gw.* **rhywun.**

rhaca *e.b. ll.* **-nau** rake; **fel rhaca** very thin, like a rake.

rhacs *gw.* **rhecsyn.**

rhad 1 *a.* cheap; free: **yn rhad ac am ddim** absolutely free. **2** *e.g. ll.* **-au** blessing, grace.

rhaeadr *e.b. ll.* **-au, rhëydr** cataract, waterfall.

rhaff *e.b. ll.* **-au** rope.

rhag 1 *ardd.* before; lest; against, from. **2** *rhag.* pre-, for-, ante-.

rhagair *e.g.* preface.

rhagbrawf *e.g. ll.* **rhagbrofion** preliminary test; foretaste.

rhagbrofion *gw.* **rhagbrawf.**

rhagenw *e.g. ll.* **-au** pronoun: **rhagenw gofynnol** interrogative pronoun; **rhagenw perthynol** relative pronoun.

rhagfarn *e.b. ll.* **-au** prejudice.

rhagfarnllyd *a.* prejudiced.

rhagflas *e.g.* foretaste.

Rhagfyr *e.g.* December.

rhaglen *e.b. ll.* **-ni** programme: **rhaglen deledu** television programme; **rhaglen fyw** live programme; **rhaglen nodwedd** feature programme.

rhaglenni *gw.* **rhaglen.**

rhagor *e.g. ll.* **-au, -ion** difference, more, excess; **rhagor o fwyd** more food.

rhagori (ar) *be.* **(rhagoraf)** to excel, to surpass.

rhagorol *a.* excellent, splendid.

rhai 1 *rhag.* ones: **y rhai da** the good ones. **2** *a.* some: **Mae rhai pobl yn oer** Some people are cold.

rhaid *e.g. ll.* **rheidiau** necessity, need: **Mae rhaid i ti fynd** You must go.

rhain, y *rhag.* these: **Ble mae'r rhain i fod?** Where are these to go?

rhamantus: rhamantaidd *a.* romantic.

rhan *e.b. ll.* **-nau** part, spare; rôle: **y rhan fwyaf** the greatest part.

rhanbarth *e.g. ll.* **-au** division, region, area, district.

rhandir *e.g. ll.* **-oedd** region, division, district; allotment.

rhandiroedd *gw.* **rhandir.**

rhaniad *e.g. ll.* **-au** division; parting.

rhannau *gw.* **rhan.**

rhannu *be.* **(rhannaf)** to divide, to share, to distribute.

rhaw *e.b. ll.* **-iau, rhofiau** shovel; spade.

rhecsyn *e.g. ll.* **rhacs** rag.

rhedeg *be.* **(rhedaf)** to run; to flow.

rhedwr *e.g. ll.* **rhedwyr** runner.

rhedyn *e.ll.* fern, bracken; *gw.* **rhedynen.**

rhedynen *e.b. ll.* **rhedyn** fern.

rheg *e.b. ll.* **-feydd** curse, swear-word.

rhegfeydd *gw.* **rheg.**

rhegi *be.* **(rhegaf)** to curse, to swear.

rheidiau *gw.* **rhaid.**

rheilffordd *e.b. ll.* **rheilffyrdd** railway.

rheilffyrdd *gw.* **rheilffordd.**

rheini, y: rheiny, y *rhag.* those (*not present*).

rheol *e.b. ll.* **-au** rule, order: **Rheolau'r Ffordd Fawr** the Highway Code.

rheolaidd *a.* regular, constant, orderly, proper.

rheoli *be.* **(rheolaf)** to control, to manage.

rheolwr *e.g. ll.* **rheolwyr** manager, ruler, controller, governor; referee.

rheolwyr *gw.* **rheolwr.**

rhes *e.b. ll.* **-i** row, rank; stripe, line.

rhesi *gw.* **rhes.**

rhestr *e.b. ll.* **-au, -i** row, rank; list: **rhestr fer** short list.

rhestrau *gw.* **rhestr.**

rhestri *gw.* **rhestr.**

rheswm *e.g. ll.* **rhesymau** reason, cause: **y rheswm dros** the reason for.

rhesymau *gw.* **rheswm.**

rhew *e.g. ll.* **-iau, -ogydd** frost, ice: **rhewbwynt** freezing point; **rhewfwyd** frozen food; **rhewlif** glacier; **Siôn Rhew** Jack Frost.

rhewgell *e.b. ll.* **-oedd** deep freeze cabinet, freezer.

rhewi *be.* **(rhewaf)** to freeze.
rhewiau *gw.* **rhew.**
rhewlif *e.g. ll.* **-iau** glacier.
rhewogydd *gw.* **rhew.**
rhëydr *gw.* **rhaeadr.**
rhiant *e.g. ll.* **rhieni** parent.
rhieni *gw.* **rhiant.**
rhif *e.g. ll.* **-au** number, numeral.
rhifau *gw.* **rhif.**
rhifo *be.* **(rhifaf)** to count, to number,
to reckon.
rhifyddeg *e.b.g.* arithmetic.
rhifyn *e.g. ll.* **-nau** number (*of
magazine*).
rhifynnau *gw.* **rhifyn.**
rhigwm *e.g. ll.* **rhigymau** rhyme;
rigmarole.
rhigymau *gw.* **rhigwm.**
rhinwedd *e.b.g. ll.* **-au** virtue.
rhiw *e.b. ll.* **-iau** hill, ascent, slope
(*S.W.*).
rhodd *e.b. ll.* **-ion** gift, donation.
rhoddi: rhoi *be.* **(rhoddaf: rhoiaf)** to
give, to bestow, to put; **rhoi
benthyg** to lend; **rhoi'r gorau i** to
relinquish; *gw. At. Berfau.*
rhoddion *gw.* **rhodd.**
rhofion *gw.* **rhaw.**
rhoi *gw.* **rhoddi.**
rholio *be.* **(rholiaf)** to roll.
rhos *e.b. ll.* **-ydd.** moor, heath,
plain; *gw.* **rhosyn.**
rhosod *gw.* **rhosyn.**
rhosydd *gw.* **rhos.**
rhosyn *e.g. ll.* **-nau, rhos, rhosod**
rose.
rhosynnau *gw.* **rhosyn.**
Rhufain *e.b.* Rome.
Rhufeinig *a.* Roman.
rhuo *be.* **(rhuaf)** to roar, to bellow.
rhuthro *be.* **(rhuthraf)** to rush.
rhwbio *be.* **(rhwbiaf)** to rub.
rhwng *ardd.* (*personal forms:*
**rhyngo, rhyngot, rhyngddo/
rhyngddi, rhyngom rhyngoch,
rhyngddyn)** between, among; *gw.
At. Arddodiaid.*
rhwyd *e.b. ll.* **-au, -i** net, snare.
rhwydd *a.* easy; fluent; generous;
fast (*S.W.*).
rhwyfo *be.* **(rhwyfaf)** to row.

rhwyfus *a.* restless.
rhwygo *be.* **(rhwygaf)** to tear, to rip.
rhwym *a.* bound, tied; constipated.
rhwymo *be.* **(rhwymaf)** to bind, to tie;
to constipate.
rhwystr *e.g. ll.* **-au** hindrance,
obstacle.
rhwystrau *gw.* **rhwystr.**
rhy 1 *e.g.* excess. 2 *ad.* too: **yn rhy
drwm** too heavy.
rhybudd *e.g. ll.* **-ion** warning,
notice, caution.
rhybuddio (*rhag*) *be.* **(rhybuddiaf)** to
warn, to caution.
rhyd *e.b. ll.* **-au** ford.
Rhydychen *e.b.* Oxford.
rhydd *a. ll.* **-ion** free, liberal: **Y Seiri
Rhyddion** Freemasons.
rhyddhau *be.* **(rhyddhaf)** to free, to
release, to loose.
rhyddid *e.g.* freedom, liberty.
rhyddion *gw.* **rhydd.**
rhyfedd: rhyfeddol *a.* wonderful,
strange.
rhyfeddod *e.g. ll.* **-au** wonder,
surprise.
rhyfeddol *gw.* **rhyfedd.**
rhyfeddu (at) *be.* **(rhyfeddaf)** to
wonder, to marvel.
rhyfel *e.g.b. ll.* **-oedd** war, warfare:
Rhyfel y Gwlff The Gulf War; **Yr Ail
Ryfel Byd** The Second World War;
Y Rhyfel Fawr The Great War.
rhyngo i *gw.* **rhwng.**
rhyngwladol *a.* international.
rhyw 1 *e.b.g. ll.* **-iau** sort, kind; sex;
gender. 2 *a.* some, certain: **Roedd
rhyw ddyn yma ddoe** A certain
man was here yesterday.
rhywbeth *e.g.* something.
rhywbryd *ad.* sometime.
rhywdro *ad.* sometime.
rhywfaint *e.g.* some amount.
rhywiol *a.* sexual.
rhywle *ad.* somewhere, anywhere.
rhywrai *gw.* **rhywun.**
rhywsut *ad.* somehow, anyhow.
rhywun *e.g. ll.* **rhywrai** someone,
anyone: **rhywun neu'i gilydd**
someone or other; **rhywrai** some.

Sabath: Saboth *e.g. ll.* **-au** Sabbath.
sach *e.b. ll.* **-au** sack; **sach gysgu** sleeping bag.
Sadwrn *e.g. ll.* **Sadyrnau.** Saturn; Saturday.
saer *e.g. ll.* **seiri** carpenter, joiner; wright; mason: **saer coed** carpenter; **saer maen** stonemason; **pensaer** architect.
Saesneg 1 *e.b.* English (*language*). 2 *a.* English (*in language*).
Saesnes *e.b. ll.* **-au** Englishwoman.
Saeson *gw.* **Sais.**
saeth *e.b. ll.* **-au** arrow.
saethu (at) *be.* **(saethaf)** to shoot, to fire.
saethwr *e.g. ll.* **saethwyr** shooter; archer; goal shooter.
safbwynt *e.g. ll.* **-iau** standpoint, viewpoint, perspective.
safle *e.g. ll.* **-oedd** position, station, situation, rank.
safon *e.b. ll.* **-au** standard, class; criterion: **Safon Dau** Standard Two; **Safon A** A level.
safonol *a.* standard.
saib *e.g. ll.* **seibiau** pause, rest.
sail *e.b. ll.* **seiliau** base, foundation; ground; **ar sail** on the basis of.
saim *e.g. ll.* **seimiau** grease, fat: **saim gŵydd** goose grease.
sain *e.b. ll.* **seiniau** sound, tone.
saint *gw.* **sant.**
Sais *e.g. ll.* **Saeson** Englishman.
saith *a. & e.g.* seven.
sâl 1 *a.* poorly, sick; mean. 2 *e.g.* sale (*N.W.*).
salm *e.b. ll.* **-au** psalm; **salm-dôn** chant.
salw *a.* ugly, vile, mean (*S.W.*).

salwch *e.g.* illness.
sanctaidd *a.* holy.
sant *e.g. ll.* **saint, seintiau** saint: **Dewi Sant** Saint David; **Sant Ioan** Saint John.
santes *e.b. ll.* **-au** female saint: **Santes Dwynwen** Saint Dwynwen, patron saint of lovers.
sarff *e.b. ll.* **seirff** serpent.
sarhad *e.g. ll.* **-au** insult, disgrace.
sarnu (ar) *be.* **(sarnaf)** to trample, to litter, to spill (*S.W.*).
sathru (ar) *be.* **(sathraf)** to trample, to tread: **sathru dan draed** to trample underfoot; **sathru ar gyrn** to offend.
sawdl *e.g.b. ll.* **sodlau** heel.
sawl *rhag. & a.* (*followed by a singular noun*) he that, (*the one*) that, whose; how many? many: **Sawl car sy 'da chi?** How many cars do you have? **Sawl tŷ sy ar y bryn?** How many houses are there on the hill? **Roedd sawl llyfr yn y pentwr** There were many books in the pile; **Y sawl a gododd a gollodd ei le** The one that got up lost his seat.
saws *e.g. ll.* **-iau** sauce.
Sbaen *e.b.* Spain.
Sbaeneg *e.b.* Spanish language.
Sbaenes *e.b. ll.* **-au** Spanish woman.
Sbaenwr *e.g. ll.* **-wyr** Spanish man, Spaniard.
sbectol *e.b.* spectacles.
sbon *ad.* (*as used with the adjective* **newydd**) wholly: **newydd sbon** brand new.
sbot: sbotyn *e.g. ll.* **sbotiau** spot.
sebon *e.g. ll.* **-au** soap: **sebon dannedd** toothpaste.
sedd *e.b. ll.* **-au** seat, pew; **sedd fawr** deacon's pew.
sef *c.* namely, that is to say.
sefydliad *e.g. ll.* **-au** establishment, institution, induction.
sefydlog *a.* fixed, settled, stationary.
sefydlu *be.* **(sefydlaf)** to establish, to settle.
sefyll (am) *be.* **(safaf)** to stand; to stop; to stay, to wait (for) (*S.W.*): **sefyll arholiad** to sit an examination.
sefyllfa *e.b. ll.* **-oedd** situation, position.
segur *a.* idle.
segura *be.* **(seguraf)** to idle.
segurdod *e.g.* idleness.
sengl *a.* single.

seiat *e.b.* *ll.* **seiadau** fellowship, meeting, society.
seibiant *e.g.* *ll.* **-au, seibiannau** leisure, respite, pause.
seibiannau *gw.* **seibiant.**
seibiau *gw.* **saib.**
seicoleg *e.b.g.* psychology.
seiliau *gw.* **sail.**
seilio *be.* **(seiliaf)** to base, to found, to ground.
seimiau *gw.* **saim.**
seimlyd: seimllyd *a.* greasy.
seiniau *gw.* **sain.**
seintiau *gw.* **sant.**
seirff *gw.* **sarff.**
seiri *gw.* **saer.**
Seisnig *a.* English, pertaining to England.
Seisnigeiddio: Seisnigo *be.* **(Seisnigeiddiaf: Seisnigaf)** to Anglicise.
seithfed *a.* seventh.
sêl *e.b.* zeal.
Seland Newydd *e.b.* New Zealand.
seld *e.b.* *ll.* **-au** dresser.
sen *e.b.* *ll.* **-nau** rebuke, snub, censure; **bwrw sen ar** to cast a rebuke at.
senedd *e.b.* *ll.* **-au** parliament, senate.
sennau *gw.* **sen.**
sêr *gw.* **seren.**
serch 1 *e.g.* *ll.* **-iadau** love. 2 *c.* & *ardd.* although, notwithstanding: **serch ei fod e'n briod** although he was married.
serchog *a.* affectionate, loving.
serchus *a.* affectionate, loving; pleasant.
seremoni *e.b.* *ll.* **seremonïau** ceremony.
seren *e.b.* *ll.* **sêr** star; asterisk: **seren wib** shooting star.
serennog *a.* starry.
serth *a.* steep; unclean; obscene.
set *e.b.* *ll.* **-iau** set: **set deledu** television set.
sêt *e.b.* *ll.* **seti** seat, pew: **sêt fawr** deacon's seat.
seti *gw.* **sêt.**
setiau *gw.* **set.**
setlo *be.* **(setlaf)** to settle.
sgarff *e.b.* *ll.* **-iau** scarf.
sgert *e.b.* *ll.* **-i** skirt; *gw.* **sgyrt.**
sgets *e.b.* *ll.* **-ys** sketch.
sgi *e.b.g.* ski.
sgil *e.g.* *ll.* **-iau** skill, device, trick.
sgil *ad.* in the wake of behind: **Daeth**

tlodi yn sgil y rhyfel There was poverty in the wake of the war.
sgïo *be.* **(sgïaf)** to ski.
sgipio *be.* **(sgipiaf)** to skip.
sgiw 1 *e.b.* *ll.* **-iau** settle. 2 *a.* askew.
sgïwr *e.g.* *ll.* **sgïwyr** skier.
sglefrio *be.* **(sglefriaf)** to skate, to slide.
sglodion *gw.* **sglodyn.**
sglodyn *e.g.* *ll.* **sglodion** chip: **pysgod a sglodion** fish and chips.
sgôr *e.b.* *ll.* **sgoriau** score.
sgorio *be.* **(sgoriaf)** to score.
sgrech *e.b.* *ll.* **-iadau** yell, scream: **sgrech y coed** jay.
sgrechain: sgrechian *be.* **(sgrechaf: sgrechiaf)** to yell, to scream.
sgrifennu: ysgrifennu (ar, at) *be.* **(sgrifennaf: ysgrifennaf)** to write.
sgript *e.b.* *ll.* **-iau** script.
sgrym *e.b.* *ll.* **-iau** scrum (*rugby*).
sgrymio *be.* **(sgrymiaf)** to scrum.
sgubo *be.* **(sgubaf)** to sweep, to brush.
sgwâr *e.g.b.* *ll.* **-iau** square.
sgwd *e.g.* *ll.* **sgydau** waterfall, cataract.
sgwrs *e.b.* *ll.* **sgyrsiau** talk, chat; conversation.
sgwrsio (â) *be.* **(sgwrsiaf)** to talk, to chat.
sgydau *gw.* **sgwd.**
sgyrsiau *gw.* **sgwrs.**
sgyrt *e.b.* *ll.* **-au, -i** skirt; *gw.* **sgert.**
si *e.g.* *ll.* **sïon** buzz, rumour, murmur.
siaced *e.b.* *ll.* **-i** jacket, coat.
sialc *e.g.* *ll.* **-iau** chalk: **sialciau lliw** coloured chalks.
siampl *e.b.* *ll.* **-au** example.
sianel *e.b.* *ll.* **-i** channel: **Sianel Pedwar Cymru** S4C (Welsh T.V. Channel 4).
siâp *e.g.* *ll.* **-iau** shape.
siâr *e.b.* share: **Ga i siâr o'r bwyd?** May I have a share of the food?
siarad *be.* **(siaradaf)** to talk, to speak: **siarad â** to speak with; **siarad am** to speak about.
siaradwr *e.g.* *ll.* **siaradwyr** talker, speaker.
sibrwd *be.* **(sibrydaf)** to whisper.
sicr: siŵr *a.* sure, certain; secure.
sicrhau *be.* **(sicrhaf)** to assure, to confirm, to obtain, to fix, to secure.
sicrwydd *e.g.* certainty, assurance, security.
sidan *e.g.* *ll.* **-au** silk.

siec

streic

siec *e.b. ll.* **-iau** cheque: **llyfr
sieciau** cheque book.
sied *e.b. ll.* **-iau** shed.
siersi *e.b. ll.* **-s** jersey.
sigâr *e.b. ll.* **sigarau** cigar.
sigarét *e.b. ll.* **sigaretau** cigarette.
sigledig *a.* shaky, rickety.
siglen *e.b. ll.* **-ni, -nydd** swing.
siglo *be.* **(siglaf)** to shake, to quake;
to swing; to wag.
silff *e.b. ll.* **-oedd** shelf: **silff
lyfrau** bookshelf.
silindr *e.g. ll.* **-au** cylinder.
silindrog *a.* cylindrical.
silwair *e.g. ll.* **silweiriau** silage.
sillaf *e.b. ll.* **-au** syllable.
sillafu *be.* **(sillafaf)** to spell: **prawf
sillafu** spelling test.
simdde: simnai *e.b. ll.* **simneiau**
chimney.
simneiau *gw.* **simdde.**
simsan *a.* unsteady, shaky,
tottering.
sinema *e.b. ll.* **sinemâu** cinema.
sïo *be.* **(sïaf)** to hum, to whiz, to
murmur; *gw.* **suo.**
sioc *e.g. ll.* **-iau** shock.
sioe *e.b. ll.* **-au** show: **sioe
amaethyddol** agricultural show;
sioe flodau flower show; **sioe
gŵn** dog show.
sioeau *gw.* **sioe.**
siôl *e.b. ll.* **siolau** shawl.
siom *e.g. ll.* **-au** disappointment.
siomedig *a.* disappointing,
disappointed.
siomedigaeth *e.b. ll.* **-au**
disappointment.
siomi *be.* **(siomaf)** to disappoint:
siomi ar yr ochr orau to be
pleasantly surprised.
sion *gw.* **si.**
Siôn Corn *e.g.* Father Christmas.
siop *e.b. ll.* **-au** shop; **siop
bapurau** newsagent's; **siop
ddillad** clothes shop; **siop
fara** bread shop, baker's; **siop
fwyd** food shop; **siop lyfrau**
bookshop; **siop trin gwallt** hair-
dresser's, hair salon.
siopa *be.* **(siopaf)** to shop.
siopau *gw.* **siop.**
siopwr *e.g. ll.* **siopwyr** shopkeeper.
sipsi *e.g.b. ll.* **sipsiwn** gipsy.
sir *e.b. ll.* **-oedd** county, shire (*in
Wales*); *gw.* **swydd.**
siriol *a.* cheerful, bright, pleasant.
sisial 1 *be.* **(sisialaf)** to whisper. 2 *e.g.
ll.* **-au** a whisper.

siswrn *e.g. ll.* **sisyrnau** scissors.
siwd *gw.* **sut.**
siwg: jwg *e.g. ll.* **-iau** jug: **siwg
laeth** milk jug.
siwgr *e.g.* sugar; **siwgr brown**
brown sugar.
siŵr *gw.* **sicr.**
siwrnai 1 *e.g. ll.* **siwrneiau,
siwrneion** journey: **Siwrnai dda
ichi!** Have a good trip! 2 *ad.* once:
**Siwrnai roedd tawelwch, fe gododd
i siarad** Once there was silence he
rose to speak (*S.W.*).
sliper *e.b. ll.* **-i** slipper.
smotyn *e.g. ll.* **smotiau** spot.
sodlau *gw.* **sawdl.**
sôn (am) 1 *be.* **(soniaf)** to mention, to
talk, to rumour. 2 *e.g.* mention,
talk, rumour: **Does dim sôn
amdani** There is no sign of her.
sosban *e.b. ll.* **-au, sosbenni**
saucepan.
sosbenni *gw.* **sosban.**
soser *e.b. ll.* **-i** saucer.
sosialaeth *e.b.* socialism.
sosialaidd *a.* socialist.
sosialwyr *gw.* **sosialydd.**
sosialydd *e.g. ll.
sosialwyr** socialist.
sothach *e.torf.* trash, rubbish.
stabl *e.b. ll.* **-au** stable.
stafell: ystafell *e.b. ll.* **-oedd** room:
stafell ffrynt front room; **stafell
gefn** back room; **stafell
wely** bedroom; **stafell
ymolchi** bathroom.
stamp *e.g. ll.* **-iau** stamp.
stampio *be.* **(stampiaf)** to stamp.
stôl *e.b. ll.* **stolau** stool.
stondin *e.b. ll.* **-au** stall: **stondin
farchnad** market stall.
stopio *be.* **(stopiaf)** to stop.
stôr *e.g. ll.* **storau** store; **stôr
celfi** furniture store.
stordy *e.g. ll.* **stordai** storehouse,
warehouse.
storfa *e.b. ll.* **storfeydd** store;
storage.
stori *e.b. ll.* **storiáu, storïau, straeon**
story: **stori arswyd** horror story;
stori fer short story.
storiáu: storïau *gw.* **stori.**
storïwr *e.g. ll.* **storïwyr** story-teller.
storm *e.b. ll.* **-ydd** storm.
stormus *a.* stormy, tempestuous.
stormydd *gw.* **storm.**
straeon *gw.* **stori.**
strategaeth *e.b.* strategy.
streic *e.b. ll.* **-iau** strike.

127

strwythur   **syrthio**

strwythur *e.g. ll.* **-au** structure.
strwythuro *be.* **(strwythuraf)** to
structure.
stryd *e.b. ll.* **-oedd** street.
stumog *e.b. ll.* **-au** stomach.
stumogi *be.* **(stumogaf)** to stomach.
stŵr *e.g.* stir, noise, bustle, fuss.
su *e.g. ll.* **suon** buzz, murmur,
rumour; *gw.* **si.**
suddo *be.* **(suddaf)** to sink, to dive;
to invest.
sugno *be.* **(sugnaf)** to suck, to
absorb.
Sul *e.g. ll.* **-iau** Sunday: **Dydd
Sul** Sunday; **Sul y Blodau** Palm
Sunday; **Sul y Mamau** Mothering
Sunday.
Sulgwyn *e.g.* Whitsunday.
Suliau *gw.* **Sul.**
suo *be.* **(suaf)** to hum, to buzz; to lull.
suon *gw.* **su.**
sur *a. ll.* **-ion** sour, bitter, acid.
suro *be.* **(suraf)** to sour.
sut: siwd *rhag. gof.* how?: **Sut/Siwd
mae?** How are things?
sw *e.g.* zoo.
swil *a.* shy, bashful.
Swistir Y, *e.b.* Switzerland.
swm *e.g.* **symiau** sum.
sŵn *e.g. ll.* **synau** sound, noise.
swnio *be.* **(swniaf)** to sound, to
pronounce.
swper *e.g.b. ll.* **-au** supper: **Y
Swper
Olaf** The Last Supper.
sws *e.g.* kiss (*N.W.*).
swydd *e.b. ll.* **-i, -au** post, office, job;
county (*in England*); *gw.*
sir: Swydd Gaerloyw
Gloucestershire; **Swydd
Buckingham** Buckinghamshire.
swyddfa *e.b. ll.* **swyddfeydd** office:
Y Swyddfa Gymreig The Welsh
Office.
swyddfeydd *gw.* **swyddfa.**
swyddi *gw.* **swydd.**
swyddog *e.g. ll.* **-ion** officer, official;
swyddog prawf probation officer;
swyddog y llys officer of the court.
swyddogol *a.* official; **llythyr
swyddogol** official letter.
swyn *e.g. ll.* **-ion** charm, magic,
spell.
swyno *be.* **(swynaf)** to charm, to
enchant, to bewitch.
swynol *a.* charming, fascinating.
sy: sydd *bf.* is, are; *gw.* **bod.**
sych *a.* dry; **tywydd sych** dry
weather.

syched *e.g.* thirst: **Mae syched ar
Tom** Tom is thirsty.
sychedig *a.* thirsty, parched.
sychu *be.* **(sychaf)** to dry, to dry up;
to wipe.
sydyn *a.* sudden, abrupt.
sydd *gw.* **sy.**
syfrdanol *a.* stupefying, stunning.
sylfaen *e.b. ll.* **sylfeini** foundation,
base.
sylfaenol *a.* basic, fundamental.
sylfeini *gw.* **sylfaen.**
sylw *e.g. ll.* **-adau** notice, remark,
observation, attention: **Gadewch e
dan sylw.** Don't take notice of him.
sylwadau *gw.* **sylw.**
sylwebaeth *e.b. ll.* **-au** commentary.
sylwebu (ar) *be.* **(sylwebaf)** to give a
commentary (on).
sylwebydd: sylwebwr *e.g. ll.*
sylwebwyr commentator.
sylwedd *e.g. ll.* **-au** substance,
foundation.
sylweddol *a.* substantial.
sylweddoli *be.* **(sylweddolaf)** to
realise.
sylwi (ar) *be.* **(sylwaf)** to observe, to
notice: **Sylwch arnyn nhw.** Notice
them.
syllu (ar) *be.* **(syllaf)** to gaze.
symiau *gw.* **swm.**
syml *a.* simple.
symud 1 *be.* **(symudaf)** to move, to
remove; **2** *e.g.* movement, action.
symudiad *e.g. ll.* **-au** movement,
removal.
syn *a.* amazed, astonishing,
surprising.
synau *gw.* **sŵn.**
syndod *e.g. ll.* **-au** surprise,
amazement.
synhwyrau *gw.* **synnwyr.**
synhwyro *be.* **(synhwyraf)** to sense;
to sniff, to smell.
synhwyrol *a.* sensible.
syniad *e.g. ll.* **-au** idea, notion,
thought.
synnu (at) *be.* **(synnaf)** to be
surprised, to marvel, to wonder:
Rwy'n synnu atoch chi I'm
surprised at you.
synnwyr *e.g. ll.* **synhwyrau** sense.
syr *e.g.* sir: **Annwyl Syr** Dear Sir.
syrcas *e.b. ll.* **-au** circus.
syrffed *e.g.* surfeit.
syrffedu (ar) *be.* **(syrffedaf)** to
surfeit, to be fed up (with).
syrthio *be.* **(syrthiaf)** to fall: **syrthio
mewn cariad** to fall in love; **syrthio**

syth   sythu

ar fai to admit to blame.
syth *a.* stiff, straight, erect: **Dewch
yn syth** Come at once.
sythlyd *a.* cold, chilled.

sythu *a.* to become chilled, to
straighten (*S.W.*): **Rwyf bron â
sythu** I'm perished.

tabl *e.g. ll.* -**au** tabl.
tabled *e.b. ll.* -**au**, -**i** tablet.
tacl *e.b.g. ll.* -**au** tackle, gear.
taclo *be.* (**taclaf**) to tackle.
taclu *be.* (**taclaf**) to put in order; to dress *(S.W.).*
taclus *a.* neat, tidy.
tacluso *be.* (**taclusaf**) to trim, to tidy.
taclwr *e.g. ll.* **taclwyr** tackler *(rugby).*
Tachwedd *e.g.* November.
tad *e.g. ll.* -**au** father:
 tadmaeth foster-father;
 llystad stepfather; **tad-yng-nghyfraith** father-in-law.
tad-cu *e.g. ll.* **tadau-cu** grandfather *(S.W.). gw.* **taid** *(N.W.).*
tafarn *e.g.b. ll.* **tafarnau** tavern, public house, inn.
tafarnwr *e.g. ll.* **tafarnwyr** publican, inn-keeper.
tafell *e.b. ll.* -**au**, -**i**, **tefyll** slice, slab.
taflegryn *e.g. ll.* **taflegrau** missile.
taflen *e.b. ll.* -**ni** leaflet, list, table:
 taflen amser timetable.
taflu (at) *be.* (**taflaf**) to throw (to), to fling, to cast; to dislocate.
tafod *e.g. ll.* -**au** tongue, tang, spit.
tafodiaith *e.b. ll.* **tafodieithoedd** dialect.
tafodieithoedd *gw.* **tafodiaith.**
tafol *e.b. ll.* -**au**, -**ion** scales.
tagfa *e.b. ll.* **tagfeydd** strangulation, choking, bottleneck.
tagu *be.* (**tagaf**) to strangle, to choke.
tangnefedd *e.g.b.* peace.
tai *gw.* **tŷ.**
taid *e.g. ll.* **teidiau** grandfather *(N.W.); gw.* **tad-cu** *(S.W.).*
tair *a.b. & e.b.* three: **tair**

merch three girls; *gw.* **tri.**
taith *e.b. ll.* **teithiau** journey, tour, voyage.
tal *a.* tall, lofty, high.
tâl 1 *e.g. ll.* **taloedd**, **taliadau** pay, payment, charge, rates: **Tâl Cymunedol** Community Charge. 2 *e.g. ll.* **talau** forehead, front, end.
talai *e.g. ll.* **taleion** payee.
talaith *e.b. ll.* **taleithiau** province, state: **Yr Unol Daleithiau** The United States.
talcen *e.g. ll.* -**nau**, -**ni** forehead; gable, pine-end: **talcen tŷ** pine-end of house.
talcennau *gw.* **talcen.**
talcenni *gw.* **talcen.**
taleb *e.b. ll.* -**au**, -**ion** receipt.
taleion *gw.* **talai.**
taleithiau *gw.* **talaith.**
talent *e.b. ll.* -**au** talent.
talentog *a.* gifted, talented.
talfyriad *e.g. ll.* -**au** abbreviation.
taliadau *gw.* **tâl.**
taloedd *gw.* **tâl.**
talu (am) *be.* (**talaf**) to pay.
talwr *e.g. ll.* **talwyr** payer.
talwrn *e.g. ll.* **talyrnau** spot, place; cock-fighting pit: **Talwrn y Beirdd** the Poet's Place *(for competition).*
tamaid *e.g. ll.* **tameidiau** piece, bit bite: **tamaid i aros pryd** temporary provision whilst awaiting arrival of something more substantial.
tameidiau *gw.* **tamaid.**
tan *ardd.* (followed by soft mutation) until, as far; under; *gw.* **dan.**
tân *e.g. ll.* **tanau** fire, light: **tân siafins** short-lived enthusiasm and transitory zeal (lit. a blaze of wood shavings).
tanau *gw.* **tân.**
tanbaid *a.* hot, fervent, fiery, brilliant.
tanc *e.g. ll.* -**iau** tank.
tancer *e.g. ll.* -**i** tanker.
tanddaear: tanddaearol *a.* subterranean, underground.
tanfor *a.* submarine: **llong danfor** submarine.
tanio *be.* (**taniaf**) to ignite, to fire, to stoke, to light: **tanio'r dychymyg** to fire the imagination.
tanlinellu *be.* (**tanlinellaf**) to underline.
tanlwybr *e.g. ll.* -**au** subway.
tanllyd *a.* fiery, fervent.

tannau *gw.* **tant.**
tanseilio *be.* **(tanseiliaf)** to sap, to undermine.
tant *e.g. ll.* **tannau** chord, string: **tant telyn** harp string.
tanwydd *e.g. ll.* **-on, -au** fuel, firewood.
tap *e.g. ll.* **-iau** tap; **tap dŵr oer** cold water tap.
tâp *e.g. ll.* **tapiau** tape.
tapiau *gw.* **tap, tâp.**
taran *e.b. ll.* **-au** (peal of) thunder; **mellt a tharanau** thunder and lightning.
taranu *be.* **(taranaf)** to thunder, to threaten.
tarddiad *e.g. ll.* **-au** source, derivation.
tarddu *be.* **(tarddaf)** to spring, to sprout, to derive from, to issue.
targed *e.g. ll.* **-i, -au** target.
tarian *e.b. ll.* **tariannau** shield.
tariannau *gw.* **tarian.**
taro 1 *be.* **(trawaf)** to strike, to hit, to tap; to suit: **Mae e'n dy daro'n iawn** It suits you well. **2** *e.g.* difficulty, crisis; **mewn taro** in an emergency.
tarw *e.g. ll.* **teirw** bull: **llwybr tarw** a short cut.
tasg *e.b. ll.* **-au.**
tasgu *be.* **(tasgaf)** to splash, to start, to bolt; to spark; to lose one's temper: **Roedd e'n tasgu pan glywodd e** He was mad when he heard.
taten *e.b.* **tatws, tato** potato: **tatws drwy'r croen/pil** jacket potatoes; **tatws rhost** roast potatoes; **tatws wedi'u berwi** boiled potatoes; **tatws wedi'u ffrio** fried potatoes; **creision tatws** potato crisps.
tato: tatws *gw.* **taten.**
tawel *a.* quiet, calm, still, peaceful.
tawelu *be.* **(tawelaf)** to calm, to grow calm.
tawelwch *e.g.* quiet, calm, stillness, tranquillity.
tawelydd *e.g. ll.* **-ion** silencer.
tawelyddion *gw.* **tawelydd.**
tawelyn *e.g. ll.* **-ion** tranquilliser.
tawelynion *gw.* **tawelyn.**
te *e.g* tea.
tebot *e.g. ll.* **-au** teapot.
tebyg *a.* like, similar, likely: **yn debyg i** like, similar to; **yn debyg o** likely to.
tebygol *a.* likely, probable; **yn debygol o ennill** likely to win.

tebygrwydd *e.g.* likeness, similarity, resemblance.
tecell: tegell *e.g. ll.* **-au, -i** kettle.
techneg *e.b. ll.* **-au** technique.
technegol *a.* technical.
technegwr *e.g. ll.* **technegwyr** technician.
technoleg *e.b.* technology.
teg *a.* fair, fine, beautiful: **chwarae teg** fair play; **teg o bryd** beautiful in appearance.
tegan *e.g. ll.* **-au** toy, plaything.
tegell *gw.* **tecell.**
tegwch *e.g.* beauty, fairness.
tei *e.g.b. ll.* **teis, -au** tie.
teiar *e.g. ll.* **-s** tyre.
teiau *gw.* **tei.**
teidiau *gw.* **taid.**
teigr *e.g. ll.* **-od** tiger.
teiliwr *e.g. ll.* **teilwriaid** tailor.
teilsen *e.b. ll.* **teils** tile.
teilwng *a.* worthy, deserved: **yn deilwng o** worthy of.
teilwres *e.b. ll.* **-au** tailoress.
teilwriaid *gw.* **teiliwr.**
teilyngdod *e.g. ll.* **-au** merit, worthiness.
teimlad *e.g. ll.* **-au** feel, emotion, feeling, sensation.
teimlo *be.* **(teimlaf)** to feel, to handle, to touch; **teimlo fel** to feel like.
teipiadur *e.g. ll.* **-on** typewriter.
teirgwaith *ad.* three times.
teirw *gw.* **tarw.**
teis *gw.* **tei.**
teisen *e.b. ll.* **-nau** cake, tart: **teisen ddwbl** sandwich cake; **teisen ffrwythau** fruit cake; **teisennau cri** Welsh cakes.
teitl *e.g. ll.* **-au** title.
teithiau *gw.* **taith.**
teithio *be.* **(teithiaf)** to travel, to journey.
teithiwr *e.g. ll.* **teithwyr** traveller.
telediad *e.g. ll.* **-au** telecast.
teledu 1 *be.* **(teledaf)** to televise. **2** *e.g.* television; **set deledu lliw** colour televison set.
teleffon *e.g. ll.* **-au** telephone; *gw.* **ffôn.**
teleffonio: ffonio *be.* **(teleffoniaf: ffoniaf)** to telephone, to phone.
telyn *e.b. ll.* **-au** harp.
telyneg *e.b. ll.* **-ion** lyric.
telynor *e.g. ll.* **-ion** harpist.
telynores *e.b. ll.* **-au** female harpist.
telynorion *gw.* **telynor.**
teml *e.b. ll.* **-au** temple.
tenau *a.* thin, slender, lean; rare.

tenau

trafod

terfyn *e.g. ll.* **-au** end, boundary, extremity.
terfynol *a.* ultimate, last: **y taliad terfynol** the last instalment.
terfysg *e.g. ll.* **-oedd** tumult, commotion, riot.
terfysgaeth *e.g.* terrorism.
terfysgwr *e.g. ll.* **terfysgwyr** terrorist.
term *e.g. ll.* **-au** term: **termau technegol** technical terms.
tes *e.g. ll.* **-au, -oedd** heat, sunshine, haze.
tesog *a.* hot, sunny.
testun *e.g. ll.* **-au** text, subject: **testun sgwrs** subject for debate; **testun siarad** subject of gossip.
teulu *e.g. ll.* **-oedd** family.
tew *a.* fat.
teyrnas *e.b. ll.* **-oedd** kingdom: **Teyrnas Nefoedd** Kingdom of Heaven; **Y Deyrnas Unedig** The United Kingdom.
ti *rhag.* you *(singular).*
ticed *e.g. ll.* **-i** ticket.
tîm *e.g. ll.* **timau** team.
tip *e.g. ll.* **-iau** tip.
tipiau *gw.* **tip, tipyn.**
tipyn *e.g. ll.* **-nau, tipiau** little, bit; **tipyn bach** a little; **bob yn dipyn** little by little.
tir *e.g. ll.* **-oedd** land, earth, ground, territory. **tir neb** no man's land; **colli tir** to lose ground.
tirion *a.* tender, kind, gentle, gracious.
tirlun *e.g. ll.* **-iau** landscape.
tiroedd *gw.* **tir.**
tisian *be.* **(tisiaf)** to sneeze.
tithau *rhag.* you also *(singular).*
tlawd *a. ll.* **tlodion** poor, needy: **y tlodion** the poor.
tlodi *e.g.* poverty.
tlodion *gw.* **tlawd.**
tlos *a.b.* pretty: **merch dlos** a pretty girl *(N.W.); gw.* **tlws.**
tlws 1 *e.g. ll.* **tlysau** gem, jewel, brooch: **tlws aur** a gold brooch; **tlws yr eira** snowdrop; **clustlysau** ear-rings. 2 *a.g.* pretty; *gw.* **tlos.**
tlysau *gw.* **tlws.**
to 1 *e.g. ll.* **-eau, -eon** roof. 2 *e.g.b.* generation: **y to sy'n codi** the rising generation.
tocyn *e.g. ll.* **-nau** ticket, token; **tocyn dychwel** return ticket.
tocynnau *gw.* **tocyn.**
tocynnwr *e.g. ll.* **tocynwyr** ticket collector, conductor.

tocynwyr *gw.* **tocynnwr.**
toddi *be.* **(toddaf)** to melt, to thaw, to dissolve.
toeau *gw.* **to.**
toeon *gw.* **to.**
toes *e.g.* dough: **toesenni** doughnuts; **tylino toes** to knead dough.
toiled *e.g. ll.* **-au** toilet.
tolc *e.g. ll.* **-iau** dent.
tolcio *be.* **(tolciaf)** to dent.
toll *e.b. ll.* **-au** toll, custom, duty: **tollborth/tollglwyd** toll-gate.
ton *e.b. ll.* **tonnau** wave, breaker.
tôn *e.b. ll.* **tonau** tune: **tôn gron** a round (tune).
tonau *gw.* **tôn.**
tonfedd *e.b. ll.* **-i** wavelength.
tonnau *gw.* **ton.**
torch *e.b. ll.* **-au** wreath, coil, torque.
toreithiog *a.* abundant, teeming.
toreth *e.b.* abundance.
torf *e.b. ll.* **-eydd** crowd, multitude.
torfeydd *gw.* **torf.**
torfol *a.* collective, mass: **enw torfol** collective noun.
torheulo *be.* **(torheulaf)** to sunbathe.
Tori *e.g. ll.* **Toriaid** Tory.
toriad *e.g. ll.* **-au** break, cut.
Toriaid *gw.* **Tori.**
Toriaidd *a.* Tory, Conservative.
torri *be.* **(torraf)** to break, to cut, to sever; to go bankrupt: **torri ar draws** to interrupt; **torri enw** to sign; **torri gwynt** to break wind.
tors *e.g.b. ll.* **tyrs** torch.
torth *e.b. ll.* **-au** loaf; **torth wen** white loaf.
tosau *gw.* **tosyn.**
tost 1 *a.* severe, sharp, sore; ill *(S.W.).* 2 *e.g. ll.* **-ys** toast (bread).
tostrwydd *e.g.* illness, severity.
tosyn *e.g. ll.* **tosau** pimple *(S.W.).*
trachefn *gw.* **drachefn.**
trachwant *e.g. ll.* **-au** lust, greed, covetousness.
trachwantus *a.* covetous, lustful.
traddodiad *e.g. ll.* **-au** tradition; delivery.
traddodiadol *a.* traditional.
traed *g.w.* **troed.**
traeth *e.g. ll.* **-au** beach, shore.
traethau *gw.* **traeth.**
traethawd *e.g. ll.* **traethodau** essay, treatise, tract.
traethodau *gw.* **traethawd.**
trafnidiaeth *e.b.* traffic, commerce.
trafod *be.* **(trafodaf)** to handle, to discuss, to negotiate, to transact:

cylch trafod discussion group.
trafferth *e.b.g.* *ll.* **-ion** trouble, toil,
 bother.
trafferthu (i) *be.* **(trafferthaf)** to
 trouble, to bother, to take pains.
trafferthus *a.* troublesome,
 laborious; troubled.
traffordd *e.b.* *ll.* **traffyrdd** motorway.
traffyrdd *gw.* **traffordd.**
tragwyddol *a.* eternal, everlasting: **o
 dragwyddol bwys** of everlasting
 importance.
trai *e.g.* *ll.* **treiau** ebb, decrease:
 llanw a thrai ebb and flow.
trais *e.g.* *ll.* **treisiau** violence,
 oppression; rape.
trallod *e.g.* *ll.* **-au, -ion** tribulation,
 trouble.
trallodau *gw.* **trallod.**
trallodion *gw.* **trallod.**
trallwysiad *e.g.* *ll.* **-au** transfusion:
 **Gwasanaeth Trallwyso
 Gwaed** Blood Transfusion Service.
tramor *a.* overseas, foreign.
trannoeth *ad.* next day: **Daeth e
 drannoeth** He came the next day.
trap *e.g.* *ll.* **-iau** trap.
traul *e.b.* *ll.* **treuliau** wear; cost,
 expense.
trawsblannu *be.* **(trawsblannaf)** to
 transplant.
trawst *e.g.* *ll.* **-iau** beam, crossbar.
tre *gw.* **tref.**
trechu *be.* **(trechaf)** to overcome, to
 defeat.
tref: tre *e.b.* *ll.* **-i, -ydd** town, home:
 tua thre homeward; **tre
 farchnad** market town.
trefi *gw.* **tref.**
trefn *e.b.* *ll.* **-au** order, arrangement,
 system, method: **dweud y drefn** to
 scold.
trefnu (i) *be.* **(trefnaf)** to order, to
 arrange, to organise, to sort.
trefnus *a.* orderly, methodical.
trefnydd *e.g.* *ll.* **-ion** organiser.
trefol *a.* urban.
trefydd *gw.* **tref.**
treial *e.g.* *ll.* **-on** trial, contest:
 treialon cŵn defaid sheepdog trials.
treiau *gw.* **trai.**
treiglad *e.g.* *ll.* **-au** mutation;
 rolling: **treiglad llaes** spirant
 mutation; **treiglad meddal** soft
 mutation; **treiglad trwynol** nasal
 mutation.
treiglo *be.* **(treiglaf)** to mutate; to
 roll.
treisiau *gw.* **trais.**

treisio *be.* **(treisiaf)** to force, to
 violate, to oppress; to rape.
trem *e.b.* *ll.* **-iau** sight, look.
trên *e.g.* *ll.* **trenau** train.
trenau *gw.* **trên.**
trennydd *ad.* two days hence.
treth *e.b.* *ll.* **-i** rate, tax, levy; strain:
 treth ar werth value added tax;
 treth incwm income tax; **treth y
 pen** community charge/poll tax;
 treth cyngor council tax; **Roedd e'n
 dreth ar fy amynedd** He was a
 strain on my patience.
trethdalwr *e.g.* *ll.* **trethdalwyr**
 ratepayer.
trethu *be.* **(trethaf)** to tax, to rate.
treuliau *gw.* **traul.**
treulio *be.* **(treuliaf)** to wear; to
 spend; to digest.
tri *a.g. & e.g.* *ll.* (followed by spirant
 mutation) three: **tri chap** three
 caps; **tri pheint** three pints; **tri
 thŷ** three houses; **tri chynnig i
 Gymro** three tries for a Welshman;
 gw. At. Treigladau, **tair.**
triawd *e.g.* *ll.* **-au** trio, threesome.
tric *e.g.* *ll.* **-iau** trick.
tridiau *e.ll.* three days.
trigain *a. & e.g.* sixty: **trigain
 mlynedd yn ôl** sixty years ago; *gw.
 At. Treiglad Trwynol.*
trigfan *e.b.* *ll.* **-nau** dwelling-place.
trigo *be.* **(trigaf)** to dwell, to reside; to
 die (of animal).
trigolion *e.ll.* inhabitants.
trin *be.* **(triniaf)** to treat; to handle; to
 dress; to till; to revile: **siop trin
 gwallt** hairdresser's shop; **trin y
 tir** to cultivate the land.
trindod *e.b.* *ll.* **-au** trinity: **Coleg y
 Drindod** Trinity College.
trioedd *e.ll.* triads.
triongl *e.g.b.* *ll.* **-au** triangle.
trist *a.* sad, sorrowful, unhappy.
tristwch *e.g.* sadness, sorrow:
 tristwch o'r mwyaf the greatest
 sorrow.
tro *e.g.* *ll.* **troeau, troeon** turn, twist,
 bend; conversion: **gweld tro ar
 fyd** to experience a change in
 circumstances.
llygad tro a squint: **tro gwael** an
 unworthy act; **tro yn ei gwt** a twist
 in his tail.
trochi *be.* **(trochaf)** to dip, to plunge;
 to soil (S.W.); to bathe (N.W.).
troeau *gw.* **tro.**
troed *e.g.b.* *ll.* **traed** foot, base;
 handle.

troedfedd *e.b. ll.* -i foot *(measure)*.
troedffordd *e.g. ll.* troedffyrdd
footpath.
troëdig *a.* turned, converted.
tröedigaeth *e.b. ll.* -au conversion,
turning.
troedio *be.* (troediaf) to walk, to
tread, to trudge.
troednoeth *a.* barefooted.
troeon *gw.* tro.
trogylch *e.g. ll.* -oedd, -au
roundabout.
troi *be.* (troaf) to turn, to revolve, to
convert; to plough; to translate; *gw.*
At. *Berfau.*
tros *gw.* dros.
trosedd *e.b. ll.* -au crime, offence,
transgression.
troseddu *be.* (troseddaf) to
offend, to transgress.
troseddwr *e.g. ll.* troseddwyr
criminal, transgressor.
trosgais *e.g. ll.* trosgeisiau
converted try *(rugby)*.
trosglwyddo *be.* (trosglwyddaf) to
convey, to transfer.
trosi *be.* (trosaf) to turn, to translate,
to transfer; to convert *(rugby)*.
trosiad *e.g. ll.* -au translation;
conversion *(rugby)*.
troswr *e.g. ll.* troswyr switch
(electricity).
trothwy *e.g. ll.* -au, -on threshold:
ar drothwy'r Nadolig on the
threshold of Christmas.
trowsus *e.g. ll.* -au trousers:
trowsus byr short trousers.
truan *e.g. ll.* trueiniaid wretch:
Druan ohono! Poor fellow! Jac
druan! Poor Jack!.
trueiniad *gw.* truan.
trueni *e.g.* wretchedness, pity,
misery: trueni ei fod a pity that;
trueni iddo a pity that.
truenus *a.* wretched, miserable.
trugaredd *e.g. ll.* -au mercy,
compassion: drwy drugaredd
fortunately.
trugarhau (wrth) *be.* (trugarhaf) to be
merciful (to), to take pity (on).
trwbl *e.g.* trouble.
trwchus *a.* thick; dense.
trwm *a. ll.* trymion heavy, sad,
wretched.
trwser *e.g. ll.* -i trousers: *gw.*
trowsus.
trwsio *e.* (trwsiaf) to mend, to trim,
to dress.
trwsiwr *e.g. ll.* trwswyr repairer.

trwy *gw.* drwy.
trwydded *e.b. ll.* -au licence,
dispensation: trwydded yrru
driving licence.
trwyn *e.g. ll.* -au nose, snout; point,
cape.
trwynol *a.* nasal.
trychineb *e.g.b. ll.* -au disaster,
calamity.
trydan 1 *e.g.* electricity. 2 *a.* electric;
Y Bwrdd Trydan The Electricity
Board.
trydanwr *e.g. ll.* trydanwyr
electrician.
trydedd *a.b. (used before feminine
nouns)* third: y drydedd
bennod the third chapter.
trydydd *a.g. (used before masculine
nouns)* third: Y trydydd tro The
third time.
trydyddol *a.* tertiary: Coleg
Trydyddol Tertiary College.
tryloyw *a.* transparent.
trymaidd *a.* heavy, close, sultry.
trymion *gw.* trwm.
trysor *e.b. ll.* -au treasure.
trysorfa *e.b. ll.* trysorfeydd
treasury, fund.
trysori *be.* (trysoraf) to treasure.
trysorydd *e.g. ll.* -ion treasurer.
trywydd *e.g. ll.* -ion scent, trail: ar
drywydd on the trail of.
tu *e.g.* side, region: tu draw i: tu
hwnt beyond; tu fewn: tu
mewn inside; tu faes *(S.W.):* tu
allan *(N.W.)* outside.
tua: tuag *ardd. (followed by spirant
mutation)* towards; about: tua thre:
adre homewards; tuag at towards;
tua mis about a month.
tudalen *e.g.b. ll.* -nau page:
tudalen flaen front page; *gw.* dalen.
tueddiad *e.g. ll.* -au tendency,
proneness.
tun 1 *e.g.* -iau tin, can. 2 *a.* tin.
tunnell *e.g. ll.* tunelli ton.
twlc *e.g. ll.* tylciau sty: twlc
mochyn pigsty.
twll *e.g. ll.* tyllau hole.
twmpath *e.g. ll.* -au tump, hillock:
Twmpath Dawns Folk Dancing
event.
twndis *e.g. ll.* -au funnel.
twnel *e.g. ll.* -au, -i tunnel.
twp *a.* dull, stupid *(S.W.).*
twpsyn *e.g.* stupid person.
twr *e.g. ll.* tyrrau heap; group;
crowd.
twˆr *e.g. ll.* tyrau tower.

twrci

tywysoges

twrci *e.g. ll.* **twrcïod, tyrcwn** turkey.
twristiaeth *e.b.* tourism: **Y Bwrdd Croeso** The Tourist Board.
twrw *e.g. ll.* **tyrfau** noise, tumult, roar, crash: **tyrfau: taranau** thunder.
twt *a.* neat, tidy: **tŷ bach twt** a Wendy house *(lit. a neat little house);* **twt a lol** nonsense, rubbish.
twyll *e.g.* deceit, fraud, treachery.
twyllo *be.* **(twyllaf)** to deceive, to cheat, to defraud.
twyllodrus *a.* deceitful, false, fraudulent.
twym *a.* warm *(S.W.);* **twym iawn** hot *(S.W.).*
twymo *be.* **(twymaf)** to warm.
twymyn *e.b. ll.* **-au** fever.
tŷ *e.g. ll.* **tai** house: **tŷ newydd** new house; **tŷ bach** toilet; **tŷ tafarn** public house; **tŷ cwrdd** religious meeting house.
tybed *ad.* I wonder: is that so? **Tybed a ddaw hi?** I wonder whether she will come?
tybied: tybio *be.* **(tybiaf)** to suppose, to think, to imagine.
tydi *rhag.* you yourself.
tyddyn *e.g. ll.* **-nod, -nau** small holding, small farm, croft: **tŷ'n cwm: tyddyn y cwm** the valley smallholding; **tŷ'n y waun** the moor croft.
tyddynnwr *e.g. ll.* **tyddynwyr** smallholder, crofter.
tyddynwyr *gw.* **tyddynnwr.**
tyfiannau *gw.* **tyfiant.**
tyfiant *e.g. ll.* **tyfiannau** growth, increase.
tyfu *be.* **(tyfaf)** to grow, to increase.
tynged *e.b. ll.* **tynghedau** destiny, fate.
tyngedfennol *a.* fateful, fatal.
tynghedau *gw.* **tynged.**
tyngu *be.* **(tyngaf)** to swear, to vow.
tylciau *gw.* **twlc.**
tyle *e.g. ll.* **-au** hill, ascent, slope *(S.W.).*
tylino *be.* **(tylinaf)** to knead *(dough).*
tylwyth *e.g. ll.* **-au** family, ancestry, kindred: **Tylwyth Teg** fairies.
tyllau *gw.* **twll.**
tyllu *be.* **(tyllaf)** to hole, to bore, to perforate.

tylluan *e.b. ll.* **-od** owl *(N.W.); gw.* **gwdihŵ.**
tymer *e.b. ll.* **tymherau** temper, temperament.
tymereddau *gw.* **tymheredd.**
tymestl *e.b. ll.* **tymhestloedd** tempest, storm.
tymherau *gw.* **tymer.**
tymheredd *e.g. ll.* **tymereddau** temperature, temperament.
tymhestloedd *gw.* **tymestl.**
tymhestlog *a.* tempestuous, stormy.
tymhorau *gw.* **tymor.**
tymor *e.g. ll.* **tymhorau** season, term: **Tymor yr Haf** Summer Term; **yn ei thymor** in season *(of animal).*
tyn 1 *a.* tight, mean, perverse. 2 *bf.* pull! tighten! *gw.* **tynnu.**
tyner *a.* gentle, tender.
tynerwch *e.g.* gentleness, tenderness.
tynnu *be.* **(tynnaf)** to pull, to draw, to remove; take off: **Tynnwch eich cot** Take off your coat.
tyrau *gw.* **twr.**
tyrfa *e.b. ll.* **-oedd** crowd, multitude.
tyrfau *gw.* **twrw.**
tyrrau *gw.* **twr.**
tyst *e.g. ll.* **-ion** witness.
tystio *be.* **(tystiaf)** to testify, to witness; **tystio bod** to testify that.
tystiolaeth *e.b. ll.* **-au** evidence; testimony.
tystion *gw.* **tyst.**
tystysgrif *e.b. ll.* **-au** certificate: **tystysgrif geni** birth certificate; **tystysgrif marwolaeth** death certificate; **tystysgrif priodi** marriage certificate.
tywel *e.g. ll.* **-ion** towel.
tywod *e.g.* sand.
tywydd *e.g.* weather: **tywydd mawr** stormy weather: **tywydd teg** fair weather.
tywyll *a.* dark, obscure; blind, sad.
tywyllu *be.* **(tywyllaf)** to darken.
tywyllwch *e.g.* darkness.
tywys *be.* **(tywysaf)** to lead, to guide.
tywysydd *e.g. ll.* **-ion** guide.
tywysog *e.g. ll.* **-ion** prince: **Tywysog Cymru** Prince of Wales.
tywysoges *e.b. ll.* **-au** princess: **Tywysoges Cymru** Princess of Wales.

thabl *gw.* tabl.
thabled *gw.* tabled.
thacl *gw.* tacl.
thaclo *gw.* taclo.
thaclu *gw.* taclu.
thaclus *gw.* taclus.
thacluso *gw.* tacluso.
thaclwr *gw.* taclwr.
Thachwedd *gw.* Tachwedd.
thad *gw.* tad.
thad-cu *gw.* tad-cu.
thafarn *gw.* tafarn.
thafarnwr *gw.* tafarnwr.
thafell *gw.* tafell.
thaflegryn *gw.* taflegryn.
thaflen *gw.* taflen.
thaflu *gw.* taflu.
thafod *gw.* tafod.
thafodiaith *gw.* tafodiaith.
thafodieithoedd *gw.* tafodiaith.
thafol *gw.* tafol.
thagfa *gw.* tagfa.
thagu *gw.* tagu.
thangnefedd *gw.* tangnefedd.
thai *gw.* tŷ.
thaid *gw.* taid.
thair *gw.* tair.
thaith *gw.* taith.
thal *gw.* tal.
thâl *gw.* tâl.
thalai *gw.* talai, talu.
thalaith *gw.* talaith.
thalau *gw.* tâl.
thalcen *gw.* talcen.
thalcennau: thalcenni *gw.* talcen.
thaleb *gw.* taleb.
thalent *gw.* talent.
thalentog *gw.* talentog.
thaliadau: thaloedd *gw.* tâl.
thalu *gw.* talu.

thalwr *gw.* talwr.
thalwrn *gw.* talwrn.
thamaid *gw.* tamaid.
thameidiau *gw.* tamaid.
than *gw.* dan.
thân *gw.* tân.
thanau *gw.* tanau.
thanbaid *gw.* tanbaid.
thanc *gw.* tanc.
thancer *gw.* tancer.
thanddaear *gw.* tanddaear.
thanddaearol *gw.* tanddaear.
thanfor *gw.* tanfor.
thanio *gw.* tanio.
thanlinellu *gw.* tanlinellu.
thanlwybr *gw.* tanlwybr.
thanllyd *gw.* tanllyd.
thannau *gw.* tant.
thanseilio *gw.* tanseilio.
thant *gw.* tant.
thanwydd *gw.* tanwydd.
thap *gw.* tap.
thâp *gw.* tâp.
thapiau *gw.* tap, tâp.
tharan *gw.* taran.
tharanu *gw.* taranu.
tharddiad *gw.* tarddiad.
tharddu *gw.* tarddu.
tharged *gw.* targed.
tharian *gw.* tarian.
tharianau *gw.* tarian.
tharo *gw.* taro.
tharw *gw.* tarw.
thasg *gw.* tasg.
thasgu *gw.* tasgu.
thaten *gw.* taten.
thato *gw.* taten.
thatws *gw.* taten.
thawel *gw.* tawel.
thawelu *gw.* tawelu.
thawelwch *gw.* tawelwch.
thawelydd *gw.* tawelydd.
thawelyddion *gw.* tawelydd.
thawelyn *gw.* tawelyn.
thawelynion *gw.* tawelyn.
the *gw.* te.
theatr *e.b.* *ll.* -au theatre,
  playhouse.
thebot *gw.* tebot.
thebyg *gw.* tebyg.
thebygrwydd *gw.* tebyrgwydd.
thecell *gw.* tecell.
thechneg *gw.* techneg.
thechnegol *gw.* technegol.
thechnegwr *gw.* technegwr.
thechnoleg *gw.* technoleg.
theg *gw.* teg.
thegan *gw.* tegan.
thegell *gw.* tecell.

136

thegwch *gw.* tegwch.
thei *gw.* tei.
theiar *gw.* teiar.
theiau *gw.* tei.
theidiau *gw.* taid.
theigr *gw.* teigr.
theiliwr *gw.* teiliwr.
theilsen *gw.* teilsen.
theilwng *gw.* teilwng.
theilwres *gw.* teilwres.
theilwriaid *gw.* teiliwr.
theilyngdod *gw.* teilyngdod.
theimlad *gw.* teimlad.
theimlo *gw.* teimlo.
theipiadur *gw.* teipiadur.
theirgwaith *gw.* teirgwaith.
theirw *gw.* tarw.
theis *gw.* tei.
theisen *gw.* teisen.
theitl *gw.* teitl.
theithiau *gw.* taith.
theithio *gw.* teithio.
theithiwr *gw.* teithiwr.
thelediad *gw.* telediad.
theledu *gw.* teledu.
theleffon *gw.* teleffon.
theleffonio *gw.* teleffonio.
thelyn *gw.* telyn.
thelyneg *gw.* telyneg.
thelynor *gw.* telynor.
thelynores *gw.* telynores.
thelynorion *gw.* telynor.
thema *e.b.* *ll.* themâu theme.
theml *gw.* teml.
thenau *gw.* tenau.
therapydd *e.g.* *ll.* -ion therapist.
therfyn *gw.* terfyn.
therfysg *gw.* terfysg.
therfysgaeth *gw.* terfysgaeth.
therfysgwr *gw.* terfysgwr.
therm *gw.* term.
thermomedr *e.g.* *ll.* -au
  thermometer.
thes *gw.* tes.
thesog *gw.* tesog.
thestun *gw.* testun.
theulu *gw.* teulu.
thew *gw.* tew.
theyrnas *gw.* teyrnas.
thi *gw.* ti.
thiced *gw.* ticed.
thîm *gw.* tîm.
thipiau *gw.* tip, tipyn.
thipyn *gw.* tipyn.
thir *gw.* tir.
thirion *gw.* tirion.
thirlun *gw.* tirlun.
thiroedd *gw.* tir.
thisian *gw.* tisian.

thithau *gw.* tithau.
thlawd *gw.* tlawd.
thlodi *gw.* tlodi.
thlodion *gw.* tlawd.
thlos *gw.* tlos.
thlws *gw.* tlws.
thlysau *gw.* tlws.
tho *gw.* to.
thocyn *gw.* tocyn.
thocynnau *gw.* tocyn.
thocynnwr *gw.* tocynnwr.
thocynwyr *gw.* tocynnwr.
thoddi *gw.* toddi.
thoeau *gw.* to.
thoeon *gw.* to.
thoes *gw.* toes.
thoiled *gw.* toiled.
tholc *gw.* tolc.
tholcio *gw.* tolcio.
tholl *gw.* toll.
thon *gw.* ton.
thôn *gw.* tôn.
thonau *gw.* tôn.
thonfedd *gw.* tonfedd.
thonnau *gw.* ton.
thorch *gw.* torch.
thoreithiog *gw.* toreithiog.
thoreth *gw.* toreth.
thorf *gw.* torf.
thorfeydd *gw.* torf.
thorfol *gw.* torfol.
thorheulo *gw.* torheulo.
Thori *gw.* Tori.
thoriad *gw.* toriad.
Thorïaid *gw.* Tori.
Thorïaidd *gw.* Torïaidd.
thorri *gw.* torri.
thors *gw.* tors.
thorth *gw.* torth.
thosau *gw.* tosyn.
thost *gw.* tost.
thostrwydd *gw.* tostrwydd.
thosyn *gw.* tosyn.
thrachefn *gw.* trachefn.
thrachwant *gw.* trachwant.
thrachwantus *gw.* trachwantus.
thraddodiad *gw.* traddodiad.
thraddodiadol *gw.* traddodiadol.
thraed *gw.* traed.
thraeth *gw.* traeth.
thraethau *gw.* traeth.
thraethawd *gw.* traethawd.
thraethodau *gw.* thraethawd.
thrafnidiaeth *gw.* trafnidiaeth.
thrafod *gw.* trafod.
thrafferth *gw.* trafferth.
thrafferthu *gw.* trafferthu.
thrafferthus *gw.* trafferthus.
thraffordd *gw.* traffordd.

thraffyrdd   thwndis

thraffyrdd *gw*. traffordd.
thragwyddol *gw*. tragwyddol.
thrai *gw*. trai.
thrais *gw*. trais.
thrallod *gw*. trallod.
thrallodau *gw*. trallod.
thrallodion *gw*. trallod.
thrallwysiad *gw*. trallwysiad.
thramor *gw*. tramor.
thrannoeth *gw*. trannoeth.
thrap *gw*. trap.
thraul *gw*. traul.
thrawsblannu *gw*. trawsblannu.
thrawst *gw*. trawst.
thre *gw*. tref.
threchu *gw*. trechu.
thref *gw*. tref.
threfi *gw*. tref.
threfn *gw*. trefn.
threfnu *gw*. trefnu.
threfnus *gw*. trefnus.
threfnydd *gw*. trefnydd.
threfol *gw*. trefol.
threfydd *gw*. tref.
threial *gw*. treial.
threiau *gw*. trai.
threiglad *gw*. treiglad.
threiglo *gw*. treiglo.
threisiau *gw*. trais.
threisio *gw*. treisio.
threm *gw*. trem.
thrên *gw*. trên.
threnau *gw*. trên.
thrennydd *gw*. trennydd.
threth *gw*. treth.
threthdalwr *gw*. trethdalwr.
threthu *gw*. trethu.
threuliau *gw*. traul.
threulio *gw*. treulio.
thri *gw*. tri.
thriawd *gw*. triawd.
thric *gw*. tric.
thridiau *gw*. tridiau.
thrigain *gw*. trigain.
thrigfan *gw*. trigfan.
thrigo *gw*. trigo.
thrigolion *gw*. trigolion.
thrin *gw*. trin.
thrindod *gw*. trindod.
thrioedd *gw*. trioedd.
thriongl *gw*. triongl.
thrist *gw*. trist.
thristwch *gw*. tristwch.
thro *gw*. tro.
throchi *gw*. trochi.
throeau *gw*. tro.
throed *gw*. troed.
throedfedd *gw*. troedfedd.
throedffordd *gw*. troedffordd.

throëdig *gw*. troëdig.
thröedigaeth *gw*. tröedigaeth.
throedio *gw*. troedio.
throednoeth *gw*. troednoeth.
throeon *gw*. tro.
throgylch *gw*. trogylch.
throi *gw*. troi.
thros *gw*. tros.
throsedd *gw*. trosedd.
throseddu *gw*. troseddu.
throseddwr *gw*. troseddwr.
throsgais *gw*. trosgais.
throsglwyddo *gw*. trosglwyddo.
throsi *gw*. trosi.
throsiad *gw*. trosiad.
throswr *gw*. troswr.
throthwy *gw*. trothwy.
throwsus *gw*. trowsus.
thruan *gw*. truan.
thrueiniaid *gw*. truan.
thrueni *gw*. trueni.
thruenus *gw*. truenus.
thrugaredd *gw*. trugaredd.
thrugarhau *gw*. trugarhau.
thrwbl *gw*. trwbl.
thrwchus *gw* trwchus.
thrwm *gw*. trwm.
thrwser *gw*. trwser.
thrwsio *gw*. trwsio.
thrwsiwr *gw*. trwsiwr.
thrwy *gw*. drwy.
thrwydded *gw*. trwydded.
thrwyn *gw*. trwyn.
thrwynol *gw*. trwynol.
thrychineb *gw*. trychineb.
thrydan *gw*. trydan.
thrydanwr *gw*. trydanwr.
thrydedd *gw*. trydedd.
thrydydd *gw*. tryddydd.
thrydyddol *gw*. trydyddol.
thryloyw *gw*. tryloyw.
thrymaidd *gw*. trymaidd.
thrymion *gw*. trwm.
thrysor *gw*. trysor.
thrysorfa *gw*. trysorfa.
thrysorydd *gw*. trysorydd.
thrywydd *gw*. trywydd.
thu *gw*. tu.
thua *gw*. tua.
thuag *gw*. tua.
thudalen *gw*. tudalen.
thueddiad *gw*. tueddiad.
thun *gw*. tun.
thunnell *gw*. tunnell.
thus *e.g.* frankincense.
thwlc *gw*. twlc.
thwll *gw*. twll.
thwmpath *gw*. twmpath.
thwndis *gw*. twndis.

thwnel   **thywysoges**

thwnel *gw*. twnel.
thwp *gw*. twp.
thwpsyn *gw*. twpsyn.
thwr *gw*. twr.
thŵr *gw*. twr.
thwrci *gw*. twrci.
thwristiaeth *gw*. twristiaeth.
thwrw *gw*. twrw.
thwt *gw*. twt.
thwyll *gw*. twyll.
thwyllo *gw*. twyllo.
thwyllodrus *gw*. twyllodrus.
thwym *gw*. twym.
thwymo *gw*. twymo.
thwymyn *gw*. twymyn.
thŷ *gw*. tŷ.
thybied *gw*. tybied.
thybio *gw*. tybied.
thydi *gw*. tydi.
thyddyn *gw*. tyddyn.
thyddynnwr *gw*. tyddynnwr.
thyddynwyr *gw*. tyddynnwr.
thyfiannau *gw*. tyfiant.
thyfiant *gw*. tyfiant.
thyfu *gw*. tyfu.
thynged *gw*. tynged.
thyngedfennol *gw*. tyngedfennol.
thynghedau *gw*. tynged.
thyngu *gw*. tyngu.
thylciau *gw*. twlc.
thyle *gw*. tyle.
thylino *gw*. tylino.
thylwyth *gw*. tylwyth.
thyllau *gw*. twll.
thyllu *gw*. tyllu.

thylluan *gw*. tylluan.
thymer *gw*. tymer.
thymereddau *gw*. tymheredd.
thymestl *gw*. tymestl.
thymherau *gw*. tymer.
thymheredd *gw*. tymheredd.
thymhestloedd *gw*. tymestl.
thymhestlog *gw*. tymhestlog.
thymhorau *gw*. tymor.
thymor *gw*. tymor.
thyn *gw*. tyn.
thyner *gw*. tyner.
thynerwch *gw*. tynerwch.
thynnu *gw*. tynnu.
thyrau *gw*. twr.
thyrfa *gw*. tyrfa.
thyrfaoedd *gw*. tyrfa.
thyrfau *gw*. twrw.
thyrrau *gw*. twr.
thyst *gw*. tyst.
thystio *gw*. tystio.
thystiolaeth *gw*. tystiolaeth.
thystion *gw*. tyst.
thystysgrif *gw*. tystysgrif.
thystysgrifau *gw*. tystysgrif.
thywel *gw*. tywel.
thywod *gw*. tywod.
thywydd *gw*. tywydd.
thywyll *gw*. tywyll.
thywyllu *gw*. tywyllu.
thywyllwch *gw*. tywyllwch.
thywys *gw*. tywys.
thywysog *gw*. tywysog.
thywysoges *gw*. tywysoges.

uchaf *a.* uppermost, highest; loudest: **am yr uchaf** for the loudest.
uchafbwynt *e.g. ll.* **-iau** climax; zenith.
uchder *e.g. ll.* **-au** height, altitude.
uchel *a.* high; loud.
uchelder *e.g. ll.* **-au** highness.
ucheldir *e.g. ll.* **-oedd** highland.
uchelgais *e.g.b. ll.* **uchelgeisiau** ambition.
uchelgeisiol *a.* ambitious.
uchelion *e.ll.* heights.
uchelwr *e.g. ll.* **uchelwyr** gentleman, nobleman.
uchod *ad.* above: **yn y rhestr uchod** in the above list.
udo *be.* **(udaf)** to howl, to moan, to wail.
ufudd *a.* obedient.
ufuddhau (i) *be.* **(ufuddhâf)** to obey.
uffern *e.b. ll.* **-au** hell: **Uffern dân!** Hell fire!
uffernol *a.* infernal, hellish: **Roedd hi'n ddrud uffernol** It was extremely expensive.
ugain *a. & e.g. ll.* **ugeiniau** twenty: **tri ar hugain** twenty-three; **deg ar hugain** thirty.
ugeinfed *a.* twentieth: **yr ugeinfed ganrif** the 20th century.
ugeiniau *gw.* **ugain.**
un *a. & e.g. ll.* **-au** one: **un tro** one turn; once; **yr un** the one, the same; **yr un faint** as much, the same; **yr un pryd** the same time.
unawd *e.g. ll.* **-au** solo.
unawdwr: unawdydd *e.g. ll.* **unawdwyr** soloist.
unben *e.g. ll.* **-iaid** dictator, despot.
undeb *e.g. ll.* **-au** union, unity: **Undeb yr Athrawon** the Teacher's Union; **Undeb y Mamau** the Mother's Union.
undebwr *e.g. ll.* **undebwyr** unionist.
undod *e.g. ll.* **-au** unit, unity.
Undodwr *e.g. ll.* **Undodwyr** Unitarian.
undonog *a.* monotonous.
undydd *a.* one-day: **ysgol undydd** a one-day school.
uned *e.b. ll.* **-au** unit.
unedig *a.* united.
unfarn *a.* unanimous.
unfryd: unfrydol *a.* unanimous.
unffordd *a.* one-way: **stryd unffordd** one-way street.
uniaethu (â) *be.* **(uniaethaf)** to identify (with).
unig *a.* (*precedes noun and causes soft mutation*) only, sole; alone, lonely: **yr unig fab** the only son; **mab unig** lonely son.
unigol *a.* singular; individual.
unigolyn *e.g. ll.* **unigolion** individual.
unigrwydd *e.g.* loneliness.
unigryw *a.* unique.
union *a.* direct, straight; exact: **yr union fan** the exact place.
unioni *be.* **(unionaf)** to rectify, to straighten.
unman *ad.* anywhere.
unnos *a.* of or for one night: **tŷ unnos** habitable cabin built between dusk and dawn.
uno *be.* **(unaf)** to unite, to join.
unrhyw *a.* same; any; homogeneous: **mewn unrhyw wlad** in any country.
unwaith *ad.* once: **ar unwaith** at once; **unwaith ac am byth** once and for all.
urdd *e.b. ll.* **-au** order, guild: **Urdd Gobaith Cymru** Welsh League of Youth.
urddas *e.g. ll.* **-au** dignity, honour.
urddo *be.* **(urddaf)** to ordain, to bestow honour on.
us *e.ll.* chaff.
ustus *e.g. ll.* **-iaid** magistrate.
uwch *a.* higher, senior, superior; advanced: **uwchgapten** major (army officer); **uwchnormal** superior; *gw.* **uchel.**
uwchben *ardd. & ad.* above.
uwchfarchnad *e.b. ll.* **-oedd** supermarket.
uwchlaw *ardd.* above.
uwchradd *a.* secondary: **ysgol uwchradd** secondary school.
uwd *e.g. ll.* **-iau** porridge.

wadu *gw*. gwadu.
waed *gw*. gwaed.
waedu *gw*. gwaedu.
waedd *gw*. gwaedd.
wael *gw*. gwael.
waelod *gw*. gwaelod.
waeth *gw*. drwg.
waethaf *gw*. drwg.
waethed *gw*. drwg.
wag *gw*. gwag.
wagedd *gw*. gwagedd.
wagio *gw*. gwagio.
wagle *gw*. gwagle.
wagu *gw*. gwagio.
wahân *gw*. gwahân.
wahaniaeth *gw*. gwahaniaeth.
wahanol *gw*. gwahanol.
wahodd *gw*. gwahodd.
wahoddedig *gw*. gwahoddedig.
wahoddedigion *gw*. gwahoddedig.
wahoddiad *gw*. gwahoddiad.
wahoddion *gw*. gwahodd.
wair *gw*. gwair.
waith *gw*. gwaith.
wal *e.b. ll.* -iau wall; *gw*. gwal.
wâl *gw*. gwâl.
walau *gw*. gwâl.
waliau *gw*. gwal, wal.
wall *gw*. gwall.
wallt *gw*. gwallt.
wallus *gw*. gwallus.
wan *gw*. gwan.
wanwyn *gw*. gwanwyn.
war *gw*. gwar.
warchod *gw*. gwarchod.
waredu *gw*. gwaredu.
waredwr *gw*. gwaredwr.
wario *gw*. gwario.
warrau *gw*. gwar.
wartheg *gw*. gwartheg.
was *gw*. gwas.
wasanaeth *gw*. gwasanaeth.

wasanaethu *gw*. gwasanaethu.
wasg *gw*. gwasg.
wasgedd *gw*. gwasgedd.
wasgfa *gw*. gwasgfa.
wasgod *gw*. gwasgod.
wasgu *gw*. gwasgu.
wastad *gw*. gwastad.
wastraff *gw*. gwastraff.
wastraffu *gw*. gwastraffu.
wats *e.g. ll.* -ys watch.
wau *gw*. gwau.
waun *gw*. gwaun.
wawd *gw*. gwawd.
wawdio *gw*. gwawdio.
wawr *gw*. gwawr.
wawrio *gw*. gwawrio.
wawroedd *gw*. gwawr.
wdihŵ *gw*. gwdihŵ.
wddf *gw*. gwddf.
wddwg *gw*. gwddwg.
wedi *ardd.* after: **wedi deg** after
  ten; **Mae wedi chwech arno** He has
  lost his chance; *the preposition is
  also used as follows:* (forms of **bod**)
  + **(wedi)** + *(be.);* **Rydw i wedi
  blino** I am tired; **Dwyt ti ddim wedi
  cysgu** You have not slept; **Roedd ef
  wedi troi** He had turned; **Maen nhw
  wedi marw** They are dead.
wedyn *ad.* afterwards, then.
weddi *gw*. gweddi.
weddïau *gw*. gweddi.
weddill *gw*. gweddill.
weddïo *gw*. gweddïo.
weddol *gw*. gweddol.
wefus *gw*. gwefus.
weiddi *gw*. gweiddi.
weigion *gw*. gwag.
weiniaid *gw*. gwan.
weinidog *gw*. gweinidog.
weinion *gw*. gwan.
weinyddes *gw*. gweinyddes.
weiriau *gw*. gwair.
weisg *gw*. gwasg.
weision *gw*. gwas.
weithdy *gw*. gweithdy.
weithiau *ad.* sometimes; *gw*. gwaith.
weithio *gw*. gweithio.
weithiwr *gw*. gweithiwr.
weithred *gw*. gweithred.
weithredu *gw*. gweithredu.
weithwyr *gw*. gweithiwr.
wel *ebych.* well!
welâu *gw*. gwely.
weld *gw*. gweld.
wele *ebych.* behold!
weled *gw*. gweld.
wely *gw*. gwely.
welyau *gw*. gwely.

141

welydd   wrthwynebu

welydd *gw*. gwal.
well *gw*. gwell.
wella *gw*. gwella.
wellt *gw*. gwellt.
welltyn *gw*. gwelltyn.
wen *gw*. gwen.
wên *gw*. gwên.
wenau *gw*. gwên.
wendid *gw*. gwendid.
Wener *gw*. Gwener.
wenith *gw*. gwenith.
wennol *gw*. gwennol.
Went *gw*. Gwent.
wenu *gw*. gwenu.
wenwyn *gw*. gwenwyn.
wenwynig *gw*. gwenwynig.
wenwynol *gw*. gwenwynig.
wenyn *gw*. gwenynen.
wenynen *gw*. gwenynen.
wêr *gw*. gwêr.
werdd *gw*. gwerdd.
werin *gw*. gwerin.
weriniaeth *gw*. gweriniaeth.
wers *gw*. gwers.
werslyfr *gw*. gwerslyfr.
wersyll *gw*. gwersyll.
werth *gw*. gwerth.
werthfawr *gw*. gwerthfawr.
werthfawrogi *gw*. gwerthfawrogi.
werthfawrogiad *gw*.
  gwerthfawrogiad.
werthiant *gw*. gwerthiant.
werthu *gw*. gwerthu.
werthwr *gw*. gwerthwr.
werthwyr *gw*. gwerthwr.
westai *gw*. gwestai, gwesty.
westeion *gw*. gwestai.
westeiwr *gw*. gwesteiwr.
westeiwyr *gw*. gwesteiwr.
westy *gw*. gwesty.
weu *gw*. gweu.
weunydd *gw*. gwaun.
wg *gw*. gwg.
wgu *gw*. gwgu.
whilber *e.b. ll.* -au wheelbarrow,
  berfa: *gw*. berfa.
wiail *gw*. gwialen.
wialen *gw*. gwialen.
wialennod *gw*. gwialen.
wiced *e.b. ll.* -i wicket.
wicedwr *e.g. ll.* wicedwyr wicket-
  keeper.
widw *e.b. ll.* -od widow (*S.W.*).
win *gw*. gwin.
wir *gw*. gwir.
wirionedd *gw*. gwirionedd.
wisg *gw*. gwisg.
wisgo *gw*. gwisgo.
wiwer *gw*. gwiwer.

wlad *gw*. gwlad.
wladfa *gw*. gwladfa.
wladgarwr *gw*. gwladfarwr.
wladol *gw*. gwladol.
wlân *gw*. gwlân.
wlanen *gw*. gwlanen.
wledig *gw*. gwledig.
wledydd *gw*. gwlad.
wledd *gw*. gwledd.
wledda *gw*. gwledda.
wleidydd *gw*. gwleidydd.
wleidyddiaeth *gw*. gwleidyddiaeth.
wleidyddol *gw*. gwleidyddol.
wlith *gw*. gwlith.
wlyb *gw*. gwlyb.
wlybaniaeth *gw*. gwlybaniaeth.
wlychu *gw*. gwlychu.
wn *gw*. gwn.
ŵn *gw*. gŵn.
wneud *gw*. gwneud.
wneuthur *gw*. gwneud.
wniadyddes *gw*. gwniadyddes.
wnïo *gw*. gwnïo.
wniyddes *gw*. gwniadyddes.
wobr *gw*. gwobr.
wobrwyo *gw*. gwobrwyo.
ŵr *gw*. gŵr.
wrach *gw*. gwrach.
wragedd *gw*. gwraig.
wraidd *gw*. gwreiddyn.
wraig *gw*. gwraig.
wrandawiad *gw*. gwrandawiad.
wrandawr *gw*. gwrandawr.
wrando *gw*. gwrando.
wreichion *gw*. gwreichionen.
wreichionen *gw*. gwreichionen.
wreiddiau *gw*. gwreiddyn.
wreiddio *gw*. gwreiddio.
wreiddiol *gw*. gwreiddiol.
wreiddyn *gw*. gwreiddyn.
wres *gw*. gwres.
wresog *gw*. gwresog.
wresogydd *gw*. gwresogydd.
wrido *gw*. gwrido.
wridog *gw*. gwridog.
wrol *gw*. gwrol.
wrtaith *gw*. gwrtaith.
wrth *ardd.* by; with; to; because;
  since: **wrth gwrs** of course; **wrth
  law** at hand, in reserve; **wrth
  lwc** luckily.
wrthblaid *gw*. gwrthblaid.
wrthdystio *gw*. gwrthdystio.
wrthod *gw*. gwrthod.
wrthrych *gw*. gwrthrych.
wrthrychol *gw*. gwrthrychol.
wrthryfel *gw*. gwrthryfel.
wrthwyneb *gw*. gwrthwyneb.
wrthwynebu *gw*. gwrthwynebu.

wrthwynebwr   wywo

wrthwynebwr *gw.* gwrthwynebwr.
wryw *gw.* gwryw.
wrywaidd *gw.* gwrywaidd.
wrywol *gw.* gwrywaidd.
wthiad *gw.* gwthaid.
wthio *gw.* gwthio.
wthiwr *gw.* gwthiwr.
wy *e.g. ll.* -au egg: wy clwc addled
  egg; wy Pasg Easter egg; wy wedi'i
  falu beaten egg; wy wedi'i
  ferwi boiled egg; wy wedi'i
  ffrio fried egg.
wybedyn *gw.* gwybedyn.
wybod *gw.* gwybod.
wybodaeth *gw.* gwybodaeth.
wybren *e.b. ll.* -nau, -nydd sky,
  firmament (*literary usage*).
wybrennau *gw.* wybren.
wybrennydd *gw.* wybren.
wych *gw.* gwych.
wydr *gw.* gwydr.
wydrau *gw.* gwydr, gwydryn.
wydryn *gw.* gwydryn.
ŵydd *gw.* gŵydd.
wyddau *gw.* gŵydd.
wyddbwyll *gw.* gwyddbwyll.
Wyddel *gw.* Gwyddel.
Wyddeleg *gw.* Gwyddeleg.
Wyddeles *gw.* Gwyddeles.
Wyddelig *gw.* Gwyddelig.
Wyddfa, Yr *e.b.* Snowdon.
Wyddgrug, Yr *e.b.* Mold.
wyddoniaeth *gw.* gwyddoniaeth.
wyddonol *gw.* gwyddonol.
wyddonydd *gw.* gwyddonydd.
wyddor *gw.* gwyddor.
wyf (i) *bf.* I am; *gw.* bod.
wyfyn *gw.* gwyfyn.
ŵyl *gw.* gŵyl.
wylan *gw.* gwylan.
wyliadwrus *gw.* gwyliadwrus.
wyliau *gw.* gŵyl.
wylio *gw.* gwylio.
wyliwr *gw.* gwyliwr.
wylnos *gw.* gwylnos.
wylo *be.* (wylaf) to weep, to cry
  (*N.W.*).
wylwyr *gw.* gwyliwr.
wyll *gw.* gwyll.
wyllt *gw.* gwyllt.
wylltio *gw.* gwylltio.
wylltu *gw.* gwylltio.

wymon *gw.* gwymon.
wyn *gw.* gwyn.
ŵyn *gw.* oen.
wyneb *e.g. ll.* -au face; surface:
  dauwynebog deceitful; wyneb-
  ddalen title-page;
  wynebgaled barefaced; wyneb i
  waered upside-down.
wynebu *be.* (wynebaf) to face, to
  confront.
Wynedd *gw.* Gwynedd.
wynegon *gw.* gwynegon.
wynegu *gw.* gwynegu.
wynfa *gw.* gwynfa.
wynfyd *gw.* gwynfyd.
wyngalch *gw.* gwyngalch.
wynion *gw.* gwyn.
wynnu *gw.* gwynnu.
wynt *gw.* gwynt.
wyntog *gw.* gwyntog.
wŷr *gw.* gwŷr.
ŵyr *e.g. ll.* wyrion grandson.
wyrion *gw.* ŵyr.
wyrdd *gw.* gwyrdd.
wyres *e.b. ll.* -au grand-daughter.
wyresau *gw.* wyres.
wyriad *gw.* gwyriad.
wyrio *gw.* gwyro.
wyro *gw.* gwyro.
wyrth *gw.* gwyrth.
wyrthiol *gw.* gwyrthiol.
wyryf *gw.* gwyryf.
wŷs *gw.* gwŷs.
Wysg *e.b.* Usk (river).
wystl *gw.* gwystl.
wyt (ti) *bf.* you are (*singular*); Wyt ti
  gartref? Are you at home? *gw.* bod.
wyth *a. & e.g.* eight; wyth
  deg eighty.
wythawd *e.g. ll.* -au octave; octet.
wythfed *a.* eighth.
wythnos *e.b. ll.* -au week: yr
  wythnos diwethaf last week; yr
  wythnos hon this week; yr
  wythnos nesaf next week.
wythnosol *a.* weekly: cyfarfod
  wythnosol weekly meeting; papur
  wythnosol weekly paper.
wythwr *e.g. ll.* wythwyr number
  eight (*rugby forward*).
wythwyr *gw.* wythwr.
wywo *gw.* gwywo.

y: yr: 'r, 1 *y fan*. the: **y** *before a
consonant:* **y dyn** the man; **y
ferch** the girl; **y tai** the houses; **yr**
before a vowel and h: **yr afal** the
apple; **yr esgid** the shoe; **yr
haul** the sun; **yr heol** the road; **'r**
after a vowel: **a'r plant** and the
children; **o'r llyfr** from the book; **i'r
cae** to the field; **y** *and* **'r** *are
followed by soft mutation of feminine
singular nouns:* **y dorth** the loaf;
tŷ'r fam the mother's house; **gyda'r
gath** with the cat; *nouns beginning
with ll and rh do not mutate after* **y**
and **'r**; *gw. At. Treiglad Meddal.*
2 *geir. used with forms of the verb*
bod: y mae . . .; **yr oedd** . . .; **rwyf** . . .
y: yr *geir. perth.* **Dyma'r tŷ y trigaf
ynddo** Here is the house in which I
live.
ychwaith *gw.* chwaith.
ychwaneg *gw.* chwaneg.
ychwanegu: chwanegu *be.*
(ychwanegaf: chwanegaf) to add,
to augment.
ychydig *a.* little, few: **ychydig o
lyfrau** few books; **ychydig fara** a
little bread; **ychydig lai** a little less.
ŷd *e.g. ll.* **ydau** corn: **creision
ŷd** cornflakes.
ydy *bf.* is, are; *gw.* bod.
yddfau *gw.* gwddf.
yfed *be.* **(yfaf)** to drink.
yfory: fory *ad.* tomorrow.
yfflon *e.ll.* fragments, pieces, bits
(*S.W.*): **yn yfflon racs** in
smithereens; *gw.* yfflyn.
yfflyn *e.g. ll.* **yfflon** fragment, piece,
bit: **heb yfflyn o wahaniaeth**
without a scrap of difference.
ygau *gw.* gwg.

yng *gw.* **yn.**
ynghanol *ardd.* in the midst of.
ynghyd *ad.* together: **ynghyd
â** together with.
ynghylch *ardd.* about, concerning.
ynglŷn (â) *ad.* in connection (with),
concerning.
ym *gw.* **yn.**
yma *ad.* here, this.
ymadael (â) *be.* **(ymadawaf)** to
depart.
ymadrodd *e.g. ll.* **-ion** speech,
saying, expression.
ymaelodi (â) *be.* **(ymaelodaf)** to
become a member, to join.
ymaith *ad.* away.
ymarfer (â) 1 *be.* **(ymarferaf)** to
practise. 2 *e.b.g. ll.* **-ion** practice,
exercise: **ymarfer corff** physical
training.
ymarferiad *e.g. ll.* **-au** practice,
exercise.
ymarferol *a.* practical.
ymateb 1 *be.* **(ymatebaf)** to respond.
2 *e.g. ll.* **-ion** reaction; response.
ymbelydredd *e.g.* radiation.
ymbelydrol *a.* radioactive.
ymchwil *e.b.* research, search, quest.
ymchwiliad *e.g. ll.* **-au**
investigation, inquiry.
ymchwilio (i) *be.* **(ymchwiliaf)** to
research, to search.
ymdaith 1 *e.b. ll.* **ymdeithiau**
journey, march. 2 *be.*
(ymdeithiaf) to travel, to march.
ymdrech *e.b. ll.* **-ion** effort,
endeavour, struggle: **ymdrech
deg** valiant effort.
ymdrechu (i) *be.* **(ymdrechaf)** to
strive, to endeavour.
ymddangos (i) *be.* **(ymddangosaf)** to
appear, to seem.
ymddangosiad *e.g. ll.* **-au**
appearance.
ymddeol *be.* **(ymddeolaf)** to retire.
ymddeoliad *e.g. ll.* **-au** retirement.
ymddiheuriad *e.g. ll.* **-au** apology.
ymddiheuro *be.* **(ymddiheuraf)** to
apologise.
ymddiried (yn) *be.* **(ymddiriedaf)** to
trust, to confide (*in*).
ymddiriedaeth *e.b. ll.* **-au** trust,
confidence.
ymddiriedolaeth *e.b. ll.* **-au** trust
(*charity*).
ymddiriedolwr *e.b. ll.*
ymddiriedolwyr trustee.
ymddiswyddiad *e.g. ll.* **-au**
resignation.

ymddiswyddo *be.*
(ymddiswyddaf) to resign.
ymddwyn *be.* **(ymddygaf)** to behave.
ymddygiad *e.g. ll.* **-au** behaviour.
ymennydd *e.g. ll.* **ymenyddion**
brain.
ymenyddion *gw.* **ymennydd.**
ymenyn: menyn *e.g.* butter: **bara
menyn** bread and butter.
ymerodraeth *e.b. ll.* **-au** empire.
ymestyn (at) *be.* **(ymestynnaf)** to
stretch, to reach, to extend.
ymfudo *be.* **(ymfudaf)** to emigrate.
ymfudwr *e.g. ll.* **ymfudwyr**
emigrant.
ymfudwyr *gw.* **ymfudwr.**
ymffrost *e.g.* boast.
ymffrostio (yn) *be.* **(ymffrostiaf)** to
boast.
ymffrostiwr *e.g. ll.* **ymffrostwyr**
boaster.
ymffrostwyr *gw.* **ymffrostiwr.**
ymgais *e.b.* effort, attempt.
ymgeiswyr *gw.* **ymgeisydd.**
ymgeisydd *e.g. ll.* **ymgeiswyr**
candidate, applicant: **ymgeisydd
seneddol** parliamentary candidate.
ymgeledd *e.g. ll.* **-au** care, succour:
ymgeledd parod first aid.
ymgom *e.b. ll.* **-iau, -ion**
conversation, chat: **ymgom â** a
conversation with.
ymgomio (â) *be.* **(ymgomiaf)** to chat,
to converse.
ymgorffori *be.* **(ymgorfforaf)** to
incorporate.
ymgrymu *be.* **(ymgrymaf)** to stoop, to
bow down.
ymgynghori (â) *be.* **(ymgynghoraf)**
to consult, to confer.
ymgymryd (â) *be.* **(ymgymeraf)** to
undertake.
ymgyrch *e.g.b. ll.* **-oedd** campaign,
expedition.
ymhel (â) *be.* **(ymhelaf)** to be
concerned with; to meddle *(with).*
ymhell *ad.* far, afar.
ymhellach *ad.* furthermore, further.
ymhlith *ardd.* among.
ymholi *be.* **(ymholaf)** to inquire.
ymholiad *e.g. ll.* **-au** inquiry.
ymlacio *be.* **(ymlaciaf)** to relax.
ymladd (â) **1** *be.* **(ymladdaf)** to fight
(with). **2** *e.g. ll.* **-au** fight, battle.
ymladdwr *e.g. ll.* **ymladdwyr**
fighter.
ymlaen *ad.* on, onward; **yn ôl ac
ymlaen** backward and forward.
ymolch: ymolchi *be.* **(ymolchaf)** to
wash oneself.

ymosod (ar) *be.* **(ymosodaf)** to
attack.
ymosodiad *e.g. ll.* **-au** attack:
ymosodiadau awyr air attacks.
ymosodwr *e.g. ll.* **ymosodwyr**
attacker.
ymosodwyr *gw.* **ymosodwr.**
ymostwng (i) *be.* **(ymostyngaf)** to
stoop; to submit, to capitulate.
ymryson (â) **1** *be.* **(ymrysonaf)** to
contend, to strive, to compete. **2** *e.g.
ll.* **-au** competition, rivalry; strife,
contention: **Ymryson y Beirdd**
poets' contest.
ymuno (â) *be.* **(ymunaf)** to unite; to
join.
ymweld (â) *be.* **(ymwelaf)** to visit.
ymweliad *e.g. ll.* **-au** visit,
visitation.
ymwelwr: ymwelydd *e.g. ll.*
ymwelwyr visitor.
ymwelwyr *gw.* **ymwelwr.**
ymwelydd *gw.* **ymwelwr.**
ymwneud (â) *be.* **(ymwnaf)** to deal
(with), to be connected (with).
ymyl *e.g.b. ll.* **-au, -on** edge, border,
margin: **ymyl y ddalen** edge of the
page; **yn ymyl** close by, near.
ymyrraeth *e.b. ll.* **ymyrraethau**
interference, intervention.
ymyrru: ymyrryd (â) *be.* **(ymyrraf)** to
interfere, to intervene, to meddle.
ymysg *ardd.* among, amid.
yn: yng: ym, 1 *ardd. (personal forms:*
**yno, ynot, ynddo/ynddi, ynom,
ynoch, ynddyn)** in, at, into; for: *the
preposition* **yn** *is followed by nasal
mutation:* **yn** + Corwen **yng
Nghorwen** in Corwen; **yn** + Pen-bre
ym Mhen-bre in Pen-bre; **yn** +
Treorci **yn Nhreorci** in Treorchy; **yn**
+ Gŵyr **yng Ngŵyr** in Gower; **yn** +
Dinbych **yn Ninbych** in Denbigh;
yn + Bangor **ym Mangor** in Bangor;
gw. At. Treiglad Trwynol. geiryn.
(not translated). *An adjective or
noun following the predicative
particle* **yn** *takes soft mutation:* **Mae
Twm yn ddoniol** Tom is amusing;
Ydy Alun yn ddyn da? Is Alun a
good man? *gw. At. Treiglad Meddal.
No mutation occurs when* **yn** *is
followed by a be.* (verb-noun): **Mae'r
ci yn neidio** The dog is jumping;
Mae'r gath yn cysgu The cat is
sleeping; **Mae Mair yn canu** Mair is
singing; **Rydw i'n darllen** I am
reading; **Maen nhw'n
gwrando** They are listening.

yna *ad.* there; then; thereupon; that.
ynad *e.g. ll.* **-on** judge, justice, magistrate.
Ynad Heddwch (Y.H.) Justice of the Peace (J.P.).
Llys yr Ynadon the Magistrates' Court.
ynau *gw.* **gŵn**.
yn awr *ymadrodd ad.* now, at present; *gw.* **rwan**.
ynn *gw.* **onnen**.
ynnau *gw.* **gwn**.
ynni *e.g.* energy, vigour.
yno *ad.* there; *gw.* **yn**.
yntau *rhag.* he, he also.
ynte: ynteu *c.* or, or else, otherwise; then.
ynys *e.b. ll.* **-oedd** island: **Ynys Bŷr** Caldey Island; **Ynys Enlli** Bardsey Island; **Ynys Wyth** Isle of Wight; **Ynysoedd Heledd** the Hebrides.
ynysoedd *gw.* **ynys**.
yr *gw.* **y**.
yrfa *gw.* **gyrfa**.
yrfeydd *gw.* **gyrfa**.
yrru *gw.* **gyrru**.
yrrwr *gw.* **gyrrwr**.
yrwyr *gw.* **gyrrwr**.
ysbardun *e.g. ll.* **-au** spur, accelerator (*in car*).
ysbïo *be.* **(ysbïaf)** to spy, to look.
ysbïwr *e.g. ll.* **ysbïwyr** spy.
ysbïwyr *gw.* **ysbïwr**.
ysblander *e.g.* splendour, glory.
ysbryd *e.g. ll.* **-ion, -oedd** spirit, ghost: **Yr Ysbryd Glân** The Holy Spirit.
ysbrydion *gw.* **ysbryd**.
ysbrydoedd *gw.* **ysbryd**.
ysbrydol *a.* spiritual; high-spirited.
ysbrydoli *be.* **(ysbrydolaf)** to inspire; to spiritualise.
ysbwriel *e.g.* refuse, rubbish.
ysbytai *gw.* **ysbyty**.
ysbyty *e.g. ll.* **ysbytai** hospital, hospice.
ysfa *e.b. ll.* **ysfeydd** itching; hankering; urge.
ysfeydd *gw.* **ysfa**.
ysgafn *a.* light (*weight*).
ysgafnhau: ysgafnu *be.* **(ysgafnhaf: ysgafnaf)** to lighten.
ysgall *gw.* **ysgallen**.
ysgallen *e.b. ll.* **ysgall** thistle.
ysgariad *e.g. ll.* **-au** divorce.
ysgol *e.b. ll.* **-ion** school; ladder: **ysgol annibynnol** independent school; **ysgol arbennig** special

school; **ysgol breifat** private school; **ysgol breswyl** boarding school; **ysgol feithrin** nursery school; **ysgol gyfun** comprehensive school; **ysgol Gymraeg** Welsh medium school; **ysgol gynradd** primary school; **ysgol iau** junior school; **ysgol nos** night-school; **ysgol Sul** Sunday school; **ysgol uwchradd** secondary school.
ysgolfeistr *e.g. ll.* **-i** schoolmaster.
ysgolfeistres *e.b. ll.* **-au** schoolmistress.
ysgolhaig *e.g. ll.* **ysgolheigion** scholar.
ysgolheigion *gw.* **ysgolhaig**.
ysgolor *e.g. ll.* **-ion** scholar.
ysgoloriaeth *e.b. ll.* **-au** scholarship.
ysgolorion *gw.* **ysgolor**.
ysgrech *e.b. ll.* **-feydd** scream, shriek.
ysgrechfeydd *gw.* **ysgrech**.
ysgrif *e.b. ll.* **-au** article, essay.
ysgrifennu (ar, at) *be.* **(ysgrifennaf)** to write.
ysgrifennydd *e.g. ll.* **ysgrifenyddion** secretary.
ysgrifenyddes *e.b. ll.* **-au** female secretary.
ysgrifenyddion *gw.* **ysgrifennydd**.
ysgrythur *e.b. ll.* **-au** scripture.
ysgubo *be.* **(ysgubaf)** to sweep.
ysgwyd *be.* **(ysgydwaf)** to shake, to sway, to wag.
ysgwydd *e.b. ll.* **-au** shoulder.
ysgyfaint *e.ll.* lungs.
ysgyfarnog *e.b. ll.* **-od** hare; **codi ysgyfarnog** to raise a red herring (*fig.* – irrelevant diversion).
ysgytwad *e.g. ll.* **-au** shock, shaking.
ysmala *a.* funny, amusing; droll.
ystadegau *e.ll.* statistics.
ystafell *e.b. ll.* **-oedd** room: **ystafell ddosbarth** classroom; **ystafell wely** bedroom; **ystafell ymolchi** bathroom.
ystlum *e.g. ll.* **-od** bat (*animal*).
ystlys *e.b. ll.* **-au** side, flank; touchline.
ystlyswr *e.g. ll.* **ystlyswyr** linesman; sidesman.
ystod *e.b. ll.* **-ion, -au** course, space of time, span, range; swath: **yn ystod** during; **ystod oed** age range.
ystrydeb *e.b. ll.* **-au** cliché; stereotype.
ystwyth *a.* flexible, supple, agile, pliant.

ystyr

ystyr *e.g.b.* *ll.* **-on** sense, meaning.
ystyriaeth *e.b.* *ll.* **-au** consideration, heed.
ystyried *be.* **(ystyriaf)** to consider, to heed.
ystyriol *a.* heedful, mindful.
ystyrlon *a.* meaningful.
ysu *be.* **(ysaf)** to consume, to crave, to itch: **yn ysu am wybod** itching to know.

ywen

yswiriannau *gw.* **yswiriant.**
yswiriant *e.g.* *ll.* **yswiriannau** insurance: **yswiriant cyfun** comprehensive insurance; **yswiriant trydydd person** third party insurance.
yswirio: yswiro *be.* **(yswiriaf: yswiraf)** to insure.
yw *bf.* is, are; *gw.* **bod;** *gw.* **ywen.**
ywen *e.b.* *ll.* **yw** yew.

147

— DICTIONARY —
English–Welsh

ABBREVIATIONS
BYRFODDAU

a.	adjective	*ansoddair*
ad.	adverb	*adferf*
c.	conjunction	*cysylltair*
def. art.	definite article	*y fannod*
e.g. (exempli gratia)	for example	*er enghraifft*
i.	interjection	*ebychiad*
int. pn.	interrogative pronoun	*rhagenw gofynnol*
n.	noun	*enw*
coll.	collective	*torfol*
f.	feminine	*benywaidd*
m.	masculine	*gwrywaidd*
n.pl.	noun plural	*enw lluosog*
N.W.	North Wales	*Gogledd Cymru*
pn.	pronoun	*rhagenw*
prp.	preposition	*arddodiad*
px.	prefix	*rhagddodiad*
rel. pn.	relative pronoun	*rhagenw perthynol*
S.W.	South Wales	*De Cymru*
v.	verb	*berf*

If a Welsh noun's gender is not specified,
that noun has the same gender as the
noun(s) immediately following it in the
definition.

abbreviation *n.* byrfodd, talfyriad *m.*
abdomen *n.* bol *m.*
ability *n* gallu *m.*
able *a.* galluog, medrus: **to be**
able gallu, medru.
abode *n.* cartref, preswyl,
preswylfod *m.*
abolish *v.* dileu.
abort *v.* erthylu.
abortion *n.* erthyliad *m.*
about *prp.* & *ad.* am, o gwmpas,
oddeutu, tua, ogylch, ynghylch.
above 1 *prp.* dros, i fyny, uwchben,
uwchlaw. **2** *ad.* uchod.
abrupt *a.* sydyn, cwta: **abrupt**
reply ateb cwta.
absent *a.* absennol.
abstract *a.* haniaethol.
abundance *n.* toreth *f.*
abundant *a.* helaeth, aml, toreithiog.
accelerate *v.* cyflymu.
accelerator *n.* cyflymydd *m.*
accent *n.* acen *f.*
accept *v.* derbyn, cymryd.
acceptable *a.* derbyniol.
access *n.* mynedfa *f.*, mynediad *m.*
accident *n.* damwain *f.*
accommodation *n.* llety, lle *m.*
accomplish *v.* cyflawni, gorffen.
account *n.* cyfrif, cownt;
adroddiad *m.*
accountant *n.* cyfrifydd *m.*
accustom *v.* cyfarwyddo, arfer.
ache 1 *n.* poen *mf*, dolur *m.*
2 *v.* poeni, brifo, gwynegu.

acid 1 *n.* asid *m.* **2** *a.* sur.
acknowledge *v.* cydnabod.
acorn *n.* mesen *f.*
acquaintance *n.* cydnabod *m.*
acre *n.* erw, acer *f.*
across *prp.* dros, ar draws.
act 1 *n.* act *(drama)*; deddf *(law)*;
gweithred *f.* **2** *v.* actio *(drama)*;
gweithredu.
active *a.* bywiog, heini.
actor *n.* actor, chwaraewr *m.*
add *v.* ychwanegu, chwanegu.
address 1 *n.* cyfeiriad. *m.* **2**
v. annerch.
adequately *ad.* digonol.
adhere *v.* glynu wrth.
adjective *n.* ansoddair *m.*
adjudge *v.* dyfarnu.
adjudicate *v.* beirniadu.
adjudicator *n.* beirniad *m.*
admire *v.* edmygu.
admit *v.* derbyn, cyfaddef.
adolescence *n.* llencyndod *m.*
adult *n.* oedolyn *m.*
advantage *n.* mantais *f*: **to take**
advantage manteisio.
advantageous *a.* llesol, manteisiol.
adventure *n.* antur *mf.*
adventurous *a.* anturus.
advertise *v.* hysbysebu.
advertisement *n.* hysbyseb *f.*
advertiser *n.* hysbysebwr *m.*
advice *n.* cyngor *m.*
advise *v.* cynghori.
adviser *n.* ymgynghorwr *m.*
aeroplane *n.* awyren *f.*
afar *ad.* ymhell.
affectation *n.* maldod *m.*
affection *n.* cariad, serch *m.*
affectionate *a.* serchus, serchog,
cariadus.
after 1 *ad.* wedyn, yna. **2** *prp.* ar ôl,
wedi.
after-care *n.* ôl-ofal *m.*
afternoon *n.* prynhawn *m.*
afterwards *ad.* wedyn, wedi hynny.
again *ad.* eto, drachefn, eilwaith.
against *prp.* erbyn, yn erbyn.
age 1 *n.* oed, oedran *m*; oes *f.* **2**
v. heneiddio.
aged *a.* hen, oedrannus: **the**
aged yr oedrannus, yr henoed.
agency *n.* cyfrwng *m*, asiantaeth *f.*
agent *n.* asiant, cyfrwng *m.*
agile *a.* heini.
agitated *a.* cynhyrfus.
ago *ad.* yn ôl.
agony *n.* ing, poen mawr *m.*
agree *v.* cytuno (â).

agreement *n.* cytundeb *m.*
agriculturalist *n.* ffarmwr, ffermwr, amaethwr *m.*
agriculture *n.* amaethyddiaeth *f.*
aid 1 *n.* cymorth, help *m.* 2 *v.* helpu: **First Aid** Cymorth Cyntaf.
ailment *n.* afiechyd, dolur *m.*
aim *n.* amcan, bwriad, diben, nod *m.*
air *n.* awyr; aer; alaw *f:* **fresh air** awyr iach.
alarm *n.* braw, ofn; larwm *m:* **alarm-clock** cloc larwm.
alien *n. & a.* estron *m.*
all 1 *n.* pawb; y cwbl, y cyfan *m.* 2 *a.* holl, i gyd, pob. 3 *ad.* yn hollol.
allege *v.* honni.
alleged *a.* honedig.
alliance *n.* cynghrair *m.*
allotment *n.* rhandir *m.*
allow *v.* caniatáu, goddef, gadael (i).
allowance *n.* lŵans, lwfans *m.*
allure *v.* hudo.
ally *n.* cynghreiriad *m.*
almighty *a.* hollalluog: **Almighty God** Hollalluog Dduw.
almost *ad.* bron, braidd, lled.
alone *a.* unig, ar ei ben ei hun, wrtho'i hun.
along 1 *ad.* ymlaen; ar hyd. 2 *prp.* ar hyd: **all along** o'r cychwyn.
alphabet *n.* yr wyddor, abiéc *f.*
already *ad.* eisoes, yn barod.
also *ad. & c.* hefyd.
alter *v.* newid.
although *prp. & c.* serch, er.
altitude *n.* uchder *m.*
altogether *ad.* yn gyfan gwbl, i gyd.
always *ad.* bob amser, yn wastad.
am I *v.* rydw i.
amazed *a.* syn.
amazement *n.* syndod *m.*
amazing *a.* rhyfedd, rhyfeddol.
ambassador *n.* llysgennad *m.*
ambition *n.* uchelgais *m.*
ambitious *a.* uchelgeisiol.
ambulance *n.* ambiwlans *m.*
amend *v.* gwella, diwygio, cywiro.
American 1 *n.* Americanwr *m*, Americanes *f.* 2 *a.* Americanaidd.
amid *prp.* ymhlith, rhwng, ynghanol, ymysg.
among *prp.* rhwng, ymhlith, ymysg.
amount *n.* swm, cyfanswm, cyfrif *m.*
ample *a.* helaeth, digon, digonedd.
amuse *v.* difyrru.
amusing *a.* difyr, difyrrus, digrif, ysmala.
analyse *v.* dadansoddi.
ancestor *n.* hynafiad *m.*

ancient *a.* hynafol, hen iawn: **ancient monument** henebyn.
and *c.* a, ac.
anecdote *n.* hanesyn *m.*
angel *n.* angel *m.*
angle *n.* ongl *m:* **right angle** ongl sgwâr.
Anglesey *n.* Ynys Môn *f.*
Anglicise *v.* Seisnigeiddio, Seisnigo.
Anglo- *a.* Eingl-.
Anglo-Welshman *n.* Eingl-Gymro *m.*
angry *a.* crac, dig.
anguish *n.* ing *m.*
angular *a.* onglog.
animal *n.* anifail *m.*
animate *a.* byw.
ankle *n.* migwrn, pigwrn *m.*
announce *v.* cyhoeddi; datgan; hysbysu.
announcement *n.* cyhoeddiad, hysbysiad *m.*
announcer *n.* cyhoeddwr *m.*
anoint *v.* iro.
another *a. & pn.* arall, llall.
answer *n. & v.* ateb *m.*
ant *b.* morgrugyn *m.*
antagonist *n.* gwrthwynebwr, gwrthwynebydd *m.*
anthology *n.* blodeugerdd *f,* detholiad *m.*
anti- *px.* gwrth-, yn erbyn.
anxiety *n.* pryder *m.*
any *a.* unrhyw, rhyw, peth, dim; **any more, any longer** mwyach.
anyone *n. & pn.* rhywun, unrhyw un, neb *m.*
anywhere *ad.* unman, rhywle, unrhyw le.
apart *ad.* ar wahân, o'r neilltu.
ape *n.* epa *m.*
aperture *n.* agoriad, twll *m.*
apologise *v.* ymddiheuro.
apology *n.* ymddiheuriad *m.*
apparatus *n.* offer *m.*
apparition *n.* drychiolaeth *f,* ysbryd *m.*
appear *v.* ymddangos.
appearance *n.* ymddangosiad *m.*
appendix *n.* atodiad *m.*
apple *n.* afal *m.*
applicant *n.* ymgeisydd *m.*
appoint *v.* penodi; trefnu, nodi.
appointed *a.* penodedig.
appointment *n.* penodiad *m.*
appreciate *v.* gwerthfawrogi.
appreciation *n.* gwerthfawrogiad *m.*
apprentice *n.* prentis *m.*
apprenticeship *n.* prentisiaeth *f.*

approach *v.* agosáu, nesáu.
appropriate *a.* addas, priodol.
approximate *a.* bras, agos.
April *n.* Ebrill *m.*
archer *n.* sáethwr *m.*
architect *n.* pensaer, cynlluniwr, cynllunydd *m.*
are *v.* mae, maen, maent, oes, sy, sydd, ydy, ydynt, ydyw, yw; *see* **bod.**
argue *v.* dadlau.
argument *n.* dadl *f.*
arithmetic *n.* rhifyddeg *f.*
ark *n.* arch *f;* **Noah's Ark** Arch Noa.
arm *n.* braich *f;* arf *m:* **nuclear arms** arfau niwclear.
armed *a.* arfog: **armed forces** lluoedd arfog.
army *n.* byddin *f.*
around *ad.* & *prp.* am, o amgylch, o gwmpas, o gylch.
arrange *v.* trefnu.
arrive at *v.* cyrraedd.
arrow *n.* saeth *f.*
art *n.* celf *f:* **art exhibition** arddangosfa gelf.
article *n.* erthygl, ysgrif *f;* nwydd *m:* **definite article** y fannod (y, yr, 'r).
as *c.* & *ad,.* â, ag, fel, mor, cyn: **as if** fel pe bai, fel petai, fel petasai.
ascent *n.* rhiw *f,* tyle *m.*
ash *n.* lludw *m;* onnen *f.*
ashes *n.* llwch, lludw *m.*
aside *ad.* o'r neilltu.
ask *v.* gofyn, holi, gwahodd.
askew *a.* ar gam, gŵyr.
asleep *ad.* yn cysgu, yng nghwsg.
ass *n.* asyn *m.*
assembly *n.* cymanfa *f.* cynulliad *m.*
assert *v.* honni, haeru.
assertion *n.* honiad *m.*
assess *v.* asesu.
assist *v.* helpu.

assistance *n.* cymorth, help *m.*
assistant *n.* cynorthwywr, cynorthwy-ydd *m.*
association *n.* cymdeithas *f.*
assurance *n.* sicrwydd *m.*
assure *v.* sicrhau.
asterisk *n.* seren *f.*
astonishing *a.* rhyfedd, rhyfeddol, syn.
astronaut *n.* gofodwr *m,* gofodwraig *f.*
at *prp.* am, ar, ger, wrth, yn, yng, ym.
atonement *n.* iawn *m.*
attack 1 *n.* ymosodiad *m.* **2** *v.* ymosod (ar).
attacker *n.* ymosodwr *m.*
attain *v.* ennill, cyrraedd.
attempt 1 *n.* cais, cynnig *m;* ymgais *f.* **2** *v.* ceisio, cynnig.
attendance *n.* presenoldeb *m.*
attention *n.* sylw *m.*
attract *v.* denu, tynnu.
attractive *a.* deniadol, atyniadol.
augment *v.* ychwanegu at, chwanegu at.
August *n.* Awst *m.*
aunt *n.* modryb *f.*
author *n.* awdur, llenor *m.*
authoress *n.* awdures, llenores *f.*
authority *n.* awdurdod *m:* **Education Authority** Awdurdod Addysg.
autobiography *n.* hunangofiant *m.*
autumn *n.* hydref *m.*
autumnal *a.* hydrefol.
avenge *v.* dial (ar).
avoid *v.* osgoi.
awake 1 *v.* deffro, dihuno. **2** *a.* effro.
away *ad.* ymaith, i ffwrdd.
awful *a.* ofnadwy.
awkward *a.* lletchwith; chwithig.

baby *n.* baban, babi *m.*
baby-sit *v.* gwarchod: **babysitter**
 n. gwarchodwr banbanod *m.*
bachelor *n.* dyn dibriod, hen lanc *m.*
back 1 *n.* cefn; cefnwr *m.* **2** *ad.* yn ôl.
background *n.* cefndir *m.*
bacon *n.* cig moch, bacwn *m.*
bad *a.* drwg, drygionus; sâl, gwael.
badge *n.* bathodyn *m.*
bag *n.* bag, cwd, cwdyn *m.*
bail *n.* mechnïaeth *f.*
bake *v.* crasu, pobi.
baked *a.* cras, pob.
bakehouse *n.* popty *m.*
baker *n.* pobydd *m.*
bald *a.* moel, penfoel.
baldness *n.* moelni *m.*
ball *n.* dawns; pêl *f:* **football** pêl
 droed; **rugby ball** pêl rygbi.
ballad *n.* balad *f;* **ballad
 monger** baledwr.
ballot *n.* balot *m.*
banana *n.* banana *m.*
band *n.* band *m:* **brass band** band
 pres.
bangle *n.* breichled *f.*
bank 1 *n.* glan *f.;* clawdd; banc *m.* **2**
 v. bancio: **bank statement**
 adroddiad banc.
banner *n.* baner *f.*
banquet 1 *n.* gwledd *f.* **2** *v.* gwledda.
Baptist *n.* Bedyddiwr *m.*
baptise *v.* bedyddio.
bar 1 *n.* bar *m.* **2** *v.* atal.
bard *n.* bardd *m.*
bare *a.* noeth, llwm, moel, prin.
barefooted *a.* troednoeth.
barely *ad.* prin.
bareness *n.* moelni *m.*
bark *v.* cyfarth.

barley *n.* haidd *coll,* barlys *m.*
barrel *n.* casgen *f,* baril *mf.*
barrow *n.* berfa, whilber *f.*
base 1 *n.* bôn, gwaelod; sail, sylfaen;
 canolfan *m.* **2** *a.* isel. **3** *v.* seilio.
bashful *a.* swil.
basic *a.* sylfaenol.
basin *n.* basn *m.*
basket *n.* basged *f.*
Basque Country *n.* Gwlad y Basg *f.*
bass *n.* bas, baswr *m.*
baste *v.* iro.
bat 1 *n.* ystlum; bat *m.* **2** *v.* batio.
bath *n.* bath, baddon *m.*
bathe *v.* ymolch, ymolchi, golchi.
bathroom *n.* ystafell ymolchi *f.*
battle *n.* brwydr *f,* ymladd *m.*
bay *n.* bae *m:* **Swansea Bay** Bae
 Abertawe.
be *v.* bod.
beach *n.* traeth *m,* glan y môr *f.*
beam *n.* pelydr: trawst *m.*
bean *n.* ffäen, ffeuen *f.*
bear 1 *n.* arth *m,* arthes *f.* **2** *v.* cario;
 geni; goddef: **polar bear** arth gwyn.
beard *n.* barf *f.*
beautiful *a.* hardd, glân, teg,
 prydferth.
beauty *n.* harddwch, prydferthwch,
 tegwch *m.*
because *prp.* er, oherwydd, o achos,
 gan, am, oblegid.
become *v.* dyfod, dod yn.
bed *n.* gwely *m.*
bedding *n.* dillad gwely *m.*
bedroom *n.* ystafell wely, llofft *f.*
bedsitter *n.* ystafell un gwely *f.*
bee *n.* gwenynen *f.*
been, I have *v.* bues i, fues i, bûm; *see*
 bod.
beer *n.* cwrw *m.*
bees-wax *n.* cwyr *m.*
beetle *n.* chwilen *f.*
before 1 *prp.* cyn, gerbron, o flaen,
 rhag. **2** *ad.* o'r blaen: **before
 long** cyn bo hir.
beforehand *ad.* ymlaen llaw.
beg *v.* erfyn (ar).
begin *v.* cychwyn, dechrau.
beginning *n.* dechreuad *m.*
behave *v.* ymddwyn.
behaviour *n.* ymddygiad *m.*
behind 1 *prp.* tu ôl (i), tu cefn (i). **2**
 ad. ar ôl.
behold 1 *i.* wele! **2** *v.* gweld, edrych.
being *n.* bod *m.*
Belgium *n.* Gwlad Belg *f.*
believe *v.* credu (yn).
bell *n.* cloch *f.*

bellow *v.* rhuo.
belly *n.* bol, bola *m.*
belong *v.* perthyn (i).
beloved 1 *n.* anwylyd *mf.* **2**
  a. annwyl, anwylaf, cariadus, cu,
  hoff: **beloved ones** anwyliaid.
below *prp.* islaw, dan.
bend 1 *n.* tro *m.* **2** *v.* plygu.
beneath *prp.* islaw, dan.
beneficial *a.* llesol.
benefit 1 *n.* elw, lles *m.* **2** *v.* elwa.
berry *n.* aeronen, mwyaren *f.*
berserk *a.* gwyllt.
beside *prp.* ger, gerllaw, wrth,
  heibio, yn ymyl.
besides *prp.* heb, heblaw.
best *a.* gorau.
bestow *v.* rhoddi, rhoi, cyflwyno.
betrothal *n.* dyweddïad *m.*
better 1 *a.* gwell. **2** *ad.* yn well.
between *prp.* rhwng.
beverage *n.* diod *f.*
bewitch *v.* swyno.
beyond *prp.* draw, dros, tu hwnt.
Bible *n.* Beibl *m.*
bicker *v.* cweryla, ffraeo.
bicycle *n.* beic *m.*
bid *n. & v.* cynnig *m.*
bide *v.* aros, disgwyl.
big *a.* mawr: **bigger** mwy;
  biggest mwyaf.
bilingual *a.* dwyieithog.
bilingualism *n.* dwyieithrwydd *m.*
bill *n.* bil; mesur *m;* rhaglen *f.*
bin *n.* bin *m:* **rubbish bin** bin
  ysbwriel.
bind *v.* rhwymo, clymu.
biological *a.* biolegol.
biology *n.* bioleg, bywydeg *f.*
birch *n.* bedwen, bedw *f.*
bird *n.* aderyn *m.*
birthday *n.* pen-blwydd *m:* **birthday
  card** cerdyn pen-blwydd.
biscuit *n.* bisged, bisgïen *f.*
bishop *n.* esgob *m.*
bit *n.* tamaid, darn, tipyn, yfflyn *m.*
bite 1 *n.* tamaid *m.* **2** *v.* cnoi.
bitter *a.* chwerw, sur.
bizarre *a.* od, rhyfedd, chwithig.
black 1 *n.* du; dyn du *m.* **2** *a.* du,
  tywyll. **3** *v.* duo.
blackberry *n.* mwyaren *f.*
blackbird *n.* aderyn du *m.*
blackboard *n.* bwrdd du *m.*
blacken *v.* duo.
blacksmith *n.* gof *m.*
Blackwood *n.* Y Coed-duon *f.*
blade *n.* eginyn; llafn *m.*
blame 1 *n.* bai *m.* **2** *v.* beio.

blameless *a.* di-fai.
blanch *v.* gwynnu.
blank *a.* gwag; syn: **blank
  cheque** siec wag.
blanket *n.* blanced *f.*
blaze *n.* fflam *f.*
bleach *v.* gwynnu.
bleed *v.* gwaedu.
blemish *n.* nam; bai *m.*
blend *v.* cymysgu.
blessed *a.* bendigedig.
blessedness *n.* gwynfyd *m.*
blessing *n.* bendith *f.*
blind 1 *a.* dall, tywyll. **2** *n.* person
  dall *m.* **3** *v.* dallu.
bliss *n.* gwynfyd *f.*
blizzard *n.* storm o wynt ac eira *f.*
blood *n.* gwaed *m:* **blood
  pressure** pwysedd gwaed.
bloom *n.* blodyn *m.*
blossom *n.* blodyn *m.*
blouse *n.* blows, blowsen *f.*
blow 1 *n.* ergyd *mf.* **2** *v.* chwythu.
blow-dry *v.* chwythu'n sych.
blue *n. & a.* glas *m.*
blush *v.* gwrido, cochi.
blushing *a.* gwridog.
blustery *a.* stormus.
board *n.* bwrdd *m,* bord *f;* bwyd *m.*
boarding house *n.* llety *m.*
boast 1 *n.* ymffrost *m.* **2**
  v. ymffrostio.
boaster *n.* ymffrostiwr *m.*
boat *n.* bad, cwch *m.*
bodily *a.* corfforol.
body *n.* corff *m.*
boil *v.* berwi.
boiling *n. & a.* berw *m.*
bold *a.* hyf.
boldness *n.* hyfdra *m.*
bolster *n.* clustog hir *f,* gobennydd
  mawr *m.*
bolt 1 *n.* bollt *m.* **2** *v.* bolltio.
bomb 1 *n.* bom *m.* **2** *v.* bomio.
bone *n.* asgwrn *m.*
book *n.* llyfr *m;* cyfrol *f.*
booklet *n.* llyfryn *m.*
boot *n.* esgid *f.*
booth *n.* caban *m,* stondin *f.*
border *n.* ffin *f,* ymyl *mf;* border *m.*
bordering *a.* ffiniol.
bore 1 *n.* twll; dyn diflas *m.* **2**
  v. tyllu; blino.
boring *a.* diflas.
born *a.* wedi ei eni.
borough *n.* bwrdeistref *f:* **Borough
  Council** Cyngor Bwrdeistref.
borrow *v.* benthyca, cael benthyg.
boss *n.* meistr, pennaeth, bos *m.*

both *a.* & *ad.* & *pn.* y ddau, y ddwy:
they both ill dau, ill dwy.
bother 1 *n.* helynt *f*, trafferth *m.* 2
v. trafferthu.
bottle *n.* potel *f*.
bottleneck *m.* tagfa *f*.
bottom *n.* gwaelod: godre *m*.
boulder *n.* carreg fawr *f*.
bound 1 *n.* llam; terfyn *m*, ffin *f*. 2
v. llamu, neidio; ffinio.
boundary *n.* ffin *f*, terfyn *m*.
bow *v.* plygu, ymgrymu.
bowl 1 *n.* bowlen, powlen *f*. 2
v. bowlio.
box *n.* blwch, bocs; pren bocs *m*: **box**
office swyddfa docynnau.
boy *n.* bachgen, hogyn, mab;
gwas *m*.
boyish *a.* bachgennaidd.
brace *n.* bres; pâr *m*.
braces *n.* bresys *m*.
bracelet *n.* breichled *f*.
brain *n.* ymennydd *m*.
branch *n.* cangen *f*.
brandy *n.* brandi *m*.
brass *n.* pres *m*.
brave *a.* dewr, gwrol.
bread *n.* bara *m*: **daily bread** bara
beunyddiol.
breadth *n.* lled *m*.
break 1 *n.* egwyl, hoe *f*, toriad *m*. 2
v. torri.
breaker *n.* ton *f*.
breakfast *n.* brecwast *m*.
breast *n.* bron; brest *f*.
breath *n.* anadl *mf*, gwynt *m*.
breathe *v.* anadlu, chwythu.
breed *v.* magu, bridio.
breeze *n.* awel *f*.
bride *n.* priodferch *f*.
bridge 1 *n.* pont *f*. 2 *v.* pontio.
brief *a.* byr, cryno.
bright *a.* disglair, gloyw, llachar,
llewyrchus.
brightness *n.* llewyrch, disgleirdeb
m.
brilliant 1 *n.* gem *f*. 2 *a.* disglair,
llachar; gwych.
bring *v.* dwyn, dod (â).
brink *n.* ymyl *mf*, min *m*.
Britain *n.* Prydain *f*.
British *a.* Prydeinig.

Brittany *a.* Llydaw *f*.
broad *a.* llydan, eang, bras.
broadcast 1 *n.* darllediad *m*. 2
v. darlledu.
brochure *n.* llyfryn *m*.
bronze *n.* pres, efydd *m*.
brooch *n.* tlws *m*.
brook *n.* nant *f*.
broom *n.* brws, brwsh *m*, ysgub *f*.
broth *n.* cawl *m*.
brother *n.* brawd *m*: **brother-in-**
law brawd-yng-nghyfraith.
brow *n.* ael *f*, talcen *m*; crib *mf*.
brown *a.* brown.
brush 1 *n.* brws, brwsh *m*, ysgub *f*. 2
v. brwsio, brwshio, sgubo, ysgubo.
paint brush brws paent, brwsh
paent.
bucket *n.* bwced *m*.
bud 1. *n.* blaguryn *m*. 2 *v.* blaguro.
build *v.* adeiladu, codi.
builder *n.* adeiladwr *m*.
building *n.* adeilad *m*.
bull *n.* tarw *m*; **bulldozer** tarw dur.
bungalow *n.* tŷ unllawr, byngalo *m*.
burden 1 *m.* baich, llwyth *m*. 2
v. llwytho.
burdened *a.* llwythog.
bureau *n.* swyddfa *f*.
burn 1 *n.* llosg *m*; nant *f*. 2 *a.* llosg. 3
v. llosgi.
burner *n.* llosgydd *m*.
burrow 1 *n.* twll cwningen *m*. 2
v. tyllu.
bus *n.* bws *m*: **bus-stop** arhosfan *f*.
bush *n.* llwyn *m*, perth *f*.
business *n.* busnes *m*.
busy *a.* prysur.
but *c.* ond, onid.
butcher *n.* cigydd.
butter *n.* menyn, ymenyn *m*.
butterfly *n.* glöyn byw *m*, iâr fach yr
haf, pili-pala *f*.
button 1 botwm *m*. 2 *v.* botymu.
buy *v.* prynu.
buyer *n.* prynwr *m*.
buzz 1 si, su, sŵn gwenyn *n*. 2
v. sio, suo.
by *prp.* erbyn, ger, gerllaw, drwy,
trwy, gan, heibio, wrth, â.
by-election *n.* is-etholiad *m*.
bypass *n.* ffordd osgoi *f*.

cabbage *n.* bresychen; bresych *f.*
cabin *n.* caban *m.*
café *n.* caffe *m.*
cake *n.* cacen, teisen *f:* **birthday cake** teisen pen-blwydd.
calamity *n.* trychineb *mf.*
calculate *v.* cyfrif, rhifo.
calculation *n.* cyfrif *m.*
calculator *n.* cyfrifiannell *m.*
calendar *n.* calendar *m.*
calf *n.* llo (anifail) *m;* croth (coes) *f.*
call 1 *n.* galwad *mf,* galw *m.* **2** *v.* galw, ymweld (â).
calling *n.* galwad *mf;* galwedigaeth *f.*
calm 1 *n.* tawelwch; hedd *m.* **2** *a.* tawel; **3** *v.* tawelu, distewi.
camera *n.* camera *m.*
camp 1 *n.* gwersyll *m.* **2** *v.* gwersyllu.
campaign *n.* ymgyrch *mf.*
can *n.* can, tun *m.*
candidate *n.* ymgeisydd *m.*
candle *n.* cannwyll *f.*
candlestick *n.* canhwyllbren *m.*
cane *n.* gwialen *f.*
canoe 1 *n.* canŵ *m.* **2** *v.* canŵio.
cap *n.* cap *m.*
capital 1 *n.* prifddinas *f;* corff (arian), cyfalaf *m;* priflythyren *f.* **2** *a.* prif, pen.
capitulate *v.* ymostwng.
captain *n.* capten *m.*
captivate *v.* swyno, hudo, denu.
capture *v.* dal, dala.
car *n.* car *m:* **car park** maes parcio.
caravan *n.* carafán *f:* **caravan site** maes carafanau *m.*
card *n.* cerdyn *m,* carden *f.*
Cardiff *n.* Caerdydd *f.*
care 1 *n.* gofal, pryder *m.* **2** *v.* gofalu, carco, hidio, pryderu.

career 1 *n.* gyrfa *f.* **2** *v.* rhuthro.
careful *a.* carcus, gofalus, manwl.
careless *a.* diofal, esgeulus.
caretaker *n.* gofalwr *m.*
caring *a.* gofalus.
Carmarthen *n.* Caerfyrddin *f.*
carol *n.* carol *f.*
carpenter *n.* saer coed *m.*
carpet 1 *n.* carped *m.* **2** *v.* carpedu.
carrot *n.* moronen *f.*
carry *v.* cario.
case *n.* cas; achos; cyflwr *m;* dadl *f.*
cash 1 *n.* arian parod *m.* **2** *v.* newid.
casing *n.* plisgyn; casin *m.*
cast *v.* taflu.
castle *n.* castell *m.*
cat *n.* cath *f.*
catalogue *n.* catalog *m.*
cataract *n.* rhaeadr *f,* sgwd *m;* pilen *(ar lygad) f.*
catch *v.* dal, dala.
catchment *n.* dalgylch.
catechism *n.* holwyddoreg *f.*
caterpillar *n.* lindysen *m.*
cathedral *n.* eglwys gadeiriol *f.*
catholic 1 *n.* pabydd *m.* **2** *a.* pabyddol; catholig.
cattle *n.pl.* gwartheg, da.
cauliflower *n.* blodfresychen *f.*
cause 1 *n.* achos; achlysur; rheswm *m.* **2** *v.* achosi, peri.
caution 1 *n.* pwyll; rhybudd *m.* **2** *v.* rhybuddio.
cautious *a.* gofalus, gwyliadwrus.
cave *n.* ogof *f.*
cavity *n.* gwagle *m.*
cease *v.* peidio (â).
ceiling *n.* nen *f.*
celebrate *v.* dathlu.
celebrated *a.* enwog.
cell *n.* cell *f.*
cemetery *n.* mynwent *f.*
censure *n.* sen *f.*
centenary *n.* canmlwyddiant *m.*
centigrade *a.* canradd, sentigred: **20°C** ugain gradd Celsius.
central *a.* canol, canolog: **central heating** gwres canolog
centre *n.* canol *m;* canolfan *f;* canolwr *m.*
centurion *n.* canwriad *m.*
century *n.* cant *m;* canrif *f.*
ceremony *n.* seremoni *f.*
certain *a.* sicr, siŵr; rhyw, rhai.
certainly *ad.* yn sicr, yn siŵr.
certainty *n.* sicrwydd *m.*
certificate *n.* tystysgrif *f.*
chaff *n.* us *coll.*
chaffinch *n.* ji-binc, asgell fraith *f.*

chain 1 *n.* cadwyn *f.* 2 *v.* cadwyno.
chair 1 *n.* cadair, stôl *f.* 2 *v.* cadeiro:
Chairing of the Bard Cadeirio'r
Bardd.
chaired *a.* cadeiriol.
chairman *n.* cadeirydd *m.*
chalet *n.* hafoty, bwthyn (haf) *m.*
chalk 1 *n.* sialc *m.* 2 *v.* sialcio.
challenge 1 *n.* her *f.* 2 *v.* herio.
chamber *n.* ystafell, siambr *f.*:
chamber orchestra cerddorfa
siambr.
champion *n.* pencampwr *m.*
chance 1 *n.* hap, siawns, lwc *f,* cyfle
m, damwain *f.* 2 *v.* digwydd.
change *n. & v.* newid *m.*
changing-room *n.* ystafell newid *f.*
channel *n.* sianel *f,* gwely *m.*
chapel *n.* capel *m.*
chapter *n.* pennod *f.*
character *n.* cymeriad, nod *m;*
llythyren *f.*
characteristic 1 *n.* nodwedd *f.* 2
a. nodweddiadol.
charge 1 *n.* gofal; gorchymyn; pris,
tâl; ergyd *m.* 2 *v.* gofalu,
gorchymyn codi.
charm 1 *n.* hud, swyn *m.* 2 *v.* hudo,
swyno.
charming *a.* swynol.
chase 1 *n.* helfa *f.* 2 *v.* hel, hela,
erlid.
chat 1 *n.* sgwrs *f,* siarad, sôn *m,*
ymgom *mf.* 2 *v.* sgwrsio, siarad,
ymgomio.
chatter *v.* clebran.
cheap *a.* rhad.
cheat 1 *n.* twyllwr *m.* 2 *v.* twyllo.
cheek *n.* grudd *mf,* boch *f.*
cheerful *a.* llawen, llon, siriol.
cheese *n.* caws *m.*
cheers! *i.* iechyd da!
chemist *n.* fferyllydd; cemegwr *m.*
chemistry *n.* cemeg *f.*
Chepstow *n.* Cas-Gwent *f.*
cheque *n.* siec *f:* **cheque book** llyfr
sieciau; **cheque card** cerdyn
sieciau.
chest *n.* cist; brest *f.*
Chester *n.* Caer *f.*
chew *v.* cnoi.
chick *n.* cyw *m.*
chicken *n.* cyw iâr *m.* ffowlyn *f:*
chicken pox brech yr ieir.
chief 1 *n.* pen, pennaeth *m.* 2 *a.* prif,
pen, pennaf: **chief bard** prifardd.
child *n.* plentyn *m.*
childish *a.* plentynnaidd.
chill 1 *a.* oer. 2 *v.* oeri.

chilled *a.* sythlyd, wedi ei oeri.
chilly *a.* oer, oerllyd.
chimney *n.* simdde, simnai *f.,* corn
(mwg) *m.*
chin *n.* gên *f.*
China *n.* Tseina, China *f.*
china *n.* llestri te *m.*
chip *n.* sglodyn *m:* **fish and
chips** pysgod a sglodion.
chocolate *n.* siocled *m.*
choice *n.* dewis *m.*
choir *n.* côr *m.*
choke *v.* tagu.
choose *v.* dewis, ethol.
chop *v.* torri.
chord *n.* tant, cord *m*
chorus *n.* cytgan *f;* côr, corws *m.*
Christ *n.* Crist *m.*
christen *v.* bedyddio, enwi.
Christian 1 *n.* Cristion *m.* 2
a. Cristnogol: **Christian
Aid** Cymorth Cristnogol; **Christian
name** enw bedydd.
Christmas *n.* y Nadolig *m:*
Christmas Day Dydd Nadolig;
Christmas Eve Noswyl Nadolig;
Christmas Holidays gwyliau'r
Nadolig; **Christmas
presents** anrhegion Nadolig;
Christmas tree coeden Nadolig.
chum *n.* cyfaill, ffrind *m.*
church *n.* eglwys, llan *f.*
churchyard *n.* mynwent *f.*
chute *n.* llithren *f.*
cigar *n.* sigâr *f.*
cigarette *n.* sigarét *f.*
cinema *n.* sinema *f.*
circle *n.* cylch *m.*
circular 1 *n.* cylchlythyr *m.* 2
a. cylchog.
circumflex *n.* hirnod *mf.*
circus *n.* syrcas *f.*
citizen *n.* dinesydd *m.*
city *n.* dinas *f.*
civic *a.* dinesig.
civil *a.* gwladol.
civilian *n.* dinesydd *m.*
civil war *n.* rhyfel cartref *mf.*
claim 1 *n.* hawl *m.* 2 *v.* hawlio.
clamber *v.* dringo.
class 1 *n.* dosbarth *m;* adran *f,* cylch
m, safon *f.* 2 *v.* dosbarthu.
classic *n.* clasur, campwaith *m.*
classical *a.* clasurol.
classics *n.* clasuron *pl.*
clause *n.* cymal *m;* adnod, adran *f.*
clay *n.* clai *m.*
clean 1 *a.* glân. 2 *v.* glanhau.
cleanliness *n.* glendid *m.*

cleanly *ad.* yn lân.
clear 1 *a.* amlwg, clir, eglur, gloyw. 2 *v.* clirio.
cleff *n.* allwedd *f*, cleff *m*.
clerk *n.* clerc *m*.
clever *a.* medrus, clyfar.
cliché *n.* ystrydeb *f*.
cliff *n.* clogwyn *m*, craig *f*.
climate *n.* hinsawdd *f*.
climax *n.* uchafbwynt *m*.
climb *v.* dringo.
climber *n.* dringwr *m*.
cling *v.* glynu, cydio.
clinic *n.* meddygfa *f*, clinig *m*.
cloak *n.* clogyn *m*, mantell *f*.
clock *n.* cloc *m; *o'clock** o'r gloch; **six o'clock** chwech o'r gloch.
close 1 *n.* diwedd, terfyn *m*. 2 *v.* cau.
close 1 *n.* clos, buarth *m*, iard *f*. 2 *a.* agos, clòs, tyn.
cloth *n.* brethyn, defnydd, lliain, clwtyn *m*.
clothes *n.pl.* dillad, gwisgoedd *pl.*
clothing *n.* dillad *m*.
cloud 1 *n.* cwmwl *m*. 2 *v.* cymylu.
cloudy *a.* cymylog.
clown *n.* clown *m*.
clumsy *a.* lletchwith.
coach 1 *n.* hyfforddwr *m;* coets *f*. 2 *v.* hyfforddi.
coal *n.* glo *m*.
coarse *a.* garw, bras.
coast *n.* arfordir *m*, glan môr *f*.
coat *n.* cot, siaced *f*.
cockerel *n.* ceiliog *m*.
coffee *n.* coffi *m*.
coffin *n.* arch, coffin *f*.
cog *n.* dant, còg *m*.
coil 1 *n.* torch *m*. 2 *v.* torchi.
coin 1 *n.* darn arian *m*. 2 *v.* bathu; **pound coin** darn punt.
cold 1 *n.* oerfel; annwyd *m*. 2 *a.* oer, sythlyd: **to become cold** oeri; **to catch a cold** dal annwyd.
collar *n.* coler *f*: **collar bone** pont yr ysgwydd.
collect 1 *n.* colect *m* (*gweddi*). 2 *v.* casglu, crynhoi, hel.
collection *n.* casgliad *m*.
college *n.* coleg *m*.
collier *n.* glöwr *m;* llong lo *f*.
colliery *n.* glofa *f*, pwll glo, gwaith glo *m*.
colloquial *a.* llafar.
colony *n.* gwladfa *f*.
colour 1 *n.* lliw *m*. 2 *v.* lliwio, lliwo, coluro.
coloured *a.* lliwiog.
colourful *a.* lliwgar.

colt *n.* ebol *m*.
column *n.* colofn *f*, piler *m*.
columnist *n.* newyddiadurwr *m*.
comb 1 *n.* crib *mf*. 2 *v.* cribo.
combat *n.* gornest, brwydr *f*.
come *v.* dod, dyfod: **to come across** dod ar draws; **to come to an end** dod i ben.
comely *a.* teg, glân, hardd.
comfort 1 *n.* cysur *m*. 2 *v.* cysuro.
comfortable *a.* cyfforddus, cyffyrddus, cysurus.
command *n. & v.* gorchymyn *m*.
commandment *n.* gorchymyn *m*: **The Ten Commandments** Y Deg Gorchymyn.
commence *v.* dechrau.
commend *v.* canmol.
comment 1 *n.* sylw *m*. 2 *v.* sylwi, esbonio.
commentary *n.* sylwebaeth *f;* esboniad *m*: **to commentate** sylwebu.
commentator *n.* sylwebydd, sylwebwr *m*.
commitee *n.* pwyllgor *m*.
common *a.* cyffredin: **common sense** synnwyr cyffredin.
commons *n.* y cyffredin *pl*: **House of Commons** Tŷ'r Cyffredin.
commotion *n.* terfysg *m*.
community *n.* cymdeithas, cymuned *f*.
compact *a.* cryno: **compact disc** cryno ddisg.
companion *n.* cyfaill *m*, cyfeilles *f*.
company *n.* cwmni *m*.
compare *v.* cymharu (â).
compassion *n.* trugaredd *f*.
compel *v.* gorfodi.
compensate *v.* talu iawn.
compensation *n.* iawn, iawndal *m*.
compete *v.* cystadlu.
competition *n.* cystadleuaeth *f*, ymryson *m*.
competitor *n.* cystadleuwr, cystadleuydd *m*.
complain *v.* cwyno.
complaint *n.* cwyn *mf*.
complete *a.* hollol, llwyr.
completely *ad.* yn hollol, yn llwyr.
complex *a.* cymhleth.
complexity *n.* cymhlethdod *m*.
complicate *v.* cymhlethu *m*.
complicated *a.* cymhleth.
complication *n.* cymhlethdod *m*.
compose *v.* cyfansoddi.
composer *n.* cyfansoddwr *m*.
comprehensive *a.* cyfun,

cynhwysfawr: **Comprehensive School** Ysgol Gyfun.
compulsion *n.* gorfod *m*, gorfodaeth *f*.
compulsory *a.* gorfodol.
computer *n.* cyfrifiadur *m*.
conceal *v.* cuddio.
concentrate *v.* canolbwyntio.
concerning *prp.* ynglŷn â, ynghylch.
concert *n.* cyngerdd *mf*.
concession *n.* lŵans, lwfans *m*.
conclude *v.* gorffen.
conclusion *n.* casgliad; diwedd, diweddglo *m*.
concrete *n.* concrit *m*.
condition *n.* cyflwr *m; amod *mf*.
conditionally *ad.* ar amod.
conduct 1 *n.* ymddygiad *m*. 2 *v.* arwain.
conductor *n.* arweinydd; tocynnwr *m*.
cone *n.* côn *m*.
confer *v.* ymgynghori.
conference *n.* cynhadledd *f*.
confide *v.* ymddiried (yn).
confidence *n.* hyder *m*, ymddiriedaeth *f*: **self-confidence** hunanhyder.
confident *a.* hyderus: **to be confident** hyderu.
confidential *a.* cyfrinachol.
confine *v.* cyfyngu, carcharu.
confined *a.* cyfyng.
confluence *n.* cymer *m*.
confront *v.* wynebu.
confuse *v.* drysu, cymysgu.
congratulate *v.* llongyfarch.
congratulation *n.* llongyfarchiad *m*: **Congratulations!** Llongyfarchiadau!
congregation *n.* cynulleidfa *f*.
Congregationalist *n.* Annibynnwr *m*.
conjecture *v.* dychmygu, dyfalu.
conjunction *n.* cysylltair *m*.
connection *n.* cysylltiad *m*, perthynas *mf*: **in connection with** ynglŷn â.
conquer *v.* gorchfygu, trechu.
conquest *n.* buddugoliaeth, concwest *f*.
conscription *n.* gorfodaeth filwrol *f*.
consent 1 *n.* caniatâd *m*. 2 *v.* caniatáu.
conservative *n.* ceidwadwr; Tori *m*.
conservatory *n.* tŷ gwydr *m*.
conserve *v.* cadw, amddiffyn.
consider *v.* ystyried.
considerable *a.* cryn.
consideration *n.* ystyriaeth *f*.

considering *prp.* ag ystyried.
consolation *n.* cysur *m*: **consolation prize** gwobr gysur.
console *v.* cysuro.
consonant *n.* cytsain *f*.
constituency *n.* etholaeth *f*.
construct *v.* ffurfio, llunio, adeiladu.
consult *v.* ymgynghori (â).
consume *v.* bwyta; defnyddio; treulio.
contact *v.* cyffwrdd (â).
contain *v.* cynnwys, dal.
contaminate *v.* llygru.
contamination *n.* llygredd *m*.
content *n.* cynnwys *m*.
content 1 *a.* bodlon. 2 *v.* bodloni.
contention *n.* ymryson *m*.
contents *n.* cynnwys *pl*.
contest 1 *n.* gornest, ornest, cystadleuaeth, ymryson *f*. 2 *v.* ymryson; ymladd.
contestant *n.* cystadleuwr, cystadleuydd *m*.
context *n.* cyd-destun *m*.
continual *a.* parhaus.
continually *ad.* byth a hefyd.
continuation *n.* parhad *m*.
continue *v.* para, parhau, dal (ati).
continuous *a.* parhaol.
contra- *px.* gwrth-, croes- (*followed by soft mutation*):
contradiction gwrthddywediad.
contract *n.* cytundeb *m*.
contrary *a.* gwrthwyneb, croes: **on the contrary** i'r gwrthwyneb.
contribute *v.* cyfrannu.
contrite *a.* edifeiriol:
control *v.* rheoli.
controller *n.* rheolwr *m*.
convenient *a.* cyfleus, hwylus.
conversation *n.* ymgom *mf*, sgwrs *f*.
converse 1 *n.* gwrthwyneb *m*. 2 *v.* ymgomio, sgwrsio, ymddiddan.
conversion *n.* trosiad *m*; trôedigaeth *f*.
convert *v.* troi, newid, trosi.
converted *a.* wedi ei addasu: **converted try** trosgais.
convey *v.* cyfleu; trosglwyddo.
cook 1 *n.* cogydd *m; cogyddes *f*. 2 *v.* coginio, gwneud bwyd.
cool 1 *a.* oer. 2 *v.* oeri.
copy 1 *n.* copi *m*. 2 *v.* copïo.
copyright *n.* hawlfraint *f*.
cord *n.* cordyn *m; lein *f*, llinyn *m*.
corgi *n.* corgi *m*.
corn *n.* llafur, corn, ŷd *m*.
corner *n.* cornel *mf*, cwr *m*, congl *f*.
cornflakes *n.* creision ŷd *pl*.

corpse *n.* corff *m.*
correct 1 *a.* cywir, iawn, priodol. **2** *v.* cywiro.
correction *n.* cywiriad *m.*
corrupt 1 *a.* llygredig. **2** *v.* llygru.
corruption *n.* llygredd, llygredigaeth *m.*
cost 1 *n.* pris *m*, traul, cost *f.* **2** *v.* costio.
costume *n.* gwisg *f.*
cottage *n.* bwthyn *m.*
cotton *n.* cotwm *m;* edau *f:* **cotton wool** gwlân cotwm.
cough 1 *n.* peswch, pesychiad *m.* **2** *v.* peswch.
council *n.* cyngor *m:* **council house** tŷ cyngor; **county council** cyngor sir.
councillor *n.* cynghorwr *m:* **County Councillor** Cynghorwr Sir.
counsel 1 *n.* cyngor *m.* **2** *v.* cynghori.
count 1 *n.* cyfrif; iarll *m.* **2** *v.* rhifo; cyfrif.
counter- *px.* gwrth- (*followed by soft mutation*): **counteract** gwrthweithio; **counterclockwise** gwrthgloc.
counterfeit *n. & a.* ffug *m.*
counterfoil *n.* bôn *m* (*siec/ derbynneb . . .*).
countess *n.* iarlles *f.*
country *n.* gwlad, bro *f:* **Country Music** Canu Gwlad.
county *n.* sir, swydd (*English county*) *f:* **Carmarthenshire** Sir Gaerfyrddin, Sir Gâr; **Lancashire** Swydd Gaerhirfryn; **Yorkshire** Swydd Efrog; **Buckinghamshire** Swydd Buckingham.
courageous *a.* dewr, gwrol.
course *n.* cwrs *m*, hynt; ystod; gyrfa *f:* **in the course of** yn ystod; **of course** wrth gwrs; **crash course** cwrs carlam.
court 1 *n.* llys *m.* **2** *v.* caru, canlyn.
courteous *a.* cwrtais.
cousin *n.* cefnder *m;* cyfnither *f.*
cover 1 *n.* clawr *m.* **2** *v.* gorchuddio.
covetous *a.* trachwantus.
covetousness *n.* trachwant *m.*
cow *n.* buwch *f.*
cowardly *a.* llwfr.
crack 1 *n.* crac *m.* **2** *v.* cracio.
cradle *n.* crud *m.*
craft *n.* crefft; llong; awyren *f.*
craftsman *n.* crefftwr *m.*
crafty *a.* cyfrwys.
crag *n.* craig *f*, clogwyn *m.*

cream *n.* hufen *m.*
crematorium *n.* amlosgfa *f.*
cress *n.* berw *m.*
crest *n.* brig *m*, crib *mf.*
crew *n.* criw *m.*
crib *n.* preseb *m.*
cricket *n.* criced, cricsyn *m.*
cricketer *n.* cricedwr *m.*
crime *n.* trosedd *f.*
criminal *n.* troseddwr *m.*
crisps *n.* creision (tatws) *pl.*
critic *n.* beirniad *m.*
criticise *v.* beirniadu.
crockery *n.* llestri *pl.*
croft *n.* tyddyn *m.*
crook *n.* troseddwr; ffon fugail *m.*
crooked *a.* cam.
cross 1 *n.* croes *f.* **2** *v.* croesi.
cross-examine *v.* croesholi.
crossing *n.* croesfan *f.*
crossroad *n.* croesffordd *f.*
crossword *n.* croesair, pôs croeseiriau *m.*
crow *n.* brân *f.*
crowd *n.* torf *f*, twr *m*, tyrfa *f*, llu *m.*
crown 1 *n.* coron *f.* **2** *v.* coroni: **Crown land** tir y Goron; **Triple Crown** Coron Driphlyg.
cruel *a.* creulon.
cruelty *n.* creulondeb *m.*
crumb *n.* briwsionyn *m.*
crumble *v.* chwalu; briwsioni.
crush *v.* malu, gwasgu.
crust *n.* crwst, crystyn *m.*
cry 1 *n.* cri *mf*, llef, sgrech *f.* **2** *v.* crio, llefain, wylo.
cuckoo *n.* cog, cwcw *f.*
cunning *a.* cyfrwys.
cup *n.* cwpan *mf*, dysgl *f.*
cupboard *n.* cwpwrdd *m.*
cure *v.* gwella, iacháu.
curly *a.* cyrliog.
current 1 *n.* ffrwd *f*, llif *m.* **2** *a.* cyfoes: **current affairs** materion cyfoes.
currently *ad.* ar hyn o bryd.
curse 1 *n.* llw *m*, melltith, rheg *f.* **2** *v.* rhegi.
curtain *n.* llen *f.*
cushion *n.* clustog *f.*
custom *n.* arfer, cwstwm *m;* toll *f.*
customary *a.* arferol.
customer *n.* cwsmer *m.*
customs *n.* y tollau *pl:* **customs officer** swyddog tollau.
cut 1 *n.* toriad *m.* **2** *v.* torri.
cycle 1 *n.* cylch; beic *m.* **2** *v.* seiclo.
cylinder *n.* silindr *m.*
cylindrical *a.* silindrog.

dad: daddy n. tad m.
daffodil n. cenhinen Bedr f, daffodil
 m.
daisy n. llygad y dydd m.
dale n. cwm, dyffryn m, dôl, bro f:
 hill and dale bryn a dôl.
damage n. niwed, difrod m.
damages n.pl. iawndal, iawn m.
damp a. llaith.
damson n. eirinen ddu f.
dance 1 n. dawns f. 2 v. dawnsio:
 public folk dance twmpath dawns.
dandelion n. dant y llew m.
danger n. perygl m.
dangerous a. peryglus.
dank a. llaith, gwlyb.
dare v. beiddio, meiddio, mentro.
dark a. tywyll.
darkness n. tywyllwch, gwyll m.
darling 1 n. anwylyd mf, cariad m. 2
 v. annwyl.
date n. dyddiad m.
daughter n. merch f.
dawn 1 n. gwawr f. 2 v. gwawrio.
day n. diwrnod, dydd m: **day before
 yesterday** echdoe; **yesterday** doe,
 ddoe; **today** heddiw;
 tomorrow yfory; **day after
 tomorrow** trennydd; **three days
 hence** tradwy; **by day** liw dydd;
 next day trannoeth; **Good day!**
 Dydd da!.
day break n. gwawr f, toriad dydd m.
daylight n. golau dydd m.
dazzle v. dallu; disgleirio.
dazzling a. llachar, disglair.
deacon n. diacon; blaenor m:
 deaconess diacones.
dead n. & a. marw, meirw,
 meirwon pl.

deadly a. marwol.
deaf n. & a. byddar m.
deal v. ymwneud (â), delio (â).
dear 1 n. anwylyd mf, cariad m. 2
 a. annwyl, bach, cu, ffel, hoff; drud.
dearest n. & a. anwylaf mf: **dearest
 ones** anwyliaid.
death n. angau m, marwolaeth f.
debate 1 n. dadl f. 2 v. dadlau,
 ymryson.
debt n. dyled f.
decade n. degawd m.
decay v. pydru.
deceased a. y diweddar.
deceit n. twyll m.
deceitful a. twyllodrus.
deceive v. twyllo.
decelerate v. arafu.
December n. Rhagfyr m.
decentralise v. datganoli.
decide v. penderfynu, dyfarnu.
decision n. penderfyniad,
 dyfarniad m.
deck n. bwrdd; dec m.
declaration n. datganiad m.
declare v. datgan, mynegi.
decompose v. pydru.
decree n. gorchmyn m.
dedicate v. cyflwyno; cysegru.
deed n. gweithred f.
deep 1 n. dyfnder m. 2
 a. dwfn: **deep freeze cabinet**
 rhewgell.
Dee Side n. Glannau Dyfrdwy f.
defeat v. gorchfygu, trechu.
defect n. nam, diffyg, gwall m.
defence n. amddiffyn, amddiffyniad
 m; amddiffynfa f.
defend v. amddiffyn.
defiance n. her f.
define v. diffinio.
definite a. pendant.
definitely ad. yn bendant.
definition n. diffiniad m.
defraud v. twyllo.
deft a. medrus.
degree n. gradd f.
de-ice v. toddi.
deity n. duwdod; duw m.
delay v. oedi.
delectable a. hyfryd.
delegate 1 n. dirprwy m. 2
 v. dirprwyo.
delegation n. dirprwyaeth f.
delete v. dileu.
delicious a. blasus.
delightful a. hyfryd, braf.
deliver v. gwaredu (rhag); danfon,
 trosglwyddo.

deliverer *n.* gwaredwr.
demand 1 *n.* gofyn, galw *m,* arch;
gofynneb *f.* 2 *v.* mynnu, gofyn.
demi- *px.* hanner.
demise *n.* marwolaeth *f.*
den *n.* ffau *f.*
denomination *n.* enw, enwad *m.*
dense *a.* trwchus; hurt.
dent 1 *n.* pant, tolc *m.* 2 *v.* tolcio.
dentist *n.* deintydd *m.*
dentures *n.* dannedd gosod, dannedd
dodi *pl.*
deny *v.* gwadu, gwrthod.
depart *v.* ymadael (â); cychwyn.
department *n.* adran *f.* dosbarth *m.*
depend *v.* dibynnu (ar).
deplore *v.* gresynu.
depose *v.* diswyddo; tystio.
deposit *n.* ernes *f.*
depressed *a.* isel, digalon.
depth *n.* dyfnder *m.*
deputation *n.* dirprwyaeth *f.*
deputy *n.* dirprwy *m:* **Deputy**
Director Dirprwy Gyfarwyddwr;
Deputy Headteacher Dirprwy
Brifathro, Dirprwy Brifathrawes.
derivation *n.* tarddiad *m.*
derive *v.* derbyn, cael; tarddu.
descend *v.* disgyn.
describe *v.* disgrifio, darlunio.
description *n.* disgrifiad *m.*
desert *n.* anialwch *m.*
desert *v.* cilio, ffoi (rhag).
deserter *n.* ffoadur *m.*
deserve *v.* haeddu.
deserved *a.* teilwng.
design 1 *n.* cynllun *m.* 2
v. cynllunio.
designer *n.* cynlluniwr,
cynllunydd *m.*
desirable *a.* dymunol.
desire 1 *n.* dymuniad, chwant,
ewyllys *m.* 2 *v.* dymuno.
desirous *a.* awyddus.
desk *n.* desg *f.*
desolate *a.* gwag.
despite *prp.* er, er gwaethaf.
despot *n.* unben *m.*
dessert *n.* pwdin, melysfwyd *m.*
destiny *n.* tynged *f.*
destroy *v.* dinistrio, difetha.
detached *a.* ar wahân.
detail 1 *n.* manlyn *m.* 2 *v.* manylu:
details manylion; **in detail** yn
fanwl.
detective *n.* ditectif *m; ***detective**
story stori dditectif.
determination *n.* penderfyniad *m.*
determine *v.* penderfynu.

determined *a.* penderfynol.
detest *v.* casáu.
develop *v.* datblygu.
development *n.* datblygiad *m.*
deviate *v.* gwyro, gwyrio.
deviation *n.* gwyriad *m.*
devil *n.* diafol, diawl *m.*
devilish *a.* diawledig.
devolution *n.* datganoli *m.*
devolve *v.* datganoli.
devour *v.* llyncu, ysu.
dew 1 *n.* gwlith *m.* 2 *v.* gwlitho.
diagnose *v.* adnabod.
diagnosis *n.* diagnosis *m.*
dialect *n.* tafodiaith *f.*
dialogue *n.* deialog, sgwrs *f.*

diarrhoea *n.* dolur rhydd *m.*
diary *n.* dyddiadur *m.*
dictator *n.* unben *m.*
dictionary *n.* geiriadur *m.*
die *v.* marw, darfod, trigo.
difference *n.* gwahaniaeth *m.*
different *a.* gwahanol.
difficult *a.* anodd, caled.
difficulty *n.* anhawster *m.*
dig *v.* palu.
digest *v.* treulio.
dignity *n.* urddas *m.*
diligent *a.* prysur, diwyd.
dimension *n.* maint *m.*
diminish *v.* lleihau.
diminutive *a.* bychan.
dingle *n.* cwm, glyn, pant *m.*
dinner *n.* cinio *mf.*
dip *v.* trochi, golchi.
direct 1 *a.* union. 2 *v.* cyfeirio.
direction *n.* cyfeiriad;
hyfforddiant *m.*
directly *ad.* yn union.
director *n.* cyfarwyddwr *m.*
directory *n.* cyfarwyddiadur *m.*
dirt *n.* baw, llacs *m.*
dirty *a.* brwnt, budr.
disability *n.* anabledd *m.*
disabled *a.* anabl, methedig.
disappear *v.* diflannu.
disappoint *v.* siomi.
disappointed *a.* siomedig.
disappointing *a.* siomedig.
disappointment *n.* siom *mf.*
disarm *v.* diarfogi.
disaster *n.* trychineb *mf.*
disc *n.* disg *mf.*
disciple *n.* disgybl *m.*
discipline *n.* disgyblaeth *f.*
disclaim *v.* gwadu.
disclose *v.* datguddio.
discontented *a.* anfodlon.

discover v. darganfod.
discretion n. doethineb, pwyll m.
discuss v. trafod.
discussion n. sgwrs f.
disease n. afiechyd, clefyd, dolur m.
  haint f.
disembark v. glanio.
dish n. dysgl f.
disinfectant n. diheintydd m.
disk n. disg mf.
dislike v. casáu.
dismiss v. diswyddo; rhyddau;
  gwrthod.
disown v. gwadu, diarddel.
dispatch 1 n. neges f. 2 v. anfon,
  danfon.
dispute 1 n. dadl f. 2 v. dadlau,
  amau, ymryson.
disseminate v. hau.
dissimilar a. annhebyg, gwahanol.
dissolve v. toddi; datod.
distance n. pellter m.
distant a. pell, hirbell: **from far** o
  hirbell.
distasteful a. diflas.
distinct a. arbennig; eglur;
  gwahanol.
distribute v. rhannu, dosbarthu.
district n. ardal f, dosbarth, cylch,
  rhanbarth, rhandir m.
ditch n. ffos f.
diverse a. gwahanol.
divide v. rhannu.
diviner n. dewin, dyn hysbys m.
division n. adran, rhan f, rhaniad,
  rhanbarth, rhandir m.
divorce n. ysgariad m.
do v. gwneud, gwneuthur.
dock n. doc m.
doctor n. meddyg, doctor m:
  Dr John Jones y Dr John Jones.
document n. dogfen f.
dog n. ci m.
doll n. dol f.
domesticated a. dof.
donation n. rhodd f, cyfraniad m.
donkey n. asyn, mul m.
door n. drws, porth m.
double a. dwbl.
doubt n. & v. amau m.
dough n. toes m.
down ad. i lawr.
dozen n. dwsin, deuddeg m.
drag v. llusgo.
dragon n. draig f.

drama n. drama f: **drama
  festival** gŵyl ddrama.
dramatist n. dramodydd m.
draw v. darlunio, llunio; tynnu,
  llusgo.
drawing n. llun m.
dread 1 n. ofn m. 2 v. ofni.
dreadful a. ofnadwy.
dream 1 n. breuddwyd mf. 2
  v. breuddwydio.
dregs n. gwaelodion pl,
  gwaddodd m.
dress 1 n. gwisg f, dilledyn m, ffrog f.
  2 v. gwisgo, taclu; trin.
dresser n. seld, dreser, dresel f;
  gwisgwr m.
dressmaker n. gwniadyddes,
  gwniyddes f.
drink 1 n. diod f. 2 v. yfed.
drive 1 n. dreif m. 2 v. gyrru, hala.
driver n. gyrrwr m.
driving licence n. trwydded yrru f.
droll a. ysmala, digrif.
drop 1 n. cwymp; diferyn m. 2
  v. cwympo: **drop goal** gôl adlam.
drown v. boddi.
drug n. cyffur m.
drum n. drwm.
drunk a. meddw: **to get
  drunk** meddwi.
drunkard n. meddwyn.
dry 1 a. sych, cras. 2 v. sychu.
Dublin n. Dulyn f.
duck n. hwyad, hwyaden f:
  duckling cyw hwyaden m.
due 1 n. dyled, hawl f, tâl m. 2
  a. dyledus.
duel n. gornest f.
duet n. deuawd mf.
dull a. dwl, hurt; diflas, cymylog:
  dull man dyn dwl; **dull
  day** diwrnod cymylog.
dumb a. mud.
dummy-pass n. ffug-bas f.
during prp. yn ystod.
dust n. llwch, dwst m: **dustbin** bin
  ysbwriel m.
duty n. dyletswydd; toll f.
dwell v. catrefu, trigo, byw.
dwelling n. preswylfa, trigfa,
  trigfan. f.
dye v. lliwio, lliwo.
dyke n. clawdd, morglawdd m:
  Offa's Dyke Clawdd Offa.

each *a.* & *pn.* pob un, pob.
eager *a.* awyddus.
eagle *n.* eryr *m.*
ear *n.* clust *f.*
earl *n.* iarll *m.*
earliest *a.* cyntaf.
early 1 *a.* cynnar, bore, boreol. **2**
ad. yn fore.
ear-mark 1 *n.* clustnod *mf.* **2**
v. clustnodi, neilltuo.
earn *v.* ennill.
earner *n.* enillwr, enillydd *m.*
earnings *n.* enillion *pl.*
ear-ring *n.* clustlws *m.*
earshot *n.* clyw *m.*
earth *n.* daear *f,* pridd, tir, y byd *m.*
earthquake *n.* daeargryn *mf.*
earthwork *n.* clawdd *m.*
east 1 *n.* dwyrain *m.* **2**
a. dwyreiniol.
Easter *n.* y Pasg *m:* **Easter egg** wy
Pasg; **Easter holidays** gwyliau'r
Pasg.
easy *a.* hawdd, rhwydd.
easy-chair *n.* cadair esmwyth *f.*
eat *v.* bwyta.
ebb *n.* trai *m.*
echo *n.* adlais, atsain *m.*
carreg ateb *f.*
economics *n.* economeg *f.*
economise *v.* cynilo.
edge *n.* cwr, blaen, min *m,* ymyl *mf.*
Edinburgh *n.* Caeredin *f.*
edit *v.* golygu.
edition *n.* argraffiad *m.*
editor *n.* golygydd *m.*
education *n.* addysg *f.*
effect 1 *n.* effaith *f.* **2** *v.* effeithio.
effective *a.* effeithiol.
effeminate *a.* merchetaidd.

effort *n.* ymdrech, ymgais *f.*
e.g. *(exempli gratia), ad.* er
enghraifft, *e.e.*
egg *n.* wy *m.*
egg cup *n.* cwpan wy *mf.*
eight *n.* & *a.* wyth *m.*
eighteen *n.* & *a.* deunaw,
un deg wyth *m.*
eighth *n.* & *a.* wythfed *m.*
eighty *n.* & *a.* wyth deg, pedwar
ugain *m.*
either 1 *a.* & *pn.* un o'r ddau, naill
ai . . . neu. **2** *ad.* & *c.* na, nac,
chwaith, ychwaith.
elbow *n.* penelin *mf.*
elderly *a.* oedrannus.
elect *v.* ethol, dewis.
election *n.* etholiad *m.*
electorate *n.* etholaeth *f.*
electric *n.* & *a.* trydan *m:* **electric
fire** tân trydan.
electrician *n.* trydanwr *m.*
electricity *n.* trydan *m.*
element *n.* elfen *f.*
elementary *a.* elfennol.
elephant *n.* eliffant.
eleven *n.* & *a.* un ar ddeg *m.*
eleventh *n.* & *a.* unfed ar ddeg *m.*
ellipse *n.* hirgylch *m.*
else *ad.* arall.
embankment *n.* clawdd, cob *m.*
embassy *n.* llysgenhadaeth *f.*
embrace *v.* cofleidio.
emigrant *n.* ymfudwr *m.*
emigrate *v.* ymfudo.
eminent *a.* enwog, amlwg.
emphasis *n.* pwys, pwyslais *m.*
emphatic *a.* pendant.
empire *n.* ymerodraeth *f.*
employ *v.* cyflogi.
employee *n.* gŵr cyflog *m.*
employer *n.* cyflogwr *m.*
employment *n.* gwaith *m.*
empty 1 *a.* gwag. **2** *v.* gwagio,
arllwys: **empty-handed** gwaglaw.
enchant *v.* swyno, hudo.
enchanting *a.* hudol, swynol.
enchantment *n.* lledrith, swyn *m.*
enclose *v.* amgáu.
enclosed *a.* amgaeëdig.
encore 1 *n.* encôr *m.* **2** *ad.* eto.
end 1 *n.* diwedd, diben, pen,
terfyn *m.* **2** *v.* dibennu, gorffen.
endeavour 1 *n.* ymdrech *f.* **2**
v. ymdrechu.
endless *a.* diddiwedd.
endure *v.* dioddef, goddef.
enemy *n.* gelyn *m.*
energetic *a.* egnïol.

energy *n.* egni, ynni *m.*
enforce *v.* gorfodi.
enforced *a.* gorfod.
enforcement *n.* gorfodaeth *f.*
engagement *n.* dyweddïad;
ymrwymiad *m.*
engine *n.* peiriant *m*, injan, injin *f.*
England *n.* Lloegr *f.*
English 1 *n.* Saesneg *f.* **2** *a.* Saesneg,
Seisnig.
Englishman *n.* Sais *m.*
Englishwoman *n.* Saesnes *f.*
enjoy *v.* mwynhau, joio.
enjoyment *n.* mwynhad *m.*
enlighten *v.* goleuo; hysbysu.
enormous *a.* enfawr, anferth.
enough 1 *n.* digon, digonedd *m.* **2** *a.*
& *ad.* digon.
enquire *v.* gofyn, holi.
entangle *v.* drysu.
enter *v.* mynd i mewn.
entertain *v.* difyrru.
entertaining *a.* difyr, difyrrus.
entertainment *n.* adloniant *m.*
enthusiastic *a.* brwdfrydig.
entice *v.* denu, hudo.
enticing *a.* deniadol, dengar.
entire *a.* cyfan, hollol, llwyr.
entirely *ad.* yn gyfan gwbl, yn hollol,
yn llwyr.
entrails *n.* perfedd *pl.*
entrance *n.* mynedfa *f.* mynediad,
drws, porth; tâl *m.*
entrance *v.* swyno.
entreat *v.* erfyn.
entry *n.* mynediad *m*, mynedfa *f.*
envelop *v.* amgáu.
envelope *n.* amlen *f.*
environment *n.* amgylchedd *m.*
environs *n.* amgylchoedd *pl.*
envoy *n.* negesydd, cennad *m.*
epilogue *n.* diweddglo, epilog *m.*
epistle *n.* llythyr, epistol *m.*
equation *n.* hafaliad *m*: **simple
equation** hafaliad syml.
equipment *n.* offer *pl.*
erase *v.* dileu.
erect 1 *a.* syth. **2** *v.* codi.
errand *n.* neges *f.*
error *n.* camsyniad; bai, gwall *m.*
escape *v.* dianc, ffoi.
escort *v.* hebrwng.
especial *a.* arbennig, enwedig,
neilltuol.
especially *ad.* yn arbennig, yn
enwedig.
essay *n.* traethawd *m.* ysgrif *mf.*
essential *a.* hanfodol.
establish *v.* sefydlu.

establishment *n.* sefydliad *m.*
estate *n.* eiddo *m*, ystad, stad *f.*
estuary *n.* aber *m.*
eternal *ad.* yn dragwyddol, yn oes
oesoedd.
Europe *n.* Ewrob, Ewrop *f.*
evade *v.* osgoi.
eve *n.* min nos *m*, noswyl *f.*
even 1 *n.* yr hwyr *m.* **2** *a.* gwastad,
llyfn; tawel. **3** *ad.* hyd yn oed.
evening *n.* hwyr *m*, noson,
noswaith *f*: **evening class**
dosbarth nos.
event *n.* digwyddiad *m.*
eventually *ad.* o'r diwedd.
ever *ad.* byth, erioed.
evergreen *n.* & *a.* bythwyrdd *m.*
everlasting *a.* tragwyddol.
evermore *ad.* byth, byth bythoedd.
every *a.* pob.
everybody *pn.* pawb, pob un.
everyday *a.* bob dydd.
everyone *pn.* pawb, pob un.
everything *pn.* pob peth, popeth.
everywhere *ad.* ym mhobman.
evidence *n.* tystiolaeth *f*, prawf *m.*
evident *a.* amlwg, eglur.
evil 1 *n.* drwg, drygioni *m.* **2** *a.* drwg,
drygionus.
evolve *v.* datblygu; esblygu.
ewe *n.* dafad, mamog *f.*
ex- *px.* cyn.
exact *a.* cywir, manwl, union: **to be
exact** manylu.
exactly *ad.* yn union, i'r dim.
examination *n.* arholiad,
archwiliad *m.*
examine *v.* arholi, chwilio,
archwilio.
examiner *n.* arholwr, holwr *m.*
example *n.* enghraifft, esiampl *f*: **for
example, e.g.** er enghraifft, e.e.
excavator *n.* jac-codi-baw *m.*
excel *v.* rhagori.
excellent *a.* ardderchog, campus,
godidog, gwych, penigamp,
rhagorol.
except 1 *v.* eithrio. **2** *prp.* ac eithrio.
3 *pn.* eithr.
excess *n.* gormod.
exciting *a.* cyffrous, cynhyrfus.
exclaim *v.* llefain, gweiddi, bloeddio.
exclamation *n.* llef, gwaedd *f.*
exclude *v.* eithrio, cau allan.
excuse 1 *n.* esgus *m.* **2** *v.* esgusodi.
execute *v.* gweithredu; dienyddio.
exercise 1 *n.* ymarfer *f*,
ymarferiad *m.* **2** *v.* ymarfer:
exercise book llyfr ymarfer,

llyfr ysgrifennu.
exile 1 *n.* alltud *m*. **2** *v.* alltudio.
exist *v.* bod.
existence *n.* bod *m*, bodolaeth *f*.
exit 1 *n.* allanfa *f*, mynediad allan *m*.
  2 *v.* mynd allan.
expect *v.* disgwyl.
expediency *n.* hwylustod *m*.
expedient *a.* hwylus, cyfleus.
expense *n.* traul, cost *f*.
expenses *n.* treuliau *pl*.
expensive *a.* costus, drud.
experience *n.* profiad *m*.
experienced *a.* profiadol.
explain *v.* egluro, esbonio.
explanation *n.* esboniad,
  eglurhad *m*.
explode *v.* ffrwydro.
expose *v.* amlygu, dinoethi.
exposed *a.* agored, noeth.

exposition *n.* esboniad *m*.
express 1 *a.* cyflym. **2** *v.* mynegi. **3**
  n. trên cyflym *m*.
extend *v.* estyn, ymestyn.
extension *a.* estyniad *m*.
extensive *a.* eang, helaeth.
extent *n.* maint, hyd, mesur *m*: **to**
  some extent i raddau.
exterior 1 *n.* y tu allan *m*. **2**
  a. allanol.
external *a.* allanol.
extinguish *v.* diffodd; dileu.
extreme 1 *n.* eithaf *m*. **2** *a.* eithafol.
extremely *ad.* dros ben, gor-.
extremity *n.* eithaf, terfyn, pen *m*.
eye 1 *n.* llygad *mf*. **2** *v.* llygadu,
  sylwi ar.
eyesight *n.* golwg *mf*.
eyewitness *n.* llygad-dyst *m*.

fable n. chwedl f.
fabric n. defnydd m.
face 1 n. wyneb m. 2 v. wynebu:
face cloth clwtyn ymolch.
facilitate v. hwyluso.
fact n. ffaith f, gwirionedd m: **as a
matter of fact** mewn gwirionedd.
factor n. elfen, ffactor f.
factory n. ffatri f.
fade v. gwywo, colli lliw.
fail v. methu, ffaelu.
failure n. methiant m.
faint 1 a. gwan. 2 v. llewygu.
fair 1 n. ffair f. 2 a. teg, glân;
gweddol; golau.
fairly ad. yn deg, yn lân, yn weddol,
eithaf-, go -, lled -: **fairly good**
eithaf da, go dda, lled dda: **fairly
rare** go brin: **fairly quiet** lled
dawel;
*see Appendix for mutation of
Adjectives following certain
Adverbs.*
fairness n. harddwch; tegwch m.
faith n. ffydd f.
faithful a. ffyddlon, cywir.
faithfully ad. yn ffyddlon, yn gywir:
yours faithfully yr eiddoch yn
gywir.
fake 1 a. ffug. 2 v. ffugio.
falcon n. hebog m.
fall 1 n. cwymp m. 2 v. cwympo,
syrthio.
false a. ffug, gau, twyllodrus: **false
teeth** dannedd gosod, dannedd
dodi.
fame n. enwogrwydd, clod m.
familiarise v. cyfarwyddo.
family n. teulu m.
famine n. newyn m.

famish v. llwgu.
famous a. enwog.
fanciful a. ffansïol.
fancy 1 n. dychymyg m, ffansi f,
serch m. 2 v. dychmygu, ffansïo,
serchu.
fantasy n. ffantasi f.
far a. & ad. pell, ymhell: **as far
as** hyd at: **from afar** o hirbell.
farewell 1 n. ffárwel, ffarwél f. 2
v. ffarwelio: **to bid farewell** canu'n
iach.
farm 1 n. ffarm, fferm f. 2 v. ffarmio,
ffermio.
farmer n. amaethwr, ffarmwr,
ffermwr m.
farmhouse n. ffermdy, tŷ ffarm m.
farming n. ffermio, gwaith ffarm m,
amaethyddiaeth f.
farmyard n. buarth, clos m.
farthest a. pellaf, eithaf.
fascinate v. hudo, swyno.
fascinating a. hudol, swynol.
fashion 1 n. llun, ffasiwn m; arfer
mf. 2 v. llunio, ffurfio, gwneud.
fast a. cyflym, buan; tyn.
fat 1 n. braster, saim m. 2 v. bras,
tew: **fat meat** cig bras, cig gwyn.
fatal a. marwol.
fatality n. marwolaeth f.
fate n. tynged f.
fateful a. tyngedfennol.
father n. tad m: **father-in-law** tad-
yng-nghyfraith: **stepfather** llystad.
Father Christmas n. Siôn Corn m.
fault n. bai, nam, diffyg m.
faultless a. di-fai.
faulty a. gwallus.
favour n. cymwynas, ffafr f.
favourite 1 n. ffefryn m. 2 a. hoff.
fear 1 n. ofn, braw m. 2 v. ofni.
feast 1 n. gwledd, gŵyl f. 2
v. gwledda.
feat n. camp f.
feather 1 n. pluen, plufyn m. 2
v. pluo, plufio.
feature n. nodwedd.
fee n. tâl m, cyflog mf, ffi f.
February n. Chwefror, Mis Bach m.
feeble a. gwan, egwan, bregus.
feed v. bwydo, bwyda; bwyta.
feel 1 n. teimlad m. 2 v. teimlo,
clywed.
feeling n. teimlad m, naws f.
feign v. cymryd ar; ffugio.
fell v. cwympo, syrthio, torri.
female 1 n. benyw, menyw f. 2
a. benywaidd, menywaidd.
feminine a. benywaidd, menywaidd.

fence **foot**

fence 1 *n.* clawdd *m*, ffens *f.* **2** *v.* cau, amgáu.
fern *n.* rhedynen *f*, rhedyn *pl.*
ferocious *a.* ffyrnig, gwyllt.
fertile *a.* ffrwythlon, bras, toreithiog.
fertilise *v.* ffrwythloni; gwrteithio.
fertiliser *n.* gwrtaith *m.*
fervent *a.* gwresog, tanllyd, tanbaid, selog.
festival *n.* gŵyl, dydd gŵyl *m*:
  singing festival cymanfa ganu.
fetch *v.* hôl, nôl, hercyd.
fever *n.* twymyn *f*, clefyd, gwres *m.*
few *a.* ychydig.
fiancé *n.* darpar-ŵr *m*, darpar-wraig *f.*
fiction *n.* ffuglen *f.*
fictitious *a.* ffug, ffugiol.
field *n.* cae, maes, parc *m.*
fierce *a.* ffyrnig.
fiery *a.* tanllyd, tanbaid.
fifteen *n. & a.* pymtheg *m.*
fifteenth *n. & a.* pymthegfed *m.*
fifth *n. & a.* pumed *m.*
fifty *n. & a.* hanner cant, pum deg *m.*
fight 1 *n.* brwydr *f*, ymladd *m.* **2** *v.* brwydro, ymladd.
fighter *n.* ymladdwr *m.*
fighting *n.* ymladd *m.*
figure 1 *n.* ffigur *mf*; ffurf *f*, llun *m.* **2** *v.* ffurfio; rhifo.
fill *v.* llanw, llenwi.
film 1 *n.* ffilm *f.* **2** *v.* ffilmio.
filth *n.* baw, budreddi, mochyndra *m.*
final 1 *n.* rownd derfynol *f.* **2** *a.* terfynol, olaf.
finally *ad.* o'r diwedd, yn olaf.
find *v.* darganfod, cael, dod o hyd.
fine 1 *n.* dirwy *f.* **2** *v.* dirwyo. **3** *a.* mân, manwl; main; braf; gwych; hardd, hyfryd, teg.
finger *n.* bys *m*: **fingerprint** ôl bys.
finish 1 *n.* diwedd, terfyn *m.* **2** *v.* gorffen, dibennu, cwpla.
fir *n.* ffynidwydden *f.*
fire 1 *n.* tân *m.* **2** *v.* tanio; saethu:
  fire-brigade brigâd dân *f.* **fire exit** allanfa dân *f.*
fireplace *n.* lle tân *m.*
firewood *n.* coed tân *pl.*
fireworks *n.* tân gwyllt *pl.*
firm *n.* cwmni, ffyrm *m.*
firmament *n.* ffurfafen *f.*
first 1 *n. & a.* cyntaf *m.* **2** *ad.* yn gyntaf.
fish 1 *n.* pysgodyn *m.* **2** *v.* pysgota.
fisherman *n.* pysgotwr *m.*
fishing *n.* pysgota *m.*
fist *n.* dwrn *m.*

fitting *a.* addas, priodol.
five *n. & a.* pump *m.*
fix *v.* gosod, sicrhau, sefydlu.
fixed *a.* sefydlog.
flabby *a.* llac, llipa, llaes.
flag *n.* baner *f*: **Union Jack** Jac-yr-Undeb.
flakes *n.* creision *pl.*:
  cornflakes creision ŷd;
  snowflakes plu eira.
flame 1 *n.* fflam *f.* **2** *v.* fflamio.
flank *n.* ystlys, ochr *f.*
flannel *n.* gwlanen *f.*
flap 1 *n.* llabed *f*, fflap *m.* **2** *v.* fflapio.
flash 1 *n.* fflach *f.* **2** *v.* fflachio.
flat 1 *n.* fflat *f.* **2** *a.* fflat, gwastad.
flavour 1 *n.* blas *m.* **2** *v.* blasu.
flaw *n.* bai, diffyg, nam *m.*
flea *n.* chwannen *f.*
flee *v.* cilio, dianc, ffoi.
fleet *n.* llynges *f.*
flesh *n.* cig, cnawd *m*: **flesh and blood** cig a gwaed.
flexible *a.* hyblyg, ystwyth.
fling *v.* taflu.
flock *n.* haid *f*; praidd *m.*
flood 1 *n.* llif *m.* **2** *v.* llifo, gorlifo.
floor *n.* llawr *m.*
flour *n.* blawd, can *m.*
flow 1 *n.* llif *m.* **2** *v.* llifo, rhedeg.
flower *n.* blodyn *m*: **flower pot** pot blodau.
flowing *a.* llithrig; llaes, llac, rhydd.
fluent *a.* rhwydd, llithrig, rhugl.
fluid *n. & a.* hylif *m.*
fly 1 *n.* cleren *f*, pryf, gwybedyn *m.* **2** *v.* hedfan.
foam *n.* ewyn *m.*
focus 1 *n.* canolbwynt, ffocws *m.* **2** *v.* canolbwyntio.
foe *n.* gelyn *m.*
fog *n.* niwl, ffog *m*: **thick fog** niwl trwchus.
foggy *a.* niwlog.
fold *v.* plygu.
folk *n.* gwerin (*coll.*), pobl *f.*
folklore *n.* llên gwerin.
folksong *n.* cân werin *f.*
follow *v.* dilyn.
follower *n.* dilynwr *m.*
folly *n.* ffolineb *m.*
fond *a.* hoff, cu, annwyl.
fondle *v.* anwesu, anwylo.
fondness *n.* hoffter; anwes *m.*
food *n.* bwyd *m.*
fool 1 *n.* ffŵl *m.* **2** *v.* twyllo.
foolish *a.* ffôl, dwl.
foolishness *n.* ffolineb, dwli *m.*
foot *n.* troed *mf*; troedfedd *f.*

football *n.* pêl-droed *f:* **footballer**
pêldroediwr *m.*
footpath *n.* troedffordd *f*, llwybr *m:*
public footpath llwybr cyhoeddus.
footprint *n.* ôl troed *m.*
for 1 *prp.* am, dros, tros, er, ers,
erbyn, hyd, i, yn, lle. 2 *c.* achos, gan,
oblegid, oherwydd.
force *n.* grym; llu *m:* **armed
forces** lluoedd arfog.
ford *n.* rhyd *f:* **Ammanford**
Rhydaman: **Oxford** Rhydychen.
forehead *n.* talcen, tâl *m.*
foreign *a.* estron, tramor: **foreign
affairs** materion tramor.
foreigner *n.* estron *m.*
forest *n.* coedwig, fforest *f.*
foretaste *n.* rhagflas, rhagbrawf *m.*
forge 1 *n.* gefail *f.* 2 *v.* ffugio, twyllo.
forget *v.* anghofio: **forget-me-
not** glas y gors.
forgive *v.* maddau.
fork *n.* fforc, fforch *f.*
form 1 *n.* ffurf *f;* modd, dull *m;*
ffurflen *f;* dosbarth *m.* 2 *v.* ffurfio,
llunio: **application form** ffurflen
gais *f.*
former *px.* cyn.
formerly *ad.* gynt.
fort *n.* caer *f.*
forthcoming *a.* ar ddod, gerllaw.
fortnight *n.* pythefnos *mf.*
fortnightly *ad.* bob pythefnos.
fortunate *a.* ffodus, lwcus.
fortunately *ad.* yn ffodus, yn lwcus.
fortune *n.* ffortiwn *f.*
forty *n.* & *a.* deugain, pedwar deg *m.*
forward 1 *n.* blaenwr *m.* 2 *a.* blaen;
eofn. 3 *ad.* ymlaen. 4 *v.* anfon
ymlaen: **wing forward**
blaenasgellwr: **number eight**
wythwr.
foster *v.* meithrin, rhoi ar faeth.
foster-mother n. mamfaeth *f.*
foul *a.* brwnt, budr, ffiaidd.
found *v.* dechrau, sefydlu.
foundation *n.* sail *f*, sylfaen *mf.*
fountain *n.* ffynnon, ffynhonnell *f.*
four *n.* & *a.* pedair, pedwar *m.*
fourteen *n.* & *a.* pedwar ar ddeg,
pedair ar ddeg, un deg pedwar *m.*
fourth *n.* & *a.* pedwaredd, pedwerydd
m.
fowl *n.* ffowlyn *m.*
fox *n.* cadno, llwynog: **vixen**
cadnawes, cadnöes, llwynoges.
fraction *n.* ffracsiwn *m.*
fragment *n.* darn, tamaid *m*,
yfflyn *m.*

France *n.* Ffrainc *f.*
frankincense *n.* thus *m.*
fraud *n.* twyll *m.*
fraudulent *a.* twyllodrus.
free 1 *a.* rhad, rhydd, di-dâl. 2
v. rhyddhau: **free kick** cic rydd.
freedom *n.* rhyddid *m.*
freely *ad.* yn rhydd.
freeze *v.* rhewi.
freezer *n.* rhewgell *f.*
freight *n.* llwyth *m.*
French 1 *n.* Ffrangeg *f.* 2
a. Ffrengig.
Frenchman *n.* Ffrancwr *m.*
Frenchwoman *n.* Ffrances *f.*
frequent *a.* aml.
fresh *a.* ffres, newydd.
Friday *n.* dydd Gwener.
friend *n.* cyfaill *m*, cyfeilles *f*,
ffrind *m.*
friendly *a.* cyfeillgar.
friendship *n.* cyfeillgarwch *m.*
fright *n.* braw, ofn *m.*
frighten *v.* codi ofn ar, brawychu.
frightful *a.* dychrynllyd.
frigid *a.* oer, rhewllyd.
frivolity *n.* lol *f.*
frock *n.* ffrog *f.*
frog *n.* broga, ffroga *m.*
from *prp.* o, oddi, gan, oddi wrth,
rhag.
front 1 *n.* ffrynt, talcen, tu blaen *m.* 2
a. ffrynt, blaen: **front door** drws
ffrynt: **front page** tudalen flaen;
front room ystafell flaen: **front
row** rhes flaen: **cold front** ffrynt
oer: **warm front** ffrynt cynnes.
frontier *n.* ffin *f.*
frost n. rhew *m:* **hoar frost** barrug;
to cast hoar frost llwydrewi.
frosty *a.* rhewllyd.
froth *n.* ewyn *m.*
frown 1 *n.* gwg *m.* 2 *v.* gwgu.
frozen *a.* wedi rhewi.
fruit *n.* ffrwyth *m*, ffrwythau *pl:* **fruit
juice** sudd ffrwythau *m.*
fruitful *a.* ffrwythlon.
fry *v.* ffrio.
frying-pan *n.* padell ffrio *f.*
fuel *n.* tanwydd *m.*
fugitive *n.* ffoadur *m.*
full *a.* llawn.
full-back *n.* cefnwr *m.*
fullness *n.* llawnder, cyflawnder *m.*
fully *ad.* yn gyfan gwbl, yn hollol.
fun *n.* hwyl *f*, miri *m.*
fund *n.* cronfa *f.*
fundamental *a.* sylfaenol.
funeral *n.* angladd *mf.*

funnel *n.* twndis, corn *m.*
funny *a.* digrif, ysmala, doniol.
fur *n.* ffwr, blew *m.*
furious *a.* ffyrnig, yn gacwn wyllt, crac.
furnace *n.* ffwrn, ffwrnais *f.*
furnishings *n.* dodrefn *pl.*
furniture n. celfi, dodrefn *pl*: **piece**

of furniture celficyn, dodrefnyn.
furry *a.* blewog.
further *ad.* bellach, ymhellach:
　further education addysg bellach.
fuss *n.* helynt *f,* trafferth, ffws, stŵr *m.*
future *n. & a.* dyfodol *m.*

gain 1 n. elw, ennill m, enillion pl. 2 v. elwa, ennill.
gale n. gwynt cryf m; tymestl f.
gallery n. oriel f, galeri m, llofft f.
gallon n. galwyn m.
gamble v. hapchwarae, gamblo.
game n. gêm f, chwarae m, camp f.
gang n. mintai f, torf, haid, gang f.
gaol 1 n. carchar m. 2 v. carcharu.
gap n. bwlch, adwy m.
garage n. garej f.
garbage n. ysbwriel, sothach m.
garden 1 n. gardd f. 2 v. garddio.
gardener n. garddwr m.
garment n. pilyn m, gwisg f, dilledyn m.
gas n. nwy m: **Gas Board** Bwrdd Nwy **gas-mask** mwgwd nwy.
gate n. clwyd, gât, iet, llidiart f.
gateway n. mynedfa f.
gather v. casglu, crynhoi, cynnull, hel.
gathering n. casgliad, cynulliad m.
gaunt a. llwm, tenau.
gauntlet n. maneg f.
gay a. llon, bywiog, hoyw.
gaze v. edrych, syllu, rhythu.
gear n. gêr mf, offer pl.
gem n. gem f, tlws m.
gender n. rhyw mf, cenedl f.
general 1 n. cadfridog m. 2 a. cyffredin, cyffredinol: **general election** etholiad cyffredinol.
generally ad. yn gyffredinol.
generation n. cenhedlaeth m, to mf.
generosity n. haelioni m.
generous a. hael, haelionus.
genial a. tyner, tirion, hynaws.
genteel a. bonheddig.
gentle a. tyner, mwyn.

gentleman n. bonheddwr, gŵr bonheddig, uchelwr m.
gentleness n. tynerwch, addfwynder m.
gently ad. yn dyner, yn addfwyn; gan bwyll.
gents n. toiledau dynion pl.
genuine a. diffuant, cywir, pur.
geography n. daearyddiaeth f.
geology n. daeareg f.
geometry n. geometreg mf.
German 1 n. Almaeneg (iaith) f; Almaenwr (person) m. 2 a. Almaenaidd.
Germany n. yr Almaen f.
get v. cael, ennill.
ghost n. ysbryd m, drychiolaeth f.
giant n. cawr m.
gift n. anrheg, rhodd f.
gifted a. talentog, dawnus.
gigantic a. anferth.
gipsy n. sipsi m.
giraffe n. jiráff m.
girder n. trawst m.
girl n. merch, geneth, croten, hogen, llances f.
give v. rhoddi, rhoi: **to give generously** rhoi'n hael: **to give up** rhoi'r gorau i.
glad a. llawen, llon, balch.
gladly ad. yn llawen, â phleser.
Glamorgan n. Morgannwg f: **Mid Glamorgan** Morgannwg Ganol; **South Glamorgan** De Morgannwg; **West Glamorgan** Gorllewin Morgannwg.
glance n. cipolwg m, trem f, cip m.
glass n. gwydr, gwydryn m.
gleam 1 n. llewyrch m. 2 v. llewyrchu.
glen n. glyn, cwm, dyffryn m.
glide 1 n. llithriad m. 2 v. llithro dros.
glitter v. disgleirio, serennu.
glorious a. gogoneddus.
glory n. gogoniant, ysblander m.
Gloucester n. Caerloyw f.
glove n. maneg f.
glower v. gwgu, cuchio.
glue 1 n. glud m. 2 v. gludo, gludio, glynu.
gnat n. gwybedyn m.
go v. cer! dos! (unigol); cerwch! ewch! (lluosog); see mynd.
goal n. gôl f:
goalkeeper golgeidwad, golwr m.
goat n. gafr f.
god n. duw m: **God** Duw.
goddess n. duwies f.

godly *a.* duwiol.
gold *n.* aur *m.*
golden *a.* euraid, euraidd.
goldfish *n.* pysgod aur *pl.*
golf *n.* golff *m:* **golf course** maes golffio.
golfer *n.* golffwr *m.*
good *n.* & *a.* da: **good afternoon** prynhawn da: **good day** dydd da; **good evening** noswaith da: **good morning** bore da: **good night** nos da: **good luck** lwc dda: **Good gracious!** Bobol annwyl! **Good health!** Iechyd da!
goodbye 1 *n.* ffarwél *m.* 2 *i.* da bo chi! hwyl! yn iach!
goodness *n.* daioni *m.*
goods *n.* eiddo *m*, nwyddau, da *pl.*
goodwill *n.* ewyllys da *m.*
goose *n.* gŵydd *f.*
gosling *n.* cyw gŵydd *m.*
gospel *n.* efengyl *f:* **the Gospel according to John** yr Efengyl yn ôl Ioan.
govern *v.* llywodraethu, rheoli.
government *n.* llywodraeth *f.*
governor *n.* llywodraethwr, rheolwr.
Gower *n.* Gŵyr *f.*
gown *n.* gŵn *f.*
grace *n.* gras *m.*
graceful *a.* lluniaidd, urddasol.
grade 1 *n.* gradd, safon *f.* 2 *v.* graddio.
gradual *a.* graddol.
graduate 1 *n.* gŵr gradd *m.* 2 *v.* graddio.
gram *n.* gram *m.*
grammar *n.* gramadeg *m:* **Grammar School** Ysgol Ramadeg.
grand *a.* mawreddog, ardderchog, crand; prif, uchel: **grand concert** cyngerdd mawreddog.
grandchild *n.* ŵyr *m*, wyres *f.*
granddaughter *n.* wyres *f.*
grandeur *n.* mawredd *m.*
grandfather *n.* tad-cu, taid *m.*
grandmother *n.* mam-gu, nain *f.*
grandson *n.* ŵyr *m.*
grant 1 *n.* rhodd *f*, grant, cymhorthdal *m.* 2 *v.* caniatáu.
grapes *n.pl.* grawnwin.
grass *n.* glaswellt *m*, porfa *f:* **grasshopper** ceiliog y rhedyn, sioncyn y gwair.
grateful *a.* diolchgar.
gratefulness *n.* diolchgarwch *m.*
gratitude *n.* diolchgarwch *m.*
grave 1 *n.* bedd *m.* 2 *v.* difrifol, dwys, prudd.

gravestone *n.* carreg fedd *f.*
graveyard *n.* mynwent *f.*
graze *v.* pori.
grease 1 *n.* saim *m.* 2 *v.* iro.
greasy *a.* seimlyd, seimllyd.
great a. mawr: **a great many** llawer iawn.
great-grandfather *n.* hen dad-cu, hendaid *m.*
great-grandmother *n.* hen fam-gu, hennain *f.*
greatly *ad.* yn fawr.
greatness *n.* mawredd *m.*
Grecian 1 *n.* Groegwr *m.* 2 *v.* Groegaidd.
Greece *n.* Groeg, Gwlad Groeg *f.*
greed *n.* trachwant *m.*
greedy *a.* trachwantus.
Greek 1 *n.* Groeg *f (iaith);* Groegwr *m.* (*person*). 2 *a.* Groeg, Groegaidd.
green 1 *a.* gwyrdd, gwerdd, glas. 2 *v.* glasu.
greenhouse *n.* tŷ gwydr *m.*
greet *v.* cyfarch, annerch.
greeting *n.* cyfarchiad *m.*
grey *a.* llwyd, glas: **to turn grey** llwydo.
greyhound *n.* milgi *m.*
grief *n.* galar, gofid, hiraeth *m.*
grievance *n.* cwyn *mf.*
grieve *v.* gofidio, hiraethu.
grievous *a.* gofidus, poenus, blin, difrifol.
grind v. malu.
grip 1 *n.* gafael *f.* 2 *v.* gafael (yn), gwasgu.
groan *v.* ochneidio, griddfan.
gross 1 *n.* gros *m.* 2 *a.* bras: **gross weight** pwysau gros.
ground 1 *n.* daear *f*, tir *m;* sail *f;* cae chwarae *m.* 2 *v.* gwreiddio, seilio.
groundless *a.* di-sail.
group *n.* grŵp, twr *m.*
grove *n.* llwyn *m*, celli *f.*
grow *v.* tyfu, prifio, codi.
growing *a.* yn tyfu.
growth *n.* tyfiant *m.*
grubby *a.* brwnt, budr.
guard 1 *n.* gwyliwr, gard *m.* 2 *v.* gwarchod, gwylio.
guerilla *n.* herwfilwr *m.*
guess 1 *n.* amcan, dyfaliad *m.* 2 *v.* dyfalu.
guest *n.* gwestai, gŵr gwadd *m*, gwraig wadd *f.*
guests *n.* gwesteion, gwahoddedigion *pl.*
guide 1 *n.* arweinydd, hyfforddwr, tywysydd *m.* 2 *v.* arwain, tywys.

guild *n.* cymdeithas, urdd *f.*
guilt *n.* euogrwydd, bai *m.*
guilty *a.* euog.
guitar *n.* gitâr *m.*
gulf *n.* gwlff *m.*
gull *n.* gwylan.*f.*
gulp *v.* llyncu, traflyncu.

gum *n.* gwm, glud; cig
(y dannedd) *m.*
gun *n.* dryll, gwn *m.*
guts *n.* perfedd *m.*
Gwent *n.* Gwent *f.*
gymnasium *n.* campfa *f.*

habit *n.* arfer *mf;* gwisg *f.*
had, he/she/it *v.* cafodd: **I had** ces i, cefais: *see* cael.
hag *n.* gwrach *f.*
hail 1 *n.* cesair *coll. & pl.* **2** *v.* bwrw cesair; cyfarch, galw. **3** *i.* henffych well!
hailstones *n.* cesair *coll. & pl.*
hair *n.* gwallt; blewyn *m.*
hairbrush *n.* brwsh gwallt *m.*
hairy *a.* blewog.
half *n.* hanner *m.*
half-back *n.* hanerwr *m.*
hall *n.* neuadd *f,* llys, plas; cyntedd *m.*
Hallowe'en *n.* Nos Galan Gaeaf *f.*
hammer 1 *n.* morthwyl *m.* **2** *v.* morthwylio.
hand *n.* llaw *f; (of clock)* bys *m;* **hands** dwylo: **in hand** mewn llaw, ar waith.
handbag *n.* bag llaw *m.*
handbook *n.* llawlyfr *m.*
handful *n.* dyrnaid *m,* llond llaw *f.*
handkerchief *n.* cadach *m,* hances, neisied *f,* macyn *m.*
handle *n.* dolen *f.* **2** *v.* trafod, trin.
handsome *a.* hardd, glân, prydferth, golygus.
handwork *n.* gwaith llaw *m.*
handwriting *b.* llawysgrifen *f.*
hang *v.* hongian; crogi.
hankering *n.* ysfa *f.*
happen *v.* digwydd.
happening *n.* digwyddiad *m.*
happily *ad.* yn hapus.
happiness *n.* hapusrwydd, llawenydd *m.*
happy *a.* dedwydd, hapus, llawen, wrth ei fodd, wrth ei bodd.

harbour 1 *n.* harbwr *m,* hafan *f,* porth, porthladd *m.* **2** *v.* llochesu.
hard *a.* caled, anodd.
harden *v.* caledu.
hardly *ad.* o'r braidd.
hardness *n.* caledwch *m.*
hardship *n.* caledi *m.*
hard shoulder *n.* llain galed *f.*
hard-up *a.* prin o arian.
hardwood *n.* pren caled *m.*
hardy *a.* caled.
hare *n.* ysgyfarnog *f.*
harm *n.* cam, drwg, niwed *m.*
harmless *a.* diniwed.
harp 1 *n.* telyn *f.* **2** *v.* canu'r delyn.
harpist *n.* telynor, telynores *m.*
harsh *a.* llym, garw, cras.
harvest *n.* cynhaeaf.
haste 1 *n.* brys, prysurdeb *m.* **2** *v.* brysio, prysuro, cyflymu.
hasten *v.* brysio.
hastily *ad.* yn frysiog.
hasty *a.* brysiog.
hat *n.* het *f.*
hate 1 *n.* cas, casineb *m.* **2** *v.* casáu.
hatred *n.* cas, casineb *m.*
haul *v.* tynnu, llusgo.
have, I *v.* caf.
he/she/it will have caiff; *see* cael.
haven *n.* hafan *f.*
hawk *n.* hebog *m.*
hawthorn *n.* draenen wen *f.*
hay *n.* gwair *m,* porfa *f.*
hazard *n.* perygl *m,* antur *mf.*
haze *n.* niwl, tawch *m.*
hazel *n.* collen *f.*
hazy *a.* niwlog.
he *pn.* ef, fe, efe, efô, fo, yntau.
head 1 *n.* pen, pennaeth *m.* **2** *a.* prif.
headache *n.* pen tost, cur yn y pen *m.*
heading *n.* pennawd, teitl *m.*
headland *n.* penrhyn *m.*
headline *n.* pennawd, teitl *m:* **news headlines** penawdau'r newyddion.
headmaster *n.* prifathro *m.*
headmistress *n.* prifathrawes *f.*
headquarters *n.* pencadlys *m.*
heal *v.* iacháu, gwella.
health *n.* iechyd: **Health Service** Gwasanaeth Iechyd.
healthy *a.* iach, iachus.
heap *n.* pentwr, twr *m.*
hear *v.* clyw! *(unigol),* clywch! *(lluosog); see* clywed.
hearer *n.* gwrandawr *m.*
hearing *n.* clyw; gwrandawiad *m:* **hearing aid** cymorth clywed.
heart *n.* calon *f:* **heart attack** trawiad ar y galon.

hearth *n.* aelwyd *f.*
heat 1 *n.* gwres *m.* **2** *v.* poethi, twymo.
heater *n.* gwresogydd *m.*
heath *n.* rhos *f*, rhostir *m.*
heather *n.* grug *m.*
heave 1 *n.* gwthiad, hwb *m.* **2** *v.* gwthio, codi.
heaven *n.* nef, nefoedd, nen *f.*
heavenly *a.* nefol, nefolaidd.
heavens *n.* ffurfafen, wybren *f.*
heavy *a.* trwm, trymaidd.
Hebrew 1 *n.* Hebraeg *f. (iaith)*; Hebrëwr, *m.* Hebrees *f.* **2** *a.* Hebraeg, Hebreig.
hedge *n.* perth *f*, clawdd *m.*
hedgehog *n.* draenog *m.*
heed 1 *n.* sylw *m*, ystyriaeth *f.* **2** *v.* sylwi, ystyried, hidio.
heedful *a.* ystyriol, gofalus.
heel 1 *n.* sawdl *mf.* **2** *v.* sodli.
height *n.* uchder, uchelder *m.*
heir *n.* aer, etifedd *m.*
heiress *n.* aeres, etifeddes *f.*
helicopter *n.* hofrennydd *f.*
hell *n.* uffern *f.*
hellish *a.* uffernol.
hello *i.* helô! hylô! clyw! grwando!.
helm *n.* llyw *m.*
help 1 *n.* cymorth, help *m.* **2** *v.* cynorthwyo, helpu.
helper *n.* cynorthwywr, cynorthwy- ydd, helpwr *m.*
hem *n.* hem *f*, godre *m*, ymyl *mf.*
hen *n.* iâr *f.*
henceforth *ad.* mwyach, o hyn ymlaen.
her *pn.* ei, hi, hithau.
herb *n.* llysieuyn *m.*
herd *n.* gyr *m*, cenfaint *f.*
here *ad.* yma, yn y man hwn.
hermit *n.* meudwy *m.*
hero *n.* arwr *m.*
heroine *n.* arwres *f.*
hers *pn.* ei, ei heiddo.
hew *v.* torri, naddu.
hexagon *n.* hecsagon *m.*
hiccup *n.* yr ig *m.*
hide 1 *n.* croen *m.* **2** *v.* cuddio: **hide and seek** chwarae mig.
high *a.* uchel; mawr; cryf; llawn: **most high** goruchaf.
higher *a.* uwch.
highest *a.* uchaf.
highland *n.* ucheldir *m.*
highly *ad.* yn fawr, yn uchel.
highness *n.* uchder, uchelder; mawrhydi *m:* **His Highness** Ei Fawrhydi.

highway *n.* priffordd *f.*
highwayman *n.* lleidr penffordd *m.*
hijack 1 *n.* herwgipiad *m.* **2** *v.* herwgipio.
hill *n.* allt *f*, bryn *m*, rhiw *f*, tyle *m.*
hillock *n.* bryncyn, twmpath *m.*
him *pn.* ef, fe, efe, efô, fo, yntau.
hindrance *n.* rhwystr *m.*
hint 1 *n.* awgrym *m.* **2** *v.* awgrymu.
hip *n.* clun *f.*
hire 1 *n.* cyflog *mf.* **2** *v.* cyflogi, llogi.
his *pn.* ei, ei eiddo.
historian *n.* hanesydd, haneswr *m.*
history *n.* hanes *m:* **History of Wales** Hanes Cymru.
hit 1 *n.* ergyd *mf*, trawiad *m.* **2** *v.* taro.
hoarfrost *n.* llwydrew, barrug *m.*
hoary *a.* llwyd.
hoax 1 *n.* tric, twyll *m.* **2** *v.* twyllo.
hold 1 *n.* gafael *f.* **2** *v.* dal, dala, gafael.
hole 1 *n.* twll *m;* ffrau *f.* **2** *v.* tyllu.
holiday *n.* gŵyl *f.*
holidays *n.* gwyliau *pl:* **Christmas holidays** gwyliau Nadolig: **summer holidays** gwyliau haf.
hollow 1 *n.* pant *m.* **2** *a.* gwag, cau.
holly *n.* celyn *pl*, celynnen *f:* **holly bush** llwyn celyn.
holy *a.* sanctaidd, glân, gwyn: **Holy Spirit** Ysbryd Glân.
Holyhead *n.* Caergybi *f.*
home 1 *n.* cartref *m*, aelwyd *f.* **2** *ad.* adref, tua thref: **at home** gartref: **going home** mynd adref, mynd tua thref.
homeless *a.* digartref.
homesick *a.* hiraethus.
homesickness *n.* hiraeth *m.*
homestead *n.* tyddyn *m.*
homeward *ad.* adref, tua thref.
homework *n.* gwaith cartref *m:* **homework book** llyfr gwaith cartref.
honest *a.* cywir, gonest, onest.
honesty *n.* gonestrwydd, onestrwydd *m.*
honey *n.* mêl *m.*
honeymoon *n.* mis mêl *m.*
honour 1 *n.* anrhydedd *mf.* **2** *v.* anrhydeddu; urddo; cydnabod.
hook 1 *n.* bach, bachyn; cryman *m.* **2** *v.* bachu.
hoop *n.* cylch *m.*
hooray *i.* & *n.* hwrê.
hope 1 *n.* gobaith *m.* **2** *v.* gobeithio.
horizon *n.* gorwel *m.*

horn *n*. corn *m*.
horrendous *a*. dychrynllyd, ofnadwy.
horrible *a*. ofnadwy.
horse *n*. ceffyl, march *m*.
horseman *n*. marchog *m*.
horseshoe *n*. pedol *f*.
hospice *n*. ysbyty, lletty *m*.
hospitable *a*. croesawus, lletygar.
hospital *n*. ysbyty *m*.
host *n*. llu *m*, byddin *f*; gwesteiwr, lletywr *m*.
hostage *n*. gwystl *m*.
hostel *n*. neuadd breswyl *f*.
hostess *n*. gwesteiwraig *f*.
hot *a*. twym, poeth, gwresog: **hot-water bottle** potel dŵr twym.
hotel *n*. gwesty *m*.
hotelier *n*. gwestywr *m*.
hound 1 *n*. ci hela, helgi *m*. 2 *v*. hela, erlid.
hour *n* awr *f*.
hourly *ad*. bob awr.
house *n*. tŷ *m*.
housework *n*. gwaith tŷ *m*.
housewife *n*. gwraig tŷ *f*.
housing *n*. tai *pl*.
how *ad*. sut, pa fodd, pa.
however *ad*. sut bynnag, er hynny, pa fodd bynnag.
howl *v*. udo.

hue *n*. lliw *m*. gwawr *f*.
hug *v*. cofleidio, gwasgu.
huge *a*. anferth, enfawr.
hum 1 *n*. si, sibrwd *m*. 2 *v*. mwmian.
humble *a*. gostyngedig, isel.
humorous *a*. doniol.
humour *n*. hiwmor *m*, hwyl *f*.
hundred 1 *n*. cant *m*. 2 *a*. can: **hundred years old** canmlwydd.
hundredth *n*. & *a*. canfed.
hunger 1 *n*. newyn, chwant bwyd *m*. 2 *v*. newynu.
hunt *n*. helfa *f*. 2 *v*. hel, hela, erlid.
hunter *n*. heliwr; ceffyl hela *m*.
hunting *n*. hela *m*: **hunting-horn** corn hela.
hurricane *n*. corwynt *m*.
hurry 1 *n*. brys, prysurdeb *m*. 2 *v*. brysio, prusuro.
hurt 1 *n*. niwed, dolur *m*. 2 *v*. anafu, brifo.
husband *n*. gŵr, priod, gŵr priod *m*.
hut *n*. caban, cwt *m*.
hutch *n*. cwt, cwb *m*.
hydrogen *n*. hydrogen *m*.
hymn *n*. emyn, hymn *m*.
hymnal *n*. llyfr emynau *m*.
hymn-tune *n*. emyn-dôn *f*.
hypermarket *n*. archfarchnad *f*.
hyphen *n*. cyplysnod, cysylltnod *m*.

inexperience

I *pn.* mi, myfi; fi, i; minnau, innau.
ice *n.* iâ, rhew *m.*
Ice Age Oes yr Iâ.
iceberg *n.* mynydd iâ *m.*
ice-cream *n.* hufen iâ *m.*
Iceland *n.* Gwlad yr Iâ *f.*
icy *a.* rhewllyd.
idea *n.* syniad *m.*
identical *a.* yr un *(fath).*
identify *v.* adnabod *(fel yr un un),* enwi, nodi; uniaethu (â).
idiom *n.* priod-ddull, idiom *f.*
idle 1 *a.* segur, diog, dioglyd. 2 *v.* segura, diogi.
idler *n.* diogyn, pwdryn *m.*
idol *n.* delw *f.*
if *c.* os, pe.
ignite *v.* tanio.
ill *a.* claf, gwael, sâl, tost; drwg.
ill-mannered *a.* anfoesgar.
illness *n.* afiechyd, clefyd, dolur, salwch, tostrwydd *m.*
illustrate *v.* darlunio; egluro, esbonio.
illustration *n.* darlun *m.*
image *n.* delw, llun *m.*
imagination *n.* dychymyg *m.*
imagine *v.* dychmygu, tybied, tybio.
immediately *ad.* ar unwaith, yn union, yn y man.
immense *a.* anferth, eang.
imminent *a.* agos, gerllaw, wrth y drws.
immunisation *n.* imwneiddiad *m.*
immunise *v.* imwneiddio.
immunity *n.* imwnedd *m.*
impart *v.* cyfrannu, rhoi.
imperative 1 *n.* gorchymyn *m.* 2 *a.* gorchmynnol, gorfodol.
imperfect *a.* amherffaith.

impinge *v.* taro yn erbyn, cyffwrdd â.
implement 1 *n.* offeryn, arf *m.* 2 *v.* gweithredu.
implore *v.* erfyn (ar).
imply *v.* cyfleu, awgrymu.
importance *n.* pwys, pwysigrwydd *m.*
important *a.* pwysig.
impossible *a.* amhosibl.
impress 1 *n.* argraff *f.* 2 *v.* argraffu, pwyso (ar).
impression *n.* argraff.
imprison *v.* carcharu.
improve *v.* gwella.
impudence *n.* haerllugrwydd *m.*
impudent *a.* haerllug, eofn.
in 1 *prp.* yn, yng, ym, mewn. 2 *ad.* i mewn: **in the midst of** ynghanol: **in time** mewn pryd.
inaccurate *a.* anghywir, gwallus.
inasmuch *ad.* yn gymaint (â).
inch *n.* modfedd *f.*
incident *n.* digwyddiad *m.*
incinerator *n.* llosgydd *m*, ffwrnais *f.*
include *v.* cynnwys.
including *prp.* gan gynnwys.
inclusive *a.* gan gynnwys, cynwysedig.
income *n.* enillion *pl*, incwm *m;* **Income Tax** Treth Incwm.
incorporate *v.* ymgorffori.
incorrect *a.* anghywir.
indebted *a.* dyledus.
indeed *ad.* yn wir, iawn.
indemnity *n.* iawndal *m.*
independence *n.* annibyniaeth *f.*
Independent *n.* Annibynnwr *m.*
independent *a.* annibynnol.
independently *ad.* yn annibynnol, ar wahân.
index *n.* mynegai *m.*
India *n.* Yr India *f.*
Indian 1 *n.* Indiad *m.* 2 *a.* Indiaidd.
indicate *v.* dangos, mynegi.
indigestion *n.* diffyg traul *m.*
individual 1 *n.* un, unigolyn *n.* 2 *a.* unigol.
indolent *a.* diog, dioglyd, segur, pwdr.
indoor *a.* i mewn, dan do.
induct *v.* sefydlu.
induction *n.* sefydliad *m.*
indulgence *n.* maldod *m.*
industry *n.* diwydiant; diwydrwydd *m.*
ineffectual *a.* anneffeithiol.
inevitable *a.* anochel.
inexpensive *a.* rhad.
inexperience *n.* diffyg profiad *m.*

inexperienced a. dibrofiad.
infant n. baban, maban m: **infants' school** ysgol fabanod: **infants' teacher** athrawes fabanod.
infection n. haint f.
inferior a. is, israddol.
infinitive n. berfenw m.
infirm a. gwan.
infirmity n. gwendid, llesgedd m.
inflammation n. llid m.
inflate v. chwyddo, rhoi awyr yn.
inflation n. chwyddiant m.
influence 1 n. dylanwad m. **2** v. dylanwadu.
influenza n. ffliw m.
inform v. hysbysu.
information n. gwybodaeth f.
infrequent a. anaml.
ingredients n. defnyddiau, cynhwysion pl.
inhabitants n. trigolion, preswylwyr pl.
inhale v. anadlu.
inherit v. etifeddu.
iniquity n. drwg, drygioni, anwiredd m.
injection n. chwistrelliad, pigiad m.
injure v. anafu, niweidio.
injury n. niwed, cam, clwyf, anaf m.
inn n. tafarn mf, gwesty m.
inner a. mewnol.
innkeeper n. tafarnwr, gwestywr m.
innocent a. diniwed.
inoculation n. brechiad m.
inquire v. gofyn, holi, ymholi.
inquiry n. ymchwiliad, ymholiad m.
inquisition n. ymchwiliad m.
insect n. pryf, pryfedyn, pryfyn m.
in-service a. mewn swydd: **in-service training** hyfforddiant mewn swydd.
inside 1 n. tu mewn m. **2** a. mewnol. **3** ad. i mewn, o fewn. **4** prp. y tu mewn.
inside-out ad. o chwith.
insist v. mynnu.
insolence n. haerllugrwydd m.
insolent a. haerllug.
inspire v. ysbrydoli.
instantaneous a. yn y man.
instead ad. yn lle.
institution n. sefydliad m.
instruct v. cyfarwyddo, dysgu, hyfforddi.
instruction n. hyfforddiant m.
instructor n. hyfforddwr m.
instrument n. offeryn, arf m: **musical instrument** offeryn cerdd.
instrumental a. offerynol.

insult n. sarhad m.
insurance n. yswiriant m.
insure v. yswiro, yswirio.
insurrection n. terfysg, gwrthryfel m.
intellect n. deall m.
intelligent a. deallus.
intelligentsia n. y deallus m, deallusion pl.
intend v. bwriadu, golygu.
intense a. dwys.
intent n. bwriad, amcan; diben m; ystyr f.
intention n. bwriad m.
interest n. diddordeb; llog; budd m: **interest rates** cyfraddau llog.
interests n.pl. diddordebau pl.
interfere v. ymhel, ymyrru, ymyrryd.
interference n. ymyrraeth f.
interior 1 n. tu mewn, canol m. **2** a. mewnol.
interlude n. egwyl f.
intermediate a. canol, canolradd.
internal a. mewnol.
international a. rhyngwladol.
interpreter n. cyfieithydd m.
interrogate v. holi.
interrogator n. holwr m.
interrupt v. torri ar, torri ar draws, ymyrru, ymyrryd.
interval n. egwyl f, saib m.
intervene v. ymyrru, ymyrryd.
interview 1 n. cyfweliad m. **2** v. cyfweld.
into prp. i, i mewn.
intoxicate v. meddwi.
invalid n. un afiach, un methedig mf.
invalid a. di-rym.
investigate v. ymchilio, chwilio.
investigation n. ymchwiliad m.
investigator n. ymchwiliwr, ymchwilydd m.
invisible a. anweledig.
invitation n. gwahoddiad, gwahodd m.
invite v. gwahodd.
invited a. gwahoddedig.
involved a. cymhleth, astrus, cywrain.
inward a. mewnol.
Ireland n. Iwerddon, Yr Ynys Werdd f.
Irish 1 n. Gwyddeleg f. (iaith). **2** a. Gwyddelig.
Irishman n. Gwyddel m.
Irishwoman n. Gwyddeles f.
iron 1 n. & a. haearn m. **2** v. smwddio.
ironing board n. bwrdd smwddio m.

irritable *a.* pigog, piwis.
irritation *n.* poen *mf,* llid *m,* enynfa *f.*
is *v.* ydy, yw, mae, oes, sy, sydd.
island *n.* ynys *f:* **Caldy Island** Ynys
 Bŷr: **Bardsey Island** Ynys Enlli.
Israel *n.* Israel *f.*
Israelite *n.* Israeliad *m.*
issue 1 *n.* llif, tarddiad; plant;
 cyhoeddiad *m.* 2 *v.* tarddu;
 cyhoeddi.

it *pn.* ef, efe, fe, efo, fo; hi.
Italian *n.* Eidaleg *f.* (iaith); Eidalwr
 m, Eidales *f.*
Italy *n.* Yr Eidal *f.*
itch 1 *n.* crafu *m,* ysfa *f.* 2 *v* cosi, ysu.
item *n.* eitem *f.*
its *pn.* ei.
itself *pn.* ei hun, ei hunan.
ivy *n.* iorwg, eiddew *m.*

jacdaw *n.* jac-y-do *m.*
jacket *n.* siaced *f.*
jail *n.* carchar *m.*
jam 1 *n.* jam *m.*; tagfa *f.* 2 *v.* gwasgu, tagu.
January *n.* Ionawr *m.*
Japan *n.* Siapan *f.*
Japanese 1 *n.* Siapaneg *f.* (iaith); Siapanead *m.* 2 *a.* Siapaneaidd.
jar 1 *n.* jar, jâr *f.* 2 *v.* ysgwyd.
jaundice *n.* y clefyd melyn *m.*
jaw *n.* gên, cern *f.*
jay *n.* sgrech y coed *m.*
jealous *a.* cenfigennus.
jeer 1 *n.* gwawd *m.* 2 *v.* gwawdio.
jelly *n.* jeli *m.*
jerk 1 *n.* plwc *m.* 2 *v.* plycio.
jersey *n.* jersi, jyrsi, siersi *f.*
Jerusalem *n.* Caersalem, Jerwsalem *f.*
Jesus *n.* Iesu *m:* **Jesus Christ** Iesu Grist: **Jesus Son of God** Iesu Mab Duw.
Jew *n.* Iddew *m.*
Jewess *n.* Iddewes *f.*
jewel *n.* gem *f*, tlws *m.*
Jewish *a.* Iddewig.
jingle *n.* rhigwm; tinc *m.*

job *n.* job, jobyn, gwaith *m*, swydd *f:* **Job Centre** Canolfan Gwaith *mf.*
jobless *a.* diwaith.
jog *v.* loncian.
jogger *n.* lonciwr *m.*
join *v.* cydio; ymuno; uno; ymaelodi.
joiner *n.* saer coed *m.*
joint 1 *n.* cyswllt, cymal *m.* 2 *a.* cyd: **joint of meat** darn o gig *m.*
joke 1 *n.* jôc *f.* 2 *v.* jocan, cellwair.
jolly *a.* braf, llawen, llon.
journalist *n.* newyddiadurwr *m.*
journey 1 *n.* hynt, siwrnai, taith *f.* 2 *v.* teithio.
joy *n.* llawenydd *m.*
joyful 1 *a.* llawen, llon. 2 *v.* llawenhau.
jubilation *n.* llawenydd, gorfoledd *m.*
jubilee *n.* jiwbilî *f.*
Judaism *n.* Iddewaeth *f.*
judge 1 *n.* barnwr; beirniad; dyfarnwr *m.* 2 *v.* beirniadu; dyfarnu.
judgement *n.* barn *f.* dyfarniad *m.*
jug *n.* jwg, siwg *f.*
juice *n.* sudd *m.*
juicy *a.* llawn sudd.
July *n.* Gorffennaf *m.*
jumble 1 *n.* cymysgwch *m*, cymysgfa *f.* 2 *v.* cymysgu: **jumble sale** ffair sborion *f.*
jump 1 *n.* naid *f.* llam *m.* 2 *v.* neidio, llamu.
jumper *n.* neidiwr *m; * jersi, jyrsi, siwmper *f.*
junction *n.* cydiad *m; * cyffordd *f.*
June *n.* Mehefin *m.*
junior *a.* iau; ieuaf: **junior school** ysgol iau.
just 1 *a.* cyfiawn, cywir, iawn, teg. 2 *ad.* braidd, yn union; newydd: **just now** gynnau (fach).
justice *n.* cyfiawnder; ynad *m:* **Justice of the Peace** Ynad Heddwch.
juvenile *a.* ieuanc, ifanc.

kangaroo n. cangarŵ m.
keep 1 n. cadw m; amddiffynfa f. 2
  v. cadw; cynnal.
keeper n. ceidwad m.
kennel n. cwb, cenel m.
kerchief n. cadach m, hances f,
  macyn m, neisied f.
kettle n. tegell m.
key n. agoriad m, allwedd f;
  cywair m; **keyhole** twll clo.
kick 1 n. cic f. 2 v. cicio: **drop
  kick** cic adlam.
kidnap 1 n. herwgydiad m. 2
  v. herwgydio.
kidnapper n. herwgydiwr m.
kidney-beans n.pl. ffa dringo,
  cidnabêns pl.
kill v. lladd.
killer n. lladdwr m.
kilogram n. kilogram (kgm.) m.
kilometre n. kilometr (km.) m.
kilowatt n. kilowat (kW.) m.

kin n. perthynas mf.
kind n. math, rhyw m.
kind a. caredig.
kindergarten n. ysgol feithrin f.
kindliness n. caredigrwydd m.
kindly a. caredig, tirion.
kindness n. caredigrwydd m;
  cymwynas f.
kindred n. perthynas mf;
  perthnasau pl.
king n. brenin m.
kingdom n. teyrnas f: **Kingdom of
  Heaven** Teyrnas Nefoedd: **United
  Kingdom** Teyrnas Unedig.
kingfisher n. glas y dorlan m.
kingly a. brenhinol.
kipper n. ciper m.
kiss 1 n. cusan mf, sws m. 2
  v. cusanu.
kitchen n. cegin f.
kitchenette n. cegin fach f.
kitchen-garden n. gardd lysiau f.
kitten n. cath fach f.
knead v. tylino.
knee n. glin mf, pen-glin, pen-lin m.
kneel v. penlinio.
knife n. cyllell f: **bread-knife** cyllell
  fara: **pocket-knife** cyllell boced.
knight n. marchog m.
knit v. gwau.
knock 1 n. cnoc, ergyd mf. 2
  v. cnocio, curo, taro.
knot 1 n. clwm, cwlwm m. 2
  v. clymu.
know v. adnabod; gwybod: **I
  know** gwn, mi wn, rydw i'n
  gwybod.
knowing a. gwybodus; ffel.
knowingly ad. yn fwriadol.
knowledge n. gwybodaeth f.
knuckle n. migwrn, cymal m.

label *n.* llabed, label *f.*
laboratory *n.* labordy *m*: **language laboratory** labordy iaith.
laborious *a.* llafurus.
labour 1 *n.* llafur, gwaith *m.* 2 *v.* llafurio, gweithio: **the Labour Party** y Blaid Lafur.
labourer *n.* labrwr, gweithiwr *m.*
lace 1 *n.* les *m.* 2 *v.* cau (*esgidiau*).
lack 1 *n.* eisiau, diffyg *m.* 2 *v.* bod mewn eisiau.
lad *n.* llanc, hogyn, gwas, bachgen *m.*
ladder *n.* ysgol *f.*
laden *a.* llwythog.
ladies *n.* arglwyddesau; boneddigesau; toiledau merched *pl.*
lady *n.* arglwyddes; boneddiges *f.*
lair *n.* ffau, gwâl, lloches *f.*
lake *n.* llyn *m.*
lamb *n.* oen *m*: **Paschal Lamb** Oen y Pasg.
lame 1 *a.* cloff. 2 *v.* cloffi.
lameness *n.* cloffi, cloffni *m.*
lamp *n.* lamp *f*:
lampshade lamplen *f.*
lamp post *n.* postyn lamp, polyn lamp *m.*
land 1 *n.* tir *m*, daear, gwlad, glan *f.* 2 *v.* glanio.
landlady n. gwraig llety *f.*
landlord *n.* meistr tir, lletywr, tafarnwr *m.*
landscape *n.* tirlun *m.*
lane *n.* lôn *f*: **escape lane** lôn ddianc.
language *n.* iaith *f*: **first language** iaith gyntaf, mamiaith; **second language** ail iaith; **foreign language** iaith dramor, iaith estron.

lantern *n.* llusern *f.*
lap 1 *n.* arffed *f*, glin *mf.* 2 *v.* lapio.
lapel *n.* llabed *f.*
large *a.* mawr; eang; helaeth.
largely *ad.* gan mwyaf.
lark *n.* ehedydd, hedydd, uchedydd *m.*
laryngitis *n.* llwnc tost *m.*
lass *n.* geneth, hogen, llances, merch *f.*
last 1 *a.* diwethaf; olaf. 2 *ad.* yn ddiwethaf, yn olaf. 3 *v.* para, parhau, dal, dala: **last night** neithiwr; **last week** yr wythnos diwethaf; **last month** mis diwethaf; **last year** y llynedd; **at last** o'r diwedd; **the last word** y gair olaf.
late *a.* hwyr; diweddar.
lately *ad.* yn ddiweddar.
later *ad.* wedyn, eto, yn ddiweddarach.
latest *a.* diweddaraf.
Latin *n.* Lladin *f.*
latter *a.* diwethaf, olaf.
laugh *n. & v.* chwerthin *m.*
laughable *a.* chwerthinllyd.
laughter *n.* chwerthin *m.*
launderette *n.* golchdy *m.*
lavatory *n.* tŷ-bach *m*, ystafell ymolchi *f*, toiled *m.*
lavender *n.* lafant *m.*
law *n.* cyfraith, deddf *f.*
lawn *n.* lawnt *f.*
lawyer *n.* cyfreithiwr *m.*
lax *a.* llac; esgeulus.
lay *v.* gosod, dodi; dodwy.
layer *n.* haenen *f.*
laze *v.* diogi, segura.
laziness *n.* diogi *m.*
lazy *a.* diog, dioglyd, pwdr.
lead *n.* plwm *m.*
lead *v.* arwain, tywys.
leaden *a.* plwm.
leader *n.* arweinydd; blaenwr *m.*
leaf n. deilen; dalen *f.*
leaflet *n.* taflen *f.*
league *n.* cynghrair *m.*
leak *v.* gollwng, colli, diferu.
lean 1 *n.* cig coch *m.* 2 *a.* main, tenau. 3 *v.* pwyso (ar).
leap 1 *n.* llam *m*, naid *f.* 2 *v.* llamu, neidio: **leap year** blwyddyn naid.
learn *v.* dysgu.
learned *a.* dysgedig, hyddysg.
learner *n.* dysgwr *m.*
learning 1 *n.* dysg *f.* 2 *v.* dysgu.
lease *n.* les, prydles *f.*
least *a.* lleiaf; *see* bach: **at least** o leiaf.

leather *n.* lledr *m.*
leave 1 *n.* caniatâd *m.* **2** *v.* gadael,
  ymadael.
leaven *n.* lefain *m.*
lecture 1 *n.* darlith *f.* **2** *v.* darlithio.
lecturer *n.* darlithiwr, darlithydd *m.*
ledge *n.* silff *f;* crib *mf.*
leek *n.* cenhinen *f.*
left *a.* chwith: **left-handed**
  llawchwith.
leg *n.* coes *f.*
legend *n.* chwedl *f.*
legislate *v.* deddfu.
leisure *n.* hamdden *f.*
leisurely *a.* hamddenol.
lemon *n.* lemwn *m:* **lemonade** diod
  lemwn; **lemon juice** sudd lemwn.
lend *v.* benthyca, rhoi benthyg.
length *n.* hyd *m:* **at length** o'r
  diwedd.
lengthen *v.* estyn, ymestyn.
lengthy *a.* hir.
less 1 *a.* & *n.* llai *m.* **2** *ad.* yn llai.
lesson *n.* gwers *f:* **history**
  lesson gwers hanes; **Welsh**
  lesson gwers Gymraeg.
lest *c.* rhag, rhag ofn, fel na.
let *v.* caniatáu; gadel; gosod; rhentu.
lethal *a.* marwol.
letter *n.* llythyr *m;* llythyren *f.*
lettuce *n.* letysen *f.*
level *n.* & *a.* gwastad *m,* lefel *f:* **spirit**
  level lefelydd.
level crossing *n.* croesfan *f.*
liable *a.* agored, atebol.
liar *n.* celwyddgi *m.*
liberal *a.* hael, haelionus.
liberty *n.* rhyddid *m.*
librarian *n.* llyfrgellydd *m.*
library *n.* llyfrgell *f.*
licence *n.* trwydded *f:* **driving**
  licence trwydded yrru.
lick *v.* llyfu, llyo.
lid *n.* clawr *m.*
lie 1 *n.* celwydd, anwiredd *n.* **2**
  v. dweud celwydd, dweud anwiredd;
  gorwedd.
life *n.* bywyd, byw *m.*
lifeboat *n.* bad achub *m.*
life insurance *n.* yswiriant bywyd *m.*
lifeless *a.* marwaidd.
lifetime *n.* oes *f.*
lift 1 *n.* lifft *m.* **2** *v.* codi.
ligament *n.* gewyn.
light 1 *n.* golau, goleuni,
  llewyrch *m.* **2** *a.* golau; ysgafn. **3**
  v. goleuo; tanio.
lighten *v.* ysgafnhau, ysgafnu.
lighthouse *n.* goleudy *m.*

lightning *n.* mellt, lluched *pl.*
like 1 *a.* tebyg. **2** *prp.* fel. **3** *v.* hoffi,
  caru.
likeable *a.* dymunol.
likely *a.* & *ad.* tebygol, tebyg.
likeness *n.* tebygrwydd *m.*
likewise 1 *n.* yn yr un modd. **2**
  c. hefyd.
liking *n.* hoffter *m.*
lily *n.* lili *f:* **lily of the valley** lili'r
  dyffrynnoedd.
limb *n.* aelod *m;* cangen *f;* cymal *m.*
limit *n.* ffin *f,* terfyn *m.*
limp 1 *a.* llipa. **2** *v.* cloffi.
line *n.* llinell *f,* llinyn *m,* lein *f.*
linen *n.* lliain *m.*
linesman *n.* llinellwr, ystlyswr *m.*
link 1 *n.* dolen *f.* **2** *v.* cydio.
lion *n.* llew *m.*
lioness *n.* llewes *f.*
lip *n.* gwefus *f,* min *m.*
lipstick *n.* minlliw *m.*
liquid 1 *n.* hylif *m.* **2** *a.* hylif; gwlyb.
list *n.* rhestr *f.*
listen *v.* gwrando.
listener *n.* gwrandawr *m.*
literary *a.* llenyddol.
literate *a.* llythrennog.
literature *n.* llên, llenyddiaeth *f.*
litre *n.* litr *m.*
litter 1 *n.* sbwriel, ysbwriel *m.* **2**
  v. sarnu.
littérateur *n.* llenor *m.*
little *a.* bach, bychan, bechan; mân,
  tamaid, ychydig.
live *a.*&*v.* byw.
lively *a.* bywiog, heini.
liver *n.* iau *m,* afu *mf.*
Liverpool *n.* Lerpwl *f.*
living *a.* byw, yn fyw.
load 1 *n.* baich, llwyth *m.* **2**
  v. llwytho.
loaf *n.* torth *f.*
loathsome *a.* ffiaidd.
lobby *n.* cyntedd, porth *m.*
local *a.* lleol: **Local**
  Government Llywodraeth Leol.
locality *n.* lle *m,* ardal, cymdogaeth *f.*
localise *v.* lleoli.
locate *v.* lleoli, gosod.
location *n.* lleoliad *m.*
loch *n.* loch *m.*
lock 1 *n.* clo *m.* **2** *v.* cloi.
locked *a.* ar glo, dan glo, ynghlo.
lodge 1 *n.* llety *m.* **2** *v.* lletya.
lodger *n.* lletywr *m.*
lodging(s) *n.* *(pl).* llety *m.*
loft *n.* llofft *f.*
loin *n.* llwyn *f.*

London *n.* Llundain *f.*
loneliness *n.* unigrwydd *m.*
lonely *a.* unig.
long 1 *n.* hir, maith. **2** *v.* hiraethu.
  long since ers amser.
longing *n.* hiraeth *m.*
look 1 *n.* golwg *mf,* trem *f.* **2**
  v. edrych, ysbîo.
loose 1 *a.* llac, llaes, rhydd. **2**
  v. datod, llacio, rhyddhau.
loosen *v.* llacio, rhyddhau, datod.
lord *n.* arglwydd *m*: **The Lord**
  Yr Arglwydd; **the Lord's**
  Prayer Gweddi'r Arglwydd; **House of**
  Lords Tŷ'r Arglwyddi.
lord mayor *n.* arglwydd faer *m.*
lorry *n.* lorri *f.*
lorry driver *n.* gyrrwr lorri *m.*
lose *v.* colli.
loss *n.* colled *mf.*
loud *a.* uchel.
loudest *a.* uchaf.
Loughor *n.* Casllwchwr *f.*
lounge 1 *n.* lolfa *f.* **2** *v.* lolian.
louse *n.* lleuen *f.*

love 1 *n.* cariad, serch *m.* **2** *v.* caru:
  love letter llythyr caru.
lovely *a.* hyfryd, teg, prydferth; braf.
lover *n.* cariad *mf,* carwr *m.*
loving *a.* cariadus, serchus, serchog.
low *a.* isel.
lower 1 *a.* is. **2** *v.* gostwng, gollwng.
lowest *a.* isaf; lleiaf.
loyal *a.* ffyddlon, teyrngar.
lozenge *n.* losinen, losen *f.*
luck *n.* lwc, ffortiwn *f*: **best of**
  luck lwc dda, pob hwyl.
luckily *ad.* yn ffodus, yn lwcus.
lucky *a.* ffodus, lwcus.
lull 1 *n.* gosteg *m.* **2** *v.* suo.
lullaby *n.* hwiangerdd *f.*
luminous *a.* golau, disglair, llachar.
lungs *n.* ysgyfaint *pl.*
lupins *n.* bysedd y blaidd *pl.*
lust *n.* chwant, trachwant *m.*
lustful *a.* trachwantus.
lustre *n.* llewyrch *m.*
luxurious *a.* moethus.
lyric *n.* telyneg *f.*

machine *n.* peiriant *m:*
  machinery peiriannau.
mackintosh *n.* cot law *f.*
mad *a.* gwyllt, gwallgof.
magazine *n.* cylchgrawn *m.*
magic *n.* hud, lledrith, swyn *m.*
magician *n.* dewin *m.*
magistrate *n.* ustus, ynad *m.*
magnificent *a.* gwych.
magnifying glass *n.* chwyddwydr *m.*
magnitude *n.* maint, ehangder *m.*
magpie *n.* pioden *m.*
maid *n.* morwyn, merch *f:* **old
  maid** hen ferch.
mail 1 *n.* y post *m.* 2 *v.* postio.
main *a.* pennaf, prif, mwyaf: **main
  road** ffordd fawr, priffordd;
  mainland y tir mawr.
mainly *ad.* yn bennaf.
majesty *n.* mawredd; mawrhydi *m:*
  Her Majesty Ei Mawrhydi.
major 1 *n.* uwchgapten *m.* 2 *a.* prif,
  mwyaf.
majority *n.* mwyafrif; oedran llawn
  m.
make *v.* gwneud, gwneuthur.
make-up *n.* & *v.* coluro *m.*
male *n.* gwryw *m.*
man *n.* dyn, gŵr, mab *m:* **man of
  letters** llenor.
manage *v.* rheoli, trin; llwydo.
manager *n.* rheolwr *m.*
manger *n.* preseb *m.*
manifest *v.* dangos, egluro.
manipulate *v.* trin, trafod.
manner *n.* modd, dull *m.*
manners *n.* moesau *pl:* **good
  manners** moesau da.
manse *n.* tŷ gweinidog, mans *m.*
mansion *n.* plas, plasty *m.*

mantle *n.* mantell *f.*
manual 1 *n.* llawlyfr *m.* 2
  a. perthynol i'r llaw.
manure *n.* gwrtaith, tail *m.*
manuscript *n.* llawysgrif *f.*
many 1 *n.* llawer *m.* 2 *a.* llawer,
  aml, sawl: **how many** sawl: **too
  many** gormod.
map *n.* map *n.*
March *n.* Mawrth *m.*
march 1 *n.* ymdaith *f.* 2
  v. ymdeithio.
margin *n.* ffin *f*, ymyl *mf.*
mariner *n.* llongwr, morwr *m.*
mark 1 *n.* nod, nam, ôl, marc *m.* 2
  v. nodi, marcio.
market 1 *n.* marchnad *f.* 2
  v. marchnata.
marriage *n.* priodas *f.*
married *a.* priod.
marrow *n.* mêr *m:* **vegetable
  marrow** pwmpen *f.*
marry *v.* priodi.
Mars *n.* Mawrth *m.*
mart *n.* mart *m.*
martyr *n.* merthyr *m.*
marvel 1 *n.* rhyfeddod *m.* 2 *v.*
  rhyfeddu, synnu.
marvellous *a.* rhyfeddol, gwych
masculine *n.* gwryw, gwrywaidd,
  gwrywol.
mask 1 *n.* mwgwd *m.* 2 *v.* cuddio
mass *n.* pentwr *m.*; pwysau *pl.*;
  offeren *f.*
massive *a.* anferth
master 1 *n.* meistr, capten (*llong*) *m.*
  2 *v.* meistroli.
masterpiece *n.* campwaith *m.*
mat *n.* mat *m.*
match *n.* matsien; gêm; gornest;
  priodas *f.*
material *n.* defnydd, nwydd *m.*
mathematical *a.* mathemategol.
mathematician *n.* mathemategwr *m.*
mathematics *n.* mathemateg *f.*
matrimony *n.* priodas *f.*
matter *n.* mater *m:* **What's the
  matter?** Beth sy'n bod?
mature 1 *a.* aeddfed. 2. *v.* aeddfedu
maximum *n.* uchafswm, uchafrif,
  uchafbwynt *m.*
May *n.* Mai *m:* **May Day** Calan Mai.
maybe *ad.* efallai, hwyrach.
mayor *n.* maer *f.*
mayoress *n.* maeres *f.*
me *pn.* myfi, mi, fi, i; minnau.
mead *n.* medd *m.*
meadow *n.* dôl, gwaun *f*, maes *m.*
meagre *a.* cul, llwm, tenau, prin.

meal *n.* pryd o fwyd; blawd *m.*
mean 1 *n.* cyfrwng, modd; canol *m.* **2**
  a. sâl; gwael; tynn. **3** *v.* bwriadu,
  golygu, meddwl.
meaning *n.* ystyr *mf,* meddwl *m.*
meaningful *a.* ystyrlon.
means *n.* modd, moddion, cyfrwng;
  cyfoeth *m:* **by all means** ar bob
  cyfrif, wrth gwrs.
measles *n.* y frech goch *f.*
measure *n.* mesur *m.*
meat *n.* cig *m.*
medal *n.* bathodyn *m,* medal *f.*
meddle *v.* ymhêl, ymyrru, ymyrryd.
media *n.* cyfryngau *pl.*
medicine *n.* moddion, ffisig *m;*
  meddyginiaeth *f.*
meditate *v.* myfrio.
meditation *n.* myfyrdod *m.*
medium 1 *n.* cyfrwng; canol *m.* **2**
  a. canol.
medley *n.* cadwyn o alawon *f;*
  cymysgwch *m.*
meet *v.* cyfarfod, cwrdd (â); cyffwrdd.
meeting *n.* cyfarfod, cwrdd *m;*
  oedfa *f.*
melody *n.* alaw, tôn *f.*
melt *v.* toddi.
member *n.* aelod *m:* **to become a**
  member ymaelodi: **Member of**
  Parliament (M.P.) Aelod Seneddol
  (A.S.)
membership *n.* aelodaeth *f.*
memory *n.* cof *m.*
mend *v.* gwella, trwsio, cyweirio.
meningitis *n.* llid yr ymennydd *m.*
menstruation *n.* y misglwyf *m.*
mention *n.* & *v.* sôn *mf* (am).
menu *n.* bwydlen *f.*
merchant *n.* masnachwr *m.*
merciful *a.* trugarog.
mercifully *ad.* drwy drugaredd.
Mercury *n.* Mercher *m.*
mercury *n.* arian byw, mercwri *m.*
mercy *n.* trugaredd *f:* **to be**
  merciful trugarhau.
merit 1 *n.* teilyngdod *m.* **2** *v.* haeddu.
mermaid *n.* môr-forwyn *f.*
merriment *n.* miri *m.*
merry *a.* llawen, llon.
message *n.* neges *f.*
messenger *n.* negesydd *m.*
metal *n.* metel *m.*
meteor *n.* seren wib *f.*
meter *n.* mesurydd *m.*
method *n.* dull, modd *m,* trefn
  f: **new methods** dulliau newydd.
methodical *a.* trefnus.
metre *n.* mesur; metr *m:*

kilometre kilometr (km.).
metric *a.* metrig: **metric**
  scale graddfa fetrig.
mew *v.* mewian.
micro-chip *n.* meicro-sglodyn *m.*
microphone *n.* meic, meicroffon *m.*
microscope *n.* meicrosgop *m.*
microwave *n.* meicrodon *f.*
mid *a.* canol.
midday *n.* canol dydd, hanner dydd
  m.
middle *n.* canol *m.*
middle-aged *a.* canol oed.
midland *n.* canolbarth *m:* **the**
  Midlands Canolbarth Lloegr: **Mid**
  Wales Canolbarth Cymru.
midnight *n.* canol nos, hanner nos *f.*
midst 1 *n.* canol, plith *m.* **2**
  prp. rhwng.
might *n.* nerth, gallu *m.*
mighty *a.* grymus.
mild *a.* mwyn, tyner, meddal, gwan:
  become mild mwynhau, tyneru.
mile *n.* milltir *f:* **milestone** carreg
  filltir *f.*
milk 1 *n.* llaeth, llefrith *m.* **2**
  v. godro: **milkman** dyn llaeth.
mill *n.* melin *f.*
million *n.* miliwn *m:*
  millionaire miliynydd.
mime 1 *n.* meim *m.* **2** *v.* meimio.
mind 1 *n.* meddwl, bryd, bwriad *m.*
  2 *v.* gwylio, gofalu, hidio.
mindful *a.* gofalus, ystyriol.
mine 1 *n.* pwll, mwynglawdd *m.* **2**
  pn. fy, yr eiddo'i.
miner *n.* glöwr, mwynwr *m.*
mineral *n.* mwyn *m.*
minimum *n.* lleiafswm, isafrif,
  isafbwynt *m.*
minister 1 *n.* gweinidog *m.* **2**
  v. gwasanaethu.
minority *n.* lleiafrif *m.*
mint *n.* bathdy; mint, mintys *n:*
  Royal Mint Bathdy Brenhinol.
minute *n.* munud *mf;* cofnod *m:*
  minute book llyfr cofnodion.
minute *a.* bach, mân, manwl.
miracle *n.* gwyrth *f.*
miraculous *a.* gwyrthiol.
mirror *n.* drych *m.*
miscarriage *n.* erthyliad *m.*
miscarry *v.* erthlyu; colli.
mischief *n.* drwg, drygioni *m.*
mischievous *a.* drygionus.
miserable *a.* gwael, truenus, diflas.
misery *n.* trallod, trueni,
  diflastod *m.*
mislead *v.* camarwain, twyllo.

miss *v.* colli, methu, gweld eisiau.
missile *n.* taflegryn *m.*
mission *n.* cenhadaeth *f.*
missionary 1 *n.* cenhadwr *m;*
  cenhades *f.* 2 *a.* cenhadol.
mist *n.* niwl *m.*
mistake *n.* camsyniad, gwall,
  camgymeriad *m.*
mistress *n.* meistres, athrawes *f:*
  headmistress prifathrawes.
misty *a.* niwlog.
misunderstand *v.* camddeall.
mix *v.* cymysgu.
mixed *a.* cymysg.
mob *n.* torf, tyrfa, haid *f.*
mock *v.* gwawdio.
mode *n.* modd, dull *m.*
modern *a.* diweddar, modern.
moist *a.* llaith, gwlyb.
moisten *v.* gwlychu.
moisture *n.* gwlybaniaeth *f.*
Mold *n.* Yr Wyddgrug *f.*
moment *n.* eiliad *f,* ennyd *mf,*
  moment *f.*
monarch *n.* brenin *m.*
monastery *n.* mynachlog *f.*
Monday *n.* dydd Llun *m.*
money *n.* arian, pres *m.*
monk *n.* mynach *m.*
monkey *n.* mwnci *m.*
monoglot 1 *n.* person uniaith *m.* 2
  a. uniaith.
monotonous *a.* undonog.
monstrous *a.* anferth.
month *n.* mis *m.*
monthly 1 *n.* misolyn *m.* 2 *a.* misol.
mood *n.* tymer, hwyl *f.*
moon *n.* lleuad, lloer *f:*
  moonlight golau leuad.
moor *n.* rhos *f,* rhostir *m,* gwaun *f.*
moral *a.* moesol.
morals *n.* moesau *pl.*
more 1 *n.* rhagor, ychwaneg,
  chwaneg *m.* 2 *a.* & *ad.* mwy,
  mwyach: **more than** mwy na.
morning 1 *n.* bore *m.* 2 *a.* bore,
  boreol: **Monday morning** bore dydd
  Llun: **every morning** bob bore;
  Morning Service Gwasanaeth
  Boreol.
morrow *ad.* trannoeth.
mortal 1 *n.* dyn; un marwol *m.* 2
  a. marwol.
mortgage *n.* morgais *m.*

most *a.* mwyaf, amlaf.
mostly *ad.* gan mwyaf.
moth *n.* gwyfyn *m.*
mother *n.* mam *f:* **mother-in-**
  law mam-yng-nghyfraith.
motor *n.* modur, car *m:* **motor**
  bike beic modur.
motorist *n.* modurwr *m.*
motorway *n.* traffordd *f.*
mountain *n.* mynydd *m.*
mountaineer *n.* mynyddwr *m.*
mountainous *a.* mynyddig.
mourn *v.* galaru.
mourning *n.* galar *m.*
mouse *n.* llygoden *f.*
mouth *n.* ceg *f,* genau *pl.*
move *v.* symud.
movement *n.* mudiad; symudiad,
  symud *m.*
moving *a.* yn symud, cyffrous.
mow *v.* lladd gwair.
much 1 *n.* llawer *m.* 2 *a.* llawer,
  mawr. 3 *ad.* yn fawr, llawer (*with*
  comparative a.): **much better**
  llawer gwell: **too much** gormod.
mud *n.* llacs *m.*
muddy *a.* llacsog.
multiply *v.* lluosi.
multitude *n.* llu *m,* torf, tyrfa *f.*
munch *v.* cnoi.
murder 1 *n.* llofruddiaeth *f.* 2
  v. llofruddio.
murderer *n.* llofrudd *m.*
muscular *a.* cyhyrog.
museum *n.* amgueddfa *f.*
mushroom *n.* madarchen *f.*
music *n.* cerddoriaeth, cerdd,
  caniadaeth, alaw, miwsig *f.*
musical *a.* cerddorol.
musician *n.* cerddor *m.*
must *n.* & *v.* rhaid *m.*
mutate *v.* treiglo.
mutation *n.* treiglad, cyfnewidiad *m.*
mute *a.* mud, distaw.
mutilate *v.* anafu, llurgunio.
mutiny *n.* gwrthryfel, terfysg *m.*
mutton *n.* cig dafad, cig gwedder *m.*
my *pn.* fy; 'm.
myrrh *n.* myrr *m.*
myself *pn.* fy hunan, mi fy hunan,
  myfi fy hun.
mysterious *a.* rhyfedd, dirgel.
mystery *n.* dirgelwch.
myth *n.* chwedl, dameg, myth *f.*

nail 1 *n.* ewin *mf;* hoel, hoelen *f.* **2**
v. hoelio.
naked *a.* noeth; llwm: **stark
naked** noethlymun, porcyn.
name 1 *n.* enw *m.* **2** *v.* enwi, galw.
namely *ad.* sef.
nape *n.* gwar *m.*
napkin *n.* cewyn, clwt *m.*
narrate *v.* adrodd (hanes).
narration *n.* adroddiad *m.*
narrative *n.* chwedl *f,* hanes *m,*
stori *f.*
narrow 1 *a.* cul, cyfyng. **2** *v.* cyfyngu.
narrow-minded *a.* cul.
nasal *a.* trwynol.
nasty *a.* cas, brwnt, budr, ffiaidd.
nation *n.* cenedl *f.*
national *a.* cenedlaethol; gwladol:
National Assistance Cymorth
Gwladol: **National Museum**
Amgueddfa Genedlaethol.
nationalism *n.* cenedlaetholdeb *m.*
nationalist *n.* cenedlaetholwr *m.*
nationality *n.* cenedligrwydd *m.*
native 1 *n.* brodor *m.* **2** *a.* brodorol.
nativity *n.* genedigaeth *f.*
natural *a.* naturiol.
nature *n.* natur, naws *f.*
naught *n.* dim; sero *m.*
naughtiness *n.* drygioni *m.*
naughty *a.* drwg, drygionus.
navy *n.* llynges *f:* **navy
blue** glasddu.
near 1 *a.* agos. **2** *ad.* yn agos, braidd.
3 *v.* agosáu, nesáu. **4** *prp.* ger, yn
agos at.
nearby *a. & ad.* yn ymyl, gerllaw.
nearly *ad.* bron.
neat *a.* twt, del, taclus, trefnus.
Neath *n.* Castell-nedd *f.*

necessary *a.* angenrheidiol.
necessitate gwneud yn
angenrheidiol, gorfodi.
necessity *n.* anghenraid, rhaid *m.*
neck *n.* gwddf, gwddwg.
necklace *n.* neclis *f,* mwclis *pl.*
née *a.* gynt, cyn priodi: **Mair Puw,
née Rhys** Mair Puw, gynt Rhys.
need *n.* eisiau, rhaid. *m.*
needle *n.* nodwydd; gwaell *f.*
needy *a.* tlawd.
negative *a.* negyddol.
neglect *v.* esgeuluso.
negligence *n.* esgeulustod *m.*
negligent *a.* esgeulus.
negotiate *v.* trafod, trefnu.
negro *n.* dyn du, negro *m.*
neighbour *n.* cymydog *m.*
neither 1 *ad. & c.* na, nac, chwaith,
ychwaith. **2** *pn.* nid y naill na'r llall,
nid un o'r ddau.
nephew *n.* nai *m.*
nerve *n.* gewyn, nerf *m.*
nervous *a.* nerfus, ofnus.
nest *n.* nyth *mf.*
nestle *v.* nythu.
nestling *n.* aderyn bach, cyw *m.*
net *n.* rhwyd *f.*
netball *n.* pêl rwyd *f.*
Netherlands, The *n.* Yr Iseldiroedd *f.*
never *ad.* byth, erioed.
nevertheless *ad.* er hynny, eto.
new *a.* newydd: **New
Year** Blwyddyn Newydd; **New
York** Efrog Newydd; **New
Zealand** Seland Newydd; **brand
new** newydd sbon.
newcomer *n.* newydd-ddyfodiad *m.*
Newport (Dyfed) *n.* Trefdraeth *f.*
Newport (Gwent) *n.* Casnewydd *f.*
Newquay *n.* Ceinewydd *f.*
news *n.pl.* newyddion *pl,* newydd,
hanes *m:* **good news** newyddion
da; **six o'clock news** newyddion
chwech.
newspaper *n.* papur newydd. *m.*
next 1 *a.* nesaf. **2** *prp.* nesaf at: **next
door** y drws nesaf: **Next, please** Y
nesaf, os gwelwch yn dda; **next
week** wythnos nesaf; **next year** y
flwyddyn nesaf.
nice *a.* braf, hyfryd, neis, dymunol.
nickname 1 *n.* llysenw *m.* **2**
v. llysenwi.
niece *n.* nith *f.*
nigh *a., ad. & prp.* agos, gerllaw, yn
agos.
night *n.* nos; noson, noswaith *f:*
night and day nos a dydd; **night**

before last echnos; **last night**
neithiwr; **the last night** y noson
olaf; **Good night!** Nos da!.
nightdress *n.* gŵn nos, coban *f.*
night-gown *n.* gŵn nos, coban *f.*
nightingale *n.* eos *f.*
nightmare *n.* hunllef *f.*
nil *n.* dim *m.*
nimble *a.* heini, sionc, ystwyth.
nine *n.* & *a.* naw *m.*
nineteen *n.* & *a.* pedwar ar bymtheg,
un deg naw *m.*
ninety *n.* & a. naw deg *m.*
ninth *n.* & a. nawfed *m.*
no 1 *a.* ni, nid, neb, dim. 2 *ad.* na,
nad, ni, nid, nac oes, naddo, nage,
nac ydy ... (*Welsh uses the verb
forms to answer yes/no) e.g.* **Nia?
No.** Nia? Nage. **Was she there?
No.** Oedd hi yno? Nac oedd. **Is Non
at home? No.** Ydy Non gartre? Nac
ydy. **Is there food here? No.** Oes
bwyd yma? Nac oes. **Will they be
out? No.** Fyddan nhw allan? Na
fyddan.
noble *a.* bonheddig, ardderchog.
nobleman *n.* bonheddwr, uchelwr *m.*
nobody *n.* neb *m.*
noise *n.* sŵn, mwstwr, stŵr, sain,
twrw *m.*
noisy *a.* swnllyd, stwrllyd.
nom de plume n. ffugenw *m.*
none *pn.* neb, dim, dim un.
nonsense *n.* lol *f.*
nook *n.* cornel, congl *f.*
noon *n.* hanner dydd, canol dydd *m.*
no one *pn.* neb.
nor *ad.* & *c.* na, nac.
Norman 1 *n.* Norman *m.* 2
a. Normanaidd: **Norman
church** eglwys Normanaidd.
north 1 *n.* gogledd *m.* 2 *a.* gogleddol:
North Pole Pegwn y Gogledd:
North Wales Gogledd Cymru.
northerly *a.* gogleddol.
northern *a.* gogleddol: **Northern
Ireland** Gogledd Iwerddon.
Northerner *n.* Gogleddwr *m.*
nose 1 *n.* trwyn *m.* 2 *v.* trwyno.
nostalgia *n.* hiraeth *m.*
nostril *n.* ffroen *f.*

not *ad.* na, nac, nad, ni, nid.
notable *a.* hynod, enwog, nodedig.
note 1 *n.* nodyn, nod *m.* 2 *v.* nodi,
sylwi: **ten pound note** papur
decpunt.
noted *a.* nodedig, enwog, hynod.
nothing *n.* dim *m:* **nothing at all**
dim byd, dim o gwbl, dim yn y byd.
notice 1 *n.* rhybudd, hysbysebiad,
sylw *m.* 2 *v.* sylwi.
notion *n.* syniad, amcan *m.*
notwithstanding 1 *ad.* er hynny. 2
prp. er, er, gwaethaf, serch.
noun *n.* enw *m:* **collective
noun** enw torfol; **common
noun** enw cyffredin; **plural
noun** enw lluosog.
novel 1 *n.* nofel *f.* 2 *a.* newydd.
novelist *n.* nofelwr, nofelydd *m.*
November *n.* Tachwedd *m.*
now *ad.* yn awr, nawr, rŵan,
bellach, y pryd hwn: **now and
again** nawr ac yn y man.
nowadays *ad.* yn y dyddiau hyn.
nowhere *ad.* dim yn unlle.
nuance *n.* naws *f.*
nuclear *a.* niwclear: **nuclear
energy** egni niwclear: **nuclear
power station** atomfa.
numb *a.* cwsg.
number 1 *n.* nifer *mf,* rhif; rhifyn *m.*
2 *v.* rhifo, cyfrif.
numeral *n.* rhifol, rhifnod *m.*
numerous *a.* lluosog, niferus; aml.
nun *n.* lleian *f.*
nurse 1 *n.* gweinyddes, nyrs *f.* 2
v. magu, nyrsio, meithrin.
nursery *n.* meithrinfa *f:* **nursery
class** dosbarth meithrin; **nursery
nurse** gweinyddes feithrin; **nursery
school** ysgol feithrin.
nurseryman *n.* garddwr *m.*
nursery-rhyme *n.* hwiangerdd *f.*
nurture *v.* meithrin.
nut *n.* cneuen; nyten *f:* **coconut**
cneuen goco; **hazel-nuts** cnau cyll;
monkey nuts cnau mwnci; **walnut**
cneuen ffrengig; **hexagonal nut**
nyten hecsagonal; **square nut**
nyten sgwâr; **nut and bolt** nyten a
bollt.

oak 1 *n.* derwen *f.* 2 *a.* derw: **oak
trees** derw, deri.
oath *n.* llw *m.*
obedient *a.* ufudd.
obey *v.* ufuddhau.
object 1 *n.* gwrthrych, nod,
amcan *m.* 2 *v.* gwrthwynebu.
objective 1 *n.* amcan, nod *m.* 2
a. gwrthrychol.
objector *n.* gwrthwynebwr *m.*
obligation *n.* dyletswydd,
gorfodaeth *f.*
oblige *v.* gorfodi.
obscene *a.* serth, brwnt.
obscure 1 *a.* aneglur, tywyll. 2
v. tywyllu.
observation *n.* sylw *m.*
observe *v.* sylwi, edrych; cadw.
obstacle *n.* rhwystr, maen
tramgwydd *m.*
obstruct *v.* cau, tagu; rhwystro.
obtain *v.* cael, ennill.
obvious *a.* eglur, amlwg.
occasion 1 *n.* achlysur, achos *m,*
adeg *f.* 2 *v.* achosi, peri.
occasional *a.* ambell.
occasionally *a.* ambell waith.
occupation *n.* gwaith *m,*
galwedigaeth *f.*
occur *v.* digwydd, taro.
occurrence *n.* digwyddiad,
achlysur *m.*
ocean *n.* môr, cefnfor, eigion *m.*
o'clock *ad.* o'r gloch.
octagon *n.* wythongl *f,* octagon *m.*
octave *n.* wythawd *m.*
octet *n.* wythawd *m.*
October *n.* Hydref *m.*
octogenarian *n.* person pedwar
ugain mlwydd oed *m.*

odd *a.* od, hynod, rhyfedd.
ode *n.* cerdd, awdl *f.*
odious *a.* cas, ffiaidd.
odour *n.* arogl, aroglau *m.*
of *prp.* o, gan, am, ynghylch: **of
course** wrth gwrs.
off 1 *a.* tu allan, tu faes. 2
ad. ymaith, i ffwrdd. 3 *prp.* oddi ar,
oddi am, oddi wrth.
offence *n.* trosedd *f.*
offend *v.* troseddu.
offender *n.* troseddwr *m.*
offer *n.* & *v.* cynnig *m.*
office *n.* swydd; swyddfa *f.*
officer *n.* swyddog *m.*
official 1 *n.* swyddogol *m.* 2
a. swyddogol.
offspring *n.* hil *f,* plant *pl.*
often *ad.* yn aml.
oil 1 *n.* olew, oel *m.* 2 *v.* iro, oelio: **oil
field** maes olew: **oil rig** llwyfan
olew.
old *a.* hen, oedrannus: **old
age** henoed, henaint: **old
fashioned** henffasiwn: **old
man** hen ŵr, henwr: **of old** gynt.
omelette *n.* omled *m.*
on 1 *ad.* ymlaen. 2 *prp.* ar.
once *ad.* unwaith, un tro, gynt: **at
once** ar unwaith.
one 1 *n.* un, rhywun *m.* 2 *a.* un,
naill, unig. 3 *pn.* naill: **one by
one** bob yn un.
one-way *a.* un-ffordd, unffordd: **one-
way street** heol unffordd.
only 1 *a.* unig. 2 *ad.* yn unig, dim
ond: **the only one** yr unig un: **one
only** un yn unig.
open 1 *a.* agored, ar agor. 2 *v.* agor:
open air awyr agored: **wide
open** lled y pen.
opening *n.* agoriad *m.*
opera *n.* opera *f.*
operate *v.* gweithredu, gweithio.
operation *n.* gweithred *f.,*
gweithrediad *m;* triniaeth
lawfeddygol *f.*
opinion *n.* barn *f,* meddwl *m.*
opponent *n.* gwrthwynebwr,
gwrthwynebydd *m.*
opportunity *n.* achlysur, cyfle *m,*
siawns *f.*
oppose *v.* gwrthwynebu.
opposite *a.* & *prp.* cyferbyn,
cyferbyniol.
opposition *n.* gwrthwyneb,
gwrthwynebiad *m;* gwrthblaid *f.*
optician *n.* optegwr, optegydd *m.*
option *n.* dewis, dewisiad *m.*

or *c*. neu, ynte, ynteu, ai, naill ai.
oral *a*. llafar: **oral examination** arholiad llafar.
orally *ad*. ar lafar.
orange *n*. & *a*. oren *mf*.
orchard *n*. perllan *f*.
orchestra *n*. cerddorfa *f*.
ordain *v*. ordeinio, urddo; penderfynu.
ordeal *n*. prawf llym *m*.
order 1 *n*. trefn; urdd; rheol *f*, gorchymyn *m;* acheb *f*. **2** *v*. trefnu; gorchymyn; archebu.
orderly *a*. rheolaidd, trefnus.
ordinarily *ad*. fel rheol.
ordinary *a*. cyffredin, arferol.
ore *n*. mwyn *m*.
organ *n*. organ *f*, offeryn *m*.
organic *a*. organig.
organist *n*. organydd *m*.
organisation *n*. trefn; cyfundrefn *f*.
organise *v*. trefnu.
organiser *n*. trefnydd *m*.
origin *n*. ffynnon, ffynhonnell *f*, dechreuad *m*.
original *a*. gwreiddiol.
originate *v*. dechrau, tarddu, hanu.
other 1 *a*. arall, eraill. **2** *pn*. arall, y llall: **each other** ei gilydd.
our *pn*. ein, ein — ni; 'n: **Our Father** Ein Tad: **our house** ein tŷ, ein tŷ ni.
ours *pn*. eiddom ni, yr eiddom.
out *ad*. allan.
outcrop *n*. brig *m*.
outdoor *a*. yn yr awyr agored.
outline *n*. braslun *m*.
outside 1 *n*. tu allan, tu faes. *mf*. **2** *a*. & *ad*. allan, oddi allan. **3** *prp*. tu allan i, tu faes i.

outside-half *n*. maswr *m*.
outskirts *n*. cyrrau, cyrion *pl*.
outward *a*. allanol.
oven *n*. ffwrn *f*, popty *m*: **electric oven** ffwrn drydan: **gas oven** ffwrn nwy: **microwave oven** meicrodon.
over 1 *n*. pelawd *m* (*criced*). **2** *ad*. dros ben, drosodd. **3** *prp*. dros, uwch, uwchben.
over- *px*. gor-, rhag-, rhy-, tra-.
overcast *a*. cymylog.
overcoat *n*. cot fawr, cot uchaf *f*.
overcome *v*. gorchfygu, trechu, cael y gorau ar.
overcrowded *a*. gorlawn.
overdo *v*. gor-wneud.
overdraw *v*. gordynnu.
overflow 1 *n*. gorlif *m*. **2** *v*. gorlifo.
overflowing *a*. gorlawn.
overhead *a*. & *ad*. uwchben.
overjoyed *a*. llawen iawn.
overlook *v*. esgeuluso; edrych dros.
overnight *ad*. dros nos.
overpower *v*. trechu.
overseas *ad*. dros y môr, tramor.
overshadow *v*. cysgodi.
overweight *a*. gor-drwm.
overwork *v*. gorweithio.
owe *v*. bod mewn dyled.
owing *a*. dyledus.
owl *n*. gwdihŵ *m*, tylluan *f*: **barn owl, white owl** tylluan wen: **little owl** tylluan fechan: **long-eared owl** tylluan glustiog.
own 1 *a*. eiddo dyn ei hun, priod. **2** *v*. meddu (ar).
owner *n*. perchen, perchennog *m*.
Oxford *n*. Rhydychen *f*.
oxygen *n*. ocsigen *m*.

pace 1 n. cam m. 2 v. camu, cerdded.
Pacific Ocean n. Môr Tawel m.
pack 1 n. pac m. 2 v. pacio.
package n. paced, pecyn m.
packet n. paced, pecyn m.
pact n. cytundeb, cynghrair m.
padlock n. clo m.
pagan n. pagan m.
page n. tudalen mf.
pageant n. pasiant m.
pail n. bwced m.
pain 1 n. poen mf, dolur m. 2
v. poeni.
painful a. poenus.
painstakng a. gofalus.
paint 1 n. paent, lliw m. 2 v. peintio,
lliwo.
painter n. peintiwr, arlunydd m.
painting n. llun, darlun m.
pair n. pâr, dau, cwpl m.
palace n. llys, plas, palas, plasty m.
pale a. llwyd, glas, gwelw.
Palestine n. Palestina f.
palm n. palmwydden f: **Palm
Sunday** Sul y Blodau, Sul y
Palmwydd.
pamper v. maldodi, anwesu.
pampering n. maldod, anwes m.
pamphlet n. pamffled, llyfryn m.
pan n. padell f.
pancake n. crempog, ffroesen f.
pane n. cwarel, chwarel mf.
panel n. panel m.
paper 1 n. papur m. 2 v. papuro.
newspaper papur newydd: **toilet
paper** papur toiled, papur tŷ bach;
wall paper papur wal; **writing
paper** papur ysgrifennu.
paperbacks n. llyfrau clawr
meddal pl.

papist n. pabydd m.
parable n. dameg f.
paradise n. gwynfa, gwynfyd m,
paradwys f.
paragraph n. paragraff m.
paramount a. pen, pennaf, prif.
parcel n. parsel m.
parch v. crasu, sychu.
parched a. cras, crasboeth; sychedig.
pardon 1 n. pardwn, maddeuant m. 2
v. maddau.
parent n. tad neu fam, rhiant mf.
parish n. plwyf m.
park 1 n. parc m. 2 v. parcio: **car
park** maes parcio; **caravan
park** maes carafanau.
parliament n. senedd f: **Member of
Parliament** Aelod Seneddol (A.S.).
parsley n. persli m.
parsnip n. panasen f.
parson n. offeriad, person m.
part 1 n. darn m, rhan f; peth m. 2
v. rhannu; gwahanu; ymadael.
particular a. neilltuol.
particularise v. manylu.
parting n. ymadael m.
party n. parti m; plaid f: **birthday
party** parti pen-blwydd; **Christmas
party** parti Nadolig; **Conservative
Party** Plaid Geidwadol; **Green
Party** Plaid Werdd; **Labour
Party** Plaid Lafur.
pass 1 n. bwlch; caniatâd, pás m. 2
v. mynd heibio (i); llwyddo.
passion n. dioddefaint; nwyd m.
past 1 n. & a. gorffennol m. 2
ad. heibio.
pastor n. bugail (eglwys),
gweinidog m.
pasture n. porfa f.
path n. llwybr m: **public
footpath** llwybr cyhoeddus.
patience n. amynedd m: **the
patience of Job** amynedd Job.
patient 1 n. claf m. 2 a. amyneddgar.
patriot n. gwladgarwr m.
patron n. noddwr m.
patronage n. nawdd m.
pattern n. patrwm, patrwn m.
pause 1 n. hoe f, saib, seibiant m. 2
v. pwyllo, aros, gorffwys.
pavement n. pafin m.
pavilion n. pabell f, pafiliwn m.
paw n. pawen f.
pay 1 n. cyflog mf, tâl m. 2 v. talu.
payee n. talai m.
payer n. talwr m.
payment n. tâl, taliad m.
pea n. pysen f.

peace n. hedd, heddwch, llonyddwch m; tangnefedd f.
peaceful a. tawel, llonydd, tangnefeddus.
peak n. brig, copa m.
pear n. peren f.
pearl n. perl m.
peasant n. gwerinwr m.
peasantry n. y werin f.
peat n. mawn m.
peck 1 n. pigiad m. 2 v. pigo.
peculiar a. od, hynod, arbennig.
pedestrian 1 n. cerddwr m. 2 a. ar draed: **pedestrian crossing** croesfan f.
peel 1 n. croen, pil m. 2 v. pilio.
peep 1 n. cipolwg, cip m. 2 v. cipedrych, sbïo.
peg n. peg m.
pen n. pin ysgrifennu m.
penalise v. cosbi.
penalty n. cosb f.
pence n. ceiniogau pl.
pencil n. pensil m.
pendulum n. pendil m.
penitent a. edifar, edifeiriol.
penknife n. cyllell boced f.
penniless a. heb geiniog.
penny n. ceiniog f.
pension n. pensiwn m.
pensioner n. pensiynwr m.
pensive a. meddyglar.
people n. pobl, gwerin f.
pepper n. pupur m.
per prp. trwy, wrth, yn ôl.
perceive v. deall, gweld, gweled.
percentage n. hyn a hyn y cant, canran m.
perfect 1 a. perffaith. 2 v. perffeithio.
perfection n. perffeithrwydd m.
perfectly ad. yn berffaith.
perforate v. tyllu.
perforated a. tyllog.
perforation n. twll m.
perfume n. arogl; persawr m.
perhaps ad. efallai, hwyrach.
period n. adeg f, amser; misglwyf m.
permanent a. seydlog, parhaol.
permission n. caniatâd m, hawl f.
permit v. caniatáu.
perpetuate v. parhau.
persecute v. erlid.
person n. person m.
personal a. personol.
personality n. personoliaeth f.
perspective n. safbwynt, persbectif m.
perspiration n. chwys m.

perspire v. chwysu.
pester v. blino, poeni.
petite a. bychan, bechan.
petition n. deiseb f.
petrol n. petrol m: **petrol pump** pwmp petrol; **petrol station** gorsaf betrol; **unleaded petrol** petrol di-blwm.
petticoat n. pais f.
petty a. bach, bychan, mân, gwael.
pew n. sedd, sêt f, côr m.
pharmacist n. fferyllydd m.
pharmacy n. fferyllfa f.
phone 1 n. ffôn, teleffon m. 2 v. ffonio: **phone call** galwad ffôn.
photocopier n. llungopïydd, ffotogopïydd m.
photocopy n. llungopi, ffotogopi m.
photograph n. llun, ffotograff m.
photographer n. ffotograffydd m.
phrase 1 n. cymal, ymadrodd m. 2 v. geirio, mynegi.
physical a. corfforol, materol: **physical education** addysg gorfforol.
physics n. ffiseg f.
pianist n. pianydd m.
piano n. piano mf.
pick v. dewis, pigo, casglu (blodau/ffrwythau).
pick up v. codi.
picture n. darlun, llun, pictiwr m.
piece n. darn, pisyn m, rhan f, tamaid m.
pig n. mochyn m: **piglet** mochyn bach.
pile n. pentwr m.
pilgrim n. pererin m.
pill n. pilsen f.
pillar n. colofn f, piler m.
pillow n. clustog f, gobennydd m.
pilot n. peilot m.
pimple n. tosyn, ploryn m.
pin 1 n. pin m: **drawing pin** pin bawd. 2 v. pinio, hoelio.
pinch 1 n. pinsiad m, gwasgfa f. 2 v. pinsio, gwasgu.
pine n. ffynidwydden f, ffynidwydd pl; pinwydden f, pinwydd pl: **red pine** ffynidwydd coch.
pineapple n. afal pîn m.
pine-end n. talcen tŷ m.
pink n. & a. pinc m.
pint n. peint m: **pint of milk** peint o laeth.
pious a. duwiol, crefyddol.
pipe n. pib, piben, pibell f.
pirate n. môr-leidr m.

pit *n.* pwll *m*: **coal pit** pwll glo.
pity *n.* trueni, gresyn, piti *m*: **to take pity** trugarhau.
place 1 *n.* lle, llecyn, man *m*. 2 *v.* dodi, gosod, lleoli.
plague *n.* haint *f*, pla *m*.
plain *a.* amlwg; eglur.
plan 1 *n.* cynllun, plan *m*. 2 *v.* cynllunio.
planet *n.* planed *f*.
planner *n.* cynlluniwr, cynllunydd *m*.
planning *n.* cynllunio *m*.
plant 1 *n.* planhigyn *m;* offer *pl*. 2 *v.* plannu; gosod.
plate *n.* plât *m*.
platform *n.* llwyfan, platfform *m*.
play 1 *n.* chwarae *m*, drama *f*: **play group** grŵp chwarae **fair play** chwarae teg **playtime** amser chwarae. 2 *v.* chwarae, canu (*offeryn*).
player *n.* chwaraewr *m*.
plaything *n.* tegan *m*.
pleasant *a.* pleserus, dymunol, hyfryd, serchus, siriol; braf.
please *v.* bodloni, plesio: **if you please** os gwelwch yn dda.
pleased *a.* bodlon, hapus.
pleasurable *a.* pleserus, dymunol.
pleasure *n.* pleser, boddhad *m*.
pledge 1 *n.* addewid *mf;* ernes *f*. 2 *v.* addo.
plentiful *a.* helaeth.
plenty *n.* digonedd, digon *m*.
pliable *a.* hyblyg.
pliant *a.* ystwyth.
plot 1 *n.* cynllun; cynllwyn; darn o dir *m*. 2 *v.* cynllunio; cynllwynio.
plough *v.* aredig, troi.
plum *n.* eirinen *f*.
plumage *n.* plu *pl*.
plume 1 *n.* pluen *f*, plufyn *m*. 2 *v.* pluo, plufio.
plural *n.* lluosog *m*.
pocket 1 *n.* poced *mf*: **pocket money** arian poced. 2 *v.* pocedu.
pod *n.* plisgyn *m*, coden *f*.
poem *n.* cerdd, cân *f*.
poet *n.* bardd *m*.
poetry *n.* barddoniaeth *f*.
point 1 *n.* pwynt, blaen *m*. 2 *v.* dangos.
pointless *a.* dibwynt.
poison 1 *n.* gwenwyn *m*. 2 *v.* gwenwyno.
poisonous *a.* gwenwynig, gwenwynol.
Poland *n.* Gwlad Pwyl *f*.

pole *n.* polyn; pegwn *m*: **Pole Star** Seren y Gogledd.
police *n.* heddlu *m*.
policeman *n.* heddwas, plisman, plismon.
policewoman *n.* heddferch, pliswraig, plismones *f*.
Polish 1 *n.* Pwyleg *f*. 2 *a.* Pwylaidd.
polish 1 *n.* cwyr *m*. 2 *v.* cwyro.
political *a.* gwleidyddol, politicaidd.
politician *n.* gwleidydd *m*.
politics *n.* gwleidyddiaeth *f*.
pollute *v.* llygru.
polluted *a.* llygredig.
pollution *n.* llygredd *m*.
pond *n.* pwll, pwllyn, pownd *m*.
Pontypool *n.* Pont-y-pŵl *f*.
pony *n.* merlyn *m*, merlen *f*: **pony trekking** merlota; **pony trekker** merlotwr.
pool *n.* pwll, pwllyn *m*: **swimming pool** pwll nofio.
poor *a.* gwael, llwm, tlawd.
poorly *a.* gwael, sâl, tost.
Pope *n.* Pab *m*.
poppy *n.* pabi *f*.
popular *a* poblogaidd.
population *n.* poblogaeth *f*.
porch *n.* cyntedd, porth *m*.
porridge *n.* uwd *m*.
port *n.* porth, porthladd *m*.
portrait *n.* llun, darlun, portread *m*.
portrayal *n.* portread *m*.
pose *v.* sefyll, ymddangos, cymryd ar.
position *n.* safle *m*, sefyllfa, swydd *f*.
positive *a.* pendant, cadarnhaol.
possess *v.* meddu.
possession *n.* eiddo, meddiant *m*.
possessor *n.* perchen, perchennog *m*.
possibility *n.* posibilrwydd *m*.
possible *a.* posibl.
possibly *ad.* efallai.
post 1 *n.* post; postyn *m;* swydd *f;* **post card** cerdyn post; **postcode** côd post. 1 *v.* postio.
postal *a.* post: **postal order** archeb bost.
posthumous *a.* ar ôl marw.
postman *n.* postman, postmon *m*.
postmaster *n.* postfeistr *m*.
post office *n.* swyddfa'r post *f*, llythyrdy *m*.
postpone *v.* oedi.
postscript *n.* ôl-nodiad *m*.
potato *n.* taten *f*.
pound *n.* punt *f* (£1.00); pwys *m* (1lb); ffald *m*.

pour *v.* arllwys; bwrw.
pout *v.* pwdu.
poverty *n.* tlodi, eisiau *m.*
poverty-stricken *a.* tlawd, llwm.
powder *n.* llwch, powdr, powdwr *m.*
power *n.* gallu, nerth, pŵer, grym *m.*
powerful *a.* cryf, galluog, grymus, nerthol.
powerless *a.* dirym.
power station *n.* pwerdy.
pox *n.* brech *f:* **chicken-pox** brech yr ieir.
practical *a.* ymarferol.
practice *n.* ymarfer *f,* ymarferiad, practis *m,* arfer *mf.*
practise *v.* arfer, ymarfer.
practising *a.* ymarferol.
praise 1 *n.* canmoliaeth *f,* clod, mawl *m.* 2 *v.* canmol, clodfori, moli.
pram *n.* pram *m.*
pray *v.* gweddïo.
prayer *n.* gweddi *f.*
preach *v.* pregethu.
preacher *n.* pregethwr.
precarious *a.* ansicr, peryglus.
precious *a.* gwerthfawr, drud, prid; annwyl.
precis *n.* crynodeb *mf.*
precise *a.* manwl.
preface *n.* rhagair, rhagymadrodd *m.*
preference *n.* dewis *m,* ffafraeth, ffafriaeth *f.*
preferential *a.* ffafriol.
prefix *n.* rhagddodiad *m.*
pregnant *a.* beichiog.
prejudice 1 *n.* rhagfarn *f;* niwed *m.* 2 *v.* rhagfarnu; niweidio.
prejudiced *a.* rhagfarnllyd.
premier 1 *n.* prif weinidog *m.* 2 *a.* prif, pennaf, blaenaf.
premium *n.* gwobr *f,* tâl, taliad *m.*
preparation *n.* paratoad *m.*
prepare *v.* paratoi *m.*
prepared *a.* parod.
preposition *n.* arddodiad *m.*
prescription *n.* presgripsiwn, rysáit *m.*
presence *n.* presenoldeb, gŵydd *m.*
present 1 *n.* anrheg, rhodd *f.* 2 *v.* anrhegu, cyflwyno, dangos.
present *n. & a.* presennol *m:* **at present** ar hyn o bryd, yn awr, nawr, rŵan.
presently *ad.* yn y man, yn union.
preserve 1 *n.* jam *m.* 2 *v.* cadw.
preside *v.* llywyddu.
president *n.* llywydd, arlywydd *m.*
press 1 *n.* gwasg *f.* 2 *v.* gwasgu.

pressure *n.* gwasgiad, pwysedd *m.*
presumably *ad.* yn ôl pob tebyg.
presume *v.* tybio; beiddio.
pretence *n.* esgus *m.*
pretend *v.* ffugio, cymryd ar; honni.
pretext *n.* esgus *m.*
prevent *v.* atal, rhwystro (rhag).
preview *n.* rhagolwg *m.*
previous *a.* cynt; diwethaf.
price 1 *n.* pris *m:* **price list** rhestr prisoedd. 2 *v.* prisio.
prick 1 *n.* pigiad *m.* 2 *v.* pigo.
prickly *a.* pigog.
pride *n.* balchder *m.*
priest *n.* offeiriad *m.*
primary *a.* cynradd; prif: **primary education** addysg gynradd; **primary school** ysgol gynradd.
prime *a.* prif, cyntaf; gorau.
prince *n.* tywysog *m.*
princess *n.* tywysoges *f.*
principal 1 *n.* pen, prifathro *m,* prifathrawes *f.* 2 **a.** prif.
principle *n.* egwyddor *f.*
print 1 *n.* argraff *f,* print, ôl *m.* 2 *a.* argraffu, printio.
printing-press *n.* gwasg argraffu.
prison *n.* carchar *m.*
prisoner *n.* carcharor *m.*
private *a.* cyfrinachol, preifat.
privilege *n.* braint *f.*
prize *n.* gwobr *f.*
probable *a.* tebyg, tebygol.
probation *n.* prawf *m:* **probation officer** swyddog prawf; **probation service** gwasanaeth prawf.
problem *n.* problem *f.*
procedure *n.* trefn *f,* arfer *mf,* dull *m.*
proceed *v.* mynd ymlaen.
proceeds *n.* enillion *pl,* elw *m.*
proclaim *v.* cyhoeddi, datgan *m.*
proclamation *n.* cyhoeddiad *m.*
prodigious *a.* anferth.
professor *n.* athro *m.*
profit 1 *n.* elw, ennill, enillion, proffid *m.* 2 *v.* elwa, ennill, manteisio.
profitable *a.* proffidiol.
profound *a.* dwfn, dwys.
programme *n.* rhaglen *f.*
project 1 *n.* bwriad, cynllun; cywaith; prosiect, project *m.* 2 *v.* bwriadu; ymestyn.
proletariat *n.* y werin *f.*
prologue *n.* rhagair, prolog *m.*
prominent *a.* amlwg.
promise 1 *n.* addewid *mf.* 2 *v.* addo.
promontory *n.* penrhyn, pentir *m.*

proneness *n.* tueddiad *m.*
pronoun *n.* rhagenw *m.*
pronounce *v.* cyhoeddi, datgan.
pronouncement *n.* cyhoeddiad,
datganiad *m.*
proof *n.* prawf *m.*
proper *a.* addas, priod, priodol,
rheolaidd.
property *n.* eiddo *m.*
prophesy *v.* proffwydo.
prophet *n.* proffwyd *m.*
proportional *a.* cyfrannol:
Proportional Representation
Cynrychiolaeth Gyfrannol.
proposal *n.* cynnig *m.*
propose *v.* cynnig, bwriadu.
proposition *n.* cynigiad; gosodiad *m.*
proprietor *n.* perchennog *m.*
prose *n.* rhyddiaith *f.*
prosecute *v.* erlyn.
prosecution *n.* erlyniad *m.*
prosecutor *n.* erlynydd *m.*
prospect *n.* golwg *mf*, golyfga *f*,
rhagolwg *m.*
prosper *v.* llwyddo.
prosperity *n.* llwyddiant *m.*
prosperous *a.* llwyddiannus,
llewyrchus.
protect *v.* amddiffyn.
protest v. gwrthdystio.
Protestant 1 *n.* Protestant *m.* 2
a. Protestannaidd.
proud *a.* balch.
prove *v.* profi.
proverb *n.* dihareb *f.*
province *n.* talaith *f*; cylch, maes *m.*
proviso *n.* amod *mf.*
provoke *v.* profocio, pryfocio, procio.
proxy *n.* dirprwy *m.*
prudent *a.* call, doeth, synhwyrol.
pry *v.* chwilota, busnesa.
psalm *n.* salm *f.*
psalter *n.* llyfr salmau *m,* sallwyr *f.*
pseudonym *n.* ffugenw *m.*
psychologist *n.* seicolegwr *m.*
psychology *n.* seicoleg *f.*
public 1 *n.* y cyhoedd *m.* 2
a. cyhoeddus: **public hall** neuadd

gyhoeddus; **public house** tŷ tafarn;
public place man cyhoeddus.
publican *n.* tafarnwr *m.*
publication *n.* cyhoeddiad *m.*
publicity *n.* cyhoeddusrwydd *m.*
publicly *ad.* yn gyhoeddus.
publish *v.* cyhoeddi.
publisher *n.* cyhoeddwr *m.*
pudding *n.* pwdin *m:* **Christmas
pudding** pwdin Nadolig.
puddle *n.* pwllyn *m.*
pull 1 *n.* plwc *m;* tynfa *f.* 2 *v.* tynnu.
pulpit *n.* pulpud *m.*
pulse *n.* curiad *m.*
pump 1 *n.* pwmp *m.* 2 *v.* pwmpio.
punctual *a.* prydlon.
punctuality *n.* prydlondeb *m.*
puncture 1 *n.* twll *m.* 2 *v.* tyllu.
punish *v.* cosbi; poeni.
punishment *n.* cosb, cosbedigaeth *f.*
pup *n.* ci bach; cenau *m.*
pupil *n.* disgybl *m;* cannwyll llygad *f.*
puppet *n.* pyped *m.*
purchase 1 *n.* pryniant *m.* 2
v. prynu.
pure *a.* pur, glân, gwir.
purge *v.* puro, glanhau.
purify *v.* puro.
purple *n.* & *a.* porffor, piws *m.*
purpose *n.* bwriad, pwrpas, amcan,
diben *m.*
purr *v.* canu grwndi, canu crwth;
grwnan.
purse *n.* cwd, cwdyn, pwrs *m.*
pursue *v.* dilyn, erlid, erlyn, hel,
hela.
pursuer *n.* erlidiwr *m.*
puffin *n.* pâl *m.*
push 1 *n.* gwthiad, hwp *m.* 2
v. gwthio, hwpio.
pusher *n.* gwthiwr.
put *v.* dodi, gosod, rhoddi, rhoi;
mynegi.
puzzle *n.* pôs *m:* **crossword
puzzle** pôs croeseiriau.
pyjamas *n.pl.* pyjamas *pl,*
gwisg nos *f.*

quagmire *n.* siglen, cors *f.*
quaint *a.* od, henffasiwn.
quake *v.* crynu, ysgwyd.
Quaker *n.* Crynwr *m:* **Quakers Yard** Mynwent y Crynwyr.
qualification *n.* cymhwyster *m.*
qualified *a.* cymwys.
quality *n.* rhinwedd *mf,* ansawdd *m.*
quantity *n.* swm *m,* nifer *mf,* maint, mesur *m.*
quarrel 1 *n.* cweryl, ffrae *f.* 2 *v.* cweryla, ffraeo.
quarry *n.* chwarel *f,* cwar *m.*
quarryman chwarelwr.
quart *n.* chwart, cwart *m.*

quarter *n.* chwarter, cwarter; cwr, man *m:* **quarter of an hour** chwarter awr.
quay *n.* cei *m:* **New Quay (Dyfed)** Ceinewydd.
queen *n.* brenhines *f.*
queer *a.* od, hynod, ysmala.
quench *v.* diffodd; torri (syched).
query 1 *n.* cwestiwn, ymholiad *m.* 2 *v.* holi, ymholi, amau.
quest *n.* ymchwil *f,* cwest *m.*
question 1 *n.* cwestiwn *m:* **question mark** gofynnod 2 *v.* cwestiyna, holi.
questioner *n.* holwr *m.*
questionnaire n. holiadur *m.*
queue 1 *n.* ciw *m;* cwt *mf.* 2 *v.* ciwio.
quick *a.* cyflym, buan, byw: **to the quick** i'r byw.
quickly *ad.* yn fuan.
quiet 1 *n.* tawelwch, llonyddwch *m.* 2 *a.* tawel, distaw, llonydd. 3 *v.* tawelu.
quietness *n.* tawelwch *m.*
quilt 1 *n.* cwilt, cwrlid *m.* 2 *v.* cwiltio.
quintet *n.* pumawd *m.*
quit *v.* gadael, symud, ymadael.
quite *ad.* hollol, llwyr, eithaf.
quiver *ad.* crynu.
quiz 1 *n.* pos, cwis *m.* 2 *v.* holi, profocio.
quotation *n.* dyfyniad *m:* **quotation marks** dyfynodau.

raw *a.* noeth, garw.
ray *n.* pelydr, pelydryn *m.*
re *prp.* ynglŷn â, mewn perthynas â.
re- *px.* ail-; eto.
reach 1 *n.* cyrraedd *m.* 2 *v.* cyrraedd, estyn, hercyd.
reaction *n.* ymateb, adwaith *m.*
read *v.* darllen.
re-address *v.* ailgyfeirio.
reader *n.* darllenwr, darllenydd; llyfr darllen *m.*
readily *ad.* yn barod, yn union, yn rhwydd.
reading *n.* darllen *m.*
reading-room n. ystafell ddarllen *f.*
ready *a.* parod, rhwydd.
real a. gwir, real, go-iawn.
realise *v.* sylweddoli; gwerthu.
reality *n.* gwirionedd, realiti *m.*
really *ad.* yn wir, mewn gwirionedd.
realm *n.* teyrnas, gwlad, bro *f.*
reap *v.* medi, cywain.
rear 1 *n.* cefn, pen ôl, y tu ôl *m.*
2 *v.* codi, magu, meithrin.
reason 1 *n.* rheswm, achos *m.* 2 *v.* rhesymu.
reasonably *a.* rhesymol.
rebellion *n.* gwrthryfel *m.*
rebuke 1 *n.* cerydd *m*, sen *f.* 2 *v.* ceryddu.
recall *v.* galw yn ôl, galw i gof, cofio.
receipt *n.* derbynneb, taleb *f.*
receive *v.* derbyn.
recent *a.* diweddar.
receptive *a.* derbyniol.
recipe *n.* rysait *f.*
recitation *n.* adroddiad *m.*
recite *v.* adrodd, datgan.
reckon *v.* cyfrif, rhifo; barnu.
recline *v.* gorwedd, gorffwys.
recluse *n.* meudwy *m.*
recognise *v.* adnabod.
recollect *v.* galw i gof, cofio.
record 1 *n.* record *f.* 2 *v.* cofnodi, recordio.
recording *n.* recordiad *m.*
re-count *v.* ailgyfrif.
recreation *n.* adloniant *m.*
rectify *v.* unioni, cywiro.
recurrence *n.* ailddigwyddiad, ail-ymddangosiad *m.*
recycle *v.* ailgylchu.
red *n.* & *a.* coch *m.*
redeem *v.* gwaredu, achub, prynu (yn ôl).
redeemer *n.* prynwr, gwaredwr *m.*
reduce *v.* gostwng.
reduction *n.* gostyngiad *m.*
redundant *a.* di-swydd.

rabbit *n.* cwningen *f.*
race *n.* gyrfa, ras; hil *f.*
racial *a.* hiliol.
racket *n.* raced *mf.*
radio *n.* radio *m*: **radio programme** rhaglen radio; **radio station** gorsaf radio.
rag *n.* clwytyn, rhecsyn *m*: **rag doll** doli glwt *f.*
rail *n.* cledr, cledren, rheilen; canllaw *f*: **rails (of railway)** cledrau.
railway *n* rheilffordd *f*: **railway station** gorsaf reilffordd.
raiment *n.* dillad *m*, gwisg *f.*
rain 1 *n.* glaw *m.* 2 *v.* glawio, bwrw glaw.
rainbow *n.* enfys *f.*
raincoat *n.* cot law *f.*
rainy a. glawog, glawiog.
rake 1 *n.* rhaca *mf.* 2 *v.* crafu, rhacanu.
ram *n.* hwrdd, maharen *m.*
range *n.* amrediad; cwmpas; ystod *f*: **range of temperature** amrediad tymheredd; **age range** ystod oed.
rank *n.* rhes, rhestr, rheng, gradd *f.*
ransom *n.* pridwerth *m.*
rape 1 *n.* trais *m.* 2 *v.* treisio.
rapid *a.* cyflym, buan, gwyllt.
rare *a.* prin; anaml.
raspberry *n.* afanen, afansen, mafonen *f.*
rat *n.* llygoden fawr, llygoden Ffrengig *f.*
rate 1 *n.* treth *f*, tâl; cyflymder; cyfradd *m.* 2 *v.* trethu.
ratepayer *n.* trethdalwr *m.*
rather *ad.* braidd, go, lled, yn hytrach.

refer *v.* cyfeirio, cyfarwyddo.
referee 1 *n.* canolwr, rheolwr *m.* 2
v. dyfarnu.
reference *n.* cyfeiriad; geirda *m.*
refine *v.* puro.
refinery *n.* purfa *f.*
reflect *v.* meddwl, myfyrio, ystyried.
reform 1 *n.* diwygiad *m.* 2
v. diwygio, gwella.
reformation *n.* diwygiad *m:*
Protestant Reformation Diwygiad
Protestannaidd.
refresh *v.* adfywio.
refrigerator *n.* oergell *f.*
refuge *n.* lloches, noddfa *f.*
refugee *n.* ffoadur *m.*
refuse *n.* ysbwriel, sothach *m;*
refuse bin bin ysbwriel.
refuse *v.* gwrthod, pallu.
region *n.* ardal, cylch; rhanbarth *f;*
rhandir *m.*
register 1 *n.* cofrestr *f.* 2 *v.* cofrestru.
registrar *n.* cofrestrydd *m.*
regular *a.* rheolaidd, cyson.
rehearsal *n.* rihyrsal, practis *m.*
reimburse *v.* talu yn ôl, ad-dalu.
rejoice *v.* llawenhau.
rejoicing *n.* llawenydd *m.*
relate *v.* adrodd, mynegi; perthyn.
related *a.* yn perthyn; wedi ei
ddweud.
relating to *prp.* yn ymwneud â.
relation *n.* perthynas *mf.*
relationship *n.* perthynas *mf:*
relative 1 *n.* perthynas *mf;* 2
a. perthynol; cymharol: **relative**
pronoun rhagenw perthynol.
relax *v.* llacio, llaesu, ymlacio.
release *v.* gollwng, rhyddhau.
relevant *a.* perthnasol.
religion *n.* crefydd *f.*
religious *a.* crefyddol.
relish 1 *n.* blas *m.* 2 *v.* blasu, hoffi,
mwynhau.
rely *v.* dibynnu (ar).
remain *v.* aros, bod ar ôl.
remainder *n.* gweddill *m.*
remains *n.* olion, gweddillion *pl.*
remark 1 *n.* sylw *m.* 2 *v.* sylwi,
dweud.
remarkable *a.* hynod, nodedig;
rhyfedd, od.
remedy 1 *n.* meddyginiaeth *f.* 2
v. gwella.
remember *v.* cofio.
remembrance *n.* cof, coffa *m.*
remind *v.* atgoffa, atgofio, cofio.
remiss *a.* esgeulus, diofal.
remnant *n.* gweddill *m.*

remote *a.* pell, diarffordd,
anghysbell.
remotely *ad.* o bell.
removal *n.* symudiad *m.*
remove *v.* symud.
remunerate *v.* talu, gwobrwyo;
cydnabod.
rendering *n.* datganiad; trosiad *m.*
rendezvous *n.* man cyfarfod *m.*
renowned *a.* enwog, adnabyddus.
repairer *n.* trwsiwr, cyweiriwr *m.*
repeat *v.* ailadrodd.
reply 1 *n.* ateb, atebiad *m.* 2 *v.* ateb.
report 1 *n.* adroddiad; sŵn ergyd *m.*
2 *v.* adrodd.
reporter *n.* gohebydd *m.*
representation *n.* cynrychiolaeth *f:*
Proportional Representation
Cynrychiolaeth Gyfrannol.
republic *n.* gweriniaeth *f.*
reputed *a.* honedig.
request 1 *n.* cais, dymuniad *m,*
arch *f.* 2 *v.* ceisio, dymuno.
require *v.* ceisio, gofyn.
requirements *n.* gofynion *pl.*
rescue *v.* achub.
research *n.* ymchwil *f:* **research**
work gwaith ymchwil. 2
v. ymchwilio.
researcher *n.* chwilotwr *m.*
resemblance *n.* tebygrwydd *m.*
reserve *v.* neilltuo, cadw wrth gefn.
reserved *a.* swil; wedi ei gadw;
reserved seats seddau cadw.
reservoir *n.* cronfa *f.*
reside *v.* trigo, byw, preswylio.
resident *n.* preswylydd *m.*
residential *a.* preswyl: **residential**
school ysgol breswyl.
residue *n.* gweddill *m.*
resign *v.* ymddiswyddo.
resignation *n.* ymddiswyddiad *m.*
resist *v.* gwrthwynebu, gwrthsefyll.
resolute *a.* penderfynol.
resolution *n.* penderfyniad *m.*
resolve 1 *n.* penderfyniad *m.* 2
v. penderfynu.
resources *n.* adnoddau *pl.*
respect 1 *n.* parch *m.* 2 *v.* parchu.
respectable *a.* parchus.
respectful *a.* boneddigaidd.
respectfully *ad.* yn barchus.
respiration *n.* anadliad *m.*
respire *v.* anadlu.
respite *n.* egwyl *f,* seibiant *m,* hoe *f.*
respond *v.* ateb, ymateb.
response *n.* ateb, atebiad *m.*
responsibility *n.* cyfrifoldeb *m.*
responsible *a.* cyfrifol.

rest 1 *n.* gorffwys, saib *m,* hoe *f.* **2**
  v. gorffwyso, pwyso.
restaurant *n.* tŷ bwyta *m.*
restless *a.* rhwyfus, aflonydd.
restore *v.* adfer.
restrict *v.* cyfyngu.
result *n.* canlyniad, ateb *m.*
retain *v.* cadw, dal; llogi.
retard *v.* arafu.
retire *v.* ymddeol.
retired *a.* wedi ymddeol.
retirement *n.* ymddeoliad *m.*
retiring *a.* swil.
returns *n.* enillion *pl.*
reveal *v.* datguddio, dangos, egluro.
revenge *n.* & *v.* dial *m.*
reverend *a.* parchedig: **Rev. Ifan**
  Puw Parchg. Ifan Puw.
revise *v.* diwygio, cywiro.
revival *n.* diwygiad *m.*
revive *v.* adfer.
revolution *n.* chwyldro,
  chwyldroad *m.*
revolve *v.* troi.
reward 1 *n.* gwobr *f,* tâl *m.* **2**
  v. gwobrwyo.
rheumatism *n.* gwynegon, cryd
  cymalau *m.*
rhyme 1 *n.* odl *f;* rhigwm *m.* **2**
  v. odli; rhigymu.
ribbon *n.* ruban *m.*
rice *n.* reis *m.*
rich *a.* cyfoethog, bras, ffrwythlon.
riches *n.* cyfoeth, golud *pl.*
rickety *a.* simsan, sigledig.
rid *v.* gwaredu, cael gwared o.
riddle *n.* pôs *m.*
ridge *n.* crib *mf,* cefn *m.*
rifle *n.* dryll, reiffl *m.*
right 1 *n.* hawl, iawn *m,* braint *f.* **2**
  a. iawn, cywir; de; **3** *ad.* yn gywir,
  yn iawn: **right angle** ongl sgwâr;
  right hand llaw dde.
righteous *a.* cyfiawn.
righteousness *n.* cyfiawnder *m.*
rim *n.* ymyl *mf.*
ring 1 *n.* cylch *m;* modrwy *f;* caniad
  (*ffôn*) *m:* **wedding ring** modrwy
  briodas. **2** *v.* canu cloch.
rinse *v.* golchi.
riot *n.* terfysg *m.*
rip *v.* rhwygo.
ripe *a.* aeddfed.
rise 1 *n.* codiad *m.* **2** *v.* codi.
river *n.* afon *f:* **River Severn** Afon
  Hafren; **River Tawe** Afon Tawe;
  River Wye Afon Gwy.
road *n.* ffordd, heol, hewl *f:* **main**
  road ffordd fawr, heol fawr; **narrow**

road ffordd gul, heol gul; **straight**
  road heol syth; **winding road** heol
  droellog; **by-pass** ffordd osgoi.
roar *v.* rhuo.
roast 1 *n.* rhost: **roast potatoes**
  tatws rhost. **2** *v.* rhostio.
rob *v.* lladrata, dwyn, dwgyd.
robber *n.* lleidr *m.*
robbery *n.* lladrad *m.*
robe *n.* gwisg, gŵn *f.*
robin *n.* robin goch *m.*
rock 1 *n.* craig *f;* roc *m.* **2** *v.* siglo.
rocky *a.* creigiog.
rôle *n.* rhan, rôl *f.*
roll 1 *n.* rhôl, rhestr *f.* **2** *v.* rholio,
  treiglo.
Roman 1 *n.* Rhufeiniwr *m.* **2**
  v. Rhufeinig.
  Roman Catholic Pabydd.
romantic *a.* rhamantus,
  rhamantaidd.
Rome *n.* Rhufain *f.*
roof *n.* to *m,* nen *f.*
room *n.* lle *m,* ystafell, stafell *f.*
rooster *n.* ceiliog *m.*
root *n.* gwreiddyn *m.*
rope 1 *n.* rhaff *f.* **2** *v.* rhaffu,
  rhwymo.
rose *n.* rhosyn *m.*
rosy-cheeked *a.* gwridog.
rot *v.* pydru.
rotten *a.* pwdr, drwg, sâl.
rough *a.* garw, bras.
roundabout 1 *n.* cylchfan *f,*
  trogylch *m.* **2** *a.* o amgylch.
route *n.* llwybr *m,* taith, ffordd *f.*
row 1 *n.* rhes, rhestr *f.* **2** *v.* rhwyfo;
  rowing boat cwch rhwyfo.
row *n.* ffrae *f,* terfysg *m.*
royal *a.* brenhinol.
rub *v.* rhwbio.
rubber *n.* rwber *m.*
rubbish *n.* ysbwriel, sothach *coll,*
  lol *f:* **rubbish bin** bin ysbwriel.
rudder *n.* llyw *m.*
ruddy *a.* coch, gwridog.
rude *a.* anfoesgar, haerllug.
rudiment *n.* egwyddor, gwyddor,
  elfen *f.*
rudimentary *a.* elfennol.
rugby *n.* rygbi *m:* **rugby ball** pêl
  rygbi; **rugby match** gêm rygbi.
rugged *a.* garw.
ruin 1 *n.* dinistr *m;* adfail *mf.* **2**
  v. dinistrio, difetha.
rule 1 *n.* llywodraeth; rheol *f;* arfer
  mf; riwl, riwler *m.* **2**
  v. llywodraethu, rheoli.
ruler *n.* llywodraethwr, llyw,

rheolwr; riwl, riwler *m*.
ruling *n*. dyfarniad *m*.
rummage *v*. chwilota.
rummager *n*. chwilotwr *m*.
rumour *n*. & *v*. si, su *m*, sôn *mf*,
  chwedl *f*.
run 1 *n*. rhediad *m*. **2** *v*. rhedeg,
  rheoli.

runaway *n*. ffoadur *m*.
runner *n*. rhedwr *m*.
running *n*. rhediad *m*.
rural *a*. gwledig.
rush 1 *n*. rhuthr *m*. **2** *v*. rhuthro.
Russia *n*. Rwsia *f*.
Russian 1 *n*. Rwsiad *m* (*person*);
  Rwsieg *f* (*iaith*). **2** *a*. Rwsiaidd.

Sabbath *n.* Sabath, Saboth *m.*
sack *n.* cwd, cwdyn *m*, sach *f.*
sacred *a.* sanctaidd, glân.
sacrifice 1 *n.* aberth *mf.* 2
v. aberthu.
sad *a.* trist, blin, truenus, trwm,
prudd.
sadly *ad.* yn drist, yn flin, yn brudd.
sadness *n.* tristwch, trymder *m.*
safe 1 *n.* cist, cell *f.* 2 *a.* diogel, saff.
sail 1 *n.* hwyl *f.* 2 *v.* hwylio, morio.
sailing *n.* hwylio *m*: **sailing
boat** llong hwylio.
sailor *n.* llongwr, morwr *m.*
saint *n.* sant *m;* santes *f*: **Saint
David** Dewi Sant; **Saint John** Sant
Ioan; **Saint Mary** y Santes Fair;
Saint David's Tyddewi.
sake *n.* mwyn *m*: **for the sake of** er
mwyn.
salary *n.* cyflog *mf.*
sale *n.* gwerthiant *m;* sâl, sêl *f,*
arwerthiant *m*: **For Sale** Ar Werth.
salesman *n.* gwerthwr *m.*
saliva *n.* poer, poeri *m.*
salt 1 *n.* halen *m*: **salt cellar** llestr
halen. 2 *a.* hallt; **salt water** dŵr
hallt; dŵr y môr. 3 *v.* halltu.
salty *a.* hallt.
salvation *n.* iachawdwriaeth *f*:
Salvation Army Byddin yr
Iachawdwriaeth.
same *a.* yr un, yr unrhyw, yr un
fath.
sand *n.* tywod *m*: **sand
castles** cestyll tywod.
sandwich 1 *n.* brechdan *f.* 2
v. gwthio rhwng.
Santa Claus *n.* Siôn Corn *m.*
sap 1 *n.* sudd 2 *v.* sugno; tanseilio.

satellite *n.* lloeren *f.*
satisfaction *n.* boddhad *m.*
satisfy *v.* bodloni.
Saturday *n.* dydd Sadwrn *m.*
Saturn *n.* Sadwrn *m.*
sauce *n.* saws *m.*
saucepan *n.* sosban *f*: **small
saucepan** sosban fach; **big
saucepan** sosban fawr.
saucer *n.* soser *f.*
savage 1 *n.* dyn gwyllt *m.* 2
a. ffyrnig, gwyllt.
save 1 *v.* achub, arbed, gwaredu;
cynilo. 2 *prp.* & *c.* ond.
savings *n.* cynilion *pl.*
saviour *n.* gwaredwr, iachawdwr *m.*
savory *a.* blasus.
saw 1 *n.* llif *f*: **sawdust** blawd llif;
hand-saw llawlif. 2 *v.* llifio.
say *v.* dweud (wrth): **to tell
someone to** — dweud wrth rywun
am —.
saying *n.* dywediad, ymadrodd *m.*
scale *n.* graddfa; clorian, tafol *f*:
Celsius scale graddfa Celsius.
scales *n.* clorian, tafol *f.*
scarce *a.* prin, anaml.
scarcely *ad.* braidd, prin, o'r braidd.
scarcity *n.* prinder *m.*
scare 1 *n.* braw, ofn *m.* 2 *v.* ofni,
dychryn.
scarf *n.* sgarff *f.*
scatter *v.* chwalu.
scene *n.* lle, man *m.* golgygfa *f.*
scenery *n.* golygfa *f.*
scent 1 *n.* arogl, aroglau: gwynt;
trywydd *m.* 2 *v.* arogli; gwynto;
sawru.
scheme 1 *n.* cynllun *m.* 2
v. cynllunio.
scholar *n.* ysgolhaig, ysgolor *m.*
scholarship *n.* ysgoloriaeth *f.*
school *n.* ysgol *f*: **bilingual school**
ysgol ddwyieithog; **local school**
ysgol leol; **night school** ysgol nos;
summer school ysgol haf; **Welsh
school** ysgol Gymraeg; **primary
school** ysgol gynradd;
comprehensive school ysgol
gyfun.
schoolboy *n.* bachgen ysgol *m.*
schooldays *n.* dyddiau ysgol *pl.*
schoolgirl *n.* merch ysgol *f.*
schoolhouse *n.* tŷ ysgol *m.*
schoolmaster *n.* athro ysgol,
ysgolfeistr *m.*
schoolmistress *n.* athrawes,
ysgolfeistres *f.*
science *n.* gwyddoniaeth, gwyddor *f.*

scientific *a.* gwyddonol.
scientist *n.* gwyddonydd *m.*
scissors *n.* siswrn *m.*
scorch *v.* crasu; rhuddo.
scorched *a.* cras.
score 1 *n.* sgôr; ugain *m.* 2 *v.* sgorio.
scorn 1 *n.* gwawd *m.* 2 *v.* gwawdio.
Scotland *n.* Yr Alban *f.*
scowl 1 *n.* gwg *m.* 2 *v.* gwgu.
scratch 1 *n.* crafiad *m.* 2 *v.* crafu.
scream 1 *n.* sgrech, ysgrech *f.* 2 *v.* sgrechian, sgrechain.
screw 1 *n.* sgriw *f.* 2 *v.* sgriwio.
script *n.* sgript *f.*
scripture *n.* ysgrythur *f*, y Beibl *m.*
scrum 1 *n.* sgrym *f.* 2 *v.* sgrymio.
scrum-half *n.* mewnwr *m.*
sea *n.* môr *m*: **sea level** lefel y môr; **sea water** dŵr y môr.
seagull *n.* gwylan *f.*
seal *n.* morlo *m;* sêl *f.*
seaman *n.* morŵr, llongwr *m.*
sea-marsh *n.* morfa *m.*
seamstress *n.* gwniadyddes, gwniyddes *f.*
search 1 *n.* ymchwil *f.* 2 *v.* chwilio, edrych, ymchwilio.
searcher *n.* chwiliwr *m.*
seashore *n.* glan y môr *f.*
seasickness *n.* salwch (y) môr. *m.*
season *n.* adeg *f*, amser, pryd, tymor *m*: **season ticket** tocyn tymor.
seat 1 *n.* sedd, sêt *f.* 2 *v.* eistedd.
seaweed *n.* gwymon *m.*
second 1 *n.* ail *m; eiliad f.* 2 *a.* ail: **second class** ail ddosbarth; isradd; **second-hand** ail-law.
secret 1 *n.* cyfrinach *f.* 2 *a.* cyfrinachol.
secretary *n.* ysgrifennydd *m*, ysgrifenyddes *f.*
Secretary of State Ysgrifennydd Gwladol.
section *n.* adran, rhan *f.*
secure 1 *a.* diogel, sicr, siŵr. 2 *v.* sicrhau.
security *n.* sicrwydd, diogelwch; ernes: **Social Security** Nawdd Cymdeithasol.
sediment *n.* gwaelodion, gwaddod *m.*
see 1 *n.* esgobaeth *f.* 2 *v.* gweld, gweled.
seed 1 *n.* had *coll*, hadyn, hedyn *m.* 2 *v.* hadu.
seek *v.* ceisio, chwilio.
seem *v.* ymddangos.
seemly *a.* addas.
seething *n. & a.* berw *m.*

seize *v.* gafael, dal: **to seize the opportunity** achub y cyfle.
seldom *ad.* anaml.
select *a. & v.* dewis, dethol.
selection *n.* detholiad *m.*
self *pn. & n.* hun, hunan *m.*
selfish *a.* hunanol.
self-respect *n.* hunan-barch *m.*
sell *v.* gwerthu.
seller *n.* gwerthwr.
semi- *px.* hanner-, go-, lled-.
semicircle *n.* hanner cylch *m.*
semi-final *a.* cynderfynol.
senate *n.* senedd *f.*
send *v.* anfon, danfon, gyrru, hala.
sender *n.* gyrrwr *m.*
senile *a.* oedrannus, hen.
senility *n.* henaint.
senior *a.* hŷn, uwch, uchaf.
sense 1 *n.* synnwyr, pwyll *m*, ystyr *mf.* 2 *v.* synhwyro.
sensible *a.* synhwyrol, call.
sentence 1 *n.* brawddeg; barn *f.* 2 *v.* dedfrydu.
sentry *n.* gwyliwr *m.*
separate *a.* ar wahân.
separately *ad.* ar wahân.
separation *n.* gwahaniad *m.*
September *n.* Medi *m.*
serenity *n.* tawelwch, hedd, heddwch *m.*
serial 1 *n.* cyfres *f.* 2 *a.* cyfresol.
series *n.* cyfres, rhes *f.*
serious *a.* difrifol, prudd, prysur.
seriously *ad.* yn ddifrifol.
sermon *n.* pregeth *f.*
serpent *n.* sarff *f.*
servant *n.* gwas *m*, morwyn *f*: **civil servant** gwas sifil.
serve *v.* gwasanaethu.
service *n.* gwasanaeth *m; oedfa f.*
set 1 *n.* set; *f.* 2 *v.* trefnu, gosod, dodi.
setting *n.* machlud; lleoliad *m.*
settle 1 *n.* sgiw, setl *f.* 2 *v.* sefydlu; penderfynu; talu, cytuno, setlo.
settled *a.* sefydlog.
settlement *n.* gwladfa *f.*
seven *n. & a.* saith *m.*
seventeen *n. & a.* dau ar bymtheg, un deg saith *m.*
seventh *n. & a.* seithfed *m.*
seventy *n. & a.* deg a thrigain, saith deg *m.*
sever *v.* torri.
several *a.* amryw.
severe *a.* caled, llym, hallt, tost.
severity *n.* caledi *m.*
Severn *n.* Afon Hafren *f.*

sew *v.* gwnïo, pwytho.
sewing machine *n.* periant gwnïo.
sex *n.* rhyw *m.*
sexual *a.* rhywiol.
shade 1 *n.* cysgod *m.* 2 *v.* cysgodi.
shadow *n.* cysgod *m.*
shady *a.* cysgodol.
shake *v.* ysgwyd, siglo, crynu.
shaking *n.* ysgytwad *m.*
shaky *a.* sigledig.
shallow *a.* bas.
sham *a.* ffug, gau.
shape 1 *n.* ffurf *f*, llun *m*, siâp *f.* 2
v. ffurfio, llunio.
shapely *a.* lluniaidd.
share 1 *n.* rhan, siâr *f.* 2 *v.* rhannu.
sharp *a.* llym, miniog, siarp.
shawl *n.* siôl *f.*
she *pn.* hi, hithau, hyhi.
shed *n.* sied, cwts *m.*
sheep 1 *n.* dafad *f.* 2 *n.* defaid *pl.*
sheer *a.* pur; glân; noeth.
sheet *n.* llen *f*, lliain *m;* dalen *f*,
taflen *f.*
shelf *n.* silff *f.*
shell *n.* cragen *f*; plisgyn *m.*
shelter 1 *n.* cysgod *m*, lloches *f.* 2
v. cysgodi, llochesu.
shepherd 1 *n.* bugail *m.* 2
v. bugeilio.
shield 1 *n.* tarian *f.* 2 *v.* cysgodi;
amddiffyn.
shift 1 *n.* newid, symudiad; tro *m;*
shifft *f.* 2 *v.* newid, symud.
shine *v.* disgleirio, llewyrchu.
shiny *a.* gloyw, disglair.
ship *n.* llong *f.*
shipshape *a.* taclus, trefnus, twt.
shire *n.* sir (Wales),
swydd (England) *f:* **Pembrokeshire**
Sir Benfro (Cymru);
Gloucestershire Swydd Gaerloyw
(Lloegr).
shirk *v.* osgoi.
shirt *n.* crys *m.*
shiver *v.* crynu.
shivering *n.* cryd *m.*
shoal *n.* haig *f.*
shock *n.* ysgytwad, sioc *m.*
shoe *n.* esgid *f:* **pair of shoes** pâr o
esgidiau.
shoot 1 *n.* eginyn *m.* 2 *v.* saethu.
shooter *n.* saethwr *m.*
shooting *n.* saethu.
shop 1 *n.* siop *f.* 2 *v.* siopa.
shopkeeper *n.* siopwr *m.*
shopper *n.* prynwr *m.*
shopping *n.* siopa *m.*
shore *n.* glan *f*, traeth *f.*

short *a.* byr, cwta, prin.
shot *n.* ergyd *mf.*
shoulder *n.* ysgwydd *f.*
shout 1 *n.* bloedd *m*, gwaedd *f.* 2
v. bloeddio, crio, gweiddi.
shove 1 *n.* hwp *m.* 2 *v.* gwthio.
shovel *n.* rhaw *f.*
show 1 *n.* sioe *f.* 2 *v.* dangos,
arddangos.
shower *n.* cawod *f.*
shriek 1 *n.* sgrech, ysgrech *f.* 2
v. sgrechian, sgrechain.
shrill *a.* main, llym.
shut *v.* cau.
shy *a.* swil.
sick 1 *n.pl.* cleifion *m.* 2 *a.* claf,
gwael, sâl, tost.
sickness *n.* afiechyd, clefyd, dolur,
anhwyldeb, anhwylder, tostrwydd
m.
side 1 *n.* ochr *f*, ymyl, ystylys; tu *mf*,
plaid *f.* 2 *v.* ochri.
sidesman *n.* ystlyswr *m.*
sideways *ad.* tua'r ochr.
sigh 1 *n* ochenaid *f.* 2 *v.* ochneidio.
sight 1 *n.* golwg *mf*, golygfa *f.* 2
v. gweld, gweled.
sign *1 n.* arwydd *m.* 2 *v.* arwyddo,
llofnodi.
signal *n.* arwydd *m.*
signature *n.* llofnod *m.*
silage *n.* silwair *m.*
silence 1 *n.* distarwydd, tawelwch
m. 2 *v.* distewi.
silencer *n.* tawelydd *m.*
silent *a.* distaw, tawel.
silk *n.* sidan *m.*
silly *a.* ffôl, dwl, twp.
silver *n.* arian *m:* **silversmith** gof
arian; **silver wedding** priodas
arian.
similar *a.* tebyg.
similarity *n.* tebygrwydd *m.*
simple *a.* syml; diniwed.
sin 1 *n.* pechod *m.* 2 *v.* pechu.
since 1 *c.* am, gan, oherwydd. 2
prp. er, ers, er pan.
sincere *a.* diffuant, cywir, pur.
sinew *n.* gewyn *m.*
sing *v.* canu.
singer *n.* canwr, cantwr, cantor *m;*
cantores *f.*
singing *n.* caniad, caniadaeth *f*, canu
m.
single *a.* sengl, un; dibriod.
singular *a.* unigol; hynod.
sink 1 *n.* sinc *m.* 2 *v.* suddo.
sinner *n.* pechadur *m.*
sir *n.* syr *m.*

sister *n.* chwaer *f.*
sister-in-law *n.* chwaer-yng-
nghyfraith *f.*
sit *v.* eistedd.
situation *n.* lle, safle *m;* sefyllfa *f.*
six *n. & a.* chwe, chwech *m.*
sixteen *n. & a.* un ar bymtheg, un
deg chwech *m.*
sixth *n. & a.* chweched *m.*
sixty *n. & a.* trigain, chwe deg *m.*
size *n.* maint *m.*
skate 1 *n.* sgêt *f.* 2 *v.* sglefrio:
skateboard bwrdd sglefrio.
sketch 1 *n.* llun, braslun *m;* sgets *f.* 2
v. braslunio.
ski 1 *n.* sgi *f.* 2 *v.* sgïo.
skier *n.* sgîwr *m.*
skilful *a.* medrus.
skill *n.* sgil *m,* crefft *f.*
skim *v.* tynnu, codi (hufen).
skimmed milk *n.* llaeth glas *m.*
skin 1 *n.* croen *m.* 2 *v.* blingo.
skip *v.* sgipio.
skirt *n.* sgert, sgyrt *f.*
sky *n.* wybren, awyr, ffurfafen, nen *f.*
skylark *n.* ehedydd, uchedydd,
hedydd *m.*
slack 1 *n.* glo mân *m.* 2 *a.* llac,
diofal, esgeulus.
slacken *v.* llacio, llaesu.
slate *n.* llechen *f.*
slaughter *v.* lladd.
slaughterhouse *n.* lladd-dy *m.*
slave *n.* caethwas *m.*
slay *v.* lladd.
sleek *a.* llyfn.
sleep 1 *n.* cwsg *m.* 2 *v.* cysgu huno;
sleeping bag sach gysgu.
sleepy *a.* cysglyd.
sleet *n.* eirlaw *m.*
sleeve *n.* llawes *f.*
slender *a.* main, tenau.
slice *n.* tafell, sleisen: **slice of bread
and butter** tafell o fara menyn;
slice of bacon sleisen o gig moch.
slide 1 *n.* llithren *f.* 2 *v.* llithro,
sglefrio.
slim *a.* main.
slip 1 *n.* llithriad *m.* 2 *v.* llithro dros.
slipper *n.* sliper *f.*
slippery *a.* llithrig, slic.
slipshod *a.* anniben.
slovenly *a.* anniben.
slope *n.* rhiw *f,* tyle, llethr *m.*
slow 1 *a.* araf. 2 *v.* arafu.
slug *n.* malwoden *f,* slyg *m.*
sluggard *n.* diogyn, pwdryn *m.*
sluggish *a.* diog, dioglyd.
slumber 1 *n.* cwsg *m.* 2 *v.* cysgu.

slur 1 *n.* llithriad *m.* 2 *v.* llithro
dros.
sly *a.* cyfrwys.
small *a.* bach, mân, bychan,
bechan *f.*
smallest *a.* lleiaf; *see* bach.
smallholder *n.* tyddynnwr *m.*
smallholding *n.* tyddyn *m.*
smash *v.* malu.
smell 1 *n.* arogl *m,* aroglau *pl,* gwynt
m. 2 *v.* arogli, clywed arogl, gwynto.
smile 1 *n.* gwên *f.* 2 *v.* gwenu.
smith *n.* gof *m:* **smithy** gefail.
smoke 1 *n.* mwg *m.* 2 *v.* mygu,
ysmygu.
smoky *a.* myglyd.
smooth *a.* llyfn; esmwyth.
smother *v.* mogi, mygu.
snack *n.* byrbryd *m.*
snag *n.* rhwystr.
snail *n.* malwoden *f.*
snake *n.* neidr *f.*
snarl *v.* chwyrnu.
sneeze *v.* tisian.
snobs *n.pl.* crachach.
snore *v.* chwyrnu.
snout *n.* trwyn *m.*
snow *n.* eira *m.*
snowball pelen eira:
snowdrift lluwch, lluwchfa, lluchfa;
snowflake pluen eira.
Snowdon *n.* Yr Wyddfa *f.*
Snowdonia *n.* Eryri *f.*
snowdrop *n.* eirlys, tlws yr eira, lili
wen fach *m.*
snub *n.* sen *f.*
so *ad. & c.* fel, felly, mor.
soap *n.* sebon *m:* **soap
powder** powdr golchi.
soccer *n.* pêl-droed *f.*
socialism *n.* sosialaeth *f.*
socialist 1 *n.* sosialydd *m.* 2
a. sosialaidd.
society *n.* cymdeithas *f.*
sociology *n.* cymdeithaseg *f.*
sock *n.* hosan *f.*
soft *a.* meddal: **soft drinks** diodydd
ysgafn.
soften *v.* meddalu.
soil 1 *n.* pridd *m;* daear *f.* 2 *v.* trochi,
sarnu.
soldier *n.* milwr *m.*
sole 1 *n.* gwadn *m.* 2 *a.* unig, unigol,
un.
solemn *a.* difrifol, dwys.
solicitor *n.* cyfreithiwr *m.*
solo 1 *n.* unawd *m.* 2 *a.* unigol.
soloist *n.* unawdwr, unawdydd *m.*
solve *v.* datrys, datod.

some 1 *a.* rhyw, rhai, peth, ychydig.
2 *pn.* rhai, rhywrai, rhywfaint. 3
ad. rhyw, tua, ynghylch.
somebody *n. & pn.* rhywun *m.*
someone *n. & pn.* rhywun *m.*
Somerset *n.* Glwad yr Haf *f.*
something *n.* rhywbeth *m.*
sometime *ad.* rhywbryd, rhywdro,
gynt.
sometimes *ad.* weithiau, ambell
waith, ar brydiau.
somewhat *ad.* go, lled, braidd.
somewhere *ad.* rhywle.
son *n.* mab *m.*
son-in-law *n.* mab-yng-nghyfraith
m.
soon *ad.* yn fuan, ar fyr o dro.
sooner *ad.* yn gynt.
soot *n.* huddygl *m.*
sore *a.* blin, tost.
sorrow 1 *n.* gofid, tristwch, galar *m.*
2 *v.* gofidio, hiraethu.
sorrowful *a.* trist.
sorry *a.* blin, drwg gan, edifar, trist.
sort 1 *n.* math, modd, dosbarth *m.* 2
v. dosbarthu, trefnu.
soul *n.* enaid *m.*
sound 1 *n.* sain *f,* sŵn *m.* 2 *a.* iach;
cyfan. 3 *v.* swnio, seinio.
soup *n.* cawl *m.*
sour 1 *a.* sur. 2 *v.* suro.
source *n.* ffynhonnell *f,* tarddiad *m.*
south 1 *n. & a.* de *mf,* deau *m:*
South Wales De Cymru. 2 *ad.*
tua'r de.
southern *a.* deheuol.
sow *n.* hwch *f.*
sow *v.* hau.
sower *n.* heuwr *m.*
space *n.* gofod, gwagle, bwlch *m.*
spaceman *n.* gofodwr *m.*
spaceship *n.* llong ofod *f.*
spade *n.* pâl, rhaw *f.*
Spain *n.* Sbaen *f.*
Spanish 1 *n.* Sbaeneg *f. (iaith).* 2
a. Sbaenaidd.
spare 1 *a.* sbâr. 2 *v.* arbed.
spark *n.* gwreichionen *f.*
speak *v.* llefaru, siarad.
speaker *n.* llefarwr, llefarydd,
siaradwr *m.*
special *a.* arbennig, neilltuol.
species *n.* math *m.*
specified *a.* nodedig.
specify *v.* enwi.
spectacle *n.* golygfa *f.*
spectacles *n.* sbectol *pl.*
speech *n.* araith *f,* llafar *m,*
ymadrodd *m.*

speechless *a.* mud.
speed *n.* cyflymder *m.*
speedy *a.* buan, cyflym.
spell 1 *n.* egwyl, hoe, sbel *f;* hud,
swyn *m.* 2 *v.* cael hoe; sillafu: **to
cast a spell** swyno.
spend v. gwario, hala *(arian);*
treulio *(amser).*
spider *n.* corryn, pryf copyn *m.*
spill *v.* colli.
spine *n.* asgwrn cefn *m.*
spirit *n.* ysbryd *m.*
spirited *a.* ysbrydol, nwyfus.
spiritual *a.* ysbrydol.
spiritualise *v.* ysbrydoli.
spit *n. & v.* poeri *m.*
spittle *n.* poer, poeri *m.*
splash *v.* tasgu.
splendid *a.* rhagorol, ardderchog,
penigamp, campus, gwych.
splendour *n.* ysblander *m.*
spokesman *n.* llefarwr, llefarydd *m.*
spoon 1 *n.* llwy *f.* 2 *v.* llwyo.
sport *n.* sbort *f,* chwarae *m,* hwyl *f.*
sports *n.* mabolgampau *pl,*
chwaraeon.
spot 1 *n.* man *mf,* lle, llecyn, sbot,
sbotyn, smotyn *m.* 2 *v.* adnabod;
smotio.
spread *v.* lledu.
spring 1 *n.* ffynnon, ffynhonnell;
sbring; gwanwyn; neidio *f.* 2
v. tarddu; neidio.
sprout *n.* eginyn *m,* egin *pl:*
Brussels sprouts ysgewyll Brwsel.
spur *n.* ysbardun; clogwyn *m.*
sputnik *n.* lloeren *f.*
spy 1 *n.* ysbïwr *m.* 2 *v.* ysbïo.
square *n.* sgwâr *f.*
squash 1 *n.* sboncen *f.* 2 *v.* gwasgu.
squirrel *n.* gwiwer *f.*
stable 1 *n.* stabl *f.* 2 *a.* sefydlog,
diogel.
staff *n.* ffon; staff *f.*
stag *n.* hydd *f.*
stage 1 *n.* llwyfan *m;* lefel *f.* 2
v. llwyfannu.
stair *n.* gris *m,* staer *f.*
stall *n.* stondin *f;* côr *m.*
stamp 1 *n.* stamp *m.* 2 *v.* stampio.
stand 1 *n.* stondin *f.* 2 *v.* sefyll.
standard 1 *n.* safon; baner *f.* 2
a. safonol.
standpoint *n.* safbwynt *m.*
stanza *n.* pennill *m.*
star 1 *n.* seren *f.* 2 *v.* serennu.
starlight *n.* golau'r sêr.
starling *n.* drudwy *m.*
starry *a.* serennog.

start *n.* & *v.* cychwyn, dechrau *m.*
starve *v.* llwgu.
state 1 *n.* cyflwr *m*, ffurf; talaith *f.* 2
　v. mynegi, dweud.
statesman *n.* gwleidydd *m.*
station *n.* gorsaf *f;* safle *m*, sefyllfa *f:*
　railway station gorsaf reilffordd.
stationary *a.* sefydlog.
stationer *n.* gwerthwr papurau *m.*
stationery *n.* papur ysgrifennu *m.*
statistics *n.pl.* ystadegau.
statue *n.* cerflun *m*, delw *f.*
statute *n.* deddf, cyfraith, act *f.*
stay 1 *n.* arhosiad *m.* 2 *v.* aros, oedi,
　sefyll.
steal *v.* lladrata, dwyn.
steel *n.* dur *m.*
steep *a.* serth.
steer *v.* llywio; cyfeirio.
stench *n.* drewdod, drewi *m.*
step 1 *n.* cam, gris 2 *v.* camu.
step- *px.* llys-.
stepdaughter *n.* llysferch *f.*
stepfather *n.* llystad *m.*
stepmother *n.* llysfam *f.*
stepsister *n.* llyschwaer *f.*
stepson *n.* llysfab *f.*
steward 1 *n.* stiward *m.* 2
　v. stiwardio.
stick 1 *n.* ffon, gwialen *f*, pren *m.* 2
　v. glynu.
stiff *a.* syth.
stiffen *v.* sythu.
still 1 *a.* llonydd, tawel. 2 *ad.* eto, er
　hynny; byth.
stillness *n.* tawelwch, heddwch,
　llonyddwch *m.*
sting 1 *n.* pigiad *m.* 2 *v.* pigo.
stink 1 *n.* drewdod, drewi *m.* 2
　v. drewi.
stitch 1 *n.* pwyth *m.* 2 *v.* pwytho,
　gwnïo.
stocking *n.* hosan *f.*
stoke *v.* tanio, gofalu am dân.
stomach 1 *n.* stumog *f*, bol *m.* 2
　v. stumogi.
stone *n.* carreg *f.*
stool *n.* stôl *f.*
stoop *v.* plygu, ymostwng.
stop 1 atalfa *f*, stop *m:* **full stop**
　atalnod. 2 *v.* atal; stopio; cau; aros,
　sefyll; peidio (â).
storage *n.* stôr *m*, storfa *f.*
store 1 *n.* stôr *m*, storfa *f.* 2 *v.* storio.
storehouse *n.* stordy *m.*
storm *a.* storm, tymestl *f.*
stormy *a.* stormus, tymhestlog.
story *n.* stori *f*, hanes, hanesyn *m*,
　chwedl *f.*

stove *n.* ffwrn, stof *f.*
straight *a.* syth, union.
straighten *v.* sythu, unioni.
straightway *ad.* yn y man, yn syth.
strange *a.* dieithr, rhyfedd,
　rhyfeddol, od, estron.
stranger *n.* dieithryn, estron *m.*
strangle *v.* tagu.
straw *n.* gwelltyn; gwellt *m.*
strawberry *n.* mefusen *f.*
stream 1 *n.* ffrwd *f*, llif *m*, nant *f.* 2
　v. llifo.
streamer *n.* ruban *m*, baner *f.*
street *n.* stryd, heol, hewl, ffordd *f.*
strength *n.* nerth, grym *m.*
stretch *v.* estyn, ymestyn.
strict *a.* cyfyng, llym, manwl.
stride 1 *n.* cam *m.* 2 *v.* camu.
strife *n.* ymryson *m.*
strike 1 *n.* streic *f.* 2 *v.* streicio; taro.
striker *n.* streiciwr *m.*
strip *n.* llain *f:* **landing strip,**
　airstrip llain glanio.
string *n.* cordyn, llinyn; tant *m.*
strive *v.* ymdrechu.
strong *a.* cryf, grymus.
structure 1 *n.* adeilad; strwythur *m.*
　2 *v.* strwythuro.
struggle 1 *n.* ymdrech *f.* 2
　v. ymdrechu.
student *n.* myfyriwr *m.*
study *v.* myfyrio, astudio.
stump *n.* bôn *m.*
stunning *a.* syfrdanol.
stupefying *a.* syfrdanol.
stupid *a.* twp, dwl, hurt: **stupid**
　person twpsyn, hurtyn.
sty *n.* twlc *m:* **pigsty** twlc mochyn.
stye *n.* llefelyn, llyfelyn *m*,
　llefrithen *f.*
subconscious 1 *n.* isymwybod *m.* 2
　a. isymwybodol.
submarine 1 *n.* llong danfor *f.* 2
　a. tanfor, tanforol.
submit *v.* ymostwng; anfon;
　cyflwyno.
subordinate *a.* israddol.
substance *n.* sylwedd *m.*
substantial *a.* sylweddol.
substantiate *v.* profi.
substitute *n.* dirprwy, un yn lle
　arall *m.*
subterranean *a.* tanddaear,
　tanddaearol.
suburb *n.* maestref *f.*
subway *n.* isffordd *f*, tanlwybr *m.*
succeed *v.* llwyddo; dilyn, canlyn.
success *n.* llwydd, llwyddiant *m.*
successful *a.* llwyddiannus.

succour n. ymgeledd, swcwr m.
such a. y fath, cyfryw.
suck v. sugno.
sudden a. sydyn.
sue v. erlyn.
suffer v. dioddef, caniatáu, goddef.
suffering n. dioddef m, poen mf.
sufficient 1 n. digon m. 2 a. digon, digonol.
sufficiently ad. digon.
suffocate v. mogi, mygu, tagu.
sugar 1 n. siwgr m. 2 v. siwgro.
suggest v. awgrymu.
suggestion n. awgrym, awgrymiad m.
suicide n. hunanladdiad m.
suitable a. addas, priodol.
suite n. cyfres f.
sulk v. pwdu.
sultry a. clòs, trymaidd.
sum 1 n. swm m. 2 v. crynhoi.
summarise v. crynhoi.
summary n. crynodeb mf.
summer n. haf m:
  midsummer canol haf; a summer's day hafddydd; summer dwelling hafdy, hafod; tŷ haf.
summery a. hafaidd.
summit n. brig, pen m, ban mf, copa m.
summon v. galw, gwysio.
summons n. gwŷs f.
sumptuous a. moethus.
sun n. haul m.
sunbathe v. torheulo.
sunburn n. llosg haul m.
Sunday n. dydd Sul m.
sunflower n. blodyn yr haul m.
sunglasses n. sbectol haul f.
sunny a. heulog.
sunrise n. codiad haul m.
sunset n. machlud haul m.
sunshine n. heulwen f.
superb a. ardderchog, rhagorol.
superior a. uwch, gwell.
supermarket n. archfarchnad f.
superstition n. ofergoel, ofergoeledd, ofergoeliaeth f.
superstitious a. ofergoelus.
supper n. swper m: the Last Supper y Swper Olaf.
supple a. ystwyth, hyblyg.
supplement 1 n. atodiad m. 2 v. ychwanegu, atodi.
supplementary a. atodol, ychwanegol.
support v. cynnal.
suppose v. tybied, tybio.
supreme a. goruchaf, prif, pennaf.
sure a. sicr, siŵr.

suretyship n. mechnïaeth f.
surface n. wyneb, arwyneb, arwynebedd.
surfeit 1 n. syrffed m. 2 v. syrffedi.
surgeon n. llawfeddyg m.
surgery n. llawfeddygaeth; meddygfa f.
surgical a. llawfeddygol.
surname 1 n. cyfenw nm. 2 v. cyfenwi.
surpass v. rhagori ar, trechu.
surprise 1 n. rhyfeddod, syndod m. 2 v. synnu.
surprising a. rhyfedd, rhyfeddol, syn.
surround v. amgylchynu.
suspect v. amau.
suspend v. crogi; atal.
suspension bridge n. pont grog f.
swallow 1 n. llwnc m; gwennol f. 2 v. llyncu.
swamp 1 n. siglen, cors f. 2 v. gorlifo.
swan n. alarch m.
swarm 1 n. haid, torf f. 2 v. heidio, tyrru.
swathe 1 n. ystod f. 2 v. rhwymo.
sway v. siglo.
swear v. tyngu, rhegi.
sweat 1 n. chwys m; 2 v. chwysu.
swede n. erfinen, sweden, meipen f.
Swede n. Swediad m.
Sweden n. Sweden f.
Swedish a. Swedaidd.
sweep 1 n. ysgubwr, sgubwr f. 2 v. ysgubo, sgubo, brwsio, brwshio.
sweet 1 n. losinen, losen f. 2 a. melys.
sweetheart n. cariad mf.
sweets n. losin pl.
swell v. chwyddo.
swerve v. osgoi, gwyro, troi.
swift 1 n. gwennol ddu f. 2 a. buan, cyflym.
swiftness n. cyflymder m.
swim 1 n. nofiad m. 2 v. nofio.
swimmer n. nofiwr m.
swimming n. nofio m.
swimming pool n. pwll nofio m.
swimsuit n. gwisg nofio f.
swing 1 n. siglen f. 2 v. siglo.
switch n. troswr f. (trydan), swits mf.
Switzerland n. Y Swistir f.
swoon v. llewygu.
syllable n. sillaf f.
syllabus n. maes llafur m.
symptom n. arwydd m.
synonym n. cyfystyr m.
synonymous a. cyfystyr (â).
system a. cyfundrefn; trefn, system f.

tabernacle *n.* tabernaci *m*, pabell *f.*
table *n.* bord *f*, bwrdd; tabl *m;* taflen *f;* **tableful** bordaid, byrddaid.
table-cloth *n.* lliain bord, lliain bwrdd *m.*
tablespoon *n.* llwy fawr, llwy fwrdd *f.*
tablet *n.* tabled *m.*
tackle 1 *n.* offer *pl*, gêr, tacl *m.* 2 *v.* taclo.
tackler *n.* taclwr *m.*
tail *n.* cynffon *f.*
tailback *n.* tagfa *f.*
tailor *n.* teiliwr *m.*
tailoress *n.* teilwres *f.*
take *v.* cymryd, cael, dwyn, dal.
take hold *v.* cydio.
tale *n.* chwedl *f*, hanes, hanesyn *m*, stori *f.*
talent 1 *n.* talent, dawn *f.* 2 *a.* talentog, dawnus.
talk 1 *n.* sgwrs *f*, siarad *m*, sôn *mf.* 2 *v.* sgwrsio, siarad, sôn.
talker *n.* siaradwr *m.*
tall *a.* tal, uchel.
tallow *a.* gwêr *m.*
talon *n.* ewin *mf*, crafanc *f.*
tame 1 *n.* dof. 2 *v.* dofi.
tang *n.* tafod *m.*
tank *n.* tanc *m.*
tanker *n.* tancer *m;* llong olew *f.*
tap 1 *n.* tap *m.* 2 *v.* taro, tapio.
tape *n.* tâp, incil *m.*
tape measure *n.* tâp mesur *m.*
tape-recorder *n.* recordydd tâp *m.*
tapering *a.* pigfain.
target *n.* targed, nod *m.*
tart *n.* tarten, pastai *f:* **apple tart** pastai afalau; **jam tart** pastai jam.
task *n.* tasg *m.*

taste 1 *n.* blas *m.* 2 *v.* blasu, clywed, profi.
tasty *a.* blasus.
tavern *n.* tafarn *mf*, tŷ tafarn *m.*
tax 1 *n.* treth *f:* **Income tax** Treth Incwm; **Value Added Tax** Treth Ar Werth. 2 *v.* trethu.
tea *n.* te *m:* **tea-bags** cydau te; **teacup** cwpan te, dysgl de; **tea-leaves** dail te.
teach *v.* dysgu.
teacher *n.* athro *m;* athrawes *f.*
team *n.* tîm *m.*
tea-party *n.* téparti *m.*
teapot *n.* tebot *m.*
tear *n.* deigryn *m.*
tear 1 *n.* rhwyg *m.* 2 *v.* rhwygo.
tease *v.* poeni.
teaspoon *n.* llwy de *f.*
teaspoonful *n.* llond llwy de *m.*
technical *a.* technegol.
technician *n.* technegwr *m.*
technique *n.* techneg *m.*
technology *n.* technoleg *f.*
teddy-bear *n.* tedi *m.*
teenager *n.* un yn yr arddegau *mf.*
teens *n.pl.* arddegau.
teetotaller *n.* llwyrymwrthodwr *m.*
telecast *n.* telediad *m.*
telephone 1 *n.* teleffon, ffôn *m:* **telephone call** galwad ffôn 2 *v.* teleffonio, ffonio.
television *n.* teledu *m.*
tell *v.* dweud (wrth), mynegi: **to tell the truth** dweud y gwir.
temper *n.* tymer, natur *m.*
temperature *n.* tymheredd *m.*
tempest *n.* tymestl *f.*
tempestuous *a.* tymhestlog.
temple *n.* teml; arlais *f.*
ten *n.* & *a.* deg, deng *m.*
tendency *n.* tueddiad *m.*
tender *a.* tyner, mwyn, meddal, tirion.
tenderness *n.* tynerwch *m.*
tendon *n.* gewyn, tendon *m.*
tennis *n.* tenis *m:* **tennis ball** pêl denis; **tennis court** cwrt tenis; **tennis racket** raced denis.
tense 1 *n.* amser *m* (*gramadeg*). 2 *v.* tyn, tynn.
tent *n.* pabell *f.*
tenth *n.* & *a.* degfed *m.*
term 1 *n.* tymor; term; amod *m.* 1 *v.* enwi, galw.
terminus *n.* terfyn *m.*
terrace *n.* rhes dai *f*, teras *m.*
terrible *a.* dychrynllyd, ofnadwy.
terrifying *a.* dychrynllyd.

territory *n*. tir *m*.

terror *n*. braw, ofn *m*.

terrorism *n*. terfysgaeth *f*.

terrorist *n*. terfysgwr *m*.

tertiary *a*. trydyddol: **tertiary college** coleg trydyddol.

test 1 *n*. prawf *m*: **driving test** prawf gyrru; **preliminary test** rhagbrawf; **reading test** prawf darllen; **spelling test** prawf sillafu.

testament *n*. testament *m*: **New Testament** Testament Newydd.

testify *v*. tystio.

testimony *n*. tystiolaeth *f*.

text *n*. testun *m*: **text-book** gwerslyfr.

than *c*. na, nag.

thank *v*. diolch: **Thanks** Diolch! **Thanks very much** Diolch yn fawr.

thankful *a*. diolchgar.

thankfulness *n*. diolchgarwch *m*.

thankless *a*. diddiolch.

thanksgiving *n*. diolchgarwch *m*: **Thanksgiving Service** Gwasanaeth Diolchgarwch.

that 1 *a*. hwnnw, honno, hynny, yna, acw. 2 *pn*. hwn, hon, yna, hwn acw, hon acw, dyna, dacw; a, y, yr. 3 *c*. mai, taw, fel y, fel yr.

thaw *v*. toddi, meddalu, meirioli, dadmer, dadlaith.

the *def. art*. y, yr, 'r.

theatre *n*. theatr *f*.

thee *pn*. ti, tydi, tithau.

theft *n*. lladrad *m*.

their *pn*. eu.

theirs *pn*. eiddynt, yr eiddynt.

them *pn*. hwy, hwynt, hwythau, nhw.

themselves *pn*. eu hunain.

then 1 *ad*. wedyn, yna, y pryd hwnnw. 2 *c*. yna, ynte, ynteu.

thereafter *ad*. wedyn.

thereat *ad*. ar hynny, yna.

thereby *ad*. trwy hynny.

therefore *c*. am hynny, gan hynny, felly.

therefrom *ad*. oddi yno.

therein *ad*. yno, ynddo, yn hynny.

thereupon *ad*. ar hynny.

therewith *ad*. gyda hynny.

thermometer *n*. thermomedr *f*.

these *pn. & a*. y rhai hyn, y rhain.

they *pn*. hwy, hwynt, hwythau, nhw.

thick *a*. tew, trwchus.

thief *n*. lleidr *m*.

thieve *v*. lladrata, dwyn, dwgyd.

thigh *n*. clun, morddwyd *f*.

thin *a*. main, tenau, cul.

thing *n*. peth, gwrthrych *m*.

think *v*. meddwl, tybied, tybio.

third *n. & a*. trydydd *m;* trydedd *f*.

thirst 1 *n*. syched *m*. 2 *v*. sychedu.

thirsty *a*. sychedig.

thirteen *n. & a*. tri ar ddeg, un deg tri *m*.

thirty *n. & a*. deg ar hugain, tri deg *m*.

this *a. & pn*. hwn, hon, hyn; yma: **this minute** y funud hon, y funud yma; **this hour, (now, at present)** yr awr hon, **this day** y dydd hwn; **this week** yr wythnos hon; **this month** y mis hwn; **this year** eleni.

thistle *n*. ysgallen *f*.

thorn *n*. draen, draenen *f;*

thorns drain.

those 1 *pn*. hynny, y rhai hynny, y rheini, y rheiny. 2 *a*. hynny, yna.

though 1 *ad*. er, serch hynny. 2 *prp*. er, pe, cyd.

thought *n*. meddwl, syniad *m*.

thoughtful *a*. meddyglar.

thousand *n. & a*. mil *f*.

thread *n*. edau *f*, llinyn *m*.

three *n. & a*. tri *m*, tair *f*: **three times** teirgwaith.

threesome *n*. triawd *m*.

threshold *n*. trothwy *m*.

thrill *n*. ias *f*.

thrilling *a*. iasol.

throat *n*. gwddf, gwddwg, llwnc *m*.

throne *n*. gorsedd *f*.

through 1 *ad*. trwodd. 2 *prp*. drwy, trwy.

throw 1 *n*. tafliad *m*. 2 *v*. taflu.

thrush *n*. bronfraith *f*.

thrust 1 *n*. gwthiad, hwp *m*. 2 *v*. gwthio.

thumb 1 *n*. bawd *m*. 2 *v*. bodio.

thunder 1 *n*. taran *f*, tyrfau *pl*. 2 *v*. taranu.

thunderbolt *n*. bollt *m*, mellten, llucheden *f*.

thunderclap *n*. taran *f*.

thunderstorm *n*. storm fellt a tharanau *f*.

Thursday *n*. dydd Iau.

thus *ad*. fel hyn, felly.

thy *pn*. dy, 'th.

ticket *n*. tocyn, ticed *m*: **ticket collector** tocynnwr; **ticket office** swyddfa docynnau.

tide *n*. llanw *m*: **high-tide** penllanw; **ebb-tide** trai.

tidy 1 *a*. cryno, taclus, twt. 2 *v*. tacluso.

tie 1 *n*. tei; clwm, cwlwm *m*. 2 *v*. clymu, rhwymo.

tiger *n.* teigr *m.*
tight *a.* tyn, tynn; cyfyng.
tile *n.* teilsen *f.*
timber *n.* coed, pren *m.*
time *n.* adeg *f,* oed; amser, pryd *m:*
  at times ar adegau, ar brydiau; **in**
  time mewn pryd.
timetable *n.* amserlen *f.*
timid *a.* llwfr, ofnus.
tin *n.* tun; alcam *m:* **tin of paint** tun
  o baent; **tin of peas** tun o bys.
tinge *n.* naws, gwawr *f.*
tinted *a.* lliwiog.
tiny *a.* bach, bychan, bitw, mân.
tip *n.* tip *m,* tomen *f;* cyngor *m;*
  gwobr *f;* cil-dwrn *m:* **rubbish**
  tip tomen ysbwriel, tip ysbwriel.
tire *v.* blino.
tired *a.* blinedig, blin.
title *n.* teitl, enw *m;* hawl *f:* **title-**
  page wyneb ddalen.
to *prp.* at, hyd at, i, er mwyn, tua,
  wrth, yn.
toad *n.* llyffant *m.*
toadstools *n.* madarch, caws
  llyffant, bwyd y boda *pl.*
toast 1 *n.* tost; llwncdestun *m.* 2
  v. tostio; cynnig llwncdestun.
today *ad.* heddiw.
together *ad.* gyda'i gilydd, ynghyd.
toil 1 *n.* llafur *m.* 2 *v.* llafurio.
toilet *n.* toiled, tŷ-bach, lle chwech,
  jeriw *m.*
token *n.* arwydd; tocyn *m.*
tolerate *v.* goddef, caniatáu.
toll 1 *n.* toll, treth *f.* 2 *v.* canu cloch.
tollgate *n.* tollborth *m,* tollglwyd *f.*
tomato *n.* tomato *m.*
tomb *n.* bedd, beddrod *m.*
tom-cat *n.* cwrcath, gwrcath,
  cwrcyn, gwrcyn *m.*
tomorrow *ad.* fory, yfory.
ton *n.* tunnell *f:* **tonne** tunnell
  fetrig.
tone *n.* tôn; naws *f.*
tongue *n.* tafod *m;* tafodiaith, iaith *f.*
tonight *ad.* heno.
too *ad.* hefyd; rhy: **too**
  much gormod; **too little** rhy fach;
  too late rhy hwyr.
tool *n.* arf, erfyn, offeryn *m.*
tooth *n.* dant *m.*
toothache *n.* dannoedd *f.*
toothbrush *n.* brwsh dannedd *m.*
toothpaste *n.* sebon dannedd, past
  dannedd *m.*
top *n.* pen, brig, copa, top *m.*
topic *n.* pwnc, testun *m.*
torch *n.* tors *m.*

torch-light *n.* golau tors *m.*
torment *v.* poeni, poenydio.
tormentor *n.* poenydiwr *m.*
torque *n.* torch *m.*
torrid *a.* cras, poeth, crasboeth.
tortoise *n.* crwban *m.*
torture *v.* poenydio.
Tory 1 *n.* Tori, Ceidwadwr *m.* 2
  a. Torïaidd.
total 1 *n.* cyfanswm, y cyfan *m.* 2
  a. cyfan, hollol, llwyr.
tottering *a.* sigledig, simsan.
touch 1 *n.* teimlad *m.* 2 *v.* cyffwrdd
  (â), teimlo.
touch judge *n.* ystlyswr *m.*
touch-line *n.* llinell ystlys *f.*
tour 1 *n.* taith *f,* tro *m.* 2 *v.* teithio.
tourism *n.* twristiaeth *f.*
tourist 1 *n.* teithiwr, ymwelwr,
  ymwelydd *m.* 2 *a.* twristaidd:
  Tourist Board Bwrdd Croeso.
towards *prp.* tua, at, tuag at.
towel *n.* lliain, tywel *m.*
tower *n.* twr *m.*
town *n.* tref, tre *f:* **Carmarthen**
  Town Tre Caerfyrddin; **town**
  centre canol y dre; **town**
  council cyngor y dre; **town**
  hall neuadd y dre.
toy 1 *n.* tegan *m.* 2 *v.* chwarae.
trace *v.* olrhain.
track 1 *n.* llwybr, ôl, trac *m.* 2
  v. olrhain.
tracksuit *n.* tracwisg *f.*
trade *n.* masnach; crefft *f.*
tradesman *n.* masnachwr, siopwr;
  crefftwr.
tradition *n.* traddodiad *m.*
traditional *a.* traddodiadol.
traffic *n.* trafnidiaeth, traffig *f;*
  traffic jam tagfa.
trail 1 *n.* trywydd *m.* 2 *v.* llusgo.
train 1 *n.* trên *m.* 2 *v.* hyfforddi;
  ymarfer.
trainer *n.* hyfforddwr.
training *n.* hyfforddiant *m,*
  ymarfer *f:* **in-service**
  training hyfforddiant mewn swydd.
tramp 1 *n.* crwydryn *m.* 2
  v. crwydro.
trample *v.* sathru, sarnu.
tranquillity *n.* hedd, heddwch,
  tawelwch, llonyddwch *m.*
tranquilliser *n.* tawelyn *m.*
transact *v.* trafod, trin, gwneud.
transfer *v.* trosglwyddo.
transfusion *n.* trallwysiad *m:* **blood**
  transfusion trallwysiad gwaed.
transgress *v.* troseddu.

transgression *n.* trosedd *f.*
transgressor *n.* troseddwr *m.*
translate *v.* cyfieithu, trosi.
translation *n.* cyfieithiad, trosiad *m.*
translator *n.* cyfieithydd *m.*
transparent *a.* tryloyw.
transplant *v.* trawsblannu.
trap 1 *n.* trap *m.* 2 *v.* dal, trapio.
trash sothach, ysbwriel *m.*
travel *v.* teithio.
traveller *n.* teithiwr *m.*
travelling *a.* teithiol.
treachery *n.* brad, twyll *m.*
treasure 1 *n.* trysor *m.* 2 *v.* trysori.
treasurer *n.* trysorydd *m.*
treasury *n.* trysorfa *f:* **the Treasury** y Trysorlys.
treat 1 *n.* gwledd *m.* 2 *v.* trin.
treatise *n.* traethawd *m.*
tree *n.* coeden *f,* pren *m.*
tremendous *a.* dychrynllyd, ofnadwy, anferth.
trench *n.* ffos *f.*
triad *n.* tri *m.*
triads *n.* trioedd *pl.*
trial *n.* prawf; treial *m:* **sheepdog trials** treialon cŵn defaid.
triangle *n.* triongl *mf.*
triangular *a.* trionglog.
tribe *n.* llwyth, tylwyth *m.*
tribulation *n.* trallod *m.*
trick *n.* tric *m.*
trickery *n.* twyll *m.*
tricky *a.* anodd.
trim *v.* tacluso, trwsio.
trinity *n.* trindod *f.*
trio *n.* triawd *m.*
triplet *n.* tripled *m;* triban *f.*
trouble 1 *n.* gofid *m,* helynt *f,* picil, picl, trafferth, trallod, trwbl *m.* 2 *v.* blino, gofidio, trafferthu.
troublesome *a.* trafferthus.
trousers *n.* trowsus, trwser *pl.*
trowel *n.* trywel *m.*
trudge *v.* troedio, cerdded.
true *a.* gwir, cywir, iawn.
truly *ad.* yn wir, yn gywir: **Yours truly** Yr eiddoch yn gywir.
trunk *n.* bôn *m;* cist *f;* trwnc *m.*
trust 1 *n.* ymddiriedaeth, ymddiriedolaeth *f.* 2 *v.* ymddiried (yn).

trustee *n.* ymddiriedolwr *m.*
trusteeship *n.* ymddiriedolaeth *f.*
trusty *a.* ffyddlon, cywir.
truth *n.* gwirionedd, gwir, iawn *m.*
try 1 *n.* cais *(mewn rygbi,* cynnig *m:* **converted try** trosgais. 2 *v.* ceisio, cynnig, profi.
T-shirt *n.* crys-T *m.*
Tuesday *n.* dydd Mawrth *m.*
tug 1 *n.* plwc; tynfad *m.* 2 *v.* llusgo, tynnu.
tuition *n.* addysg *f,* hyfforddiant *m.*
tumble 1 *n.* cwymp *m.* 2 *v.* cwympo.
tumbler *n.* gwydryn *m.*
tummy *n.* bola *m.*
tumult *n.* twrw, mwstwr, terfysg, cythrwfl *m.*
tune *n.* alaw, tôn *f.*
tunnel *n.* twnnel *m.*
turkey *n.* twrci *m.*
Turkey *n.* Twrci *f.*
Turkish *a.* Twrcaidd.
turmoil *n.* berw, trafferth *m.*
turn 1 *n.* tro *m.* 2 *v.* troi.
turning *n.* tro *m.* tröedigaeth *m.*
turning point *n.* trobwynt *m.*
turnip *n.* erfinen, meipen *f.*
tutor 1 *n.* athro, tiwtor, hyfforddwr *m.* 2 *v.* dysgu, hyfforddi.
twelfth *n. & a.* deuddegfed *m.*
twelve *n. & a.* deuddeg, un deg dau *m.*
twentieth *n. & a.* ugeinfed *m.*
twenty *n. & a.* ugain, dau ddeg *m.*
twice *ad.* dwywaith.
twig *n.* brigyn, brig *m.*
twilight *n.* cyfnos, cyfddydd *m.*
twin 1 *n.* gefell *m.* 2 *v.* gefeillio.
twine *n.* llinyn *m.*
twist 1 *n.* tro *m.* 2 *v.* troi.
two *n. & a.* dau *m:* dwy *f;* pâr *m:* **in twos, two by two** yn ddeuoedd, yn ddau a dau.
typescript *n.* teipysgrif *f.*
typewriter *n.* teipiadur *m.*
typhoon *n.* corwynt *m.*
typist *n.* teipydd *m.*
tyre *n.* teiar *m.*

ubiquitous *a.* ym mhob man.
ugliness *n.* hagrwch *m.*
ugly *a.* hagr, hyll, salw.
ultra 1 *a.* eithafol. 2 *px.* gor-, dros ben, tu hwnt i.
ultra-modern *a.* tra modern, modern iawn.
umbrella *n.* ambarél, ymbrarél, ymbrelo *m.*
umpire 1 *n.* dyfarnwr, canolwr *m.* 2 *v.* dyfarnu.
unaccompanied *a.* heb gwmni; heb gyfeiliant.
unaccustomed *a.* anghyfarwydd.
unacquainted *a.* anghyfarwydd.
unanimous *a.* unfryd, unfrydol, unfarn.
unanimously *ad.* yn unfryd.
unceasing *a.* di-baid, diddiwedd.
uncertain *a.* ansicr.
uncivil *a.* anfoesgar.
unclad *a.* noeth.
uncle *n.* ewyrth, ewythr *m.*
unclean *a.* aflan, brwnt, budr.
uncommon *a.* anghyffredin.
uncover *v.* datguddio.
uncultivated *a.* heb ei drin.
under 1 *prp.* dan, tan, o dan, is, islaw. 2 *ad.* danodd, oddi tanodd. 3 *px.* is-, tan-.
underclothing *n.* dillad, isaf *m.*
undercurrent *n.* islif *m.*
undergo *v.* dioddef.
underground *a.* tanddaear, tanddaearol.
underline *v.* tanlinellu, pwysleisio.
undermine *v.* tanseilio.
underneath *a.* dan, tan, oddi tan. 2 *ad.* oddi tanodd.
underpass *n.* tanffordd *f.*

underskirt *n.* sgert isaf, sgyrt isaf, pais *f.*
understand *v.* deall.
understanding *n.* deall, dealltwriaeth.
undertake *v.* ymgymryd (â).
undertaker *n.* trefnydd angladdau *m.*
undo *v.* datod; difetha.
undress *v.* dadwisgo.
unearned *a.* heb ei ennill.
uneasy *a.* ansmwyth, pryderus.
unemployed 1 *n.* y diwaith *m.* 2 *a.* di-waith, segur.
unemployment *n.* diweithdra *m:* **unemployment benefit** budd-dâl diwaith.
unending *a.* diddiwedd, diderfyn.
unfair *a.* annheg.
unfaithful *a.* anffyddlon.
unfamiliar *a.* anghyfarwydd, dieithr.
unfasten *v.* datod.
unfit *a.* anaddas, anghymwys.
unforunate *a.* anffodus.
unfortunately *ad.* yn anffodus.
unhappy *a.* anhapus, trist.
unhealthy *a.* afiach.
uniform *n.* gwisg swyddogol *f; a.* unffurf.
unimportant *a.* dibwys.
uninteresting *a.* anniddorol.
union *n.* undeb *m.*
unionist *n.* undebwr *m.*
unique *a.* unigryw.
unit *n.* uned *f;* un, rhif un; undod *m.*
Unitarian *n.* Undodwr *m.*
unite *v.* uno, cysylltu, cyfuno.
united *a.* unedig, unol: **the United Kingdom** y Deyrnas Unedig; **United States of America** Unol Daleithiau America.
unity *n.* undod *m.*
universe *n.* bydysawd, cyfanfyd.
university *n.* prifysgol *f:* **University of Wales** Prifysgol Cymru.
unjust *a.* anghyflawn.
unjustly *ad.* ar gam.
unkind *a.* angharedig.
unleaded *a.* di-blwm: **unleaded petrol** petrol di-blwm.
unless *c.* oni, onid.
unlike *a.* annhebyg.
unlimited *a.* diderfyn.
unlucky *a.* anffodus, anlwcus.
unmannerly *a.* anfoesgar.
unmarried *a.* dibriod.
unnatural *a.* annaturiol.
unoccupied *a.* gwag, segur.
unopened *a.* heb ei agor.

unprepared *a.* amharod.
unravel *v.* datod, datrys.
unready *a.* amharod.
unreasonable *a.* afresymol.
unsatisfied *a.* anfodlon.
unseen *a.* anweledig.
unsightly *a.* diolwg, hyll, salw.
unsteady *a.* simsan.
unsuitable *a.* anaddas, anghymwys.
untidy *a.* anniben.
untie *v.* datod.
until *prp. & c.* hyd, hyd oni, nes, tan.
untrue *a.* celwyddog.
untruth *n.* celwydd, anwiredd *m.*
untruthful *a.* celwyddog.
unusual *a.* anarferol.
unwell *a.* anhwylus, afiach, claf.
unwholesome *a.* afiach.
unwilling *a.* anfodlon.
unwise *a.* annoeth, ffôl.
unworthy *a.* annheilwng.
up *ad. & prp.* i fyny.
uphill *ad.* i fyny.
uphold *v.* cynnal.
upon *prp.* ar, ar warthaf, ar uchaf.

upper *a.* uwch, uchaf.
uppermost *a. & ad.* uchaf.
upright *a.* syth, union, unionsyth; onest, cywir.
upside-down *ad.* wyneb i waered.
upstairs 1 *n.* llofft *f.* **2** *ad.* ar y llofft.
up-to-date *a.* cyfoes, hyd yn hyn.
upwards *ad.* i fyny.
urban *a.* trefol.
urge *v.* argymell.
urgency *n.* brys *m.*
us *pn.* ni, ninnau, nyni, 'n.
usage *n.* arfer *mf,* defnydd *m.*
use 1 *n.* arfer *mf,* defnydd, gwasanaeth, iws *m.* **2** *v.* arfer, defnyddio.
useful *a.* defnyddiol.
useless *a.* diwerth.
user *n.* defnyddiwr *m.*
Usk *n.* Wysg (river); Brynbuga (town) *f.*
usual *a.* arferol: **as usual** fel arfer.
utilise *v.* defnyddio.
utmost *a.* eithaf, pellaf.

vacancy *n.* lle gwag *m*, swydd wag *f*.
vacant *a.* gwag.
vacation *n.* gwyliau *pl*.
vaccination *n.* brechiad *m*, brech *f*.
vacuum *n.* gwagle *m*.
vain *a.* balch; ofer.
vale *n.* bro *f*, cwm, dyffryn, glyn *m*: **Vale of Glamorgan** Bro Morgannwg.
valiant *a.* dewr.
valley *n.* cwm, dyffryn, glyn *m*.
valuable *a.* drud, gwerthfawr.
value *n.* gwerth *m*: **Value Added Tax (VAT)** Treth Ar Werth.
van *n.* fan, y rheng flaenaf *f*.
vandal *n.* fandal *m*.
vandalise *v.* fandaleiddio.
vandalism *n.* fandaliaeth *f*.
vanish *v.* diflannu.
vanity *n.* gwagedd, oferedd *m*.
various *a.* amryw, gwahanol.
vary *v.* newid.
vast *a.* eang, enfawr, anferth.
veal *n.* cig llo *m*.
vegetable *n.* llysieuyn *m*.
vehicle *n.* cerbyd; cyfrwng *m*.
veil *n.* llen *f*.
velocity *n.* cyflymder *m*.
vengeance *n.* dial, dialedd *m*.
venom *n.* gwenwyn *m*.
venture 1 *n.* antur *m*, menter *f*. 2 *v.* mentro, beiddio, meiddio.
venturesome *a.* mentrus, anturus.
Venus *n.* Gwener *m*.
verb *n.* berf *f*.
verbally *ad.* mewn geiriau.
verb-noun *n.* berfenw *m*.
verdict *n.* dyfarniad, dedfryd *m*.
vermin *n.* pryfed, llygod ... *pl*.
verse *n.* adnod *f*, pennill *m*; barddoniaeth *f*.

version *n.* fersiwn *m*.
versus *ad.* yn erbyn.
vertical *a.* syth, unionsyth, plwm.
very *a.* & *ad.* gwir, iawn, i'r dim.
vessel *n.* llestr; llong *m*.
vestry *n.* festri *f*.
veterinary surgeon *n.* milfeddyg *m*.
vex *v.* blino, gofidio, poeni, becso.
vexation *n.* blinder, gofid *m*.
via *prp.* trwy, ar hyd.
vicar *n.* ficer *m*.
vicarage *n.* ficerdy *m*.
vice *n.* drygioni *m*; gwasg, feis *f*.
vice-, *px.* is-, rhag-.
vice-chairman *n.* is-gadeirydd *m*.
vice-president *n.* is-lywydd *m*.
victor *n.* buddugwr, y buddugol, enillwr, enillydd *m*.
victory *n.* buddugoliaeth *f*.
view 1 *n.* golygfa *f*, golwg *mf*; barn *f*. 2 *v.* edrych, gweld.
viewer *n.* gwyliwr *m*, (teledu).
viewpoint *n.* safbwynt *m*.
vigil *n.* gwylnos, noswyl *f*.
vigour *n.* grym, nerth, egni, ynni.
vigorous *a.* egnïol.
vile *a.* ffiaidd, gwael, salw.
village *n.* pentref *m*.
villager *n.* pentrefwr.
vinegar *n.* finegr *m*.
viola *n.* fiola *f*.
violate *v.* treisio, troseddu.
violence *n.* trais *m*.
violent *a.* treisiol, gwyllt: **non-violent** di-drais.
violet 1 *n.* fioled *f*. 2 *a.* dulas.
violin *n.* ffidil *f*.
virgin *n.* morwyn, gwyryf *f*: **the Virgin Mary** y Forwyn Fair.
virtually *ad.* i bob pwrpas.
virtue *n.* rhinwedd *f*.
virus *n.* firws *m*.
vision *n.* gweledigaeth *f*; golwg *mf*; gweled *m*.
visit 1 *n.* ymweliad *m*. 2 *v.* ymweld (â), galw.
visitor *n.* ymwelwr, ymwelydd *m*.
vitamin *n.* fitamin *m*.
vivacious *a.* bywiog, heini.
vivid *a.* byw, clir, llachar.
vixen *n.* cadnawes, cadnöes, llwynoges *f*.
vocabulary *n.* geirfa *f*.
vocal *a.* llafar; lleisiol.
vocalist *n.* cantor *m*, cantores *f*, canwr *m*.
vocally *ad.* â'r llais.
vogue *n.* ffasiwn *m*, arfer *mf*.
voice 1 *n.* llais *m*, llef *f*. 2 *v.* lleisio, mynegi.

void 1 *n.* gwagle *m.* 2 *a.* di-rym. 3
v. gwacáu.
volcano *n.* llosgfynydd, folcano *m.*
vole *n.* llygoden y maes *f.*
volume *n.* cyfrol *f;* cyfaint; llais, sŵn;
foliwm *m.*
voluntary *a.* gwirfoddol.
volunteer 1 *n.* gwirfoddolwr *m.* 2
v. gwirfoddoli.
vomit *v.* chwydu.

vote 1 *n.* pleidlais *f.* 2 *v.* pleidleisio.
voter *n.* pleidleisiwr *m.*
vowel *n.* llafariad *f.*
voyage 1 *n.* mordaith *f.* 2
v. mordeithio, mordwyo, morio:
Bon voyage Hwyl dda! Siwrnai
dda!
vulgar *a.* cyffredin; isel, brwnt;
aflednais; gwerinol.
vulgarity *n.* diffyg moes *m.*

wag *v.* ysgwyd, siglo.
wage *n.* cyflog *mf.*
waist *n.* gwasg *mf,* canol *m.*
waistcoat *n.* gwasgod *f.*
wait *v.* aros, disgwyl; gweini.
waiter *n.* gweinydd *m.*
waitress *n.* gweinyddes *f.*
wake *v.* dihuno, deffro.
Wales *n.* Cymru *f.*
walk 1 *n.* tro *m.* 2 *v.* cerdded, mynd
am dro.
walker *n.* cerddwr *m.*
walking-stick *n.* ffon *f.*
wall *n.* gwal, wal *f,* mur *m.*
wallflowers *n.* blodau mam-gu *pl.*
wallpaper *n.* papur wal *m.*
want 1 *n.* eisiau, diffyg *m.* 2 *v.* bod
mewn eisiau.
wanting *a.* yn eisiau.
war 1 *n.* rhyfel *mf.* 2 *v.* rhyfela.
warehouse *n.* storfa, stôr *f,*
ystordy *m.*
warfare *n.* rhyfel *mf.*
warm 1 *a.* cynnes, gwresog, twym. 2
v. cynhesu, twymo.
warmth *n.* gwres, cynhesrwydd *m.*
warn *v.* rhybuddio.
warning *n.* rhybudd *m.*
warship *n.* llong ryfel *f.*
wart *n.* dafaden, dafad *f.*
was, I *v.* bues i, bûm, fues i, fûm,
roeddwn; *see* bod.
wash 1 *n.* golch, golchiad *m.* 2
v. golchi, ymolch, ymolchi.
washer *n.* golchydd *m.*
washing machine *n.* golchydd *m.*
washing powder *n.* powdr golchi *m.*
wash-house *n.* golchdy *m.*
wasp *n.* cacynen, picwnen *f:* **wasps'
nest** nyth cacwn.

waste 1 *n.* gwastraff *m:* **nuclear
waste** gwastraff niwclear. 2
v. gwastraffu.
wasteful *a.* gwastraffus.
watch 1 *n.* wats *f.* 2 *v.* gwarchod,
gwylio.
watchful *a.* gwyliadwrus.
watchman *n.* gwyliwr *m.*
watchnight *n.* gwylnos *f.*
water *n.* dŵr *m.*
waterfall *n.* rhaeadr, sgwd *f,* pistyll
m.
wave 1 *n.* ton *f.* 2 *v.* chwifio, codi
llaw.
wavelength *n.* tonfedd *f.*
wax 1 *n.* cŵyr *m.* 2 *v.* cwyro;
cynyddu, tyfu.
way *n.* ffordd, heol, hewl *f,* llwybr *m;*
hynt *f;* arfer *fm,* modd *m.*
wayside *n.* ymyl y ffordd *mf.*
we *pn.* ni, ninnau, nyni.
weak *a.* gwan.
weaken *v.* gwanhau.
weakness *n.* gwendid *m.*
wealth *n.* cyfoeth, golud, da, modd *m.*
wealthy *a.* cyfoethog, cefnog.
weapon *n.* arf, erfyn *m:* **nuclear
weapons** arfau niwclear.
wear 1 *n.* gwisg; traul *f.* 2 *v.* gwisgo;
treulio.
weariness *n.* blinder *m.*
wearisome *a.* blinedig, blin, poenus.
weary 1 *a.* blinedig, blin. 2 *v.* blino,
diflasu.
weather *n.* tywydd *m,* hin *f:* **fine
weather** tywydd teg, hindda;
tempestuous weather tywydd
mawr.
weave *v.* gwau, gweu.
web *n.* gwe *f.*
wed *v.* priodi.
wedding *n.* priodas *f.*
Wednesday *n.* dydd Mercher *m.*
weed 1 *n.* chwynnyn *m.* 2
v. chwynnu.
weeds *n.* chwyn *pl.*
week *n.* wythnos *f:* **the first week** yr
wythnos gyntaf: **the second
week** yr ail wythnos: **the third
week** y drydedd wythnos: **the last
week** yr wythnos diwethaf.
weekend *n.* penwythnos *m.*
weekly *a.* wythnosol.
weep *v.* crio, wylo, llefain.
weigh *v.* pwyso.
weight *n.* pwys, pwysau *m.*
weighty *a.* pwysig; trwm.
welcome 1 *n.* croeso *m.* 2
v. croesawu.

welfare n. lles, budd m.
welfare state n. gwladwriaeth les f.
well 1 n. ffynnon f. **2** v. iach, da,
iawn. **3** v. llifo, cronni. **4** ad. yn
dda. **5** i. wel! **fairly well** yn lled dda;
very well o'r gorau.
Welsh a. Cymraeg; Cymreig: **Welsh
affairs** materion Cymreig; **Welsh
books** llyfrau Cymraeg; **Welsh
cakes** picau ar y maen; **Welsh
office** Swyddfa Gymreig; **Welsh
schools** ysgolion Cymraeg; **Welsh
water** dŵr Cymru.
Welsh (language) n. Cymraeg f.
Welsh (people) n. Cymry pl.
Welshman n. Cymro m.
Welshness n. Cymreictod m.
Welshwoman n. Cymraes f.
west 1 n. gorllewin m. **2**
a. gorllewin, gorllewinol: **West
Wales** Gorllewin Cymru; **west or
westerly wind** gwynt y gorllewin.
western a. gorllewinol.
wet 1 n. gwlybaniaeth f. **2** a. gwlyb.
3 v. gwlychu.
whale n. morfil m.
what 1 n. pa. **2** pn. pa beth. **3**
i. beth!
whatever pn. beth bynnag.
wheat n. gwenith m.
wheel n. olwyn f: **front wheel**
olwyn flaen; **rear wheel** olwyn gefn;
spare wheel olwyn sbâr.
wheelbarrow n. berfa, whilber f.
wheelchair n. cadair olwynion f.
when ad., pn. & c. pan, pa bryd.
whenever ad. pa bryd bynnag.
where ad. ym mha le; yn y lle, lle.
whereabouts ad. ymhle.
whereas c. gan, yn gymaint â.
whereby ad. trwy yr hyn.
wherefore ad. paham, am hynny.
wherein ad. yn yr hyn.
wherever ad. ble bynnag.
which 1 rel.pn. a; y, yr. **2** int.pn. pa
un? p'un? **3** a. pa.
whichever a. & pn. pa un bynnag.
whilst ad. cyhyd, tra.
whip 1 n. chwip f. **2** v. chwipio.
whirlpool n. pwll tro, trobwll m.
whisper 1 n. sisial m. **2** v. sisial,
sibrwd.
whistle 1 n. chwiban m. **2**
v. chwiban, chwibanu.
white a. gwyn, gwen, can.
white-lime n. gwyngalch m.
whiten v. gwynnu.
whitewash 1 n. gwyngalch m. **2**
v. gwyngalchu.

Whitsunday n. Sulgwyn m.
whittle v. naddu.
whiz 1 n. si, su m. **2** v. sio, suo.
who pn. a, pwy; y, yr.
whole 1 n. cwbl, cyfan, holl m. **2**
a. cyfan, holl; iach, holliach.
wholesome a. iach, iachus.
wholly ad. yn hollol, yn gyfan gwbl,
yn llwyr.
whom rel.pn. a; y, yr.
whose pn. eiddo pwy? pwy biau?
whosoever pn. pwy bynnag.
why ad. paham, pam.
wicked a. drwg, drygionus.
wickedness n. drwg, drygioni m.
wicket n. wiced; clwyd f: **wicket-
keeper** wicedwr.
wide a. llydan, eang.
wide-awake a. effro, ar ddihun.
widely ad. yn eang.
widen v. lledu, llydanu.
widow n. gweddw, gwidw f.
widower n. gwidman m.
width n. lled m.
wife n. gwraig, gwraig briod, priod f.
wild a. gwyllt, ffyrnig.
wilderness n. anialwch, diffeithwch
m.
wildfire n. tân gwyllt m.
will 1 n. ewyllys m. **2** v. mynnu.
will be, he/she/it v. bydd; see bod.
willing a. bodlon, parod.
willow n. helygen f.
win v. ennill: **to win the day** cario'r
dydd.
wind n. gwynt m; anadl m/f: **cold
wind** gwynt oer; **the north
wind** gwynt y gogledd.
wind v. troi, dirwyn.
windmill n. melin wynt f.
window n. ffenestr f: **window
pane** cwarel.
windy a. gwyntog.
wine n. gwin m: **dry red wine** gwin
coch sych; **sweet white wine** gwin
gwyn melys.
wineglass n. gwydr gwin m.
wing n. adain, aden, asgell f;
asgellwr m.
winner n. enillwr, enillydd,
y buddugol m.
winning a. buddugol.
winnings n. enillion pl.
winter n. gaeaf m: **winter
dwelling** hendref, hendre.
wintry a. gaeafol.
wipe v. sychu.
wire n. gwifren f.
wisdom n. doethineb m.

wise *a.* call, doeth: **the Wise Men** y Doethion.

wish 1 *n.* dymuniad, ewyllys *m.* 2 *v.* dymuno.

witch *n.* gwrach *f.*

with *prp.* â, ag, gyda, gydag, efo, gan.

withdraw *v.* tynnu yn ôl; cilio; codi arian.

wither *v.* gwywo.

withhold *v.* atal, dal yn ôl.

within 1 *prp.* i mewn, o fewn, yn. 2 *ad.* tu mewn.

without 1 *prp.* heb. 2 *a.* tu allan.

witness 1 *n.* tyst *m.* 2 *v.* tystio.

wits *n.* synhwyrau *pl.*

witticism *n.* jôc, ffraethineb *f.*

witty *a.* doniol, ffraeth.

wizard *n.* dewin *m.*

wolf *n.* blaidd *m.*

woman *n.* merch, menyw, gwraig, llances, dynes *f.*

wonder 1 *n.* rhyfeddod *m.* 2 *v.* rhyfeddu, synnu: **I wonder** tybed.

wonderful *a.* rhyfedd, rhyfeddol.

wood *n.* coed *pl,* coedwig *f;* pren *m.*

wooden *a.* o goed, o bren.

woodwork *n.* gwaith coed, gwaith saer *m.*

wool *n.* gwlân *m.*

woollen *a.* gwlân, gwlanog: **woollen industry** diwydiant gwlân.

word *n.* gair *m:* **a good word** gair da; **the last word** y gair olaf; **word for word** gair am air.

work 1 *n.* gwaith, llafur *m.* 2 *v.* gweithio, llafurio.

worker *n.* gweithiwr *m.*

working *a.* gwaith, yn gweithio: **working class** dosbarth gweithiol; **working clothes** dillad gwaith;

working party gweithgor.

workshop *n.* gweithdy *m,* siop waith *f.*

world *n.* byd *m.*

worldly *a.* bydol.

worldwide *a.* byd-eang.

worm *n.* mwydyn, pryfyn *m.*

worried *a.* gofidus, pryderus.

worry 1 *n.* gofid *m,* helynt *f,* pryder *m.* 2 *v.* gofido, poeni, pryderu, blino.

worse *a.* gwaeth.

worship *n.* addoliad *m.*

worth *n.* gwerth *m.*

worthiness *n.* teilyngdod, gwerth.

worthless *a.* diwerth.

worthy *a.* teilwng.

wound 1 *n.* clwyf, anaf *m.* 2 *v.* clwyfo, anafu.

wrap *v.* lapio, rhwymo: **wrapping paper** papur lapio.

wrath *n.* llid *m.*

wreath *n.* torch *f.*

wren *n.* dryw *m.*

wretch *n.* truan *m.*

wretched *a.* truan, truenus.

wretchedness *n.* trueni, trallod *m.*

wright *n.* crefftwr, saer *m:* **cartwright** saer certiau; **wheelwright** saer olwynion *(pren).*

wrist *n.* arddwrn *m.*

write *v.* sgrifennu, ysgrifennu: **to write a name** torri enw.

writer *n.* ysgrifennwr, awdur *m,* awdures *f.*

writing *n.* ysgrifen, ysgrifennu *f.*

wrong 1 *n.* cam, bai *m.* 2 *a.* anghywir, rong. 3 *v.* gwneud cam â.

wrongdoer *n.* troseddwr *m.*

wrongdoing *n.* trosedd *f.*

x-ray *n.* pelydr X, pelydryn X *m:*
  x-rays pelydrau X.
xylophone *n.* seiloffon *f.*

yard n. buarth m, iard f, clos, cwrt m; llathen f.
yarn n. chwedl, stori; edau f.
year n. blwyddyn; blwydd (oed) f; blynedd pl (after numerals): **the first year** y flwyddyn gyntaf; **the second year** yr ail flwyddyn; **three years old** tair blwydd oed; **four years old** pedair blwydd oed; **for five years** am bum mlynedd; **for six years** am chwe blynedd; **last year** y llynedd; **leap year** blwyddyn naid; **this year** eleni; **next year** y flwyddyn nesaf.
yearly a. blynyddol.
yearn v. hiraethu, dyheu.
yearning n. hiraeth m.
yell 1 n. sgrech, gwaedd f. **2** v. sgrechian, sgrechain, gweiddi.

yellow a. melyn, melen af: **the yellow apple** yr afal melyn; **the yellow dress** y wisg felen.
yes ad. ie, byddaf, byddan, do, oes, oedd, oeddwn, ydw, ydy, ydyn . . . (Welsh uses the verb forms to answer yes/no) e.g. **Tom? Yes.** Tom? Ie. **Was he there? Yes.** Oedd e yno? Oedd. **Is Huw late? Yes.** Ydy Huw'n hwyr? Ydy. **Are there dogs here? Yes.** Oes cŵn yma? Oes. **Will they be cold? Yes.** Fyddan nhw'n oer? Byddan.
yesterday n. & ad. doe, ddoe; **the day before yesterday** echdoe.
yet ad. eto, er hynny.
yew n. ywen f.
yield v. ildio, rhoddi.
yoke n. iau f.
yolk n. melyn wy, melynwy m.
yonder ad. acw, draw.
you pn. ti; chi, chwi: **you also** tithau, chithau, chwithau; **you yourself** tydi.
young a. ieuanc, ifanc.
younger a. iau.
youngest a. ifancaf.
youngster n. crwt, hogyn, plentyn m.
your pn. dy, 'th; eich, 'ch.
yours pn. eiddoch, yr eiddoch: **yours faithfully** yr eiddoch yn ffyddlon; **yours truly** yr eiddoch yn gywir.
yourself pn. eich hun, eich hunan.
yourselves pn. eich hunain.
youth n. llanc; ieuenctid m.
youthful a. ieuanc, ifanc.
Yuletide n. adeg y Nadolig f.

zeal *n.* sêl *f.*
zero *n.* dim, sero *m.*
zig-zag *a.* igam-ogam.
zinc *n.* sinc *m.*
zip 1 *n.* sip *m.* **2** *v.* sipio.
zone *n.* cylch, rhanbarth *m.*
zoo *n.* sw *m.*
zoology *n.* sŵoleg *mf.*

—SUPPLEMENT—
ATODIAD

VERBS
BERFAU

In this short introduction to the study of Welsh verbs, the irregular verb **bod** *(to be)* is conjugated in the Present, Imperfect, Future and Past tenses only. For a fuller discussion of the subject the reader must refer to specific books on Welsh grammar.

Present Tense (bod *to be*)

Affirmative Form

	Singular		Plural	
1	*Rydw i	*I am*	Rydyn ni	*We are*
2	Rwyt ti	*You are*	Rydych chi	*You are*
3	Mae e/o	*He/It is*	Maen nhw	*They are*
	Mae hi	*She is*		

Note: 3rd Person	**mae, oes, sy,**	*is, there is,*
Singular	**yw, ydyw**	*are, there are*
	Oes . . .?	*Is there . . .?*
		Are there . . .?

*Literary Form: **Yr wyf i, 'Rwyf i**. In spoken Welsh one hears **Rw i/Dw i** and also **Rŷn ni/Dŷn ni; Rych chi/Dych chi.**

Interrogative Form

	Singular		Plural	
1	Ydw i?	*Am I?*	Ydyn ni?	*Are we?*
2	Wyt ti?	*Are you?*	Ydych chi?	*Are you?*
3	Ydy e/o?	*Is he/it?*	Ydyn nhw?	*Are they?*
	Ydy hi?	*Is she?*		

**Negative Form

	Singular			Plural	
1	Dydw i ddim	I am not		Dydyn ni ddim	We are not
2	Dwyt ti ddim	You are not		Dydych chi ddim	You are not
3	Dydy e/o ddim	He/It is not		Dydyn nhw ddim	They are not
	Dydy hi ddim	She is not			

Also heard in spoken Welsh: **Dw i ddim; Dwyt ti ddim; Dyw e/o/hi ddim; Dŷn ni ddim; Dych chi ddim; Dŷn nhw ddim

Imperfect Tense (bod *to be*)

Affirmative Form

	Singular			Plural	
1	*Roeddwn i	I was/used to		Roedden ni	We were/used to
2	Roeddet ti	You were/used to		Roeddech chi	You were/usesd to
3	Roedd e/o	He/It was/used to		Roedden nhw	They were/used to
	Roedd hi	She was/used to			

Note: 3rd Person Singular   **roedd**   *was, there was*
were, there were

*Also heard in spoken Welsh: **Rown i, Roen i; Rôt ti; Roedd e/hi; Rôn ni; Roch chi, Rôn nhw.**

Interrogative Form

	Singular	
1	Oeddwn i?	Was I/Used I to?
2	Oeddet ti?	Were you/Used you to?
3	Oedd e/o?	Was he/it/Used he to?
	Oedd hi?	Was she/Used she to?

Plural	
Oedden ni?	Were we/Used we to?
Oeddech chi?	Were you/Used you to?
Oedden nhw?	Were they/Used they to?

Note: 3rd Person Singular **Oedd . . .?**   *Was there . . .?*
Were there . . .?

Negative Form

	Singular	
1	Doeddwn i ddim	I wasn't/I used not to
2	Doeddet ti ddim	You weren't/You used not to
3	Doedd e/o ddim	He/It wasn't/It used not to
	Doedd hi ddim	She wasn't/She used not to
		Plural
1	Doedden ni ddim	We weren't/We used not to
2	Doeddech chi ddim	You weren't/You used not to
3	Doedden nhw ddim	They weren't/They used not to

Future Tense (bod *to be*)

Affirmative Form

	Singular		Plural	
1	Bydda i	*I shall be*	Byddwn ni	*We shall be*
2	Byddi di	*You will be*	Byddwch chi	*You will be*
3	Bydd e/o	*He/It will be*	Byddan nhw	*They will be*
	Bydd hi	*She will be*		

Note: 3rd Person Singular **bydd** *will be*

Interrogative Form

	Singular		Plural	
1	Fydda i?	*Shall I be?*	Fyddwn ni?	*Shall we be?*
2	Fyddi di?	*Will you be?*	Fyddwch chi?	*Will you be?*
3	Fydd e/o?	*Will he/she be?*	Fyddan nhw?	*Will they be?*
	Fydd hi?	*Will she be?*		

Negative Form

	Singular		Plural	
1	Fydda i ddim	*I shall not be*	Fyddwn ni ddim	*We shall not be*
2	Fyddi di ddim	*You will not be*	Fyddwch chi ddim	*You will not be*
3	Fydd e/o ddim	*He/It will not be*	Fyddan nhw ddim	*They will not be*
	Fydd hi ddim	*She will not be*		

Imperative (bod *to be*)

Bydd! Bydda! (singular); **Byddwch!** (plural) *Be!*

Past Tense (bod *to be*)

Affirmative Form

	Singular		Plural	
1	*Bues i	*I was*	Buon ni	*We were*
2	Buest ti	*You were*	Buoch chi	*You were*
3	Buodd e/o	*He/It was*	Buon nhw	*They were*
	Buodd hi	*She was*		

*Literary form of 1st Person Singular Past Tense: **Bûm i**

Interrogative Form

	Singular		Plural	
1	Fues i?	*Was I?*	Fuon ni?	*Were we?*
2	Fuest ti?	*Were you?*	Fuoch chi?	*Were you?*
3	Fuodd e/o?	*Was he/it?*	Fuon nhw?	*Were they?*
	Fuodd hi?	*Was she?*		

Negative Form

	Singular		Plural	
1	Fues i ddim	*I wasn't*	Fuon ni ddim	*We weren't*
2	Fuest ti ddim	*You weren't*	Fuoch chi ddim	*You weren't*
3	Fuodd e/o ddim	*He/It wasn't*	Fuon nhw ddim	*They weren't*
	Fuodd hi ddim	*She wasn't*		

Affirmative and Negative Answers Yes and No

The entries shown in the English-Welsh section of the dictionary under **yes** and **no** may be further supplemented:

Present Tense

	Singular		Plural	
1	Ydw/Nag ydw	Yes/No	Ydyn/Nag ydyn	Yes/No
2	Wyt/Nag wyt	Yes/No	Ydych/Nag ydych	Yes/No
3	Ydy/Nag ydy	Yes/No	Ydyn/Nag ydyn	Yes/No
	Oes/Nag oes	Yes/No		

Imperfect Tense

	Singular		Plural	
1	Oeddwn/Nag oeddwn	Yes/No	Oedden/Nag oedden	Yes/No
2	Oeddet/Nag oeddet	Yes/No	Oeddech/Nag oeddech	Yes/No
3	Oedd/Nag oedd	Yes/No	Oedden/Nag oedden	Yes/No

Future Tense

	Singular		Plural	
1	Bydda/Na fydda	Yes/No	Byddwn/Na fyddwn	Yes/No
2	Byddi/Na fyddi	Yes/No	Byddwch/Na fyddwch	Yes/No
3	Bydd/Na fydd	Yes/No	Byddan/Na fyddan	Yes/No

With the past tense **Do** *Yes* and **Naddo** *No* are the forms relating to both singular and plural usages.

For forms such as the Pluperfect **Buaswn i, Fe/Mi faswn i** *I would (be)*, see further works on contemporary Welsh grammar.

Regular Verbs

Welsh verbs have inflected tenses, that is, the tenses have their own endings. These endings are added to the stem of the verbs. Most verbs follow a regular pattern but there are some irregular verbs.

In the Welsh — English section of this dictionary an entry for a verb is shown as follows:

canu *be.* **(canaf)** to sing, to play

The stem derived from the verb-noun **canu** is **can-**. The Present Tense ending for the 1st Person Singular is **af-**, and when the ending is added to the stem, **can** + **af** becomes **canaf**, which is the form shown in the brackets, frequently written and prounonded **cana.**

The verb **bod** *(to be)* is used as an auxiliary in forming tenses of regular verbs such as **canu, bwyta, cysgu** ... The Present Tense of **canu** is formed by using the Present Tense of the verb **bod**, that is, **Rydw i, Rwyt ti, Mae e** ... followed by **yn** + **canu**. It also exists in compact form as shown below.

Note: **Rydw i yn canu** becomes **Rydw i'n canu**
      Rwyt ti yn canu becomes **Rwyt ti'n canu**
      Mae e yn canu becomes **Mae e'n canu** ...

Present Tense (**canu** *to sing, to play*)

Singular

1	Rydw i'n canu	I sing, I am singing
2	Rwyt ti'n canu	*You sing, You are singing*
3	Mae e/o'n canu	*He/It sings, He/It is singing*
	Mae hi'n canu	*She sings, She is singing*

Plural

1	Rydyn ni'n canu	*We sing, We are singing*
2	Rydych chi'n canu	*You sing, You are singing*
3	Maen nhw'n canu	*They sing, They are singing*

The Imperfect Tense is formed by using the Imperfect Tense of **bod**, that is, *Roeddwn i, Roeddet ti, Roedd e . . .* followed by *yn canu.*

Imperfect Tense (**canu** *to sing, to play*)

Singular

1	Roeddwn i'n canu	*I was singing*
2	Roeddet ti'n canu	*You were singing*
3	Roedd e/o'n canu	*He/It was singing*
	Roedd hi'n canu	*She was singing*

Plural

Roedden ni'n canu	*We were singing*
Roeddech chi'n canu	*You were singing*
Roedden nhw'n canu	*They were singing*

The Imperfect Tense also conveys the meaning of continuous action. **Roedd hi'n canu** means not only *She was singing*, but also, *She was **going on** singing.* **Roedd hi'n arfer canu** *She used to sing.*

The Future Tense is formed by using the Future Tense of **bod**, that is, **Bydda i, Byddi di, Bydd e . . .** followed by **yn + canu.**

Future Tense (**canu** *to sing, to play*)

Singular

1	Bydda i'n canu	*I shall be singing*
2	Byddi di'n canu	*You will be singing*
3	Bydd e/o'n canu	*He/It will be singing*
	Bydd hi'n canu	*She will be singing*

Plural

Byddwn ni'n canu	*We shall be singing*
Byddwch chi'n canu	*You will be singing*
Byddan nhw'n canu	*They will be singing*

Imperative (**canu** *to sing, to play*)

Cana! (singular); **Canwch!** (plural) *Sing!*

The Past Tense of **canu** is formed by adding **-ais, -aist, -odd, -on, och, -on** to the stem **can-**, and is used to convey completed action in the past.

Past Tense (canu *to sing, to play*)

	Singular		Plural	
1	*Cenais i	*I sang*	Canon ni	*We sang*
2	*Cenaist ti	*You sang*	Canoch chi	*You sang*
3	Canodd e/o	*He/It sang*	Canon nhw	*They sang*
	Canodd hi	*She sang*		

*In those verbs which have 'a' in the stem it is usual in literary Welsh for a > e in the 1st and 2nd Persons Singular Past Tense and Person Singular Future Tense

The particle Fe (S.W.)/Mi (N.W.)

The verb is placed as the first word in the normal construction of the Welsh sentence:

Cerddodd Siôn i'r siop.	*Siôn walked to the shop.*
Rydw i'n darllen llyfr.	*I'm reading a book.*
Mae ci yn a cae.	*There's a dog in the field.*
Dydyn nhw ddim yma.	*They're not here.*

Usually the particle **Fe/Mi** is placed in front of the verb merely to indicate that the verb is affirmative.

Note: The particle **Fe/Mi** is not translated, and is not placed before **mae** or **maen** but may occur before other persons of the verb in speech or informal texts. Both particles are followed by Soft Mutation.

Golchodd Mair y dillad.	
Fe olchodd Mair y dillad.	*Mair washed the clothes.*
Byddan nhw'n canu heno.	
Fe fyddan nhw'n canu heno.	*They will be singing tonight.*
Canon ni yn yr eisteddfod.	
Fe ganon ni yn yr eisteddfod.	*We sang in the eisteddfod.*

——— Compact Form of Verbs ———

The Future and Imperfect Tenses of the verb **canu** referred to above also exist in their compact forms. These inflected verb forms are more likely to be found in formal texts than in current conversational Welsh, though they may well appear in both.

The endings for the Future Tense of **canu** are **-af/-a, -i, -iff/ith, -wn, -wch, -an** and are added to the stem *can-*.

Future Tense of **canu** (Compact Form)

	Singular	
1	Fe/Mi ganaf/gana i	*I shall sing*
2	Fe/Mi gani di/geni	*You will sing*
3	Fe/Mi ganiff/ganith e/o	*He/It will sing*
	Fe/Mi ganiff/ganith hi	*She will sing*

Plural

Fe/Mi ganwn ni	We shall sing
Fe/Mi ganwch chi	You will sing
Fe/Mi ganan nhw	They will sing

The endings for the Imperfect Tense of **canu** are **-wn, -et, -ai, -en, -ech, -en** and are added to the stem **can-**.

Imperfect Tense of **canu** (Compact Form).

Singular

1	Canwn i	I was singing
2	Canet ti	You were singing
3	Canai fe/fo	He/It was singing
	Canai hi	She was singing

Plural

Canen ni	We were singing
Canech chi	You were singing
Canen nhw	They were singing

Regular verbs follow the same pattern as **canu**. The Present, Imperfect, Future and Past Tenses of **bwyta** are shown below:

Present Tense (**bwyta** *to eat*)

Singular

1	Rydw i'n bwyta	I am eating, I eat
2	Rwyt ti'n bwyta	You are eating . . .
3	Mae e'n bwyta . . .	He/It is eating . . , etc.

Imperfect Tense (**bwyta** *to eat*)

Singular

1	Roeddwn i'n bwyta	I was eating
2	Roeddet ti'n bwyta	You are eating
3	Roedd e'n bwyta . . .	He/It was eating . . , etc.

Future Tense (**bwyta** *to eat*)

Singular

1	Fe/Mi fydda(f) i'n bwyta	I shall be eating
2	Fe/Mi fyddi di'n bwyta	You will be eating
3	Fe/Mi fydd e'n bwyta . . .	He/It will be eating . . , etc.

Past Tense

	Singular			*Plural*	
1	Fe/Mi fwytais i	I ate	Fe/Mi fwyton ni	We ate
2	Fe/Mi fwytaist ti	You ate	Fe/Mi fwytoch chi	You ate
3	Fe/Mi fwytodd e/o	He/It ate	Fe/Mi fwyton nhw	They ate
	Fe/Mi fwytodd hi	She ate		

Future Tense (Compact Form)

	Singular			Plural	
1	Fe/Mi fwyta(f) i	*I shall eat*	Fe/Mi fwytwn ni	*We shall eat*
2	Fe/Mi fwytwch chi	*You will eat*	Fe/Mi fwytwch chi	*You will eat*
3	Fe/Mi fwytiff e/o	*He/It will eat*	Fe/Mi fwytan nhw	*They will eat*
	Fe/Mi fwytiff hi	*She will eat*		

Imperative

Bwyta! (singular); **Bwyt(e)wch!** (plural) *Eat!*

Irregular Verbs

Irregular verbs do not follow the same pattern as **canu** and have to be treated separately. Included below are: **cael, dod, gwneud, gwybod, mynd, rhoddi** and **troi**.

Present Tense (cael *to have*)

	Singular	
1	Rydw i'n cael	*I am having, I have*
2	Rwyt ti'n cael	*You are having, You have*
3	Mae e'n cael . . .	*He/It is having . . , etc.*

Imperfect Tense (cael *to have*)

	Singular	
1	Roeddwn i'n cael	*I was having*
2	Roeddet ti'n cael	*You were having*
3	Roedd e'n cael . . .	*He/It was having . ., etc.*

Future Tense (cael *to have*)

	Singular			Plural	
1	Fe/Mi ga(f) i	*I shall have*	Fe/Mi gawn ni	*We shall have*
2	Fe/Mi gei ddi	*You will have*	Fe/Mi gewch chi	*You will have*
3	Fe/Mi gaiff e/o	*He/It will have*	Fe/Mi gân nhw	*They will have*
	Fe/Mi gaiff hi	*She will have*		

Past Tense (cael *to have*)

	Singular			Plural	
1	*Fe/Mi ges i*	*I had*	Fe/Mi gawson ni	*We had*
2	*Fe/Mi ges ti*	*You had*	Fe/Mi gawsoch chi	*You had*
3	Fe/Mi gafodd/gas e/o	*He/It had*	Fe/Mi gawson nhw	*They had*
	Fe/Mi gafodd/gas hi	*She had*		

Imperative

Cymera! (singular); **Cymerwch!** (plural) *Have!*

Present Tense (dod *to come*)

Singular
1. Rydw i'n dod   *I am coming*
2. Rwyt ti'n dod   *You are coming*
3. Mae e'n dod . . .   *He/It is coming . .* , etc.

Imperfect Tense (dod *to come*)

Singular
1. Roeddwn i'n dod   *I was coming*
2. Roeddet ti'n dod   *You were coming*
3. Roedd e'n dod . . .   *He/It was coming . .* , etc.

Future Tense (dod *to come*)

Singular
1. Fe/Mi ddeuaf/ddo(f) i   *I shall come*
2. Fe/Mi ddoi di   *You will come*
3. Fe/mi ddaw e/o   *He/It will come*
    Fe/Mi ddaw hi   *She will come*

    Fe/Mi ddown ni   *We shall come*
    Fe/Mi ddewch/ddowch chi   *You will come*
    Fe/Mi ddôn nhw   *They will come*

Past Tense (dod *to come*)

Singular
1. Fe/Mi ddes i   *I came*
2. Fe/Mi ddest ti   *You came*
3. Fe/Mi ddaeth e/o, hi   *He/It came, She came*

Plural
    Fe/Mi ddaethon ni   *We came*
    Fe/Mi ddaethoch chi   *You came*
    Fe/Mi ddaethon nhw   *They came*

Imperative

Tyrd! *(N.W.)/***Dere!** *(S.W.)* (singular); **Dewch!** *(S.W.)/***Dowch!** *(N.W.)* (plural)
Come!

Present Tense

Singular
1. Rydw i'n gwneud   *I am making, I make*
2. Rwyt ti'n gwneud   *You are making, You make*
3. Mae e'n gwneud . . .   *He/It is making . .* , etc.

Imperfect Tense (gwneud *to make, to do*)

Singular
1. Roeddwn i'n gwneud   *I was making*
2. Roeddet ti'n gwneud   *You were making*
3. Roedd e'n gwneud . . .   *He/It was making . .* , etc.

237

Future Tense (gwneud *to make, to do*)

Singular

1	Fe/Mi wna(f) i	*I shall make*
2	Fe/Mi wnei di	*You will make*
3	Fe/Mi wnaiff e/o	*He/It will make*
	Fe/Mi wnaiff hi	*She will make*

Plural

Fe/Mi wnawn ni	*We shall make*
Fe/Mi wnewch chi	*You will make*
Fe/Mi wnân nhw	*They will make*

Past Tense (gwneud *to make, to do*)

	Singular		*Plural*	
1	Fe/Mi wnes i	*I made*	Fe/Mi wnaethon ni	*We made*
2	Fe/Mi wnest ti	*You made*	Fe/Mi wnaethoch chi	*You made*
3	Fe/Mi wnaeth e/o	*He/It made*	Fe/Mi wnaethon nhw	*They made*
	Fe/Mi wnaeth hi	*She made*		

Imperative

Gwna! (singular); **Gwnewch!** (plural) *Do! Make!*

Present Tense (gwybod *to know*)

Singular

1	Rydw i'n gwybod	*I know*
2	Rwyt ti'n gwybod	*You know*
3	Mae e/o'n gwybod . . .	*He/It knows . . , etc.*

Present Form (Compact Form) (gwybod *to know*)

	Singular		*Plural*	
1	Fe/Mi wn i	*I know*	Fe/Mi wyddon ni	*We know*
2	Fe/Mi wyddost ti	*You know*	Fe/Mi wyddoch chi	*You know*
3	Fe/Mi ŵyr e/o	*He/It knows*	Fe/Mi wyddan nhw	*They know*
	Fe/Mi ŵyr hi	*She knows*		

Imperfect Tense (gwybod *to know*)

Singular

1	Roeddwn i'n gwybod	*I knew*
2	Roeddet ti'n gwybod	*You knew*
3	Roedd e'n gwybod . . .	*He/It knew . . , etc.*

Future Tense (gwybod *to know*)

Singular

1	Bydda i'n gwybod	*I shall know*
2	Byddi di'n gwybod	*You will know*
3	Bydd e'n gwybod . . .	*He/It will know . . , etc.*

The Compact Forms of the Future and Past Tenses are seldom used in conversation.

Present Tense (**mynd** *to go*)

Singular
1 Rydw i'n mynd   *I go, I am going*
2 Rwyt ti'n mynd   *You go, You are going*
3 Mae e'n mynd . . .   *He/It goes, He/It is going* . . , etc.

Present Tense (Compact Form) (**mynd** *to go*)

Singular
1 Af/Â i   *I go, I am going*
2 Ei di   *You go, You are going*
3 *Aiff e/o   *He/It goes, He/It is going*
  *Aiff hi   *She goes, She is going* . . , etc.

The Present Tense follows the same pattern as the Compact Form of the Future Tense below.

Imperfect Tense (**mynd** *to go*)

Singular
1 Roeddwn i'n mynd   *I was going*
2 Roeddet ti'n mynd   *You were going*
3 **Roedd e'n mynd . . .   *He/It was going* . . , etc.

Future Tense (**mynd** *to go*)

Singular		*Plural*	
1 Fe/Mi af/â i	*I shall go*	Fe/Mi awn ni	*We shall go*
2 Fe/Mi ei di	*You will go*	Fe/Mi ewch chi	*You will go*
3 *Fe/Mi aiff e/o	*He/It will go*	Fe/Mi ân nhw	*They will go*
*Fe/Mi aiff hi	*She will go*		

*Literary form: **Â ef/hi** **Literary form: **Âi ef/hi**

Past Tense (**mynd** *to go*)

Singular		*Plural*	
1 Fe/Mi es i	*I went*	Fe/Mi aethon ni	*We went*
2 Fe/Mi est ti	*You went*	Fe/Mi aethoch chi	*You went*
3 Fe/Mi aeth e/o	*He/It went*	Fe/Mi aethon nhw	*They went*
Fe/Mi aeth hi	*She went*		

Imperative

Dos! *(N.W.)*/**Cer!** *(S.W.)* (singular); **Ewch!/Cerwch!** *(S.W.)*   *Go!*

Present Tense (**rhoi/rhoddi** *to give*)

Singular
1 Rydw i'n rhoi/rhoddi   *I am giving, I give*
2 Rwyt ti'n rhoi   *You are giving, You give*
3 Mae e'n rhoi . . .   *He/It is giving, He/It gives* . . , etc.

Imperfect Tense

Singular
1 Roeddwn i'n rhoi/rhoddi *I was giving*
2 Roeddet ti'n rhoi *You were giving*
3 Roedd e'n rhoi . . . *He/It was giving . . . etc.*

Future Tense

Singular
1 Fe/Mi roia/rodda(f) i *I shall give*
2 Fe/Mi roddi di *You will give*
3 Fe/Mi roddiff/rydd e/o *He/It will give*
  Fe/Mi roddiff/rydd hi *She will give*

Plural
Fw/Mi roddwn ni *We shall give*
Fe/Mi roddech chi *You will give*
Fe/Mi roddan nhw *They will give*

Past Tense

	Singular			*Plural*	
1	Fe/Mi roiais i/roddais i	*I gave*	Fe/Mi roddon ni	*We gave*
2	Fe/Mi roddaist ti	*You gave*	Fe/Mi roddoch chi	*You gave*
3	Fe/Mi roddodd e/o	*He/It gave*	Fe/Mi roddon nhw	*They gave*
	Fe/Mi roddodd hi	*She gave*		

Imperative

Rhodda! Rho! (singular); **Rhoddwch!** (plural) *Give!*

troi *to turn*

Present Tense

Singular
1 Rydw i'n troi *I am turning, I turn*
2 Rwyt ti'n troi *You are turning, You turn*
3 Mae e'n troi . . . *He/It is turning, He/It turns . . . etc.*

Imperfect Tense

Singular
1 Roeddwn i'n troi *I was turning*
2 Roeddet ti'n troi *You were turning*
3 Roedd e'n troi *He/It was turning . . . etc.*

Future Tense

	Singular			*Plural*	
1	Fe/Mi droaf/droia i	*I shall turn*	Fe/Mi droiwn ni	*We shall turn*
2	Fe/Mi droi-i di	*You will turn*	Fe/Mi droiwch chi	*You will turn*
3	Fe/Mi dröiff e/o	*He/It will turn*	Fe/Mi droian nhw	*They will turn*
	Fe/Mi dröiff hi	*She will turn*		

Past Tense

	Singular			*Plural*	
1	Fe/Mi droais i	*I turned*	Fe/Mi droeson ni	*We turned*
2	Fe/Mi droaist ti	*You turned*	Fe/Mi droesoch chi	*You turned*
3	Fe/Mi droiodd e/o	*He/It turned*	Fe/Mi droeson nhw	*They turned*

Imperative

Tro!/Troia! (singular); **Trowch!/Troiwch!** (plural) *Turn!*

cloi, paratoi and **rhoi** follow a similar pattern.

—————— Imperative Mood ——————

Commands – 2nd Person Singular and 2nd Person Plural
The 2nd Person Singular is formed by adding **-a** to the stem of the verb-noun, whilst the 2nd Person Plural is formed by adding **-wch** to the stem:

Cysga! (2nd Person Singular);
Cysgwch! (2nd Person Plural) *Sleep!*
Brysia! (2nd Person Singular);
Brysiwch! (2nd Person Plural) *Hurry!*

Commands – Other Persons
The forms **Gadewch i-***Allow-/Let* -is usually used to express commands in the other persons of the verb.

Gadewch i fi weithio!	(1st Person Singular)	*Let me work!*
Gadewch iddo fe weithio!	(3rd Person Singular)	*Let him work!*
Gadewch iddi hi weithio!	(3rd Person Singular	*Let her work!*
Gadewch i ni weithio!	(1st Person Plural)	*Let us work!*
Gadewch iddyn nhw weithio!	(3rd Person Plural)	*Let them work!*

——————— Verbs and Mutations ———————

The direct object of a verb in compact form takes a Soft Mutation:

Fe welodd e *g*effyl.	*He saw a horse.*
Fe brynon nhw *f*wyd.	*They bought food.*
Mi gana i *g*arolau 'fory.	*I'll sing carols tomorrow.*
Rhoddaf *b*unt iddi.	*I give her a pound.*

Note: When the periphrastic form of the verb (**bod** + **yn** + verb-noun) is used *no* mutation of the object occurs, as is shown in the following sentences:

Mae e'n darllen llyfr.	*He is reading a book.*
Mae mhw'n chwarae **p**êl-droed.	*They are playing football.*
Roedd Siân yn golchi **ll**estri.	*Siân was washing dishes.*
Rydw i'n rhoddi punt iddo.	*I am giving him a pound.*

For examples involving the mutation of verbs following the particles **Fe** and **Mi**, the relative pronoun **a**, and the personal pronouns **mi, ti, ef . . .** see the section below entitled **A Summary of the Main Rules of Mutation.**

PREPOSITIONS
ARDDODIAID

Prepositions are followed by nouns or pronouns, for example:

gyda *with*   **gyda Mam** *with Mother;* **gyda ni** *with us*
i fyny *up*   **i fyny'r bryn** *up the hill;* **i fyny'r ysgol** *up the ladder*
i lawr *down*   **i law y cwm** *down the valley;* **i lawr y pwll** *down the pit*
mewn *in a*   **mewn cwpan** *in a cup;* **mewn munud** *in a minute*

Some prepositions are conjugated and have personal forms:

am, ar, at, dan follow the same pattern.

at *to, towards* (stem, **at-**)

	Singular		Plural	
1	dana i	*under me*	danon ni	*under us*
2	danat ti	*under you*	danoch chi	*under you*
3	dano fe/fo	*under him/it*	danyn nhw	*under them*
	dani hi	*under her/it*		

dan *under* (stem **dan-**)

	Singular		Plural	
1	dana i	*under me*	danon ni	*under us*
2	danat ti	*under you*	danoch chi	*under you*
3	dano fe/fo	*under him/it*	danyn nhw	*under them*
	dani hi	*under her/it*		

am *around* (stem **amdan-**)

	Singular		Plural	
1	amdana i	*around me*	andanon ni	*around us*
2	amdanat ti	*around you*	amdanoch chi	*around you*
3	amdano fe/fo	*around him/it*	amdanyn nhw	*around them*
	amdani hi	*around her/it*		

ar *on*

(stem **arn-**)

	Singular		Plural	
1	arna i	*on me*	arnon ni	*on us*
2	arnat ti	*on you*	arnoch chi	*on you*
3	arno fe/fo	*on him/it*	arnyn nhw	*on them*
	arni hi	*on her/it*		

wrth *by*

(stem **wrth-**)

	Singular		Plural	
1	wrtho i	*by me*	wrthon ni	*by us*
2	wrthot ti	*by you*	wrthoch chi	*by you*
3	wrtho fe/fo	*by him/it*	wrthyn nhw	*by them*
	wrthi hi	*by her/it*		

drwy *and* **heb** share a similar pattern:

drwy *through*
(stem **drwydd-**)

	Singular		Plural	
1	drwyddo i	*through me*	drwyddon ni	*through us*
2	drwyddot ti	*through you*	drwyddoch chi	*through you*
3	drwyddo fe/fo	*through him/it*	drwyddyn nhw	*through them*
	drwyddi hi	*through her/it*		

heb *without* (stem **hebdd-**)

	Singular		Plural	
1	hebddo i	*without me*	hebddon ni	*without us*
2	hebddot ti	*without you*	hebddoch chi	*without you*
3	hebddo fe/fo	*without him/it*	hebddyn nhw	*without them*
	hebddi hi	*without her/it*		

yn *in*
(stem **yn-**)

	Singular		Plural	
1	yno i	*in me*	ynon ni	*in us*
2	ynot ti	*in you*	ynoch chi	*in you*
3	ynddo fe/fo	*in him/it*	ynddyn nhw	*in them*
	ynddi hi	*in her/it*		

i *to, for*

	Singular		Plural	
1	i fi/mi	*to me, for me*	i ni	*to us, for us*
2	i ti	*to you . . .*	i chi	*to you . . .*
3	iddo fe/fo	*to him/it . . .*	iddyn nhw	*to them . . .*
	iddi hi	*to her . . .*		

o *from* (stem **ohon-**)

	Singular		Plural	
1	ohono i	*from me*	ohonon ni	*from us*
2	ohonot ti	*from you*	ohonoch chi	*from you*
3	ohono fe/fo	*from him/it*	ohonyn nhw	*from them*
	ohoni hi	*from her it*		

rhwng *between* (stem **rhyng-**)

	Singular		Plural	
1	rhyngo i	*between me*	rhyngon ni	*between us*
2	rhyngot ti	*between you*	rhyngoch chi	*between you*
3	rhyngddo fe/fo	*between him/it*	rhyngddyn nhw	*between them*
	rhyngddi hi	*between her/it*		

dros *over, for*

	Singular	
1	drosto/droso i	*over me, for me*
2	drostot/drosot ti	*over you, for you*
3	drosto fe/fo	*over him/it, for him*
	drosti hi	*over her/it, for her/it*

Plural	
droston/droson ni	*over us, for us*
drostoch/drosoch chi	*over you, for you*
drostyn nhw	*over them, for them*

gan *with*

	Singular		Plural	
1	gen i	*with me*	gennyn/gynnon ni	*with us*
2	gen ti	*with you*	gennych/gynnoch chi	*with you*
3	ganddo fe/fo	*with him/it*	ganddyn nhw	*with them*
	ganddi hi	*with her/it*		

Sometimes the preposition **gyda** is used instead of the conjugated preposition **gan** in South Wales.

The conjugated prepositions **am, ar, at, dan, dros, drwy/trwy, gan, heb, i, o, wrth** are used in their simple form when the object governed by the preposition is a noun or verb-noun. Soft Mutation follows these prepositions:

am dro; ar bapur; at drwyn; dan wely; dros frawd; drwy fôr; heb ddiolch; i regi; o freuddwydio; wrth lusgo

See section below **Treiglad Meddal – Soft Mutation**.

The conjugated preposition **rhwng** is **not** followed by mutation:

rhwng cyfeillion da	*between good friends*
rhwng dau frawd	*between two brothers*
rhwng gŵr a gwraig	*between husband and wife*

The conjugated preposition **yn** in its simple form is followed by Nasal Mutation. It becomes **yng** before **c** and **g**, and **ym** before **p** and **b**:

yng nghornel yr ystafell	*in the corner of the room*
yng nghwrs y flwyddyn	*in the course of the year*
yng Nghorwen	*in Corwen*
yng nghardd yr ysgol	*in the school's garden*
yng nglaw mis Ebrill	*in the April rain*
yng Nglanaman	*in Glanaman*
ym mhoced y bachgen	*in the boy's pocket*
ym mhrofiad y dyn	*in the man's experience*
ym Mhorthaethwy	*in Porthaethwy (Menai Bridge)*
ym mwyd y plant	*in the children's food*
ym masged y fenyw	*in the woman's basket*
ym Mangor	*in Bangor*

yn also becomes *ym* before *m:*

ym Môn; ym Mynwy; ym Môr y Gogledd; ym mynwent y plwyf

For examples of **yn** followed by Soft Mutation or by non-mutation, see section below entitled **A Summary of the Main Rules of Mutation.**

ADJECTIVES
ANSODDEIRIAU

In the Welsh language the adjective usually comes after the noun.

afal **sur**	*a bitter apple*
blodyn **hyfryd**	*a beautiful flower*
cadair **uchel**	*a high chair*
siwrnai **hir**	*a long journey*

When the adjective follows a singular masculine noun no mutation occurs but when the adjective follows the singular feminine noun it takes soft mutation.

bachgen **bach**	*a small boy*
merch **fach**	*a small girl*
brawd **cariadus**	*a loving brother*
chwaer **gariadus**	*a loving sister*
dyn **mawr**	*a big man*
menyw **fawr**	*a big woman*
gŵr **tenau**	*a thin man/husband*
gwraig **denau**	*a thin woman/wife*
tarw **du**	*a black bull*
buwch **ddu**	*a black cow*

Note: Adjectives do not mutate when they follow *plural* nouns.

When an adjective precedes a noun the noun is mutated whether it be masculine or feminine.

hen **ŵr**	*an old man*
hen **wraig**	*an old woman*
annwyl **dad**	*a dear father*
annwyl **fam**	*a dear mother*

The noun takes a soft mutation on each occasion.

The feminine form of a few adjectives is still used in everyday speech. Some are listed below:

Masculine	*Feminine*	
gwyn	gwen	*white*
melyn	melen	*yellow*
tlws	tlos	*pretty*
bychan	bechan	*little*
byr	ber	*short*

e.g. cot **wen**; ffrog **felen**; merch **dlos**; ynys **fechan**; stori **fer**

The Comparison of Adjectives
Cymharu Ansoddeiriau

There are four degrees of comparison of adjectives in Welsh. These are: positive, equative, comparative and superlative.

Regular adjectives

With regular adjectives the endings **-ed, -ach, -af** are added respectively to the adjective in its positive form in order to form the other degrees:

Positive	Equative	Comparative	Superlative
*agos *near*	agosed *as near*	agosach *nearer*	agosa(f) *nearest*
caled *hard*	caleted *as hard*	caletach *harder*	caleta (f) *hardest*
call *wise*	called *as wise*	callach *wiser*	calla (f) *wisest*
coch *red*	coched *as red*	cochach *redder*	cocha (f) *reddest*
cryf *strong*	cryfed *as strong*	cryfach *stronger*	cryfa (f) *strongest*
cyflym *quick*	cyflymed *as quick*	cyflymach *quicker*	cyflyma (f) *quickest*
elgur *clear*	eglured *as clear*	elgurach *clearer*	elgura (f) *clearest*
glân *clean*	glaned *as clean*	glanach *cleaner*	glana (f) *cleanest*
glas *blue*	glased *as blue*	glasach *bluer*	glasa (f) *bluest*
hapus *happy*	hapused *as happy*	hapusach *happier*	hapusa (f) *happiest*
oer *cold*	oered *as cold*	oerach *colder*	oera (f) *coldest*
pell *far*	pelled *as far*	pellach *further*	pella (f) *furthest*
tawel *quiet*	taweled *as quiet*	tawelach *quieter*	tawela (f) *quietest*
trwm *heavy*	trymed *as heavy*	trymach *heavier*	tryma (f) *heaviest*
tywyll *dark*	tywylled *as dark*	tywyllach *darker*	tywylla (f) *darkest*

Note: The final **f-** of the Superlative is often omitted in spelling and pronunciation.
*See end of section on Adjectives for alternative forms.

In Welsh, adjectives are compared by two methods:
    (i) using **cyn**, and
    (ii) using **mor.**
    cyn is used to compare adjectives which in their positive forms do not contain more than two syllables and do not end in **-en, -gar, -og, -ol** or **-us.**
    cyn and **mor** are both followed by Soft Mutation, except when the adjective begins with **ll** or **rh.**

cyn agosed â/ag *(as near as)*	yn agosach na(g) *(nearer than)*	yr agosaf *(the nearest)*

cyn goched â/ag *(as red as)*	yn gochach na(g) *(redder than)*	y cochaf *(the reddest)*
cyn hapused â/ag *(as happy as)*	yn hapusach na(g) *(happier than)*	yr hapusaf *(the happiest)*
cyn llawned â/ag *(as full as)*	yn llawnach na(g) *fuller than)*	y llawnaf *the fullest)*

When the adjective in its positive form ends in -**g**, -**b** or -**d** these letters harden to -**c**-, -**p**-, and -**t**- when the adjective is compared, as is shown below with **caled, teg, gwlyb, rhad**:

cyn galeted â/ag *(as hard as)*	yn galetach na(g) *(harder than)*	y caletaf *(the hardest)*
cyn deced â/ag *(as fair as)*	yn decach na(g) *(fairer than)*	y tecaf *(the fairest)*
cyn wlyped â/ag *(as wet as)*	yn wlypach na(g) *wetter than)*	y gwlypaf *the wettest)*
cyn rhated â/ag *(as cheap/free as)*	yn rhatach na(g) *cheaper/freer than)*	y rhataf *the cheapest/freest)*

â in the equative degree and **na** in the comparative degree are used when the following word begins with a consonant, and both cause Spirant Mutation. **ag** and **nag** are used when the following word begins with a vowel.

cyn goched **â** thân	*(as red as fire)*
yn drymach **na** phlwm	*(heavier than lead)*
cyn wynned **ag** eira	*(whiter than snow)*
yn dywyllach **nag** uffern	*(darker than hell)*

The other method of comparing adjective in Welsh is by putting **mor. . . mwy. . .** and **mwyfa(f). . .** in front of the adjective.

Positive	Equative	Comparative	Superlative
amlwg *evident*	mor amlwg *as evident*	mwy amlwg *more evident*	mwyaf amlwg *most evident*
amyneddgar *patient*	mor amyneddgar *as patient*	mwy amyneddgar *more patient*	mwyaf amyneddgar *most patient.*
blasus *tasty*	mor flasus *as tasty*	mwy blasus *more tasty*	mwyaf blasus *most tasty*
cyfeillgar *friendly*	mor gyfeillgar *as friendly*	mwy cyfeillgar *more friendly*	mwya(f) cyfeillgar *most friendly*
diolchgar *thankful*	mor ddiolchgar *as thankful*	mwy diolchgar *more thankful*	mwyfa(f) diolchgar *most thankful*
doniol *witty*	mor ddoniol *as witty*	mwy doniol *more witty*	mwya(f) doniol *most witty*
dyledus *indebted*	mor ddyledus *as indebted*	mwy dyledus *more indebted*	mwya(f) dyledus *most indebted*
dymunol *desirable*	mor ddymunol *as desirable*	mwy dymunol *more desirable*	mwya(f) dymunol *most desirable*
gwerthfawr *valuable*	mor werthfawr *as valuable*	mwy gwerthfawr *more valuable*	mwya(f) gwerthfawr *most valuable*
peryglus *dangerous*	mor beryglus *as dangerous*	mwy peryglus *more dangerous*	mwya(f) peryglus *most dangerous*
llawen *cheerful*	mor llawen *as cheerful*	mwy llawen *more cheerful*	mwya(f) llawen *most cheerful.*

247

Note: **mor** *(as, so, how)* is followed by Soft Mutation.* An alternative
translation in the above context would read:
    mor amlwg so evident; **mor amyneddgar** *so patient;* **mor flasus** *so tasty;* **mor gyfeillgar** *so friendly . . .*

‡ **ll** and **rh** do not mutate after **mor.**

Irregular adjectives

There are only a few irregular adjectives in Welsh and the most important of
them are listed below:

Positive	Equative	Comparative	Superlative
bach/bychan *small*	mor fach/fychan cyn lleied	llai	lleia(f)
buan/cynnar *swift/early*	mor fuan cynt	cynted	cynta(f)
da *good*	mor dda cystal	gwell	gorau
drwg *bad*	mor ddrwg cynddrwg	gwaeth	gwaetha(f)
hawdd *easy*	mor hawdd cyn hawsed	haws	hawsa(f)
hen *old*	mor hen cyn hyned	hŷn	hyna(f)
hir *long*	mor hir cyn hired	hirach	hira(f)
ifanc/ieuanc *young*	mor ifanc cyn ieuanged	ifancach ieungach	ifanca(f) ieuanga(f)
isel *low*	mor isel cyn ised	is	isa(f)
llawer/mawr *many/big*	mor fawr cymaint	mwy	mwya(f)
uchel *high*	mor uchel cyn uched	uwch	ucha(f)

Note: **cyn** *(as)* is also used in the Equative Degree of comparison with the
appropriate -ed ending. (It is already contained in such forms as **cynt,**
cystal, cynddrwg and **cymaint.**) **cyn** is followed by Soft Mutation.
Exception: **ll** and **rh** do not mutate after **mor** and **cyn.**

The adjective **agos** aldo has irregular equative, comparative and superlative
forms:

| agos *near* | cyn nesed â *as near as* | yn nes na *nearer than* | y nesaf *the nearest* |

PERSONAL PRONOUNS
RHAGENWAU PERSONAL

There are two classes of personal pronouns in Welsh: independent and dependent.

Independent Personal Pronouns

These pronouns are not dependent on any other word in a sentence and may stand entirely alone.

Simple

	Singular		Plural	
1	fi, mi	*I, me*	ni	*we, us*
2	ti, di	*you*	chi	*you*
3	fe/e, fo/o	*he, him*	nhw	*they, them*
	hi	*she, her*		

Reduplicated

	Singular	
1	myfi, y fi	*I, I myself*
2	tydi, y chdi (G.C.)	*you, you yourself*
3	efe, efô, y fe, y fo	*he*
	hyhi, y hi	*she, it, she herself, it itself*

	Plural	
	nyni, y ni	*we, we ourselves*
	chychi, y chi	*you, you yourselves*
	y nhw	*they, them, they themselves*

The reduplicated forms are often placed at the beginning of a sentence for emphasis.

Myfi sy'n magu'r baban.	*It is I who nurses the baby.*
Tydi, O Dduw, sy'n maddau.	*It is You, O Lord, who forgives.*
Nyni sy'n troi y meysydd.	*It is we who plough the fields.*

Conjunctive

		Singular	Plural	
1	finnau, minnau	*I, me*	ninnau	*we, us*
2	tithau	*you*	chithau	*you*
3	yntau	*he, him*	nhwthau	*they, them*
	hithau	*she, her*		

The conjunctive forms frequently possess an extra meaning beyond that of the mere pronoun, the additional meaning being expressed in English by a conjunction:

minnau may mean *I (me) also; even I (me); I (me) on the other hand; I (me) for my part; then I; but I . . .*

ninnau may mean *we (us) too, we (us) also; even we (us); we (us) on the other hand; we (us) on the contrary; we (us) for our part . . .*

Dependent Personal Pronouns

These pronouns are dependent on either a noun, another pronoun or personal ending of a verb or preposition, or a verb-noun.

Prefixed

	Singular			*Plural*	
1	fy, f'	*my*		ein	*our*
2	dy, d'	*your*		eich	*your*
3	ei	*his/her*		eu	*their*

The prefixed forms, which are always in the genitive case, are used before nouns and verb-nouns:

Darllenodd y bachgen ei lyfr.	*The boy read his book.*
Clywais fy nhad yn galw.	*I heard my father calling.*
Cafodd y gân ei chanu ar y radio.	*The song was sung on the radio.*

Affixed

	Singular			*Plural*	
1	i, fi	*I, me*		ni	*we, us*
2	di, ti	*you*		chi	*you*
3	e, fe, o, fo	*he, him*		nhw	*they, them*
	hi	*she, her*			

For examples of Infixed forms and a fuller discussion of the subject of Welsh pronouns the reader is referrd to specific works on Welsh grammar.

Words beginning with the vowels **a, e, i, o, u, w** and **y** are aspirated and acquire an initial **h** when preceded by the following pronouns (or their abbreviated forms):

1	ei, 'i, 'w	*her* (feminine singular)
2	eu, 'u, 'w	*their*
3	ein, 'n	*our*

ysgol >   **ei h**ysgol (hi)   *her school;*
            Dyma'**i h**ysgol   *Here is her school;*
            Dewch i'**w h**ysgol   *Come to her school.*

ardal >   **eu h**ardal (nhw)   *their district;*
            Dyna'**u h**ardal   *That is their district;*
            Mi af i'**w h**ardal   *I shall go go their district.*

ewyllys >   **ein h**ewyllys   *our will;* a'**n h**ewyllys da   *and our goodwill.*

annwyl >   **ein h**annwyl blentyn   *our dear child;* **eu h**annwyl wlad   *their dear country;* **ei h**annwyl fam   *her dear mother.*

For the mutations after the dependent personal pronouns:
     fy, dy, ei (masculine) and **ei** (feminine)
see the section below entitled **A Summary of the Main Rules of Mutation.**

A SUMMARY OF THE MAIN RULES OF MUTATION RHEOLAU TREIGLO

Nine initial consonants mutate. They are:
c, p, t, g, b, d, ll, m, rh.
They mutate in the manner shown in the box below:

Initial consonant	Soft	Nasal	Spirant
cath *cat*	dy **g**ath di *your cat*	fy **ngh**ath i *my cat*	ei **ch**ath hi *her cat*
pen *head*	dy **b**en di *your head*	fy **mh**en i *my head*	ei **ph**en hi *her head*
tad *father*	dy **d**ad di *your father*	fy **nh**ad i *my father*	ei **th**ad hi *her father*
gardd *garden*	dy **a**rdd di *your garden*	fy **ng**ardd i *my garden*	
bys *finger*	dy **f**ys di *your finger*	fy **m**ys i *my finger*	
dant *tooth*	dy **dd**ant di *your tooth*	fy **n**ant i *my tooth*	
llyfr *book*	dy **l**yfr di *your book*		
mam *mother*	dy **f**am di *your mother*		
rhaff *rope*	dy **r**aff di *your rope*		

Soft Mutation
Treiglad Meddal

Nine consonants are affected by Soft Mutation:

c > g; p > b; t > d; g > (disappears); b > f; d > dd; ll > l; m > f; rh > r.

Nouns

1 Femine singular nouns after the definite article y, yr, 'r:
y got, y bêl, y daith, yr ardd, y fraich, o'r ddafad, i'r fam.
ll and rh do not mutate after the definite article:
y llaw, y llwy, y rhaglen, y rhaff, i'r rhos.

2 Nouns when preceded by adjectives:
hen ŵr *(an old man)*; annwyl frawd *(a dear brother)*; hoff le *(a favourite place)*; unig ferch *(an only daughter)*.

3 Nouns and verb-nouns after the prepositions **am, ar, at, dan, dros, drwy, gan, heb, hyd, i, o, wrth:**
am flwyddyn *(for a year)*; ar fwrdd *(on a table)*; at ddrws *(towards a door)*; dan goeden *(under a tree)*; dros Gymru *(for/over Wales)*; drwy ddŵr *(through water)*; gan ddweud *(by saying)*; heb gysgu *(without sleeping)*; wrth ganu *(by singing)*. The verb-nouns **dweud, cysgu** and **canu** mutate as nouns in this context.

4 Nouns after **dyma, dyna, dacw, wele:**
Dyma le da *(Here's a good place)*. Dyna dŷ hyfryd *(There's beautiful house)*. Dacw gi defaid *(There's a sheepdog yonder)*. Wele faban! *(Behold a babe!)*

5 Feminine singular nouns after the numeral **un** except those nouns beginning in **ll** and **rh;** nouns after the numerals **dau** and **dwy;** and nouns after the numerals **saith** and **wyth** beginning in **c,p,t,ll** and **rh:**
un ferch *(one girl)*; un wraig *(one woman)*; un gadair *(one chair)*; dau fachgen *(two boys)*; dau gae *(two fields)*; dwy gath *(two cats)*; dwy dref *(two towns)*; saith gant *(seven hundred)*; wyth dudalen *(eight pages)*. Exceptions remain: **un llaw** *(one hand)*; **un llong** *(one ship)*; **un rhwyd** *(one net)*; **un rhaw** *(one shovel)*.

6 A noun when it is the direct object of an inflected verb (Compact Form):

Prynais lyfr.	*I bought a book.*
Gwelaf gastell.	*I see a castle.*
Agorodd ddrysau'r car.	*He opened the car's doors.*
Fe ganon nhw gân hapus.	*They sang a happy song.*

When the verb is in a periphrastic form the object does *not* mutate:

Mae Siôn yn canu cân.	*Siôn is singing a song.*
Rydw i'n ysgrifennu llythyr.	*I'm writing a letter.*

7 Nouns after the predicative **yn:**

Mae Siân **yn** ferch hyfryd.	*Siân is a lovely girl.*
Mae'r gwaith **yn** fraint.	*The work is a privilege.*
Bydd hwn **yn** drysor am byth.	*This will be a treasure for ever.*

Exceptions: Nouns beginning in **ll** and **rh.**

Roedd Alun yn llawen.	*Alun was happy.*

8 Nouns after the personal pronouns **dy** and **ei** (masculine) together with **'i** (masculine) and **'w** (masculine):
dy got *(your coat)*; dy boced *(your pocket)*; dy dafod *(your tongue)*; ei olwg *(his sight)*; ei fraich *(his arm)*; Dyma Ifan a'i gŵn. *(Here is Ifan and his*

dogs.); Collodd ei **fr**awd a'i **d**ad. *(He lost his brother and his father.)*; Aeth e i'w **d**ŷ. *(He went to his house.)*; Chwythodd y llwch i'w lygaid. *(The dust blew into his eyes.)*

9 Nouns and verb-nouns after the conjunction **neu** *or:*
te neu **g**offi *(tea or coffee)*; mab neu **f**erch *(a son or daughter)*; ci neu **g**ath *(a dog or a cat)*; ennill neu **g**olli *(win or lose)*. Infected verbs (Compact forms) are not mutated after **neu.**

10 Feminine singular nouns after ordinal numerals:
y drydedd **f**erch *(the third girl)*; y chweched **b**ennod *(the sixth chapter)*; y nawfed **g**yfrol *(the ninth volume)*; y ddegfed **w**ers *(the tenth lesson)*.

11 The numerals **dau** and **dwy** after the definite article **y:**
y **dd**au fachgen *(the two boys)*; y **dd**wy ferch *(the two girls)*.

12 Nouns used as adjectives after feminine singular nouns:
llwy **d**e *(teaspoon)*; gwisg **b**riodas *(wedding dress)*; gardd **l**ysiau *(a vegetable garden)*; cadair **fr**eichiau *(an armchair)*.

13 Nouns in the vocative case:
Fam annwyl! *(Mother dear!)*; **Fr**odyr a chwiorydd! *(brothers and sisters!)* **L**öwyr, gwrandewch! *(Miners listen!)*; **W**eithwyr y byd! *(Workers of the world!)*

14 After a break in the normal order of words:
Roedd croeso yno.   Roedd yno **g**roeso.
Mae merch newydd yn yr ysgol.   Mae yna **f**erch newydd yn yr ysgol.

15 Nouns after **amryw, cyfryw, pa, pa fath, pa ryw, rhyw, unrhyw:**
amryw liwiau *(several colours)*; cyfryw bethau *(such things)*; Pa **l**e? *(what place?)*; Pa fath fachgen ydy e? *(What kind of a boy is he?)*

16 Nouns after **ambell, aml, holl, naill, ychydig, y fath:**
ambell **w**aith *(sometimes)*; aml **d**ro *(frequently)*; yr holl bentref *(the whole village)*; y naill **g**ynllun *(the one plan)*; ychydig **f**wyd *(a little food)*; y fath **dd**yn *(such a man)*.

17 Nouns after the prefix **cyn(-)** *(former, past, ex-, pre-):*
cyn-**b**rifathro *(former headteacher)*; cyn-**l**ywydd *(past president)*; cyn-**w**einidog *(former minister)*; cyn-**l**öwr *(ex-miner)*.

Adjectives

1 Adjectives after feminine singular nouns:
cadair **f**ach *(a small chair)*; ffordd **g**ul *(a narrow way)*; heol **f**awr *(a big road)*; merch **d**enau *(a thin girl)*; stori **dd**a *(a good story)*.

2 Adjectives after the predicative **yn:**
Mae Nia yn **g**aredig.   *Nia is kind.*
Roedd y saer yn **dd**a.   *The carpenter was good.*
Mae'r bwyd yn **dd**iflas.   *The food is distasteful.*
ll and **rh** do *not* mutate after **yn.**

3 Adjectives in comparison after **cyn** and **mor:**
cyn **g**yflymed â *(as fast as)*; mor **g**yfeillgar â *(as friendly as)*; cyn **w**ynned â *(as white as)*; mor **d**yner â *(as tender as)*. **ll** and **rh** do not mutate after **cyn** and **mor:**
cyn llawned â *(as full as)*; mor rhad â *(as cheap as)*; mor llawen â'r gog *(as happy as the cuckoo).*

4 Adjectives after the conjunction **neu:**
da neu **dd**rwg *(good or bad)*; gwyn neu **dd**u *(white or black).*

5 Adjectives after the adverbs **go, gweddol, lled, mor, rhy:**
   go **dd**rwg   *quite/fairly bad*
   gweddol **d**awel   *fairly quiet*
   lled **dd**a   *quite good/fairly well*
   mor **b**wysig   *so important*
   rhy lawen   *too merry*
   ll and **rh** do *not* mutate after **mor:**
   mor llwyddiannus   *so successful*
   mor rhwydd   *so easy*

Verbs

1 Interrogative forms of inflected verbs (Compact Forms):
   Weloch chi'r papur?   *Did you see the paper?*
   Fuest ti allan heddiw?   *Were you out today?*
   Ddaeth e i'r ysgol mewn pryd? *Did he come to school in time?*

2 Verbs after the particles **Fe**(S.W.) and **Mi**(N.W.):
   Fe **g**anodd gân.   *He sang a song.*
   Mi **g**lywais ei llais hi. *I heard her voice.*
   Fe **l**anwon nhw'r car.   *They filled the car.*
   Mi **g**lywson ni'r newyddion. *We heard the news.*

3 Verbs after the relative pronoun **a** and the negative relative pronoun **na:**
   Dyma'r ferch **a dd**aeth i'r parti. *Here's the girl who came to the party.*
   The relative pronoun **a** *is frequently omitted in conversational Welsh but the mutation caused by it is retained.*
   Dyna'r dyn (**a**) **w**elais i. *There's the man whom I saw.*
   The negative relative pronoun **na** causes Soft Mutation with verbs beginning in **g, b, d, ll, m, rh** and Spirant Mutations with verbs beginning in **c, p, t.**
   Dyna'r ferch **na dd**aeth i'r parti. *There's the girl who did not come to the party.*
   Dyma'r dyn **na ch**anodd. *Here's the man who did not sing.*

4 After the conjunction **pan:**
   Pan **dd**aeth Guto i'r tŷ . . .   *When Guto came to the house . . .*
   Bydda i'n hapus pan **dd**aw'r haf. *I'll be happy when summer comes.*

5 Negative forms of inflected verbs (Compact Forms):
   Ddarllenodd e ddim o'r Beibl. *He didn't read the Bible.*
   Welais i ddim yno.   *I didn't see anything there.*
   In written Welsh, the negative particle **ni** precedes these forms, as in 'Ni **dd**arllenodd e ddim o'r Beibl' and 'Ni **w**elais i ddim yno', and causes Soft Mutation with verbs beginning in **g, b, d, ll, m, rh.** Inflected verbs beginning in **c, p, t** undergo Spirant Mutation.

6 Verbs after the interrogative pronouns **Beth** and **Pwy:**
   Beth **w**eloch chi?   *What did you see?*
   Pwy **b**rynodd y tocyn? *Who bought the ticket?*

Nasal Mutation
Treiglad Llaes

Six consonants are affected by Nasal Mutation:
c > ngh; p > mh; t > nh; g > nh; b > m; d > n.

1 After the personal pronoun **fy:**
    fy **ngh**artref *(my home);* fy **mh**oced *(my pocket);* fy **nh**afod *(my tongue);* fy **ng**obaith *(my hope);* fy **m**rawd *(my brother);* fy **n**rws *(my door).*

2 After the preposition **yn:**
    (In certain instances **yn** itself changes to **yng** or **ym**
        yn + c > yng ngh-
        yn + g > yng ng-
        yn + p > ym mh-
        yn + b > ym m-
    When **yn** precedes **m** it changes to **ym** even though there is no mutation.)
    yng nghorff y dyn *(in the man's body);* **ym mh**lwyf Llangyfelach *(in the parish of Llangyfelach);* yn **nh**re Caerfyrddin *(in Carmarthen town);* **yng ng**olau'r gannwyll *(in the candle-light);* **ym m**reichiau Myfanwy *(in Myfanwy's arms);* **yn nh**ywyllwch y nos *(in the darkness of the night);* yng **Ngh**aerdydd; **ym Mh**ontyberem; yn **Nh**reorci; **yng Ng**orseinon; **ym** Miwmaris; yn Ninbych; **ym** Mynwy; **ym** Maesteg; **ym** mis Mai.

3 **blwydd** *(a year old),* **blynedd** *(a year),* and **diwrnod** *(a day)* all mutate after the cardinal numbers **pum, saith, wyth, naw, deng, deuddeng, ugain** (and numbers incorporating **ugain,** such as **trigain**), and **can.**
    pum **ml**wydd oed *(five years old);* saith **ml**ynedd *(seven years);* wyth **n**iwrnod *(eight days);* deng **ml**wydd oed; deuddeng **ml**ynedd; ugain **n**iwrnod; can **ml**ynedd.
    Note: Mae Siôn yn **ddwy f**lwydd oed.   *Siôn is two years old.*
              Roedd Nia yma am **ddwy f**lynedd.   *Nia was here for two years.*
              Mae **dau dd**iwrnod cyn y parti.   *There are two days before the party.*
    See Soft Mutation – *Treiglad Meddal.*

Aspirate Mutation
Treiglad Llaes

Three consonants are affected by Spirant Mutation:
c > ch; p > ph; t > th.

1 After the personal pronouns **ei** (feminine), **'i** (feminine) and **'w** (feminine):
    ei **ch**aws *(her cheese);* ei **ph**en-blwydd *(her birthday);* ei **th**ad-cu *(her grandfather);* o'i **ch**artref *(from her home);* o'i **ph**en i'w **th**raed *(from her head to her feet).*

2 After the cardinal numbers **tri, chwe:**
    tri **chw**pan *(three cups);* tri **ph**erson *(three persons);* chwe **ph**lentyn *(six children);* chwe **th**estun *(six subjects).*

3 After the prepositions **â, gyda, tua:**

torri bara â **ch**yllell	*cutting bread with a knife*
cerdded gyda **th**ad y ferch	*walking with the girl's father*
gweithio gyda **ch**yfaill	*working with a friend*
mynd tua **Ph**entre-Bach	*going towards Pentre-Bach*
aros tua **th**ymor	*waiting about a term*

4 After the conjunctions **a** *(and)*, **na** *(nor, than)*, **oni** *(until, unless)*:
dŵr a **th**an *(water and fire)*; ci a **ch**ath *(a dog and a cat)*; na **ph**en na **ch**wt *(nor head nor tail)*; yn fwy na **ph**unt *(more than a pound)*; yn gochach na **th**ân *(redder than fire)*; oni **ch**lywaf *(Unless I shall hear)*

5 After the adverbs **â** *(as)*, **tra** *(very/exceedingly)*:

cyn drymed â **ph**lwm	*as heavy as lead*
cyn oered â **ch**lai	*as cold as clay*
tra **ch**aredig	*very kind*
tra **th**ywyll	*exceedingly dark*

6 After the negative form of the relative pronoun **na:**

Dyma'r ferch na **th**alodd am ei llyfr.	*This is the girl who did not pay for her book.*

Only verbs beginning in **c, p, t** and following **na** in this context are affected by Spirant Mutatuion. For verbs beginning in **g, b, d, ll, m, rh** after the negative pronoun **na** see Soft Mutation – *Treiglad Meddal.*

7 Negative forms of inflected verbs (Compact Forms):

Chlywais i ddim sŵn.	*I didn't hear a sound.*
Thalodd e ddim.	*He didn't pay.*
Phrynais i ddim o'r esgidiau.	*I didn't buy the shoes.*

In written Welsh, the negative particle **ni** precedes these forms, as in 'Ni **ch**lywais i ddim sŵn' and 'Ni **th**alodd e ddim', and causes Spirant Mutation with verbs beginning in **c, p, t.** Inflected verbs beginning in **g, b, d, ll, m** and **rh** undergo Soft Mutation.

Notes: nodiadau

Notes: nodiadau

Notes: nodiadau

Notes: nodiadau

Notes: nodiadau